gen
Grupo
Editorial
Nacional

CB041896

O CAVALO

Características, Manejo e Alimentação

O CAVALO

Características, Manejo e Alimentação

André Galvão de Campos Cintra

Médico Veterinário formado pela Faculdade de Medicina Veterinária e Zootecnia da Universidade de São Paulo, em 1991. Especialista em Gestão de Empresas e Negócios com ênfase em Marketing *e MBA em Gestão de Empresas e Negócios pela Metrocamp, Campinas. Mestrando na Área de Etologia e Comportamento Equino da Faculdade de Zootecnia e Engenharia de Alimentos da Universidade de São Paulo.*

Presidente da Associação Brasileira de Criadores do Cavalo Bretão nos biênios 2003/2005 e 2007/2009 e Vice-Presidente no biênio 2009/2011. Professor de Produção de Equinos, Gestão do Agronegócio, Nutrição Animal, Alimentação Animal e Bem-estar Animal na Graduação e Pós-graduação. Consultor nas áreas de Manejo, Comportamento e Nutrição Equina. Escreve artigos para diversos sites *e revistas especializadas.*

- O autor deste livro e a editora empenharam seus melhores esforços para assegurar que as informações e os procedimentos apresentados no texto estejam em acordo com os padrões aceitos à época da publicação, *e todos os dados foram atualizados pelo autor até a data da entrega dos originais à editora*. Entretanto, tendo em conta a evolução das ciências, as atualizações legislativas, as mudanças regulamentares governamentais e o constante fluxo de novas informações sobre os temas que constam do livro, recomendamos enfaticamente que os leitores consultem sempre outras fontes fidedignas, de modo a se certificarem de que as informações contidas no texto estão corretas e de que não houve alterações nas recomendações ou na legislação regulamentadora.

- O autor e a editora se empenharam para citar adequadamente e dar o devido crédito a todos os detentores de direitos autorais de qualquer material utilizado neste livro, dispondo-se a possíveis acertos posteriores caso, inadvertida e involuntariamente, a identificação de algum deles tenha sido omitida.

- **Atendimento ao cliente: (11) 5080-0751 | faleconosco@grupogen.com.br**

Publicado pela Editora Roca, um selo integrante do GEN | Grupo Editorial Nacional
Travessa do Ouvidor, 11
Rio de Janeiro – RJ – CEP 20040-040
www.grupogen.com.br

- Assessora Editorial: Maria del Pilar Payá Piqueres
- Assistente Editorial: Lilian Sorbo Menilo
- Coordenador de Revisão: Queni Winters
- Coordenador de Diagramação: Marcio Barreto
- Foto da Capa: Ney Massi (criador: Ricardo Bacelar Wuerkert – Haras das 8 Virtudes)
- Capa: Rosangela Bego

- Ficha catalográfica

C518c

Cintra, André Galvão de Campos
O cavalo: características, manejo e alimentação / André Galvão de Campos Cintra. – [Reimpr.]. - São Paulo : Roca, 2025.

Apêndice
Inclui bibliografia
ISBN 978-85-7241-869-0

1. Cavalo – Alimentação e rações. 2. Cavalo – Nutrição. 3. Medicina Veterinária. I. Título.

10-1228.

CDD: 636.1085
CDU: 636.1084

Aos cavalos: que este livro seja uma pequena contribuição para tornar sua vida mais fácil junto aos homens.

Agradecimentos

A Deus, acima de tudo. Pois somente por Ele, e com sua grande contribuição, pude escrever estas palavras.

À minha esposa Susana e meus amados filhos, Camilla e Leonardo, fonte de minha inspiração e perseverança para continuar no meio equestre.

A meus pais, Beatriz e João Baptista, pilares de minha formação moral, espiritual e de vida. Foi com eles que tudo começou, nos idos de 1978, com a aquisição dos primeiros animais Quarto de Milha.

Aos meus irmãos Maria Angélica, Tarcísio, Regina, Renata, Luis Fernando e Beatriz (*in memoriam*). Por serem simplesmente meus irmãos, meu muito obrigado.

Ao amigo, colega, veterinário Thomaz Montello, que sempre me honrou, respeitou e incentivou na área de Nutrição Equina, e que me deu a grata satisfação de aceitar escrever o prefácio deste livro.

Ao amigo e inspirador, hipólogo Sérgio Lima Beck, autor de meu primeiro livro técnico sobre cavalo, grande incentivador nos últimos anos de minha carreira profissional, que também muito me honra ao prefaciar este livro e que teve papel inestimável no capítulo sobre raças, além de me agraciar com a coautoria de outro livro sobre *Gerenciamento de Haras*.

Ao colega, amigo e primo Luiz Fernando Rapp Pimentel, veterinário especialista e mestre em Odontologia Equina, autor do capítulo sobre Dentição.

Aos amigos e profissionais: Paula da Silva, fotógrafa internacional, Ana Clark e Ney Messi, também fotógrafos, a Marisa e Paulo Correia da Costa, do Haras Lagoinha em Jacareí, SP, ao amigo Ricardo Bacelar Wuerkert, titular do Haras das 8 Virtudes, Amparo, SP, à minha filha Camilla e minha esposa Susana, que forneceram muitas das fotos que ilustram este livro.

Aos amigos, primos e colegas de área profissional, os irmãos Pupo: Eduardo, Roberto e Nelson. Sempre me incentivando e mostrando os primeiros passos da área equestre nos idos dos anos 1980. Boas lembranças.

Ao amigo, hipólogo e profundo conhecedor de cavalos, Alfredo Amaral, que me deu a honra de ler o original e enriquecer a obra com seus conselhos.

Aos amigos Dra. Claudia Leschonsky, Dr. Aluisio Marins, da Universidade do Cavalo, Dr. Aldo Moraes e Dra. Denise Venturelli, da Clínica Equisport e Dr. Valnei Pacola, do Equicenter, veterinários e amigos, parceiros e colegas do meio equestre, que muito me auxiliaram nesses anos.

Aos amigos da Coudelaria Desempenho, Bjarke e Mara Rink, e todos do Fórum Desempenho, aos amigos do Centro Hípico Hipocampo, em Amparo, SP, e a todos aqueles não citados, mas sempre lembrados por tudo que contribuíram em minha vida, profissional e pessoal.

A todos os amigos e colegas veterinários que, de uma forma ou outra, contribuíram para que este livro pudesse ser escrito.

A toda a equipe da Revista Horse, que sempre nos apoiou profissionalmente, abrindo espaço na revista para divulgação de nosso trabalho e contribuindo com algumas fotos que ilustram este livro.

À Editora Roca e toda a sua equipe, que acreditaram em meu trabalho e incentivam autores brasileiros a publicarem suas obras, contribuindo desta forma para a boa formação intelectual de mestres e alunos.

E, finalmente, "Aos Cavalos", isso tudo é por eles e para eles.

Sobre o Autor

André Galvão de Campos Cintra é Médico Veterinário formado pela Faculdade de Medicina Veterinária e Zootecnia da Universidade de São Paulo, em 1991. Especialista em Gestão de Empresas e Negócios com ênfase em *Marketing* e MBA em Gestão de Empresas e Negócios pela Metrocamp, Campinas, e Mestrando na Área de Etologia e Comportamento Equino da Faculdade de Zootecnia e Engenharia de Alimentos da Universidade de São Paulo.

Criou cavalos Quarto-de-milha, de 1978 a 1983, e Mangalarga, de 1982 a 1992. Desde 1999, dedica-se à criação de cavalos da raça Bretão.

Foi Gerente Nacional de Empresa do Setor de Alimentação Animal por cinco anos, sendo responsável pela linha de Equinos e Avestruzes.

Foi Coordenador Nacional do Comitê de Equinos da Anfal, entidade que congrega as principais empresas de alimentação animal do país, e também foi consultor da Revista *Alimentação Animal*, editada pelo Sindam (Sindicato das Indústrias de Alimentação Animal).

Em 2002, desligou-se do setor industrial, passando a trabalhar com Consultoria Nutricional e Manejo para Equinos. Sua principal realização no setor empresarial foi levar, para dentro da indústria de alimentação animal, o conceito de preocupação com o bem-estar do cavalo, lembrando sempre que não há bom manejo nutricional sem boa qualidade e disponibilidade do volumoso.

Trabalhou com cavalos de diversas raças como PSI, QM, Paint Horse, Mangalarga, Mangalarga Marchador, Pampa, Appaloosa, Bretão, Percheron, Campolina, Crioulo, Andaluz, Lusitanos, BH, Árabe, Anglo-árabe, Clydesdalle e Pantaneiro e também de modalidades Equestres como Enduro, Conformação, Concurso Completo de Equitação (CCE) (Equipe Olímpica Brasileira de CCE na preparação das Olimpíadas de Sydney 2000), Salto (Cavaleiro Olímpico Doda, entre outros), Trabalho (como Apartação, Baliza, Tambor, Rédeas), Cavalgadas, Corridas, *Raids*, Atrelagem, Adestramento, Marcha, Vaquejada, Freio de Ouro, Equitação de Trabalho, Hipismo Rural, *Team Penning* e Volteio.

Presidente da Associação Brasileira de Criadores do Cavalo Bretão nos biênios 2003/2005 e 2007/2009, e Vice-Presidente da entidade no biênio 2009/2011.

Professor de Produção de Equinos, Gestão do Agronegócio, Nutrição Animal, Alimentação Animal e Bem-estar Animal na Graduação e Pós-graduação sendo, atualmente, professor responsável por essas disciplinas na Faculdade de Jaguariúna.

É consultor nas áreas de Manejo, Comportamento e Nutrição Equina e escreve artigos para diversos *sites* e revistas especializadas.

Email para contatos: andre@vongold.com.br; *site* www.vongold.com.br

Prefácio I

Quando recebi o convite para fazer este prefácio, fiquei muito honrado, principalmente após ter lido o livro de conteúdo científico com grande importância para médicos veterinários, zootecnistas, estudantes e amantes dos equinos. Dr. André Cintra, por ter uma formação diversificada, uma linguagem fácil, conseguiu, como amante de cavalos que é, reunir neste livro informação ampla para ótima saúde e produtividade dos equinos. O livro fornece tópicos-chave, dando conhecimento essencial daquilo que é pertinente para uma formação profissional. Com certeza, um grande legado.

THOMAZ G. MONTELLO
Médico Veterinário, Diretor Veterinário durante 25 anos da Confederação Brasileira de Hipismo, Médico Veterinário da Equipe Brasileira de Hipismo em Mundiais, Copas do Mundo, Sul Americanos e Olimpíadas. Responsável Clínico pelos principais cavaleiros nacionais e internacionais. Atuou como Veterinário de Equipe da Arábia Saudita e Argentina em Olimpíadas e Mundiais. Secretário Geral da Confederação Brasileira de Hipismo durante uma gestão.

Prefácio II

A Hipologia no Brasil nunca foi muito pródiga de literatura equestre generalista.

De obras especializadas em um ou dois assuntos, até que dispomos razoavelmente.

Especialistas que entendem muito de poucas coisas já temos bastantes.

Hipólogos, no sentido mais amplo da palavra, aqueles que conhecem todas as facetas e todo o universo dos equinos e suas raças, não há muitos.

Só de quando em quando, muito espaçadamente, surgem obras de peso.

De fato, conhecer o cavalo de uma maneira generalista e, ao mesmo tempo, a fundo não é nada fácil. O universo é muito grande e as áreas de conhecimento são muito variadas. Criação, Sanidade, Etologia, Nutrição, Equitação, História, Evolução, Melhoramento Genético, Atrelagem, Etnologia, etc. são estudos e práticas equestres para uma vida toda. Poucos foram, entre nós brasileiros, os hipólogos que se aventuraram a escrever, numa só obra, sobre a maioria desses temas.

Salvo algum esquecimento, podemos começar no início do século XX com a obra de Paulo de Lima Correa, *Criação do Cavalo* (SP, 1927). Depois, tivemos a junção da poesia com a técnica na magistral obra de Guilherme Hermsdorff, *Zootecnia Especial – tomo I – Eqüídeos* (RJ, 1933). Na sequência, veio A. Chieffi com *Criemos Bons Eqüídeos*, publicação do Ministério da Agricultura (1944). A seguir, tivemos o saudoso general Diogo Branco Ribeiro com *O Cavalo e o Burro de Guerra e de Paz* (1956). José Alípio Goular escreveu o precioso *O Cavalo na Formação do Brasil* (1964, Editora Letras & Artes, RJ). Para os que hoje têm 50 ou mais anos de idade, *Criação do Cavalo e de Outros Eqüinos*, de Paravicini Torres e Valter Jardim (1977, Livraria Nobel, SP), foi um livro-base. Depois disso, tivemos um tal de Sérgio Lima Beck, que escreveu *Eqüinos: Raças, Manejo e Equitação* (Editora dos Criadores, SP, 1985), mas que deixo de comentar por questão de modéstia. Cabe ainda citar o didático *A Criação e a Nutrição de Cavalos* (Editora Globo, 1987), de autoria de Losito de Carvalho e Cláudio Haddad. Prosseguindo, tivemos outra contribuição do general Diogo Branco Ribeiro com *O Cavalo: Raças, Qualidades e Defeitos* (Editora Globo, RJ, 1988).

Após um longo período de abstinência literária equestre generalista, mais precisamente 21 anos depois da última obra de Branco Ribeiro, André Galvão Cintra nos apresenta sua obra magistral *O Cavalo: Características, Manejo e Alimentação.*

De todas as obras citadas, ousaria dizer que esta é a mais completa e atualizada, pois trata de quase todos os assuntos equestres com invulgar conhecimento, muita profundidade e grande amor, haja vista que o autor dedicou este trabalho aos próprios equinos. Em especial, os capítulos sobre Etologia (Comportamento) e Nutrição são de uma riqueza sem igual em obras brasileiras.

Não era para menos. O autor desta obra vem de uma tradicional família de equinocultores. Além de veterinário, professor de Equinocultura na Faculdade de Veterinária de Jaguariúna, SP, criador, técnico de registro de algumas raças, cavaleiro, consultor em Zootecnia de equinos, presidente da Associação Brasileira de Criadores do Cavalo Bretão por duas gestões, mestrando de Etologia na Universidade de São Paulo e um dos maiores especialistas em nutrição de cavalos, André Cintra só poderia produzir uma obra instrutiva e apaixonante como esta.

Parabéns a ele por este grande contributo à Equinocultura brasileira.

E felizes os equídeos que, agora, no nosso país, contarão com um valioso aliado para serem mais bem conhecidos, mais bem tratados e mais bem respeitados.

Equestremente,

Sergio Lima Beck
Professor no Curso Superior de Ciências Equinas na Pontifícia Universidade Católica do Paraná e na Universidade do Planalto Catarinense, além de autor de DVDs e livros equestres.
São Paulo, 2011

Introdução

A ideia de escrever este livro surgiu há alguns anos ao observarmos a deficiência que existe no meio equestre brasileiro de uma obra dedicada aos cavalos sob o ponto de vista nacional.

O que existe disponível são somente obras importadas, cuja criação é focada no ponto de vista europeu ou americano, nem sempre condizente com a realidade do Brasil, ou ainda obras voltadas quase exclusivamente a determinadas raças, enfocando suas origens e padrão, e não o cavalo como um todo e de forma generalizada.

No que diz respeito à primeira parte do livro – *O Cavalo* – buscamos uma identidade somente nossa, com base no que encontramos no Brasil. Na segunda parte – *Manejo e Alimentação* – buscamos um manejo focado na realidade brasileira, mas, na parte de alimentação, especialmente no que diz respeito às necessidades, tivemos que trabalhar com os níveis recomendados pelo Institute National de la Recherche Agronomique (INRA), da França, parâmetros utilizados em toda a Europa, e pelo National Research Council (NRC), dos Estados Unidos, utilizados nas Américas, pois as pesquisas brasileiras referentes às necessidades dos equinos são incipientes. Pessoalmente, prefiro o padrão europeu (INRA), por achar que se preocupa mais com a qualidade de vida mais a longo prazo do animal. De qualquer forma, ambos os padrões são descritos nos capítulos respectivos. Cabe ao leitor definir qual padrão nutricional atende melhor às necessidades do seu cavalo.

> **"RESPEITAR A NATUREZA DO CAVALO."**
> **"BUSCAR SEMPRE O EQUILÍBRIO FÍSICO E MENTAL DO CAVALO."**

Quando se trabalha com cavalos, para se obter o melhor resultado por longo prazo, devemos seguir os dois conselhos destacados anteriormente.

Ao respeitarmos sua natureza, buscando sempre o equilíbrio físico e mental, podemos obter algum tipo de resultado, seja na criação, no esporte ou no lazer, oferecendo condições de vida, alimentares e de manejo adequadas.

Por sua natureza, o cavalo é um animal herbívoro (isto é, alimenta-se de capim) e gosta de liberdade e a melhor forma de criá-lo ou mantê-lo é em piquetes ou pastagens; mas isso nem sempre é possível, principalmente nos grandes centros, onde o mantemos em baias, que devem ser adequadas, como veremos mais adiante.

Mas, mesmo nesses locais, é imprescindível que possamos soltar os cavalos em piquetes, redondéis ou mesmo um pequeno solário, onde o animal possa correr com um pouco de liberdade e tomar sol, imprescindível para o bom desenvolvimento e para a saúde do cavalo, por pelo menos 2h diárias.

O equilíbrio físico parece básico e fácil de ser obtido. Podemos facilmente suprir as necessidades do cavalo, saber o quanto ele precisa, bastando apenas consultar livros de necessidades dos cavalos, fazer as contas de quanto cada alimento oferece e balancear a dieta para suprir suas necessidades (as tabelas referentes às suas necessidades estão nos respectivos capítulos a seguir).

Ocorre que equilíbrio não é somente isso. Equilíbrio é oferecer ao cavalo aquilo que ele necessita sem deficiências nem excessos. E aqui está o problema: saber até onde oferecer, saber quando parar.

Os excessos podem ser tão prejudiciais quanto as deficiências (em éguas prenhes, por exemplo, os sintomas de excesso e deficiência energética são os mesmos), porém são mais difíceis de serem detectados. Afinal, todos gostam de ver um animal gordo, sadio, esbanjando saúde. Exatamente por isso devemos nos preocupar com esse equilíbrio físico, pois excesso de peso, apesar de nos parecer bonito aos olhos, pode ser muito prejudicial aos animais, quer sejam éguas e garanhões em reprodução, potros em crescimento, animais de esporte e trabalho ou mesmo cavalos em manutenção.

Já o equilíbrio mental deve ser obtido para que o animal possa aproveitar melhor os nutrientes que lhe fornecemos e possa convertê-los em produtividade. O estresse traz consequências nefastas aos animais e deve ser evitado e prevenido ao máximo, sob o risco de comprometer todo o desempenho do cavalo, qualquer que seja a categoria à qual ele pertence (ver Cap. 24).

Genética × Alimentação × Manejo/Treinamento

Todo cavalo é fruto de um tripé:

Genética × alimentação × manejo/treinamento

A genética define características intrínsecas do animal, grupos musculares adequados e capacidade cardiorrespiratória, que lhe permite desempenhar a função a que se destina.

A alimentação é fundamental para exteriorizar ao máximo o potencial genético que lhe propusemos.

O manejo define a forma com que tratamos os cavalos. O manejo adequado, respeitando sua natureza ou nos aproximando ao máximo desse respeito, faz com que o animal tenha o melhor aproveitamento possível da alimentação que lhe destinamos, podendo assimilar e melhor desempenhar a função genética inicialmente proposta.

Para cavalos de esporte, devemos ainda acrescentar um quarto fator, o treinamento. Este é fundamental para a boa *performance* do animal e determinar seu potencial de desempenho máximo com treinamento adequado, mas cabe ressaltar que esse desempenho máximo é altamente dependente dos outros três fatores, sendo, dessa forma, uma somatória desses quatro fatores. Dessa maneira, descuidar de qualquer um desses quatro pontos certamente comprometerá a *performance* máxima do animal.

O objetivo principal deste livro é levar ao amante do cavalo, profissional, criador, proprietário, ou apenas curioso, de forma clara e simples, as principais necessidades do cavalo, como este funciona em seu comportamento e nos seus sentidos e a alimentação mais indicada para cada tipo de uso a que destinamos nosso nobre amigo equestre.

Colaborador

Luiz Fernando Rapp Pimentel. Médico Veterinário. *Master of Science* em Cirurgia Veterinária pela Faculdade de Medicina Veterinária e Zootecnia da Universidade de São Paulo. Doutorando do Departamento de Cirurgia da Faculdade de Medicina Veterinária e Zootecnia da Universidade de São Paulo. Trabalha com Odontologia Equina desde 1998.

Índice

Parte 1 – O Cavalo 1

Capítulo 1
O Mercado de Cavalos no Brasil 3

Capítulo 2
A Origem dos Cavalos 6

Capítulo 3
O Comportamento e os Sentidos dos Cavalos 13

Capítulo 4
Ezoognósia (Exterior dos Animais Domésticos) 45

Capítulo 5
Aprumos 53

Capítulo 6
Dentição 57
Luiz Fernando Rapp Pimentel

Capítulo 7
Pelagem 71

Capítulo 8
Resenha 94

Capítulo 9
Melhoramento Animal: Bases de Seleção Genética 109

Capítulo 10
Raças de Cavalos Criadas no Brasil 124

Parte 2 – Manejo e Alimentação 155

Capítulo 11
Instalações para Equinos 164

Capítulo 12
Anatomia e Fisiologia do Aparelho Digestivo 203

Capítulo 13
Grupos de Nutrientes 207

Capítulo 14
Energia e Proteína 210

Capítulo 15
Alimentos 217

Capítulo 16
Necessidades Básicas dos Cavalos 237

Capítulo 17
Suplementos Nutricionais 251

Capítulo 18
Manejo e Alimentação de Animais em Manutenção 266

Capítulo 19
Manejo e Alimentação de Garanhões 269

Capítulo 20
Manejo e Alimentação de Éguas em Reprodução 276

Capítulo 21
Manejo e Alimentação de Potros em Crescimento 298

Capítulo 22
Manejo e Alimentação do Cavalo de Esporte e Trabalho 315

Capítulo 23
Manejo e Alimentação do Cavalo Idoso 324

Capítulo 24
Dismicrobismo, Cólica, Osteodistrofia Fibrosa, Doenças Ortopédicas Desenvolvimentares e Estresse 330

Apêndice 1
Como Avaliar um Produto Nutricional 337

Apêndice 2
Um Haras é uma Empresa 343

Apêndice 3
Manejo Sanitário dos Equinos 348

Apêndice 4
Confecção de Dieta: Exemplo Prático 352

Associações de Raças 356

Bibliografia Complementar 357

Índice Remissivo 359

Foto: Paula da Silva

Parte 1

O Cavalo

Nesta primeira parte do livro, iniciaremos os conhecimentos sobre essa nobre espécie animal.

Abordamos desde o mercado de cavalos no Brasil para o século XXI, sua evolução nos milhares de anos e seu comportamento, de forma a entender e compreender melhor suas atitudes para melhor podermos nos relacionar com ele.

Passaremos, então, pelas características zootécnicas, aprumos, pelagem e resenha, de forma a melhor identificarmos nosso cavalo.

Um capítulo de destaque é sobre a dentição. Além de entendermos a identificação da idade pela observação do desgaste dentário, abordamos também as principais afecções que acometem a saúde bucal equina e seus cuidados, de forma a podermos propiciar melhor qualidade de vida ao animal.

E, finalizando esta parte, abordamos as bases para uma boa seleção genética e discorremos sucintamente sobre as raças de cavalos do Brasil, com entidades oficiais representativas.

Capítulo 1

O Mercado de Cavalos no Brasil

O cavalo exerceu um importante papel na formação econômica, social e política do Brasil. Essa memória, pouco discutida na literatura, permite compreender aspectos fundamentais para a configuração do atual perfil do agronegócio do cavalo.

Como bem está descrito no *Estudo do Complexo do Agronegócio Cavalo* sobre a importância do cavalo na formação do Brasil[1], cita-se que:

> No aspecto econômico, desempenhou as funções de sela (para o vaqueiro e o peão, nas lides comuns à pecuária); de carga (nos comboios ou comitivas); e de tração ("motor" de veículos de carga e de moendas). No aspecto social – englobando exibicionismo, vaidade, orgulho e diferenciação social – o cavalo desempenhou seu papel tanto na função de sela quanto de tração dos veículos. A partir da segunda metade do século XIX, destacam-se no aspecto social as atividades de esportes e lazer, como corrida e salto.

Neste novo milênio, realçam-se mais ainda estas aptidões equestres, e a procura pelo lazer por meio do cavalo é muito grande.

O mercado equestre ainda é subdimensionado, tendo muitos campos a serem explorados, mas a equideocultura é parte integrante da economia nacional.

O mercado de cavalos no Brasil está em franca ascensão.

Os primeiros anos da década de 1990, no final do século XX, trouxeram uma dura realidade ao mercado de cavalos, artificialmente aquecido durante as décadas de 1970 e 1980. Preços de cavalos, que antes facilmente alcançavam preços de carros de luxo, despencaram assustadoramente.

Àquela época, alguns criadores quiseram adotar medidas, como as adotadas pelos Estados Unidos, para segurar o preço dos cavalos, como reduzir, em comum acordo com todas as raças, o número de animais criados por todos. Menor oferta, melhores preços.

Entretanto, algumas raças diziam que a crise não era com elas e não aderiram a essa campanha. Mas isso acabou por acontecer naturalmente, pois, como não havia preço para os animais, mais de 80% dos criadores abandonaram seus criatórios, disponibilizando os animais a preços irrisórios para o mercado. Claro que essa crise afetou todos os setores ligados ao cavalo, como as indústrias de alimentos, suplementos, medicamentos e produtos equestres.

Mas essa disponibilidade de cavalos a preço baixo, que a princípio desesperou muitos criadores, acabou por criar novas modalidades de mercado, que hoje se tornam mais interessantes para a indústria ligada ao cavalo.

Muitas pessoas, amantes do cavalo, que não adquiriam um por seu alto preço, conseguiram ter seu primeiro cavalo a um preço muito convidativo (muitas vezes de graça), criando e movimentando um setor tímido antes da crise, que é o de lazer.

Essas pessoas, porém, não tinham onde colocar seus cavalos. Mais um segmento que cresceu muito nesta última década: as pensões, baias de aluguel e pequenos Centros Hípicos em cidades que antes nada tinham.

Diversas cidades passaram a contar com muitos cavalos ligados ao lazer, apenas para passeio, mas que movimentam bastante o comércio local, dando novo impulso à indústria do cavalo.

Antes, poucos proprietários com muitos cavalos; hoje, muitos proprietários com poucos cavalos. Tornou-se mais fácil cuidar melhor de seus cavalos, abrindo uma nova frente para a indústria ligada ao cavalo: produtos de beleza (xampus, condicionadores), suplementos nutricionais e equipamentos hípicos passaram a ter uma importância muito grande para compor o conjunto cavalo/cavaleiro para passeio.

Muitas cidades passaram a organizar cavalgadas e desfiles coincidindo com as festas de peão de rodeio, que também tiveram seu crescimento nessa época.

Paralelamente a esse movimento do cavalo de passeio e lazer, um outro segmento teve uma trajetória muito positiva, consolidando uma nova era para o futuro do cavalo no Brasil: cavalos para esporte.

O segmento de cavalos de esporte tem diversas modalidades, como enduro, provas de trabalho e rédeas, hipismo clássico (graças, em parte, aos ótimos resultados obtidos pelos nossos atletas no exterior, com destaque para Rodrigo Pessoa, único tricampeão mundial e medalha de ouro na Olimpíada de Atenas, 2004), e mesmo em modalidades nem tão tradicionais como Adestramento, destaque do Pan-americano de 2007, e no Hipismo Paraolímpico, em que o Brasil vem ganhando medalhas tanto no individual como por equipes na Paraolimpíada Equestre.

Esses novos segmentos trazem uma perspectiva muito positiva, tanto aos criadores, que têm consumidores para seus cavalos, apenas com um perfil diferente daquele da última década (antes, cavalos para criar, hoje, cavalos para utilizar), como também para a crescente indústria ligada ao cavalo.

São consumidores cada vez mais exigentes com os benefícios que podem ter para seu cavalo, ávidos por novidades, porém também por qualidade e informações técnicas.

A cada dia mais e mais empresas começam a produzir produtos para os equinos, tendo, na maioria das vezes, o cuidado de procurar oferecer produtos de real qualidade e que tragam benefícios para os cavalos.

Ao chegarmos a uma loja de produtos equestres, sempre aparece um produto novo, de uma empresa que, antes desconhecida no setor, está entrando com produtos de qualidade para nossos animais. Isso somente pode demonstrar o interesse econômico que esse segmento está despertando.

Aliada a isso, a procura por profissionais competentes e de real valor também tem se intensificado.

O Brasil é o terceiro maior criador de cavalos do mundo, com quase seis milhões de cabeças, perdendo apenas para China e México.

É o terceiro maior mercado de produtos veterinários, atrás apenas de Estados Unidos e Japão. O mercado brasileiro de medicamentos apresentou um significativo crescimento nominal no período entre 1997 e 2004 – quando as vendas mais que dobraram, de R$ 923.629.719,00 para R$ 2.058.202.871,00 – em termos reais. Estima-se que os produtos para equinos representam 2,6% desse mercado, respondendo por R$ 54.142.630,20 de faturamento da indústria em 2004. É importante destacar que muitos criadores, proprietários e tratadores utilizam, no plantel de equinos, medicamentos originalmente produzidos para outras espécies, destacando-se os produtos direcionados para bovinos e, também, medicamentos para humanos.

O mercado de cavalos pode ser dividido em quatro categorias, de acordo com a capacidade de consumo:

1. Equinos destinados ao esporte: Inclui centros de treinamento, jóqueis, propriedades particulares e hípicas.
2. Equinos destinados à criação: O segmento de criação, ou haras, que apresentou acentuado declínio na década de 1990, estando hoje estabilizado em relação aos demais segmentos, acompanhando as movimentações do mercado em conjunto.
3. Equinos destinados ao lazer: A redução da importância do haras resultou em queda dos preços dos cavalos, facilitando o acesso de maior número de pessoas. Isso fez com que o segmento de lazer crescesse durante a década de 1990. Atualmente, é o segmento que tem o maior mercado potencial de consumo. O mercado de lazer – menos técnico, menos especializado e menos exigente – tem potencial expressivo de crescimento: estima-se que poderia ser seis vezes maior do que é hoje, segundo dados da Confederação Nacional da Agricultura.
4. Equinos de trabalho: Utilizados na lida diária com gado. Representam quase 85% do rebanho equino brasileiro, porém são responsáveis por pequena parcela de consumo da indústria equestre.

978-85-7241-869-0

O *Complexo do Agronegócio Cavalo* é de grande importância para o Brasil. As estimativas calculadas com base em critérios conservadores indicam, em 2006, que o complexo movimentou valor econômico superior a R$ 7,3 bilhões anuais. Estima-se cerca de 640.000 pessoas ocupadas. Considerando que cada emprego direto corresponde a quatro empregos indiretos, têm-se 3,2 milhões de empregos diretos e indiretos, relacionados ao cavalo no Brasil. Trata-se de números expressivos.

REFERÊNCIA BIBLIOGRÁFICA

1. *Estudo do Complexo do Agronegócio Cavalo* no Brasil. Centro de Estudos Avançados em Economia Aplicada da ESALQ, Confederação da Agricultura e Pecuária do Brasil – Brasília: CNA; MAPA, 2006. 68p. (Coletânea Estudos Gleba 40).

Capítulo 2

A Origem dos Cavalos

Um dos principais fatores de importância para se conhecer a origem dos cavalos é saber o tempo que a natureza demorou em fazer do cavalo um ser como é hoje. Na evolução natural, o mais forte é quem sobrevive. Desta forma, o cavalo como ele é hoje é a melhor forma que a natureza encontrou para que esse animal chegasse aos tempos atuais como um excelente companheiro para a humanidade.

Isso se revela de extrema relevância para o manejo e a lida diária, como também para o manejo da alimentação em si.

Como poderemos observar na evolução do cavalo, primeiramente ele habitava florestas e alimentava-se de folhas. Com o passar dos anos, adaptou-se às pastagens e ao convívio com outros animais, mas sendo sempre predado e nunca predador. Isso o tornou naturalmente um herbívoro, condição que deve ser sempre respeitada, gregário, que vive em manadas, e presa, fugindo sempre de predadores, condição esta que o levou a adquirir excelentes percepções do meio ambiente que o cerca. Se, porém, for pego de surpresa, ainda nos dias de hoje sua reação inicial sempre é de fuga e, caso esta não seja possível, de defesa, mas jamais de ataque gratuito.

Entre o primeiro ancestral equino de que se tem notícia, há 55 milhões de anos, e o cavalo adaptado para alimentar-se de pastagem passaram-se 30 milhões de anos. O cavalo na forma atual surgiu há apenas 40.000 anos. O homem domesticou o cavalo há cerca de 6.000 anos.

A ação da natureza demorou alguns milhões de anos para fazer com que o cavalo se adaptasse e se alimentasse de pastagens. Isso tem séria importância quando vamos manejar e alimentar os cavalos, pois a ação do homem, tão recente, não pode se sobrepor à ação da natureza. Por isso, temos tantos cavalos passando por problemas de cólicas, que em geral levam ao óbito. Da mesma forma, esses milhões de anos moldaram o comportamento do cavalo como presa e o estudo do comportamento e o conhecimento de como os cavalos veem as situações que os envolvem se tornam prioritários para um bom relacionamento homem/cavalo.

Podemos diferenciar a evolução do cavalo em sete períodos, conforme descritos a seguir e observados na Figura 2.1.

Primeiro Período

Os equídeos descendem de um animal que habitou a terra no período eoceno, há 55 milhões de anos, deno-

978-85-7241-869-0

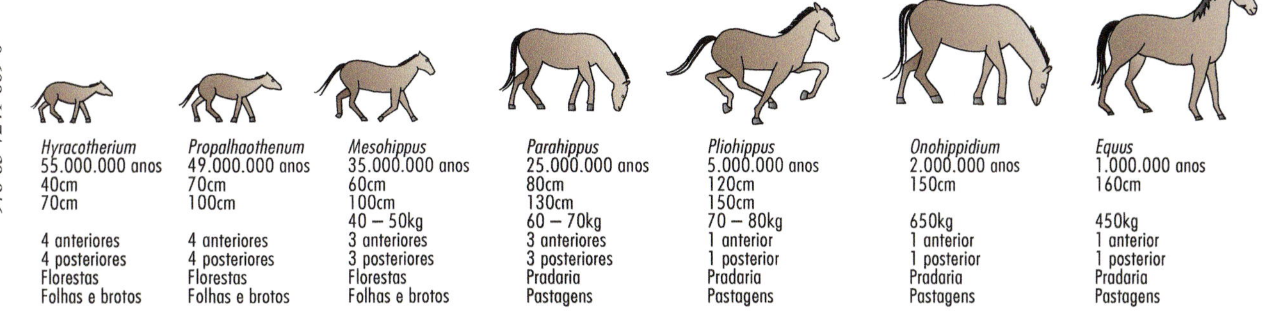

Figura 2.1 – Evolução do cavalo desde o ancestral *Hyracotherium* ao atual, *Equus*, com suas características particulares.

minado *Hyracotherium* ou *Eohippus*. Era um animal de cerca de 40cm de altura, 70cm de comprimento, com quatro dedos e dorso arqueado, o que lhe dava agilidade para correr pelos pântanos de florestas tropicais à procura de alimentos e para fugir de predadores. Possuía dentes adaptados para se alimentar de folhas tenras e brotos de plantas.

Ainda no período eoceno, há 49 milhões de anos, surgiu o *Propahaotherium*, que habitou a Europa. Tinha quatro dedos nas patas dianteiras e três nas patas traseiras, com 70cm de altura e 1m de comprimento.

Segundo Período

Já no período oligoceno, há 35 milhões de anos, destaca-se um animal de 60cm de altura, 1m de comprimento, pesando entre 40 e 50kg, com três dedos e dentição semelhante ao seu ancestral, denominado de *Mesohippus*, portanto, ainda habitante de florestas e se alimentando de folhas e brotos de plantas.

Terceiro Período

No período mioceno, há 25 milhões de anos, apareceu o *Parahippus*, ainda com três dedos, mas já com adaptação dentária para o consumo de pastagens (dentes mais duros e arcadas adaptadas ao desgaste contínuo), com cerca de 80cm de altura e 1,3m de comprimento e pesando de 60 a 70kg.

A partir desse período, ocorreram também adaptações quanto à estrutura óssea para melhor poderem fugir dos predadores, pois passaram a habitar planícies que não possuíam a mesma segurança das florestas.

Houve fusão dos ossos rádio e ulna nos membros anteriores e tíbia e fíbula nos membros posteriores, o que impediu a rotação dos membros, mas acrescentou em velocidade de deslocamento.

O dedo médio aumentou de tamanho, em detrimento dos dedos laterais, que não mais tocavam o solo quando em estação (apesar de poderem fazê-lo quando o animal corria). A involução de seus dedos laterais ainda hoje pode ser observada nas castanhas (na altura dos joelhos e do curvilhão) e no esporão ou machinho (na altura dos boletos).

Provavelmente, nessa fase, desenvolveram a excelente capacidade visual de longa distância e o apuramento de todos os seus sentidos, com excelente audição, podendo ouvir predadores a longa distância, olfato muito apurado, capaz de sentir o cheiro de inimigos a 2km de distância (sentido este amenizado nos dias atuais) e uma excelente capacidade tátil de seus cascos, capaz de perceber imperfeições do terreno de forma a adquirir grandes velocidades sem sofrer acidentes.

Quarto Período

Na era do plioceno, há cinco milhões de anos, apareceu o *Pliohippus*, já somente com um dedo e arcada dentária adaptada para o consumo de forragens, do porte de um jumento, com cerca de 1,2m de altura, 1,5m de comprimento, pesando entre 70 e 80kg.

Quinto Período

Há cerca de dois milhões de anos surgiu, no período pleistoceno, na América do Norte, Bolívia e Argentina, o *Onohippidium*. Esse gênero, somente com um dedo, bem adaptado à velocidade, com 1,5m de altura, 650kg de peso, já possuía a arcada dentária totalmente adaptada e especializada para o consumo de pastagens.

O gênero *Equus*, que antecede diretamente o cavalo moderno, apareceu no período pleistoceno há cerca de um milhão de anos, na América do Norte. O maior de todos esses exemplares encontrado é o *Equus giganteus*, com 2m de altura e 1.000kg de peso, extinto há alguns milhares de anos.

Na Figura 2.2, podemos observar a evolução dos membros do cavalo nos últimos milhões de anos.

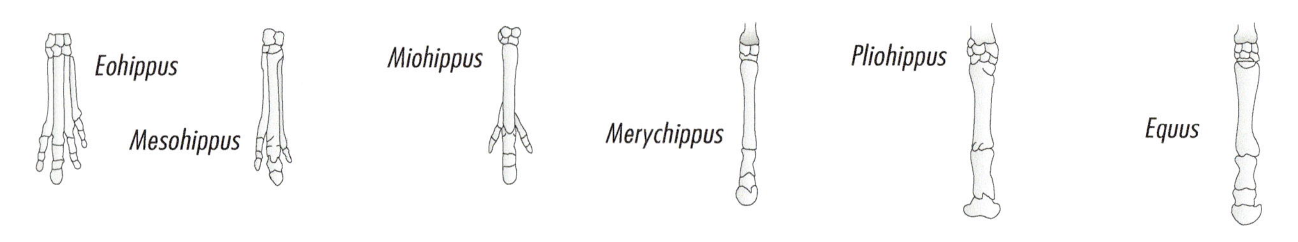

Figura 2.2 – Desenvolvimento do casco do cavalo nas diferentes espécies evolutivas.

Figura 2.3 – *Equus caballus*. Foto: Fátima Deanna Buono.

Sexto Período

No período holoceno, há cerca de 11.000 anos, o gênero *Equus*, oriundo da América do Norte, difundiu-se por todo o mundo, originando as mais diferentes espécies, influenciadas, provavelmente, por temperatura, clima, altitude, solo e alimentação:

1. *Equus caballus* (cavalo doméstico): encontrado no norte da Ásia e por toda a Europa (Fig. 2.3).
2. *Equus hemionus* (Onagro e Kiang): encontrado no centro e no sul da Ásia (Fig. 2.4).
3. *Equus asinus* (jumento): encontrado no norte da África (Fig. 2.5).
4. *Equus zebra* (zebra): encontrada por toda a África (Fig. 2.6).

Os cavalos desapareceram das Américas por volta do período terciário, por motivos desconhecidos, desenvolvendo-se na Europa e na Ásia, voltando a habitar as Américas somente a partir do século XVI, trazidos pelos espanhóis.

Três tipos de cavalos selvagens desenvolveram-se nessas regiões:

1. *Equus caballus orientalis*: eram animais chamados de "sangue quente", por seu temperamento mais ativo. Eram cavalos pequenos, bem proporcionados, esguios, de pele fina, membros altos e finos, cabeça pequena, chanfro curto e estreito, que provavel-

Figura 2.4 – *Equus hemionus*.

978-85-7241-869-0

978-85-7241-869-0

Figura 2.5 – *Equus asinus*. Foto: Rodrigo Cintra.

Figura 2.6 – *Equus zebra*.

mente originaram os cavalos de sela do Mediterrâneo (Fig. 2.7). O primeiro representante desses cavalos é o Tarpan.

2. *Equus caballus ocidentalis*: também chamados de sangue frio, por seu temperamento mais calmo, linfático. Eram animais grandes, pesados, com cauda e crina abundantes, pele grossa, de grande potência, que provavelmente originaram os cavalos de tração (Fig. 2.8).
3. *Equus przewalskii*: habitava o leste da Mongólia. Eram animais pequenos e compactos, com 1,30m, cabeça comprida e larga, crinas curtas e eretas, pelagem variando do castanho ao baio. Foram dados como extintos no início do século XX, mas, já em meados deste mesmo século, alguns exemplares foram encontrados em regiões selvagens da Mongólia, onde vivem até hoje em áreas de preservação ambiental.

Figura 2.7 – *Equus caballus orientalis.*

Domesticação

Os cavalos foram domesticados entre os anos 4.500 e 2.500 a.C., entre a China e a Mesopotâmia.

Primeiramente, foram utilizados como fonte alimentar e por volta de 1.000 a.C. difundiram-se por toda a Ásia, Europa e norte da África.

Em seguida, o homem descobriu o cavalo como animal de carga e de transporte, utilizando-o para batalhas, diversão e competição esportiva.

A conquista do cavalo pelo homem permitiu-lhe avançar mais que o limite físico humano jamais conseguiu. Aumentou sua capacidade de carga e sua velocidade, diminuíram as distâncias, aumentou sua capacidade de conquistas.

A história da humanidade está estreitamente ligada ao dorso de um cavalo. Todas as grandes conquistas até o século XX foram conseguidas graças à parceria com esse animal, citando apenas alguns animais, como Bucéfalo, de Alexandre, o Grande, e

Figura 2.8 – *Equus caballus occidentalis.*

978-85-7241-869-0

×

=

Figura 2.9 – Jumento. Foto: Revista *Horse*.

Figura 2.10 – Égua.

Figura 2.11 – Mula (fêmea) ou burro (macho).

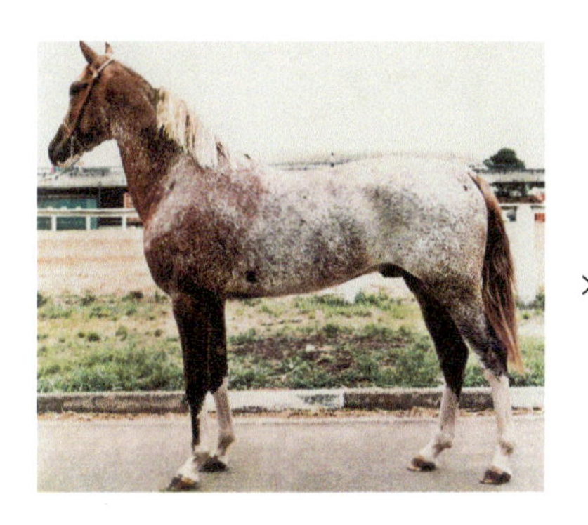

×

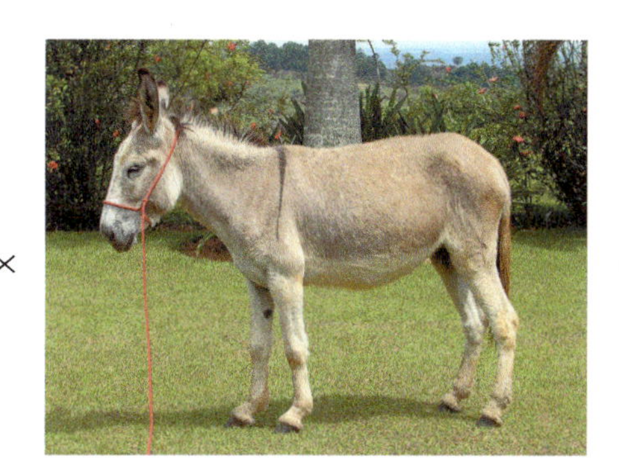

=

Figura 2.12 – Garanhão.

Figura 2.13 – Jumenta. Foto: Rodrigo Cintra.

Figura 2.14 – Bardoto.

×

=

Figura 2.15 – Garanhão.

Figura 2.16 – Zebra.

Figura 2.17 – Zebroide. Foto: Revista *Horse*.

Marengo, de Napoleão Bonaparte, passando pela gloriosa cavalaria dos Mongóis, liderada por Gengis Khan, que por muito pouco não conquistou toda a Europa.

Até o século XX, nenhuma cavalaria perdeu uma batalha, ampliando as conquistas dos homens e assombrando os que não conheciam este nobre animal, surgindo daí figuras mitológicas como o Centauro e as Amazonas.

Classificação Zoológica dos Equídeos

- Classe: *Mammalia* (mamíferos).
- Ordem: *Perissodactyla* (perissodáctilos – que possuem dedos ímpares; aqui também se encontram os rinocerontes e as antas).
- Família: *Equidae* (equinos).

- Gênero: *Equus*.
- Espécies:
  - *Caballus* (cavalo doméstico).
  - *Asinus* (jumento).
  - *Zebra* (zebra).
  - *Burchelli* (zebra).
  - *Grevyi* (zebra).
  - *Quagga* (zebra).
  - *Kiang* (hemiasno asiático).
  - *Onager* (onagro).
  - *Hemionus* (hemiono).

Os produtos do cruzamento dessas espécies produzem produtos híbridos, incapazes de se reproduzir.

1. O cruzamento de *Equus asinus* (macho) (Fig. 2.9) com *Equus caballus* (fêmea) (Fig. 2.10) produz o *burro* (macho) ou *mula* (fêmea) (Fig. 2.11).
2. O cruzamento de *Equus caballus* (macho) (Fig. 2.12) com *Equus asinus* (fêmea) (Fig. 2.13) produz o *bardoto* (Fig. 2.14).
3. O cruzamento de *Equus caballus* (Fig. 2.15) com *Equus zebra* (Fig. 2.16) produz o *zebroide* (Fig. 2.17), sendo este cruzamento muito raro de ocorrer.

Capítulo 3

O Comportamento e os Sentidos dos Cavalos

Comportamento pode ser definido como o modo pelo qual um animal se adapta ao meio em que vive, segundo Mills e Nankervis[1]. Esses autores ressaltam que:

> Podemos ver o comportamento do animal como uma manifestação externa da fisiologia interna do animal. Uma mudança qualquer é detectada no ambiente interno ou externo e é assimilada pelo animal, o que resulta em alteração no seu comportamento.

Temple Grandin, em seu livro *Na Língua dos Bichos*, cita que "o comportamento dos animais é uma mistura complexa de ações aprendidas, emoção com base biológica e comportamento instintivo inato"[2].

Com base em sua experiência pessoal e intenso estudo dos animais, a autora descreve como funciona a linha de pensamento dos animais. Os animais pensam com imagens, e não com palavras como os seres humanos. De certa forma, isso nos parece óbvio, afinal os animais não utilizam a linguagem como os humanos, mas isso se torna importante ao se refletir em nossas atitudes diárias com os animais, pois se eles pensam somente com imagens, cada imagem do mundo que os rodeia tem ação fundamental no comportamento do cavalo. Se nos deparamos com um animal que estranha o ambiente que o cerca, quer seja no ambiente em que vive ou em uma estrada quando trabalhado montado, e este ambiente tem diversos fatores que o assustam ou são desconhecidos, devemos entender e mesmo remover todos esses fatores e não apenas alguns. Todos os detalhes podem ser igualmente importantes, igualmente bons ou ruins sob o ponto de vista do cavalo.

Segundo Sérgio Lima Beck, o maior erro que se pode cometer ao se trabalhar com cavalos é procurar adaptar o ambiente à nossa tecnologia em vez de adaptar nossa tecnologia ao ambiente[3].

Isso fica claramente evidente quando se conhece mais a fundo o cavalo, pois ele tem comportamentos e hábitos que, se forem preservados, ou ao menos respeitados em sua maioria, trazem benefícios muito maiores do que se tentarmos mudar sua natureza.

Para isso, devemos tentar estudar, entender, compreender e levar em conta as inter-relações que existem entre os equinos e o meio ambiente e a forma como o cavalo se expressa.

O cavalo é um ser gregário que, quando em liberdade, sempre se reúne em grupos formando as manadas, constituídas de machos e fêmeas, somente fêmeas ou somente machos.

Quanto a essas manadas selvagens, muitos imaginam que o líder da manada é um garanhão, aquele que se destaca dentre os outros. Na verdade, a liderança da manada, em tempos de tranquilidade, em sua rotina diária, é feita por uma égua, em geral a mais velha, ficando a cargo do garanhão reprodutor a vigilância e a defesa imediata do rebanho, além da função reprodutiva, é claro. Em caso de situação de ataque de predador, o garanhão assume a liderança até colocar a manada novamente em segurança, quer seja atacando o predador ou saindo em disparada e comandando uma retirada estratégica. Quando pressente o perigo, o cavalo levanta a cabeça bem alto, procurando cheirar, ouvir e visualizar a origem do perigo, relincha e sopra forte pelas narinas, dando sinal de alerta aos outros animais da manada.

Nessas manadas, existe uma hierarquização social, em que um é o dominador e outro é o dominado, com cada cavalo tendo seu papel muito bem definido no rebanho, sem que haja brigas e conflitos. Em geral, essa hierarquia é estabelecida pela idade, força, experiência, coragem, etc.

Essa hierarquização, sendo natural ao cavalo em seus rebanhos, faz com que o cavalo tenha sempre um líder alfa a indicar seu caminho e suas atitudes. Se não reconhecer esse líder alfa, tende a assumir esta posição. Isso se torna fundamental em nossa lida diária com os cavalos, pois a todo momento o cavalo buscará reconhecer em nós essa liderança e, muitas vezes, a coloca em dúvida buscando assumir o controle. Então, dependerá de como agirmos para manter nosso controle, de forma não a submetê-lo a nossos desejos, mas sim fazer com que aceite essa nossa liderança sem mais questionamentos, sem buscar a submissão por meio da punição, mas sim buscando-a pela aceitação incondicional de nossa liderança, procurando utilizar as ferramentas de comunicação que o próprio animal utilizaria com os seus, que vem pela confiança em nossas atitudes para com ele e o meio em que vive.

Figura 3.1 – Audição.

Apesar da fuga ser o principal meio de defesa do cavalo, quando acuado ou quando o animal percebe uma possibilidade de defesa sem a fuga, utiliza-se do coice (principalmente as fêmeas) dado com as patas traseiras, de manotadas (principalmente os machos) e de mordidas. Claro que tanto machos quanto fêmeas podem se valer de qualquer um dos meios, dependendo da facilidade de utilizá-lo. Ao se manusear uma fêmea no cabresto, pela frente, e por qualquer motivo ela for se defender, pode-se valer de manotada e, da mesma forma, o macho também se vale do coice quando assim for necessário.

Para se entender melhor os cavalos, deve-se entrar em seu meio, conhecer seus métodos de comunicação e como funcionam seus sentidos. O conhecimento da percepção que o cavalo tem do mundo passa pelo conhecimento de como seus sentidos funcionam e como os cavalos se comunicam entre si e com o mundo ao seu redor.

Sentidos e Comunicação

Os cavalos se comunicam de diversas formas, valendo-se de todos os sentidos: audição, olfato, visão, paladar e tato, que têm muito bem desenvolvidos.

Audição

O cavalo tem a audição (Fig. 3.1) muito bem desenvolvida, o que lhe permite ouvir ruídos de longa distância e distinguir diversos tipos de ruídos oriundos de diversas direções e atentar a eles ao mesmo tempo, voltando a orelha para direções distintas (ver Figs. 3.2 a 3.16). Ou seja, o cavalo não só pode distinguir o som, mas determinar de que direção este veio.

Pode perceber vibrações infinitamente mais fracas que o ouvido humano e em maior escala de frequência. Isso lhe permite, na maioria das vezes, ser alertado pelo perigo por meio da audição, muito antes de sê-lo pela visão.

Entretanto, em razão dessa alta sensibilidade auditiva, muitos competidores têm que cobrir as orelhas do

978-85-7241-869-0

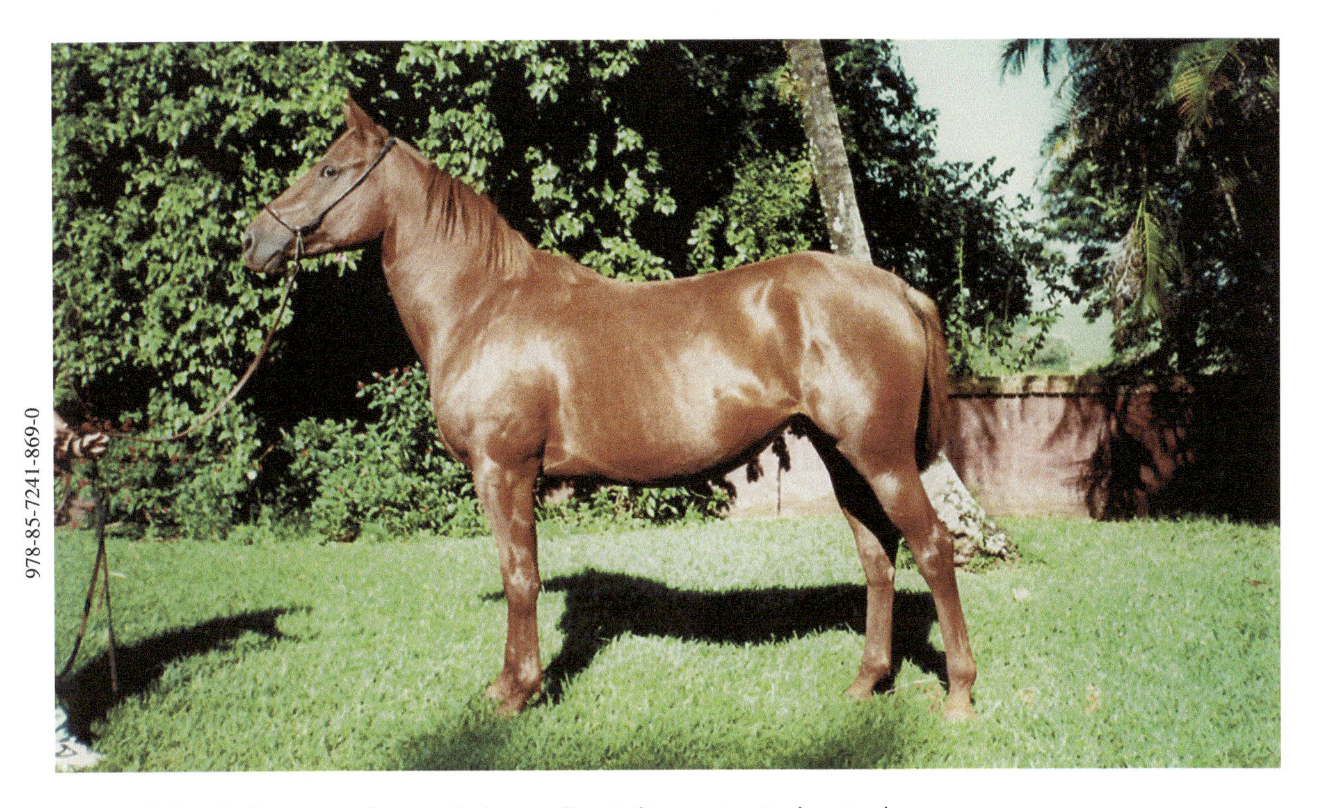

Figura 3.2 – Orelhas para a frente, aliadas ao olhar, indicam a tensão do animal.

cavalo para que este não se inquiete demais em competições, especialmente *indoor* (em ambientes fechados), em que os sons emitidos pelos alto-falantes podem prejudicar o desempenho do animal.

Além disso, exatamente por essa alta capacidade de distinguir sons de baixa frequência, o cavalo responde melhor a tons de voz mais baixos do que muito altos, os quais o farão somente querer se afastar como que correndo do perigo que a isso possa advir.

O cavalo também é muito sensível a um som repetido várias vezes com o mesmo tipo de trabalho, isto é, associa facilmente um assobio, por exemplo, a um comando ou tarefa a ser executada, desde, claro, que este som lhe seja agradável.

Sons Emitidos

Entre si, os cavalos emitem vários sons que são reconhecidos pelos outros animais e identificados para estabelecimentos de vontades e humores do cavalo.

Os sons que o cavalo emite podem ser assim distinguidos, segundo Jean de Goldfiem[4]:

- Roncos: são sopros sonoros instintivos e voluntários:
  - Sopro infrassonoro, único e prolongado: denota curiosidade com alimentação, pegadas de outro animal, arreamento.
  - Sopro infrassonoro, curto e repetido: denota inquietação.
- Relinchos:
  - Relincho grave, curto, repetido: manifestação de medo e pedido de socorro.
  - Relincho grave, alto e longo: denota cólera.
  - Relincho grave, rouco, sem modulações: antipatia, agressividade.
  - Relinchos agudos, curtos e repetidos, "a meia voz": desejo de água, grãos, acasalamento, saída.
  - Relinchos agudos, repetidos, "a plena voz": denotam grande alegria, satisfação por ver outro cavalo, o dono ou uma pastagem.
  - Relincho muito agudo, modulado, "a plena voz": denota grande alegria, em uma manhã de sol.

Na comunicação entre o homem e o cavalo, parece que a melhor língua compreendida pelo cavalo é o alemão, porém, o que mais importa nesta comunicação não é a palavra em si, mas o som que esta emite e a sensação e a emoção que transmite do homem ao animal.

O cavalo responde facilmente a sons guturais, resmungos feitos com decisão e assobios e comandos graves e determinados.

Entretanto, essa não é a única forma do homem identificar as reações e sensações do cavalo.

A observação dos movimentos do corpo, em partes específicas como orelhas, caudas e olhos, ajuda e muito a saber o que esperar de um cavalo.

Orelhas

A posição das orelhas do cavalo demonstra, de forma simples e direta, quais as suas intenções:

- Inclinação aguda para a frente: indica tensão, curiosidade ou boa intenção (Figs. 3.2 e 3.3).
- Caídas para o lado: indicam aborrecimento, cansaço ou relaxamento (Figs. 3.4, 3.5 e 3.6).
- Abaixadas e voltadas para trás: postura defensiva, animosidade, agressão (Fig. 3.7 a 3.10).
- Uma orelha voltada para a frente e outra para trás: demonstra atenção a vários sons. O cavalo tem a capacidade de perceber e identificar sons distintos e de direções diferentes (Fig. 3.11).

Importante ressaltar que essas posições de orelhas são observadas tanto no animal em liberdade como

Figura 3.3 – Orelhas para a frente, olhar relaxado, indicando curiosidade ou boa intenção.

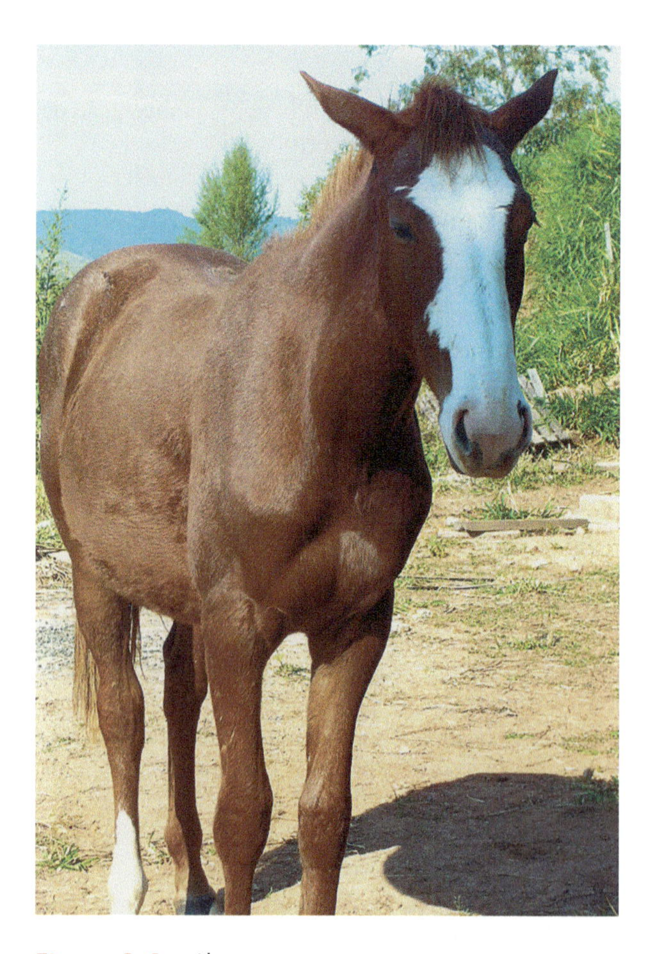

Figura 3.4 – Aborrecimento.

Figura 3.5 – Cansaço.

Figura 3.6 – Relaxamento.

Figura 3.7 – O animal está na defensiva, postura observada pelas orelhas e pelo corpo.

no animal em utilização para esporte. Isso nos demonstra como o cavalo está se sentindo com a utilização que fazemos dele e como fazemos esta utilização (Fig. 3.12 a 3.16).

Olfato

No estado selvagem, o cavalo tem a capacidade de sentir o cheiro de seus inimigos a 2km de distância, preparando com relativa antecedência sua fuga. Em seu estado de domesticação, o sentido do olfato (Fig. 3.17) está mais atenuado. Ao utilizar-se desse sentido, o cavalo dilata suas narinas, levanta a cabeça e o pescoço para assim poder identificar melhor o odor sentido e sua direção.

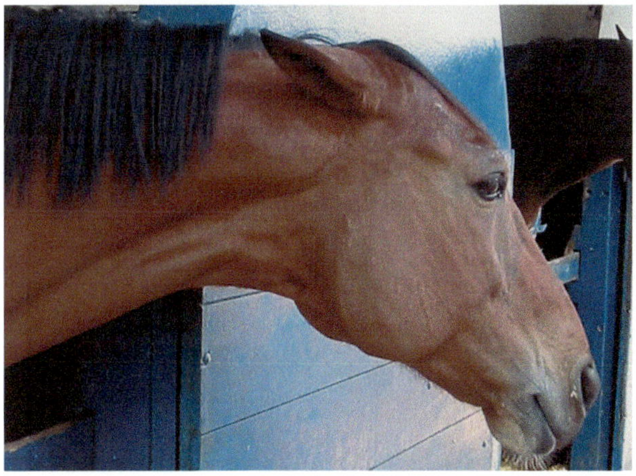

Figura 3.8 – Animal agressivo, postura clássica de animal embaiado em demasia.

Figura 3.9 – Animal agressivo ao comer.

978-85-7241-869-0

Figura 3.10 – Animal agressivo com outro animal que passa por trás dele.

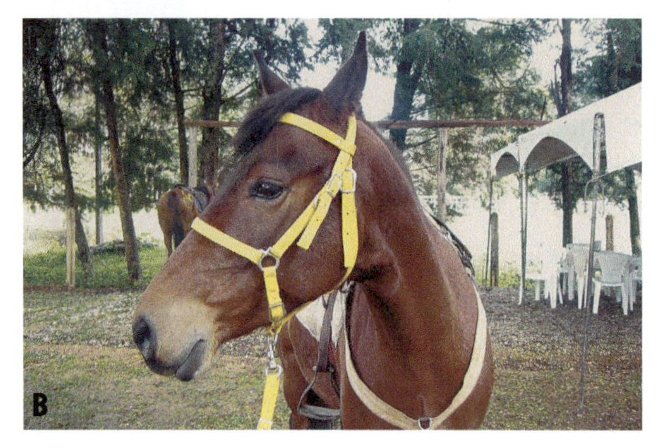

Figura 3.11 – (*A* e *B*) Atento a sons vindos de diversas direções.

Figura 3.12 – Atenção aos comandos do cavaleiro.

Figura 3.13 – Irritado com a situação proposta.

Figura 3.15 – Relaxado com a situação, mesmo de trabalho.

Figura 3.14 – Garanhão tranquilo, mesmo nas mãos de uma pequena cavaleira.

Figura 3.16 – (*A e B*) Postura típica das orelhas quando em alta velocidade, como quando em fuga. Foto: Revista *Horse*.

978-85-7241-869-0

Os cavalos se identificam pelo seu odor, cheirando sucessivamente a narina, o flanco, a inserção da cauda, a base do pescoço e a virilha (Figs. 3.18 e 3.19).

O olfato permite ao garanhão reconhecer a presença de éguas muito antes de tê-las visto, a uma distância de até 200m. A capacidade olfativa do cavalo é ampliada pelo órgão vômero-nasal (presente em todos os mamíferos), localizado um de cada lado do septo nasal dentro do palato duro, em direção à parte anterior da cavidade nasal (Fig. 3.20). O órgão vômero-nasal é uma estrutura muito vascularizada e enervada com fibras sensoriais olfativas. Isso permite que o animal detecte substâncias químicas potencialmente excitantes, adquirindo uma postura conhecida como *flehmen* ou *husmeo* (Fig. 3.21), se os odores forem considerados interessantes para o animal.

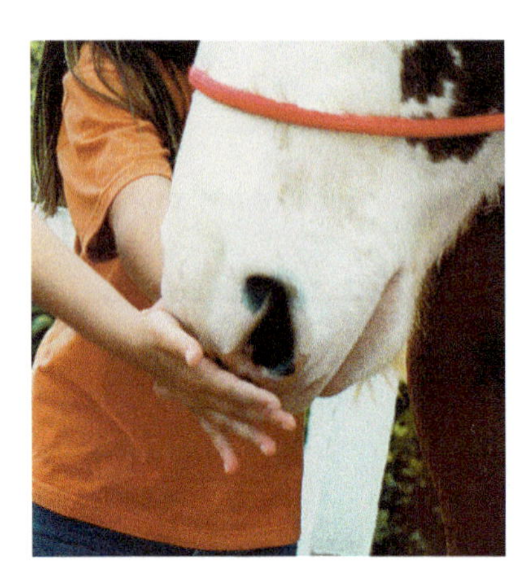

Figura 3.17 – Olfato.

As éguas também se utilizam do sentido olfativo para reconhecer seus potros (Fig. 3.22); isto se torna importante quando da existência de um potro órfão, pois basta fazê-lo cheirar como a égua, esfregando urina, fezes ou leite da própria égua, para que esta aceite o pequeno órfão como seu filho.

A identificação do cavalo pelo olfato se faz também com outras espécies animais, como cães, caprinos (Fig. 3.23), ovinos e o próprio homem (Fig. 3.24) e ainda com objetos (Fig. 3.25). Deixar o animal cheirar os arreamentos antes de nele serem colocados o deixa mais tranquilo ao ver que o objeto não emite qualquer reação que possa lhe ser prejudicial.

Ainda nessa linha de cheirar animais, o homem, ao se aproximar de um cavalo desconhecido, consegue melhores resultados se deixar-se cheirar, aproximando sua mão lentamente das narinas do cavalo, a seguir seu

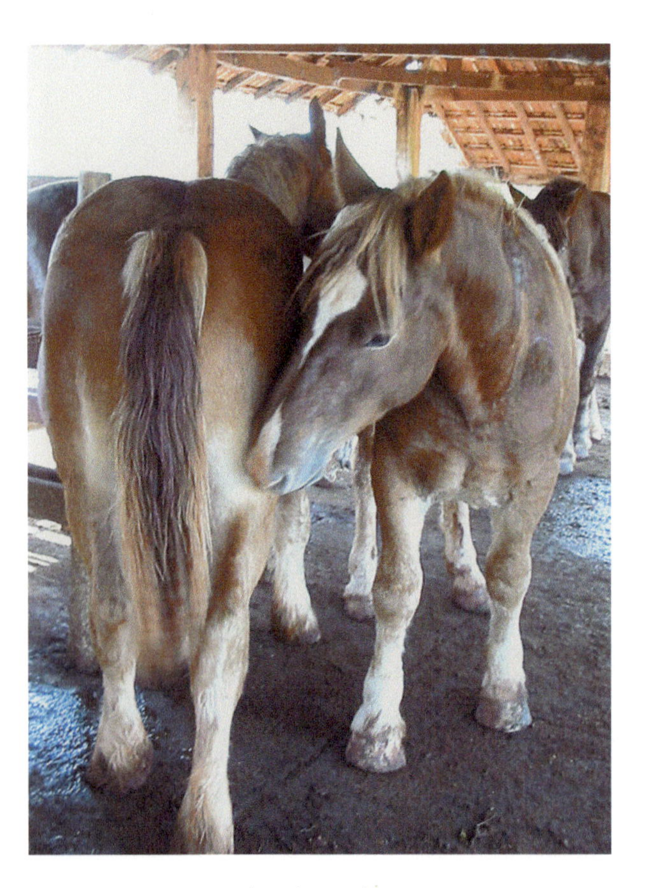

Figura 3.18 – Cavalos cheirando a parte posterior: reconhecimento mútuo.

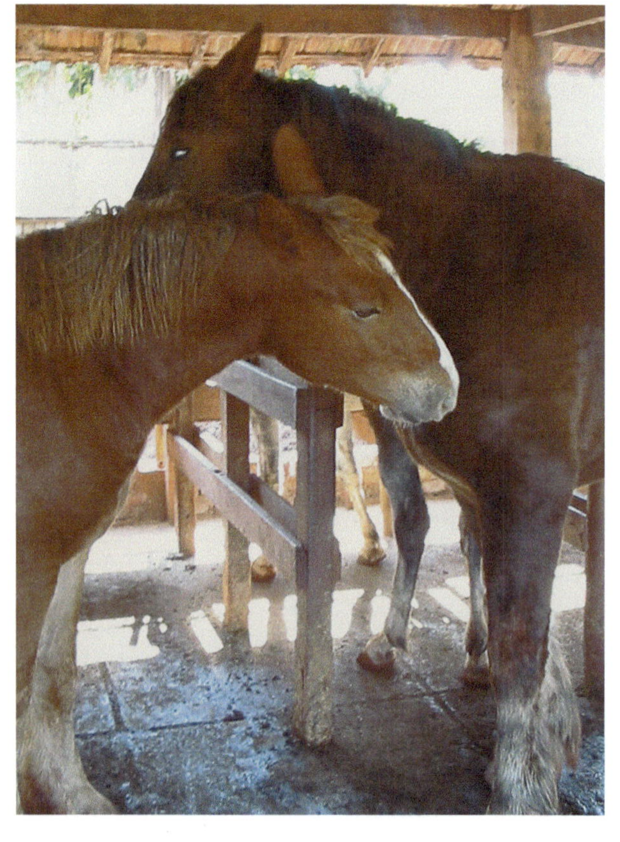

Figura 3.19 – Cavalos cheirando a base do pescoço: reconhecimento mútuo.

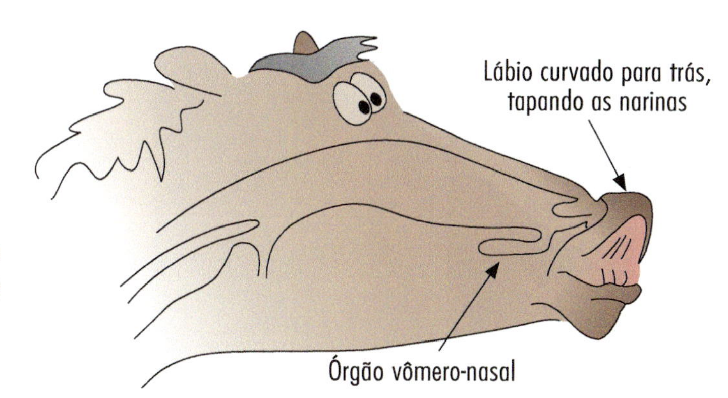

Figura 3.20 – Órgão vômero-nasal, que amplia a percepção de odores pelo cavalo. Fonte: Mills e Nankervis[1].

Figura 3.21 – Garanhão praticando o *flehmen* ou *husmeo*, possivelmente reconhecendo o cheiro de uma égua.

Figura 3.22 – Égua reconhecendo potro pelo olfato.

978-85-7241-869-0

Figura 3.23 – Reconhecimento interespécies equino/caprino.

Figura 3.24 – Reconhecimento interespécies equino/homem.

Figura 3.25 – Reconhecimento de objetos estranhos, como arreamento.

978-85-7241-869-0

Figura 3.26 – Visão.

próprio rosto e boca e der uma ligeira baforada em sua narina, de forma que o cavalo sinta seu bafo. A maioria dos animais consegue "saber" das intenções do homem se assim for feito e deixa-se levar nas mais diversas situações se sentirem confiança e tranquilidade naquele que o maneja.

Visão

O cavalo possui uma excelente visão (Fig. 3.26). Ele consegue distinguir algumas cores, tendo visão dicromática, enxergando bem o azul e o verde e cores derivadas, enxergando melhor o verde-amarelado e o azul-arroxeado. Possui excelente visão noturna e diurna, porém é suscetível a alterações bruscas de contraste entre claro e escuro, muitas vezes recusando-se a entrar ou sair de uma baia rapidamente em um dia de sol forte.

Nenhum outro mamífero tem olhos tão grandes proporcionalmente e, colocados um em cada lado da cabeça, lhe permitem uma visão independente para cada olho, isto é, pode olhar em diferentes direções ao mesmo tempo e processar as distintas imagens que se formam em seu cérebro, mas ao mesmo tempo lhe impinge um ponto cego imediatamente à frente da cabeça.

A visão binocular (Fig. 3.27) fica restrita à frente, quando foca um objeto localizado exatamente à sua frente e que lhe exige atenção (este movimento dos olhos é acompanhado pelo das orelhas, que ficam em posição de alerta à frente). Isso faz com que, nesse momento, não tenha mais a visão lateral ou traseira, o que torna fundamental a forma de aproximação ao cavalo, que jamais deve ser feita por trás e, caso isso seja necessário, deve-se ter o cuidado de chamar a sua atenção para que não reaja instintivamente e se torne agressivo ou tenha a reação de fuga.

Com uma visão monocular (Fig. 3.27), enquanto o olho direito foca objetos à sua direita, o olho esquerdo foca à sua esquerda. Pode-se estender este foco quase que à ponta da cauda, em um ângulo de até 340° de sua cabeça sem que necessite virá-la, porém, neste caso, perde o foco frontal e diminui o lateral.

A altura em que o cavalo mantém a cabeça modifica seu foco de visão. Ocorre uma modificação da localização de incidência dos raios luminosos na retina, o que lhe permite focar objetos ao longe (Fig. 3.28) e perto (Fig. 3.29) apenas com o movimento da cabeça e ao mesmo tempo, o que era uma vantagem no estado selvagem, pois lhe permitia continuar a pastar e se manter alerta simultaneamente.

Entretanto, há uma pequena área de cerca de 1,2m de proximidade que o cavalo, quando a galope ou mesmo a trote, dependendo da altura em que mantiver sua cabeça, tem dificuldade de enxergar (Fig. 3.30). Isso faz com que, quando se aproxima muito rapidamente de algum obstáculo, possa se assustar ao chegar muito próximo a ele, por não o enxergar. Em competições de salto, é então interessante que não se pressione demais a posição da cabeça do

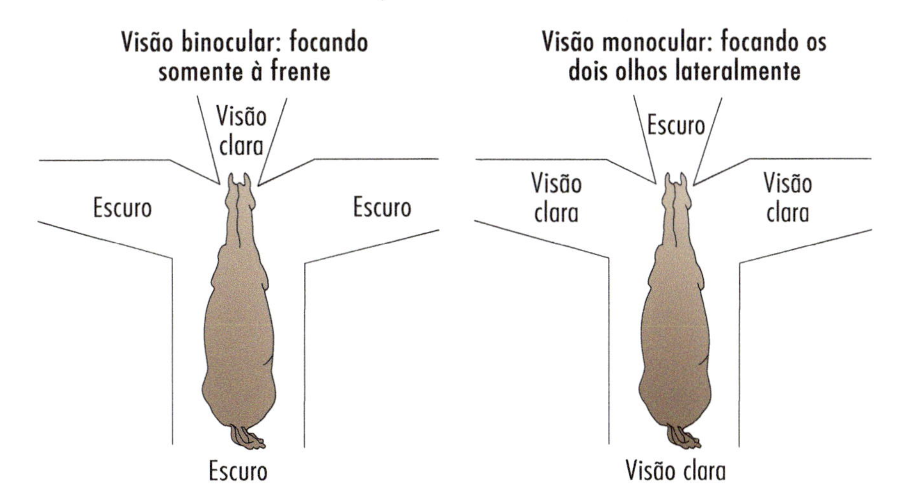

Figura 3.27 – Os dois tipos de visão do cavalo: binocular e monocular. Fonte: Smythe[5].

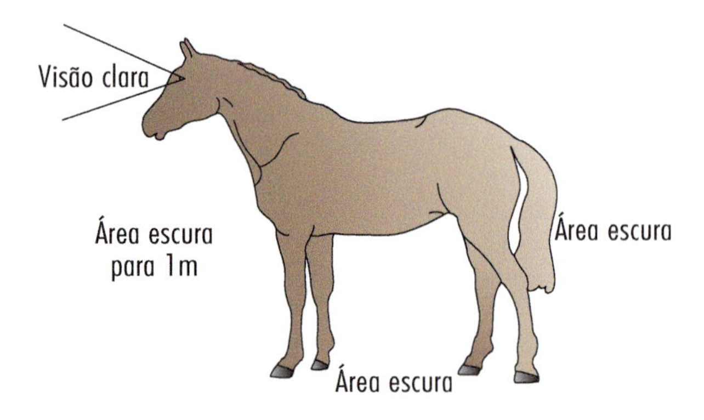

Figura 3.28 – Visão frontal ao longe, com a cabeça levantada. Fonte: Smythe[5].

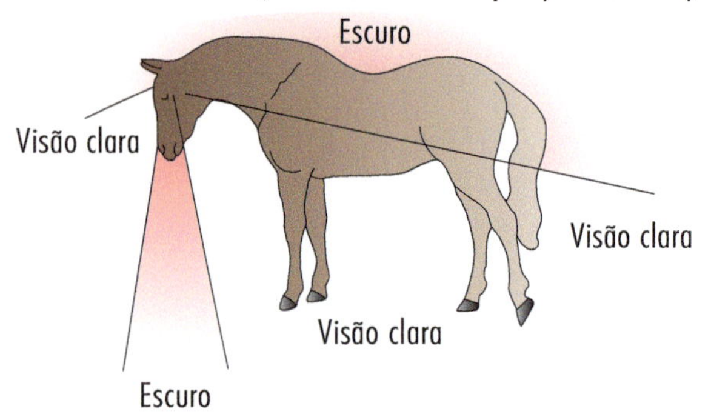

Figura 3.29 – Visão frontal de perto, com a cabeça abaixada. Fonte: Smythe[5].

978-85-7241-869-0

cavalo para que ele possa, por si mesmo, colocá-la da melhor forma possível a fim de enxergar o obstáculo e não refugar quando se aproximar deste (Fig. 3.31).

Paladar

A face superior da língua é o principal lugar para se sentir o gosto.

Os animais possuem capacidade um pouco superior à do homem de sentir o gosto dos alimentos (Fig. 3.32), pois possuem a capacidade de identificar alguns venenos colocados junto à sua alimentação.

Evitam sempre que possível a ingestão de ervas venenosas e reconhecem quais delas o são. Entretanto, se houver escassez de comida, os animais podem ingerir essas ervas, mesmo que possam vir a matá-los.

Os cavalos têm uma preferência por alimentos doces, gostando muito de açúcar, que é demasiadamente utilizado como agrado, devendo-se ter o cuidado de, apesar de o animal gostar, limitar sua oferta sob o risco de causar problemas dentários.

A ingestão de sal, que o animal deve fazer em seu dia a dia, se dá muito mais por necessidade fisiológica que por preferência de paladar. O cavalo tem uma quantidade muito grande de glândulas sudoríparas, fazendo com que perca muito suor, perdendo muita água e sais, principalmente cloreto de sódio, devendo estes sais ser repostos pela alimentação. Daí sua atratividade e necessidade fisiológica em relação a esse tipo de alimento.

Em potros recém-nascidos, até a idade de mais ou menos dois meses, é muito comum eles ingerirem as fezes da mãe, como forma de "aprender" o que ela come e, consequentemente, saber o que pode ingerir.

Tato

O cavalo utiliza muito esse sentido em várias funções de seu dia a dia, sendo fundamental para seu bem-estar e relacionamento com outros animais e com o meio em que vive.

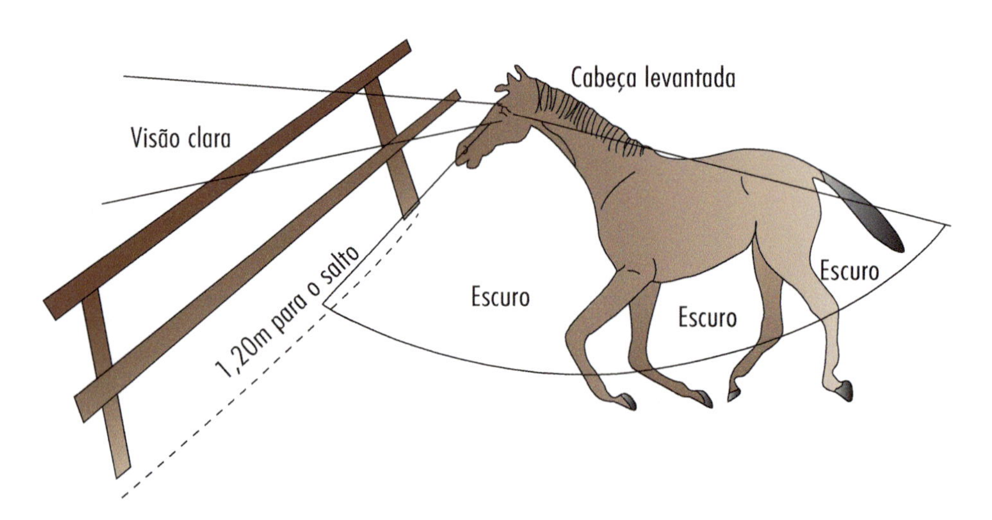

Figura 3.30 – Visão escura a 1,20m de um obstáculo. Fonte: Smythe[5].

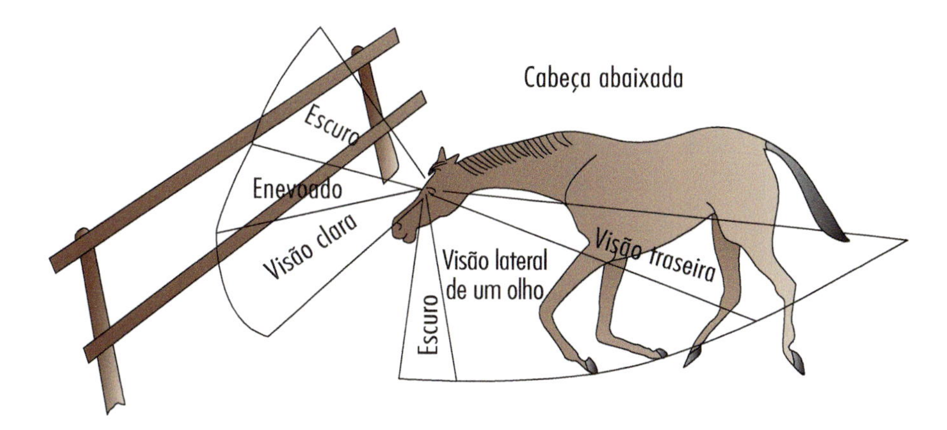

Figura 3.31 – Alguns animais precisam reposicionar a cabeça para sentir segurança no momento do salto. Fonte: Smythe[5].

O tato equino obviamente é diferente do de outras espécies, sendo considerado tato três partes diferentes do cavalo: as vibrissas, os cascos e a percepção cutânea.

Vibrissas

São pelos táteis da extremidade do focinho (Fig. 3.33), utilizados para reconhecer objetos que despertam interesse e curiosidade. Os mesmos olhos dispostos lateralmente na cabeça do cavalo e que lhe permitem uma ampla visão espacial restringem a visão em uma área na ponta de seu focinho. Dessa forma, o cavalo utiliza as vibrissas para "saber" quando chegou com o focinho em algum objeto ou no cocho com a comida. Por isso, fazer a toalete desses pelos a pretexto de embelezar o animal pode ter algumas consequências desagradáveis, pois chocará o focinho no cocho nas primeiras vezes em que for comer, pois não mais perceberá a proximidade dele.

Cascos

As extremidades dos membros possuem uma privilegiada sensibilidade tátil no cavalo quando em liberdade.

Há um ditado que diz "*no foot, no horse*" ("sem patas, sem cavalo").

O casco do cavalo tem um revestimento cutâneo que é a continuidade da pele do membro modificada. Esse tecido possui muitos vasos sanguíneos e filetes nervosos (Fig. 3.34), o que propicia à ranilha e ao invólucro córneo sensibilidade muito grande, além de uma facilidade muito grande para inflamação e congestão quando o invólucro perde, por uma razão qualquer, suas propriedades fisiológicas.

Essa sensibilidade tátil também é utilizada para perceber a aproximação de pessoas ou outros animais. As vibrações que atingem o solo são transmitidas pelos cascos, subindo pelos ossos até chegarem como mensagem ao crânio e ouvido médio.

Quando em liberdade, criado em pastagens irregulares e pradarias, o cavalo ainda possui a capacidade de testar o terreno e conhecê-lo mediante sensibilidade de suas patas, fazendo com que evite buracos e consiga se locomover com certa facilidade em terrenos acidentados.

O mesmo não ocorre com cavalos de raças mais apuradas, quando acostumados somente à grama e à areia planas sem desnivelamentos, e que possuem uma dificuldade muito grande quando utilizados em terrenos irregulares, como uma estrada de terra de uma fazenda

Figura 3.32 – Paladar.

Figura 3.33 – Vibrissas (*seta*): pelos táteis no focinho.

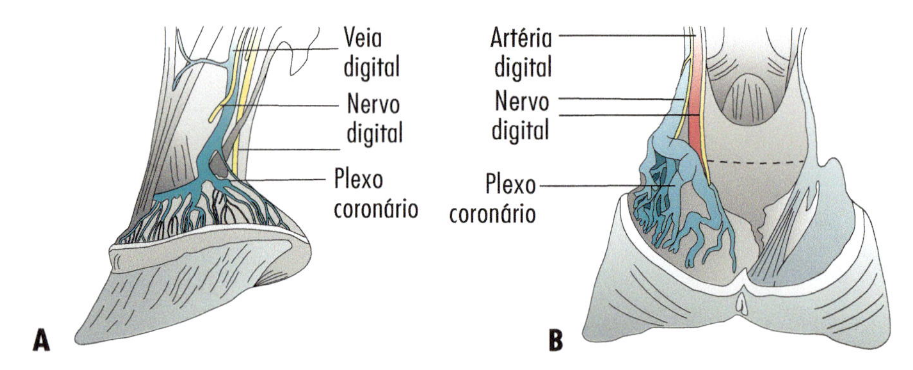

Figura 3.34 – (*A* e *B*) Os cascos do cavalo são muito irrigados e com diversos filetes nervosos, o que lhes confere grande sensibilidade. Adaptado de Sisson e Grossman (1947)[6].

qualquer. Caso esses animais possuam aprumos corretos e membros não muito longos, podem, com o tempo, desenvolver essa sensibilidade e se adaptar ao novo tipo de solo com certa desenvoltura.

Entretanto, para que essa sensibilidade tátil do cavalo seja mais bem utilizada, este deve estar com certa liberdade de movimento. Caso esteja sendo montado em um terreno acidentado que o cavaleiro pouco conhece, deve repousar suas rédeas sobre o pescoço do cavalo, apenas preocupado em se manter em cima de sua montaria e deixar o cavalo optar pelo melhor caminho a seguir. O cavalo certamente saberá escolher onde pisar, desviando-se de buracos não identificados pelo homem, desde que este não interfira na condução do animal.

Alguns animais, por motivos de lesão irreversível nas extremidades dos membros, são submetidos a neurectomia, secção definitiva do nervo, para suprimir a sensibilidade podal do animal e permitir assim seu uso contínuo, eliminado o sintoma de claudicação, mas não sua causa. O animal continuará a ser utilizado, mas terá sua capacidade de reconhecer o terreno prejudicada, podendo ocorrer acidentes se colocado em situação na qual esta capacidade de escolha do terreno seja exigida.

Percepção Cutânea

É de extrema importância no contato mental e físico entre homem e cavalo e cavalo e homem.

O cavalo possui um músculo cutâneo, próximo à pele e logo abaixo desta, recobrindo grande parte de seu corpo. Esse músculo está envolvido na ocorrência do calafrio, com o objetivo de aumentar a temperatura superficial do corpo do animal, sendo também o responsável por remover partículas aderidas à pele quando o animal se espoja (ato de rolar) ou se deita e atua como mecanismo de defesa contra moscas, quando fora do alcance da cauda.

A pele do cavalo é um órgão extremamente sensível, sendo também o cavalo um animal muito sensível a estímulos cutâneos, quer provoquem dor ou carinho.

Isso nos dá certa vantagem no trato com cavalos, pois utilizamos essa alta sensibilidade para melhor manusearmos esses animais e obter deles melhores resultados (Fig. 3.35).

Uma forma de facilmente fazermos amizade com o cavalo, após a correta aproximação lateral para que nos veja, utilizando o tom de voz adequado para que não se assuste e deixando-o cheirar-nos da forma correta para que saiba de nossas intenções, é o acariciarmos principalmente no pescoço, na espádua e na cernelha, regiões altamente sensíveis e agradáveis ao toque suave.

Um cavalo, e mesmo um potro, pode facilmente ser conquistado com o manejo diário de o escovarmos por inteiro, com delicadeza.

Por outro lado, essa alta sensibilidade faz com que tenhamos cuidado ao utilizarmos as chamadas "ajudas" da equitação (chicotes, esporas, rédeas especiais, etc.), pois podem trazer mais prejuízos que benefícios, machucando e desenvolvendo, muitas vezes, uma sensação de pânico que pode prejudicar, senão comprometer irremediavelmente, o manejo correto do animal (Fig. 3.36).

Mas essa mesma sensibilidade, se bem utilizada, faz com que o cavalo execute tarefas e manobras com o mínimo toque de pernas e movimento de quadris, de forma muitas vezes imperceptível, e de alto grau de dificuldade. Isso somente se consegue após muito treino, tanto do animal como do cavaleiro ou amazona (Fig. 3.37).

Comportamento

Alguns outros sinais de comportamento do cavalo, que nos permitem tirar o máximo de proveito, ou até prejudicar seu desempenho se não respeitados, podem ser descritos a seguir.

Postura da Cauda

Também é indicativo de comunicação. A elevação da cauda pela égua indica receptividade ao macho (Fig. 3.38). Cauda entre as pernas indica submissão (Fig. 3.39).

Figura 3.35 – (*A* a *C*) O toque sensível e sem más intenções, assim como o rasqueamento diário, facilmente conquista um cavalo e permite o manejo sem restrições.

Figura 3.36 – As ajudas, quando mal utilizadas, tornam o cavalo indócil e irritado, dificultando o manejo.

978-85-7241-869-0

Figura 3.37 – (*A* e *B*) As ajudas, quando bem utilizadas, por meio da conquista da confiança, tornam o cavalo suscetível a executar tarefas fora do comum.

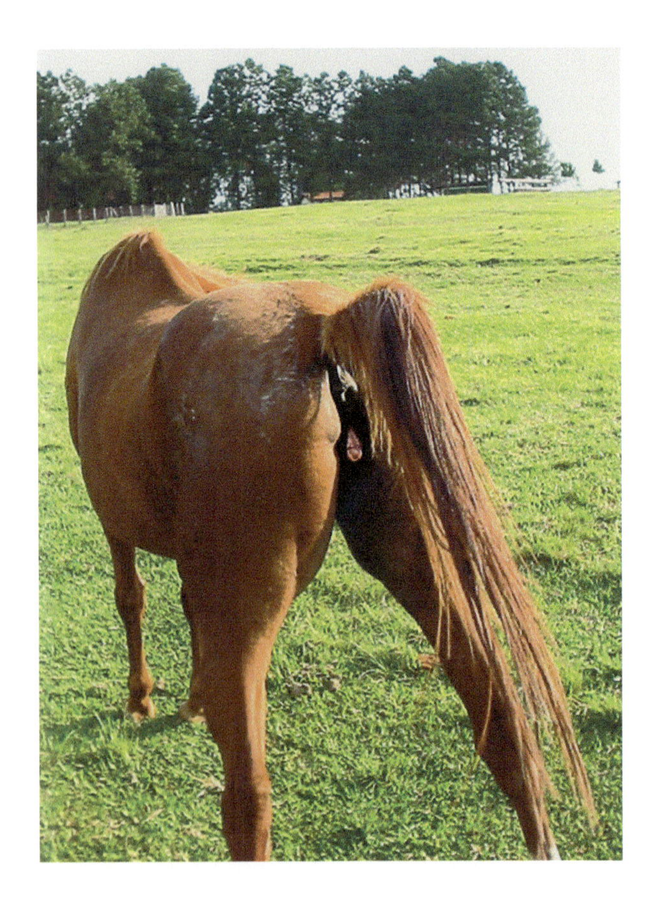

Figura 3.38 – Égua receptiva ao macho.

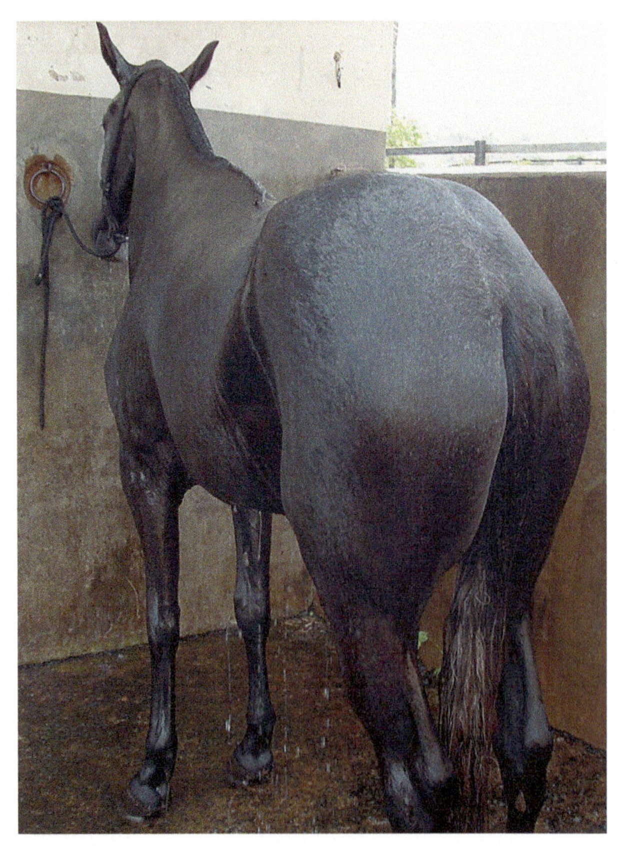

Figura 3.39 – A cauda recolhida indica momento de submissão.

Pescoço

Agitação vigorosa da cabeça para cima e para baixo indica indecisão em face de algo estranho. Nesse momento, devemos ficar muito atentos. Se estivermos montados no animal e este se recusar a manter o trajeto, agitando o pescoço, está indeciso quanto à segurança do caminho. Bater vigorosamente poderá apenas estragar o animal irremediavelmente. Devemos, com muita paciência e segurança, fazer com que o animal se aproxime do objeto ou local a que se recusa a ir para mostrar a ele que pode confiar no cavaleiro. Entretanto, tenha plena certeza da segurança do objeto ou local do trajeto, pois qualquer vacilo nesse momento, pode destruir uma confiança duramente conquistada.

Conhecimento Mútuo

Ao se aproximar de outro animal, ambos se olham, se cheiram, se tocam até a cauda e, caso haja aceitação de ambos os lados, mordiscam as crinas um do outro (Fig. 3.40). Além do olfato, esse hábito de se coçar faz parte da rotina diária do cavalo. Mais um motivo para nunca deixá-lo isolado, pois esse contato permanente com outros animais faz com que sinta mais tranquilidade e segurança.

Caso não haja aceitação, há um relincho estridente, demonstrando sua inquietação, podendo ocorrer desde troca de mordidas agressivas até coices.

Entre dois garanhões, pode haver embate até a morte ou submissão de um deles. Por esse motivo, recomendamos sempre a castração de um animal que não será utilizado para reprodução. Esse procedimento torna o animal mais dócil, facilitando o convívio com seus semelhantes, além de propiciar o melhoramento da espécie.

Hábitos Higiênicos

O cavalo defeca e urina sempre no mesmo lugar quando solto em pastagens (Fig. 3.41), não comendo as rebrotas de capim que ocorrem neste local para evitar contaminação com larvas de vermes que provavelmente encontram-se ali. Isso também tende a ocorrer quando o cavalo está encocheirado, devendo-se então tomar cuidado ao administrar o volumoso a ele para que não haja desperdício se for fornecido corretamente no chão. Além disso, por esse mesmo hábito higiênico, para um melhor manejo do animal em baias, torna-se fundamental a limpeza diária destas, pois o animal estará defecando, dormindo e se alimentando em um mesmo local restrito e, caso o ambiente não seja mantido limpo, trará desconforto físico e mental ao cavalo, comprometendo sua qualidade de vida e seu desempenho.

Partos

A grande maioria dos partos ocorre à noite, entre meia-noite e duas da manhã (Fig. 3.42). Isso é um hábito de segurança herdado dos tempos em que o cavalo tinha que fugir de grandes predadores, em geral de hábito diurno, e não poderia se preocupar com animais não aptos a uma fuga rápida e estratégica. O potro já está de pé, alimentado e correndo apenas algumas horas após o nascimento (Fig. 3.43). Se a

Figura 3.40 – (*A*) Mordiscar a parte posterior. (*B*) Coçar o pescoço. O hábito de se mordiscar é muito comum entre mãe e filho e entre dois potros, podendo ocorrer ainda com animais adultos que se conhecem e estão acostumados um ao outro.

978-85-7241-869-0

Figura 3.41 – O cavalo tem o hábito de defecar e urinar no mesmo lugar.

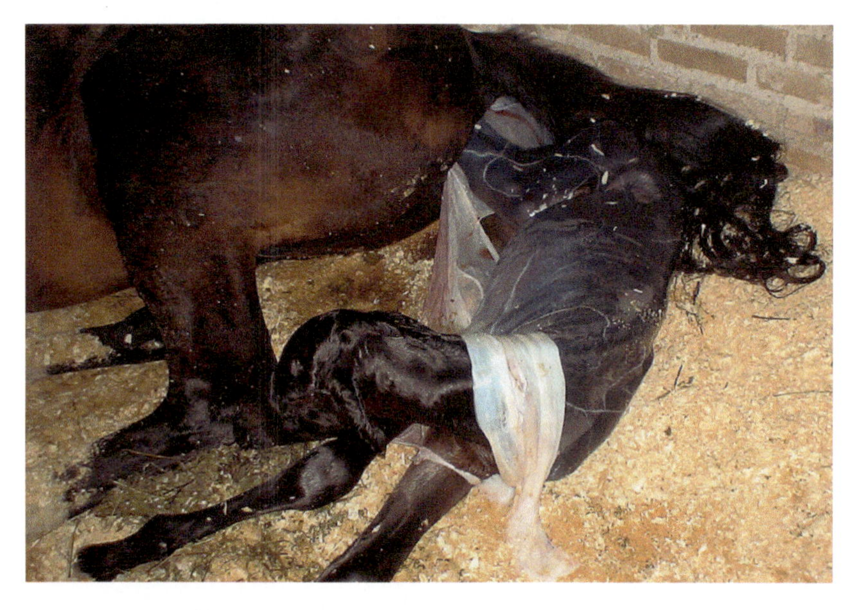

Figura 3.42 – Em geral, o parto ocorre à noite.

978-85-7241-869-0

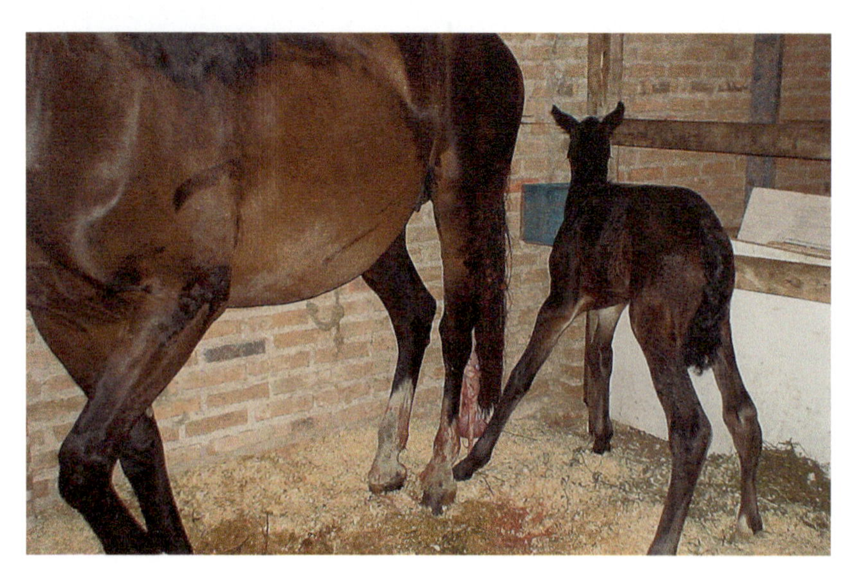

Figura 3.43 – Algumas horas após o parto, o potro já está de pé, apto a acompanhar o rebanho.

égua parir à noite, ao clarear o dia tanto ela quanto o potro estão aptos a acompanhar a manada em qualquer eventualidade.

Espojar

É um hábito comum em cavalos quando querem coçar as costas: o animal deita-se, rolando de um lado e depois do outro (Figs. 3.44 a 3.51). Ocorre com frequência após a montaria, o que torna indispensável soltar o animal em um piquete após o trabalho com sela, para o melhor equilíbrio mental do animal, pois, em uma baia, o espaço exíguo não permite essa atitude de relaxamento. Em outras duas situações é possível observar cavalos espojando: em égua no pré-parto, de forma a "arrumar" o potro na melhor posição para o parto normal, sem consequências adicionais, e, aqui sim deve-se ter o maior cuidado e atenção possível, em casos de dores abdominais, em geral causadas pela síndrome cólica (ver Cap. 24). Uma boa dica para saber se o cavalo está espojando para relaxar ou rolando por motivo de distúrbio gastrointestinal é que, no primeiro caso, deve, inclusive, pastar ou procurar comida em seguida. No segundo caso, muitas vezes, deita-se de novo, demonstrando sinal de profundo desconforto e dor.

Sono

O cavalo "gasta" entre 6 e 8h por dia dormindo. São distinguidos três tipos de sono nos equinos:

Figura 3.44 – Em busca do melhor local para se espojar.

Figura 3.45 – Deitando lateralmente para se espojar.

978-85-7241-869-0

Figura 3.46 – Rolando de um lado.

Figura 3.47 – Rolando de outro lado.

Figura 3.48 – Coçando as costas.

978-85-7241-869-0

Figura 3.49 – Levantando após o relaxamento.

Figura 3.50 – Levantando após o relaxamento.

- Sono profundo: ocorre nos animais mais jovens. É um sono em que o animal se deita totalmente de lado com a cabeça e o pescoço encostados no chão, em completo relaxamento (Figs. 3.52 e 3.53).
- Sono médio: ocorre em jovens (Figs. 3.54 e 3.55) e adultos (Fig. 3.56). É um sono em que o animal se deita de lado, mas com a cabeça e o pescoço erguidos ou com o focinho tocando o solo. Todos os cavalos, quando se sentem em segurança, têm esse sono diariamente, ao menos por alguns minutos. Daí a importância de mantê-los o mais tranquilo e seguro possível, pois uma noite de sono é relaxante e saudável, inclusive para os equinos.
- Sono superficial: ocorre mais em animais adultos (Fig. 3.57), mas também pode ser observado em potros novos (Fig. 3.58). O animal permanece em pé, em estado de semivigilância, com as orelhas relaxadas, os lábios afrouxados e o pescoço próximo da horizontal. Um dos pés está sempre relaxado, apoiado somente nas pinças. Essa postura permite, ao ser

Figura 3.51 – Sacudindo a poeira e relaxando.

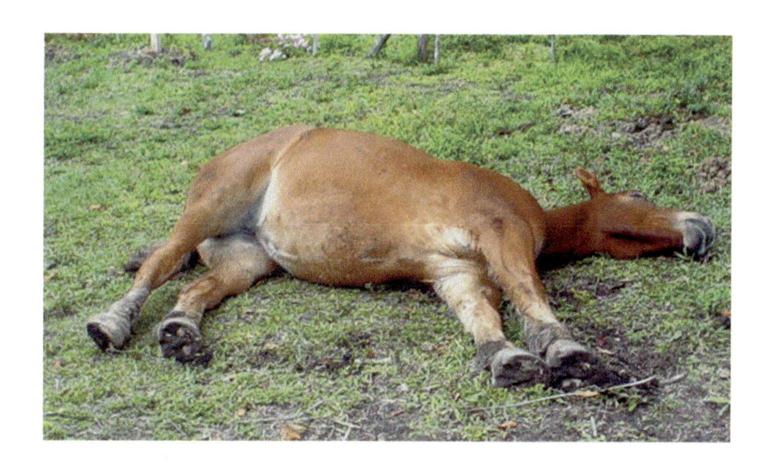

Figura 3.52 – Sono profundo em potro de sobreano.

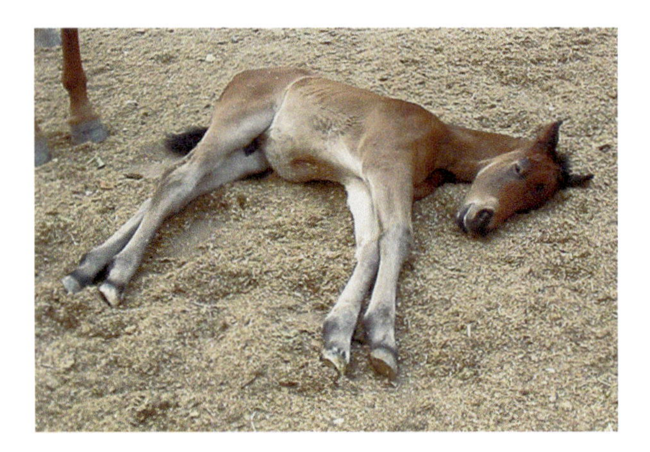

Figura 3.53 – Sono profundo em potro lactente.

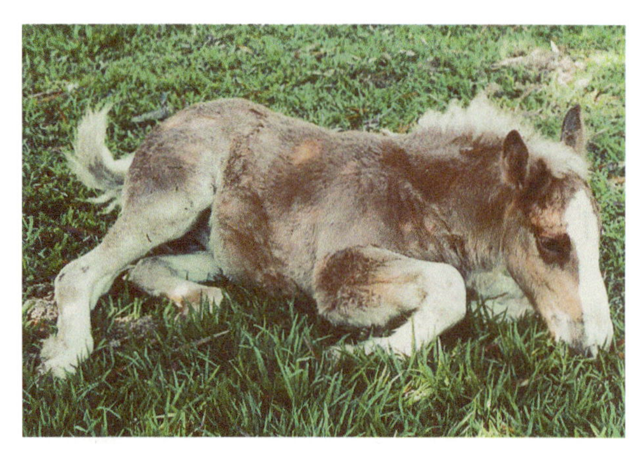

Figura 3.54 – Sono médio em potro lactente.

978-85-7241-869-0

Figura 3.55 – Sono médio em potro de dois anos a pasto.

despertado por uma "sentinela", pôr-se rapidamente em fuga. É um momento em que devemos ter uma cuidadosa aproximação do cavalo, pois este não está nos vendo ou ouvindo diretamente. Se chegarmos abruptamente, podemos assustá-lo. Sua reação será de fuga, mas, se estiver preso ou acuado, poderá partir para cima de quem se aproxima, vindo a machucá-lo sem tal intenção, mas apenas em defesa por sempre ter sido presa, reação instintiva e de autopreservação.

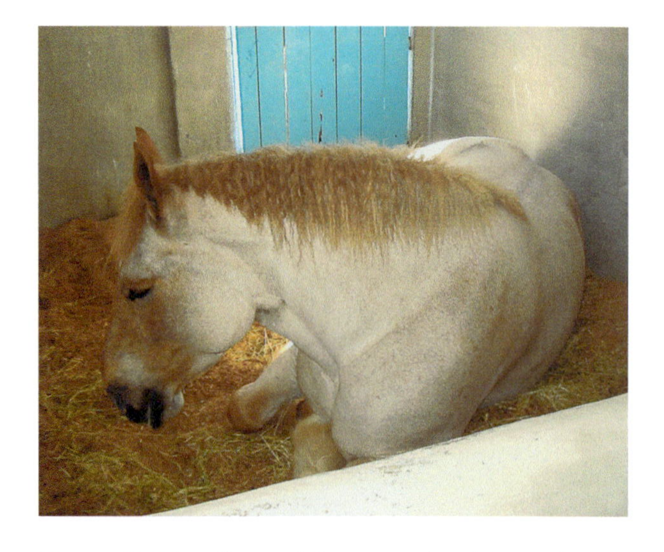

Figura 3.56 – Sono médio em cavalo adulto em baia.

Vícios e Distúrbios do Comportamento

Como o cavalo é um animal gregário, gosta de viver em harmonia e em grupos. Isso facilita o manejo de reba-

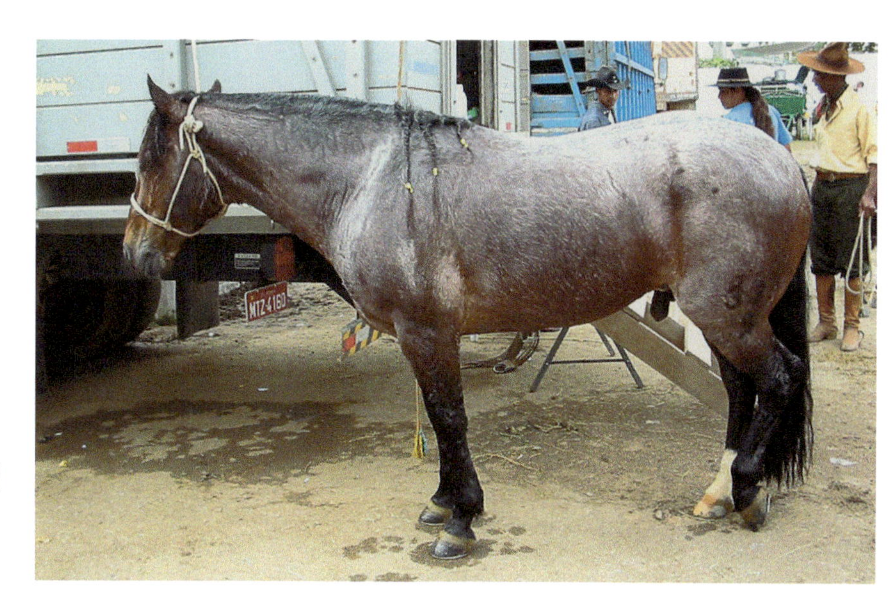

Figura 3.57 – Sono superficial em adulto.

Figura 3.58 – Sono superficial em potro lactente.

978-85-7241-869-0

nhos, mas implica alguns cuidados ao se ter somente um cavalo, pois a solidão pode trazer problemas de distúrbios de comportamento a um cavalo sob essas circunstâncias.

Os tempos modernos e o estresse da vida cotidiana são responsáveis pelo maior apego do homem às coisas mais simples da vida e ao retorno do contato com o cavalo, hábito abandonado a partir da invenção do automóvel e da Primeira Guerra Mundial, quando o cavalo deixou de fazer parte da vida cotidiana das pessoas, sendo relegado a segundo plano.

Esse retorno ao hábito da equitação levou o homem a querer o animal mais perto de si, proliferando as hípicas e os centros equestres próximos dos grandes centros e também em cidades menores, com pensionatos, baias de aluguel e similares.

O cavalo passou então a ser um animal mantido em pequenos cubículos, que, com sorte, têm o tamanho de 4m × 4m, sendo alguns muito menores que isso, isolando o cavalo do convívio em grupo para satisfazer a vontade do homem.

Ao isolarmos um cavalo, não permitindo seu contato sequer visual com outros animais, quer sejam de sua espécie ou não, provocamos nele um estresse muito intenso, com situações desagradáveis, que vão desde a irritação profunda, tornando-o antissociável mesmo com o homem, até quadros de patologias e distúrbios comportamentais mais graves.

Quando esse distúrbio comportamental indesejável e inútil se torna um hábito repetitivo, é chamado de vício.

É de certa forma esperado, devido a essas constantes sujeições que impomos ao animal, desde estabulagem exagerada até alterações drásticas em sua alimentação, não respeitando sua natureza herbívora, que o animal desenvolva esses distúrbios comportamentais. Surpreendente é que esses vícios não ocorram em maior número de animais, sujeitos às mesmas normas e condutas de manejo e alimentação.

Esses vícios se desenvolvem principalmente pela alteração drástica em seu modo de vida, em que por milhões de anos o animal viveu em liberdade pelas pastagens, em bandos e se exercitando diariamente.

O confinamento excessivo, a falta de companhia e o manejo alimentar inadequado levam o animal a uma frustração profunda e ao tédio, provocando esses distúrbios comportamentais.

Um dos grandes problemas desses vícios é que, quando se tornam uma fixação muito grande por um estresse profundo, podem provocar uma fadiga intensa, levando a exaustão, diminuição do consumo alimentar, com perda de peso e da condição corporal e, consequentemente, do desempenho.

Deve-se, o mais rapidamente possível, prevenir o aparecimento desses vícios, mas, caso ocorram, deve-se procurar descobrir suas causas e eliminá-las, sem a certeza absoluta do desaparecimento dos distúrbios, mas com atenuação dos males que estes podem trazer. Não há possibilidade de eliminar qualquer tipo de vício sem risco de aparecimento de outro se as causas não forem retiradas.

Se o problema já estiver na fase de fixação e se tornar uma obsessão, em que a retirada da causa não mais fornecer uma solução ao vício, pode-se tentar uma correção punitiva.

Essa punição deve ser feita de forma que o animal associe que a punição está relacionada ao distúrbio comportamental e não com o animal em si.

Uma punição em momento errado torna o animal mais agressivo ou mais assustado com a presença do homem, surtindo um efeito não esperado e não desejado.

Apenas alguns segundos (por exemplo, 5s) após o erro ou a manifestação do vício, se aplicado o corretivo, pode não ter o efeito desejado e o cavalo não mais associar a punição ao comportamento errôneo. O máximo de tempo permitido entre erro e punição não deve ultrapassar 3s.

O animal deixa de perceber e associar a punição com o distúrbio que manifestou segundos antes e punir alguém por algo que não sabe que cometeu é um erro maior que não punir.

A punição deve ser dada imediatamente no momento da manifestação do vício, simples, sem caráter vingativo, nem severa em demasia, de forma que o animal entenda o que está sendo solicitado e não fique mais assustado e frustrado. E obviamente aliada à retirada da causa do estresse e frustração do animal. Caso isso não seja possível, jamais aplicar uma punição, sob pena de ser injusto e deixar o animal em posição mais desconfortável e estressante do que antes.

Atente ao fato de que punição não quer dizer espancar, bater ou agredir fisicamente o animal. Em geral, uma punição é mais severa e eficaz quando aplicada com um comando de voz firme e seguro. Um erro que se comete ao punir o animal é com relação ao uso do chicote. Este deve ser um instrumento de guia para o aprendizado, como uma extensão da mão, sem ser utilizado para bater no animal. Desta forma, o chicote não deve ser utilizado para a correção de erros, pois para a mente de um animal, ficará extremamente confuso o uso do mesmo instrumento para aprendizado que não gera dor nem desconforto, e para correção gerando dor e desconforto.

Aliado à punição, deve-se ter o cuidado de não premiar ou agradar o cavalo no momento do distúrbio comportamental, para que não associe este comportamento a algo como ser recompensado.

Principais Distúrbios de Comportamento

Vício de Fuga

Pode ser causado tanto pelo estresse de confinamento excessivo e isolamento como por maus-tratos pelo tratador, ou mesmo como antecipação no momento da alimentação, ao se ouvir o tratador preparar sua ração diária.

- Serpenteamento: é a mudança ritmada de um pé dianteiro para outro, enquanto agita a cabeça. Pode levar a uma perda excessiva de peso e da condição corporal pelo excesso de consumo energético.

Figura 3.59 – Baia com grade na frente e nas laterais, que permitem ao animal o frequente contato com outros animais, mantendo-os mais tranquilos.

978-85-7241-869-0

- Caminhada pela baia: o animal fica andando em círculos pela própria baia, com exagerada flexão da coluna espinhal, ocasionando dores excessivas nas costas, afetando drasticamente o andamento do animal quando montado.

Ambos os casos podem ocorrer em animais colocados sob situação de isolamento e confinamento excessivos. Podem ser combatidos aumentando-se o tempo de soltura do animal, melhorando seu convívio com outros animais ou, se isso não for possível, aumentando a atividade de exercícios diários. Em casos extremos, principalmente em animais mais velhos, pode ser necessária a mudança radical do ambiente em que vive.

Pode-se ainda tentar amenizar a solidão colocando o cavalo com animais de outras espécies, como ovelhas, cabras (sem chifres), cães ou mesmo galinhas. Muitos cavalos sentem-se bem na presença desses animais, diminuindo o estresse de solidão.

Também a colocação de outros animais próximos a ele, com contato visual, mesmo em casos de garanhões, pode amenizar o problema. Baias bem abertas, em que o contato visual é facilitado, auxiliam muito a prevenção e o tratamento desse vício. Se a baia for de alvenaria, manter as janelas e portas superiores sempre abertas. Se for construir uma baia, procure fazer as paredes voltadas para o corredor com metade em grades ou telas que permitam esse contato visual permanente (Fig. 3.59).

Também a melhoria da alimentação, procurando valorizar alimentos que demorem mais para serem ingeridos, como capim fresco ou mesmo feno, aumenta o tempo de ingestão alimentar do cavalo e diminui o tempo ocioso.

Figura 3.60 — Escavamento.

978-85-7241-869-0

- Escavamento (do piso da baia ou batendo as patas dianteiras no cocho): muitos animais embaiados têm esse hábito (Fig. 3.60), principalmente próximo do momento de fornecimento da alimentação, quer seja por inquietação, por ansiedade ou mesmo para chamar a atenção do tratador.

Caso seja esse o motivo e não os citados anteriormente (como solidão e confinamento excessivo), deve-se procurar acabar com esse vício modificando-se o hábito alimentar do cavalo.

Muitos animais, ao fazerem constantemente o escavamento e serem alimentados a seguir, associam a ideia de "escavar" com "ganhar comida", portanto, "quando estiver com fome, basta bater no cocho que serei alimentado".

Quando isso ocorrer, a ideia é justamente não alimentar o animal até este parar de bater, para que a associação de ações seja de "paro de bater = ganho comida". Permanece-se próximo ao cavalo no momento em que este está batendo e, quando parar de bater por 5 ou 10s, oferece-se o alimento. Repete-se isso por algumas refeições e procura-se aumentar o tempo entre parar de bater e oferecer o alimento, até a parada completa de bater no cocho ou escavar.

Vícios Orais

Desenvolvem-se especialmente em cavalos que não têm a oportunidade de pastar, podendo ocorrer tanto em animais confinados como naqueles soltos em redondéis.

- Mastigação de madeira: é um dos vícios mais comuns de animais estabulados (Fig. 3.61). Pode ser um comportamento normal, pois já foi observado em animais em pastejo permanente, mas pode se tornar um problema se for compulsivo e repetitivo. Podem ocorrer danos na estrutura do ambiente e muito poucos ao equino em si, exceto em casos de desgaste excessivo da arcada dentária. Eventualmente, lascas de madeira podem penetrar na língua e na gengiva do animal, causando desde lesões superficiais até mais profundas.

As causas da mastigação de madeira podem ser as mais variáveis possíveis, desde tédio até um desejo de mastigação adicional, propiciada por uma alimentação muito mais rica em grãos que em volumoso.

Para evitar esse comportamento, deve-se, como sempre, retirar a causa, aumentando o tempo de soltura do animal, melhorando a alimentação, diminuindo o tédio, etc.

Simplesmente colocar fio elétrico ou passar uma substância com odor desagradável no local, para que o animal não consiga chegar perto da madeira, impede o vício, mas se sua causa não for retirada, pode aumentar ainda mais o estresse do animal, induzindo-o a outro vício.

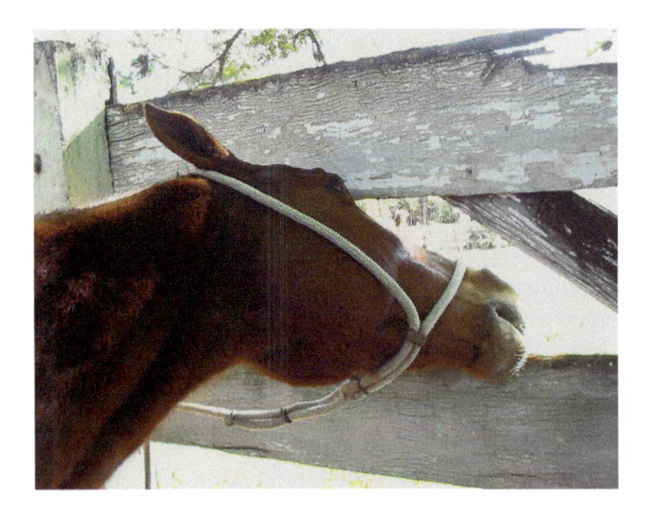

Figura 3.61 – Mastigação de madeira.

- Aerofagia: é o animal que "engole ar". O animal coloca os incisivos superiores em uma superfície sólida, pressiona para baixo, arqueia o pescoço e puxa para trás (Fig. 3.62). Alguns animais conseguem desenvolver uma "técnica" de engolir ar sem prender os incisivos em qualquer superfície.

Alguns animais somente praticam esse vício quando sozinhos, não o fazendo se observados e normalmente quando estabulados.

Sua incidência é maior em equinos hiperativos e nervosos, quando não manuseados adequadamente. Raramente ocorrem em animais em liberdade e mais tranquilos, como os de tração.

As causas prováveis são tédio, frustração e confinamento excessivo, podendo o vício persistir mesmo quando a causa é eliminada.

Problemas advindos desse vício estão mais relacionados ao desgaste excessivo dos dentes incisivos (Fig. 3.63) e a uma possível hipertrofia dos músculos do pescoço, quando os casos são duradouros. Entretanto, na maioria dos casos, isso não chega a incomodar propriamente o animal, mas muito mais quem está ao seu redor, exceto se o desgaste dentário for excessivo, comprometendo a qualidade de vida do animal pela dificuldade de mastigação.

Para sanar esse problema, além de eliminar a causa, tenta-se a utilização de coleiras de couro, com ou sem uma parte metálica (Fig. 3.64), colocada ao redor da garganta do animal. Quando tenta arquear o pescoço para engolir ar, a pressão da coleira provoca dor, inibindo a ação. Essas coleiras devem ser justas, de forma a impedir a ação de tração do pescoço, mas não podem ser apertadas, de forma a impedir a respiração do animal. Entretanto, sua eficácia é duvidosa e questionada por muitos, pois apenas impede o animal de realizar o vício, não o eliminando. Em alguns animais, o tratamento homeopático já foi citado como eficaz.

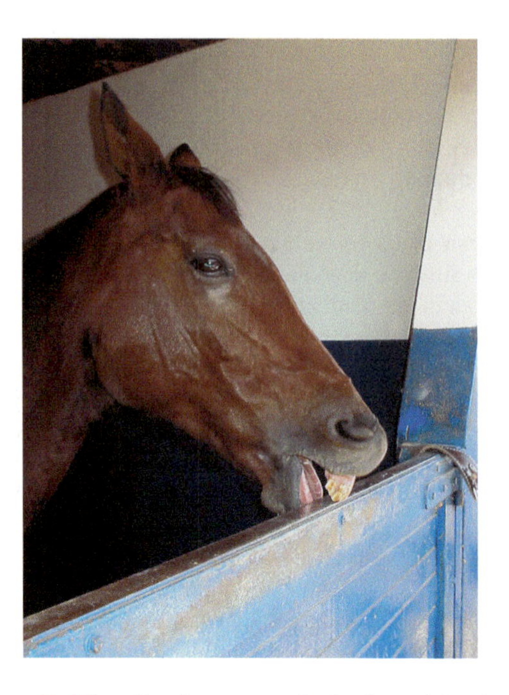

Figura 3.62 – Cavalo com aerofagia, "engolidor de ar".

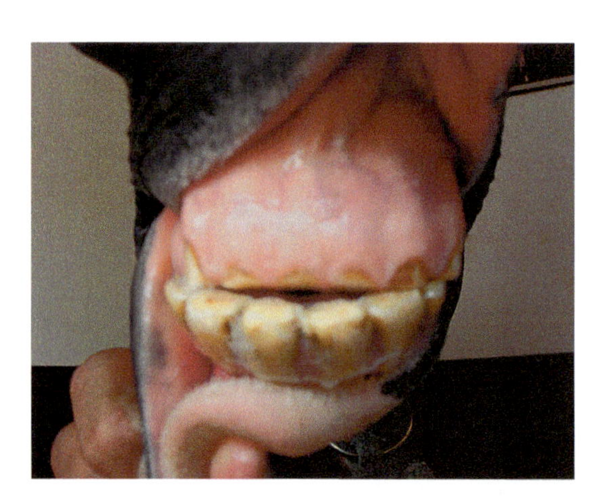

Figura 3.63 – Desgaste excessivo nos dentes incisivos superiores em cavalo com aerofagia. Foto: Denise Venturelli.

- Ingestão da cauda ou da crina: é a mastigação dos pelos da cauda ou da crina e pelos do corpo de outros animais. Ocorre normalmente em cavalos jovens, quando muito confinados ou quando recebem uma alimentação pobre em forragens. Pode ainda estar associada a deficiências minerais.

Em geral, causam mais problemas estéticos que de saúde, porém, se ingerida uma quantidade exagerada de pelos, pode ocorrer a formação de tricobezoar, que ocasionará obstrução intestinal.

O tratamento, como sempre, consiste em eliminar a causa, além de melhorar a alimentação com forragens e mineralização adequadas.

978-85-7241-869-0

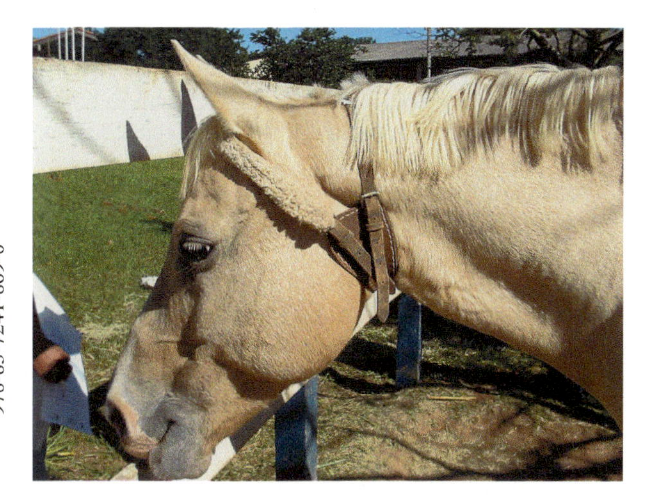

Figura 3.64 – Tipo de coleira utilizada em cavalos com aerofagia, de eficácia duvidosa.

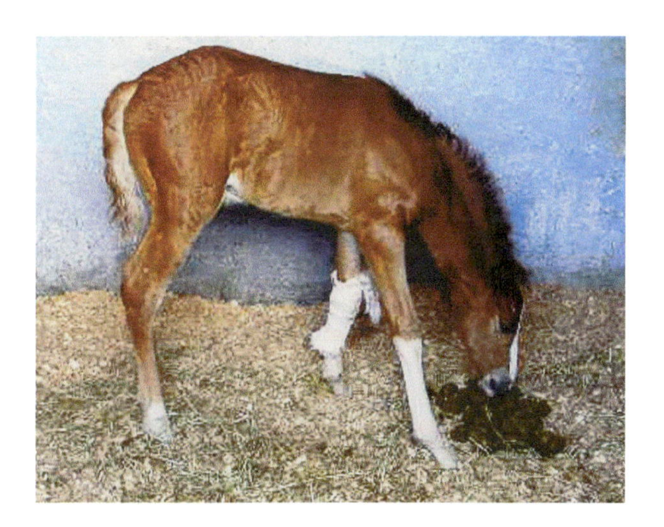

Figura 3.65 – Coprofagia em potros de até 60 a 90 dias de idade é normal e fisiológica.

- Coprofagia: a coprofagia ou ingestão de fezes é um hábito comum em animais jovens (Fig. 3.65), de forma que estes aprendam o que podem e devem comer com a ingestão de fezes da mãe. Isso ocorre somente até alguns poucos meses do nascimento e com a ingestão de fezes frescas e somente de sua mãe.

Cavalos adultos, saudáveis, normalmente não ingerem fezes, nem mesmo forragens contaminadas com fezes deles próprios. Caso se coloque fezes onde pastejam, tendem a parar de comer ali.

Os cavalos adultos podem ingerir fezes (Fig. 3.66) quando têm uma alimentação muito rica em grãos, pobre em proteína, quando confinados em demasia, por tédio ou frustração ou quando estão com um parasitismo intestinal intenso.

Figura 3.66 – Coprofagia em adultos é um problema e deve ser solucionada.

Para o tratamento desse vício, além de eliminar a causa, melhorando a alimentação, com o fornecimento de volumoso e proteína adequados e o manejo de não confinamento excessivo, deve-se proceder à desverminação periódica com vermífugos adequados.

Vícios de Disparada ou de Luta

Desenvolvem-se por medo excessivo a uma situação desesperadora.

Quando se coloca em uma situação que lhe provoque medo, com um perigo que lhe possa machucar, a reação do cavalo é de disparada, para fugir imediatamente deste perigo, ou enfrentá-lo, lutando.

O medo é demonstrado com a colocação da cabeça e do queixo para cima, orelhas viradas para fora, abertura das narinas com bufamento e exibição da esclerótica dos olhos.

O controle da reação do medo deve ser feito pelo tratador de maneira delicada e calma, procurando saber o que causou isso ao animal, tentando tranquilizá-lo com palavras e gestos gentis.

Se o tratador quiser conter o animal com gestos bruscos, palavras grosseiras ou mesmo por meio de persuasão com o uso de chicote ou outro método agressivo, o cavalo relacionará esse medo com mais agressão ainda e aumentará seu receio quanto ao fato causador do medo.

Se contivermos o cavalo bruscamente de uma disparada, sua reação seguinte será lutar. Entretanto, somente lutará se ainda, após a contenção, se sentir gravemente ameaçado, como quando a contenção for grosseira.

Se sentir-se tranquilizado, como com a contenção suave, tende a se submeter, pois a submissão se torna menos perigosa que a luta ou a fuga.

Isso provavelmente ocorrerá todas as vezes que for submetido ou estiver diante de perigo semelhante.

Os vícios de disparada ou de fuga incluem:

- Agressão: inclui investida ao agressor com mordeduras, coices e manotadas. Pode ser direcionada a outros equinos, pessoas ou mesmo animais de outras espécies.

A agressão tende a ocorrer em momentos específicos, como durante a alimentação, durante o cio, quando se manipulam as patas, no momento do encilhamento (colocação do arreamento), quando capturados no pasto ou mesmo ao adentrar em uma baia, ou ainda pela proteção materna ao potro quando da aproximação de pessoas ou outros animais.

O estabelecimento e a precisão de quando e por que a agressão ocorre é de fundamental importância para se corrigir ou eliminar esse vício do cavalo.

A maioria das agressões ocorre em animais que foram abusados por tratadores ou ginetes ou por aqueles que descobrem que sua agressão é tolerada pelas pessoas e animais e a utilizam para não ser incomodados.

O comportamento de defesa materno, a mordedura de potros jovens e uma agressão no estabelecimento de hierarquia são normais e não devem ser energicamente reprimidos.

O garanhão tende a investir contra outros garanhões que entram em seu espaço territorial.

Pode ocorrer agressão por *investida*, quando o animal parte para cima do invasor de seu espaço, quer seja a baia ou o piquete.

Pode ocorrer ainda por *prensamento*, no qual o cavalo literalmente prensa a pessoa ou outro animal em uma parede com seu corpo.

Ainda ocorre a *mordedura* (Fig. 3.67), que pode ser uma mordiscada ou uma dentada, geralmente relacionada a um estímulo específico, como apertar a barrigueira, por exemplo. Ocorre aliada a uma outra série de sinais, como abaixamento da orelha para trás, retração dos lábios, exibição dos dentes e oscilação da cauda.

O *empinamento* (Fig. 3.68) e, ainda, o *golpeamento* com as patas anteriores, chamado também de *manotada* (Fig. 3.69), podem ocorrer quando os cavalos são abordados pela primeira vez, quando são selados ou simplesmente quando são manuseados e não o querem ser.

O *escoiceamento* (Fig. 3.70), dado com as patas traseiras, também ocorre quando os animais estão insatisfeitos com a situação proposta, quer seja pela presença de outro animal, quer seja pela presença do homem.

Devemos ter apenas certo cuidado ao determinar se isso é um vício ou não, pois os cavalos costumam corcovear, empinar e escoicear quando colocados em liberdade após período de confinamento ou em dias ensolarados, após período de chuvas excessivas. Mas isso so-

Figura 3.67 – Mordedura. Apesar de não ser mordedor por natureza, o cavalo pode utilizar esse meio de defesa contra os outros animais ou mesmo o homem. Foto: Paula da Silva.

978-85-7241-869-0

Figura 3.68 – Empinamento. Foto: Paula da Silva.

Figura 3.69 – Manotada ou golpeamento. Uma das defesas do cavalo pode ser com os membros anteriores. A manotada pode ser com grande agressividade com ambas as patas, ou simplesmente com uma, mas pode machucar se não se tomar cuidado. Foto: Paula da Silva.

mente deve ocorrer quando em liberdade, jamais com o animal montado ou quando manuseado pelo homem.

Todos esses vícios de agressão são de difícil controle. O uso da violência pode piorar ainda mais o problema.

A maioria dos animais pode ser controlada se bem manuseada, com o devido respeito. Se o vício for por maus-tratos, demora um tempo considerável para se ganhar novamente a confiança do animal, mas é bastante efetivo.

No caso de mordeduras, em potros especialmente, um eventual comando rápido, curto e direto, como uma reação imediata feita com a mão, demonstrando insa-

Figura 3.70 – Escoiceamento dado com os membros posteriores. O coice é um dos principais meios de defesa do cavalo. Foto: Paula da Silva.

978-85-7241-869-0

tisfação com a atitude e também liderança sobre o animal, pode ser bem recebido e acabar com o problema. Mas uma série de tapas no focinho, passados alguns segundos do evento, não resolve, podendo piorar ainda mais o problema.

A melhor forma de acabar com todos esses tipos de vício é utilizando paciência e manejo adequados e jamais violência desnecessária.

- Autoagressão ou mutilação: é uma agressão dirigida ao próprio animal, em geral aos seus membros ou flanco. Normalmente, ocorre por situações estressantes causadas pelas condições ambientais e de manejo ou por patologias, como cólicas ou dor periférica.

Antes de qualquer ação para correção, deve-se ter a certeza de termos ou não um quadro patológico e corrigi-lo.

Ocorre com maior frequência em garanhões adultos e com excesso de confinamento, podendo ocorrer também em outras categorias de animais, anormalmente sujeitados a uma rotina de estresse intenso.

As principais formas de acabar com esse tipo de vício é uma alteração no ambiente, na rotina do animal, adequação ao trabalho e de sua alimentação.

Em muitos casos, um tratamento alternativo, como homeopatia, pode ter eficácia.

- Empacamento e refugo: o empacamento é quando o animal estanca no mesmo local, recusando-se a prosseguir e permanecendo em pé ou deitando-se. O refugo (Fig. 3.71) é quando se recusa a passar por determinado local, tomando uma direção diversa.

A utilização de força dificilmente resolverá nesses casos, não importando o quão severa seja a punição.

Pode ocorrer por dor ou por medo de não conseguir realizar a tarefa solicitada ou ainda quando estiver sendo montado por um cavaleiro ou amazona inexperiente, em que o cavalo testa sua montaria para ver quem está no comando, para que o animal possa evitar o trabalho solicitado.

Deve-se avaliar da melhor forma possível a causa do empacamento ou do refugo, retirando-se a causa sempre que possível. Se a causa for dor, deve-se descobrir onde está sua origem e aliviá-la. Se a causa for trabalho exagerado, deve-se diminuir a carga de trabalho. Se for incapacidade de realizar o trabalho, deve-se melhorar o treinamento até o cavalo ver a possibilidade de poder realizá-lo (como no salto em altura, por exemplo, quando exigimos que um animal salte um obstáculo acima de sua capacidade e de seu treinamento).

Considerações Finais

O comportamento dos equinos foi moldado por milhões de anos de vida em liberdade, alimentando-se quase exclusivamente de forragens diversificadas.

O homem modificou esse comportamento para tê-lo próximo de si em apenas algumas centenas de anos e

Figura 3.71 – Refugo diante de um obstáculo. Em alguns casos, pode causar acidentes graves.

exigiu dele algumas modificações drásticas em seu modo de vida que nem sempre são acompanhadas de alterações fisiológicas e que então trazem consequências desastrosas, com patologias como cólicas e laminites e as alterações comportamentais descritas anteriormente.

O respeito à sua natureza, de ser gregário, que gosta de liberdade e da companhia de outros animais, de ser herbívoro, que necessita fundamentalmente de forragens para sobreviver, e de ser nobre e altivo, que necessita de conquista e confiança mútua para sobrevivência, é o que trará mais benefícios à convivência e nos permitirá extrair o máximo desse animal.

Outros fatores importantes devem ser levados em consideração no manejo dos equinos:

1. Os cavalos são animais irracionais. Pensam e têm sentimentos, porém esses sentimentos são diferentes dos sentimentos dos humanos. Sentem dor, prazer (como por comer algo que gostam; pela companhia de outros), não gostam de solidão, etc. Devemos ter, porém, muito cuidado com a utilização de antropomorfismos na relação com os animais. Isto é, extrapolar sentimentos humanos para os animais como se fossem humanos não está correto. Amor, ódio, ciúmes, paixão são sentimentos fáceis de se observar nos humanos, mas não devemos colocá-los nos animais. Dessa forma, a relação com eles será muito mais fácil e intensa. O antropomorfismo pode ser muito perigoso para o animal, que pode se "esquecer" que é um cavalo e se voltar contra seu dono por perda da referência de seu mundo equestre.
2. Os animais não têm perspectivas claras de um futuro racional, porém têm uma visão do presente mais ampla que o homem. Os cavalos fazem e vivem a situação presente com base em situações passadas, conforme aprendizado anterior. Utilizam bem os cinco sentidos para se situarem no presente. Avaliam a situação utilizando a todo momento a visão, ampla e com capacidade de distinguir e processar imagens laterais diferentes; a audição, que lhes permite discernir ruídos diferentes vindos de todos os lados; o tato em suas três formas (vibrissas, percepção cutânea, cascos); o olfato, que distingue diferentes cheiros de longa distância; e o paladar. Sabendo disso, devemos tomar cuidado ao nos "anteciparmos" em um castigo a um cavalo, em que achamos que este vai ter uma reação negativa. Se não tivermos plena certeza de que o cavalo vai ter uma atitude de animosidade, o castigo por antecipação pode ser mal interpretado pelo animal caso este não tenha más intenções.
3. Há ainda um outro sentido muito aguçado no cavalo, como em outros animais domésticos, que alguns chamam de sexto sentido, que é a capacidade de perceber emoções de outros animais, principalmente do homem. Isto é, o cavalo pode perceber quando estamos com raiva, tranquilos, com medo, etc. e reagir a esses nossos sentimentos de forma adversa.
   Quando estamos com raiva e demonstramos esse sentimento, quer seja pela voz ou por atitudes grosseiras, o relacionamento fica mais difícil, pois, para o animal, pode significar que a raiva está direcionada a ele, fazendo-o reagir com igual intensidade ao que lhe fizermos.
   Quando estamos com medo, principalmente ao montar um animal, ainda mais em animais muito dóceis, mais velhos ou velhacos, como queiram, isso pode dificultar nosso relacionamento, pois o animal reagirá impondo a sua vontade, sobrepondo-se à nossa. Claro que em animais mais bravios isso se exacerba de forma perigosa.

4. Devemos sempre nos lembrar da lei da ação e reação da Física, que diz que toda ação tem uma reação contrária e com mesma intensidade. Se tratarmos o cavalo com carinho e respeito, será dessa forma que seremos tratados. O inverso é verdadeiro, se formos brutos e maldosos, é somente isso que podemos esperar dos cavalos.
5. Em quaisquer dos casos de vícios e distúrbios comportamentais, o que se deve é procurar ver e sentir o que o animal vê e sente pela óptica do próprio animal, colocando-se da melhor forma possível no lugar deste animal, buscando enxergar e sentir como este enxerga e sente e perceber o mundo pela óptica do próprio cavalo. Para um cavalo, todos os detalhes que podem impor algum tipo de medo ou desvio comportamental são importantes. Devemos buscar a solução para todos os detalhes e não apenas para parte deles. Se resolvermos apenas alguns dos problemas que afligem o cavalo, seu desvio comportamental não será solucionado, podendo nem sequer ser atenuado pela percepção que esse cavalo tem de seu mundo. Enquanto o homem enxerga o mundo como um todo, o cavalo enxerga os pequenos detalhes que formam o seu mundo.
6. Outro ponto fundamental a ser levado em consideração é quando exigimos uma atitude do cavalo, especialmente quando montado, e mesmo na condução do chão, e ele não a faz. Não é comum um animal adequadamente adaptado à convivência com o homem recusar-se a ter uma atitude sem qualquer motivo aparente. Caso ocorra esse fato, devemos levar em consideração que a recusa deve ter quatro possíveis motivos:

- *O animal não sabe o que fazer, nem como fazer*: Nesse caso devemos ensiná-lo da forma correta. Nunca se deve exigir algo de alguém que não saiba como ou o quê fazer.
- *O animal não entende o que fazer*: Nesse caso a pessoa que está solicitando o comando não sabe como pedir, então o ser humano é quem deve aprender o quê e como fazer.
- *O animal sente dor*: Nesse caso, o animal deve ser examinado imediatamente por um profissional capacitado que saberá não só avaliar o grau de dor, como a origem e o tratamento adequado.
- *O animal não tem confiança em quem pede*: Nesse caso, o ser humano que está solicitando o comando deve repensar suas atitudes para com o animal e reconquistar sua confiança.

7. E, finalmente, citamos Temple Grandin[2]:

> Se nos interessamos pelos animais, então precisamos estudar os animais pelo bem-estar deles, e nos termos deles, até onde isso for possível. O que eles estão fazendo? O que estão sentindo? O que pensam? O que estão dizendo? Quem são eles? O que precisamos fazer para tratar os animais com justiça, responsabilidade e bondade? As pessoas podem aprender a falar com os animais e a ouvir o que os animais têm a dizer. Essas pessoas são mais felizes que as que não podem. Exercer ou impor a dominância não significa bater no animal até ele se submeter. Exercer ou impor a dominância significa usar o método natural de comunicação do animal.

Portanto, para manusearmos um animal de forma correta, devemos ser sempre tranquilos, com voz calma, mas firme, não demonstrando qualquer sentimento que possa ser interpretado como receio dele ou como agressão por ele.

Ao manusearmos um cavalo, devemos nos fazer valer desses conhecimentos para obtermos melhores resultados e um melhor relacionamento.

REFERÊNCIAS BIBLIOGRÁFICAS

1. MILLS, D.; NANKERVIS, K. *Comportamento Eqüino – Princípios e Práticas*. São Paulo: Roca, 2005.
2. GRANDIN, T.; JOHNSON, C. *Na Língua dos Bichos*. Rio de Janeiro: Editora Rocco, 2006.
3. BECK, S. L. *Eqüinos: raça, manejo, equitação*. São Paulo: Editora dos Criadores, 1985.
4. HONTANG, M.A. *A Psicologia do Cavalo*. 2ª ed. São Paulo: Editora Globo, 1989.
5. SMYTHE, R.H. *A Psique do Cavalo*. São Paulo: Livraria Varela, 1990.
6. SISSON, S.; GROSSMAN, J.D. *The Anatomy of the Domestic Animals*. 3ª ed. Philadelphia: W. B. Saunders Co., 1947.

Capítulo 4

Ezoognósia (Exterior dos Animais Domésticos)

O estudo do exterior dos equinos é de fundamental importância para se poder avaliar a conformação de cada raça, suas características, qualidades e defeitos, independentemente de sua função.

Esse estudo baseia-se nas partes anatômicas dos equinos e é dividido em seis regiões zootécnicas:

Cabeça

Os componentes da cabeça (Fig. 4.1) e seu formato podem variar de raça para raça e de animal para animal, em menores proporções, e constituem um importante parâmetro morfológico de avaliação entre raças.

Os padrões mais característicos vistos de perfil, observando-se o formato de seu chanfro, são:

- Retilíneo: característico de raças como Mangalarga, Mangalarga Marchador, raças de hipismo, etc. (Fig. 4.2).
- Subconvexilíneo: característico de raças como Lusitano, Percheron, Campolina, etc. (Fig. 4.3); também chamado de encarneirado, por alguns técnicos.
- Subconcavilíneo: característico de raças como Árabe (Fig. 4.4).

Além do formato da cabeça, cada raça define as características morfológicas quanto à implantação de orelhas, formato e tamanho de olhos e narinas, tamanho e musculatura de ganachas e bochechas, etc.

Pescoço

No pescoço (Fig. 4.5), destacam-se principalmente tamanho, forma e direção.

- Tamanho do pescoço: deve ser proporcional ao corpo, para um perfeito equilíbrio entre tronco e cabeça.

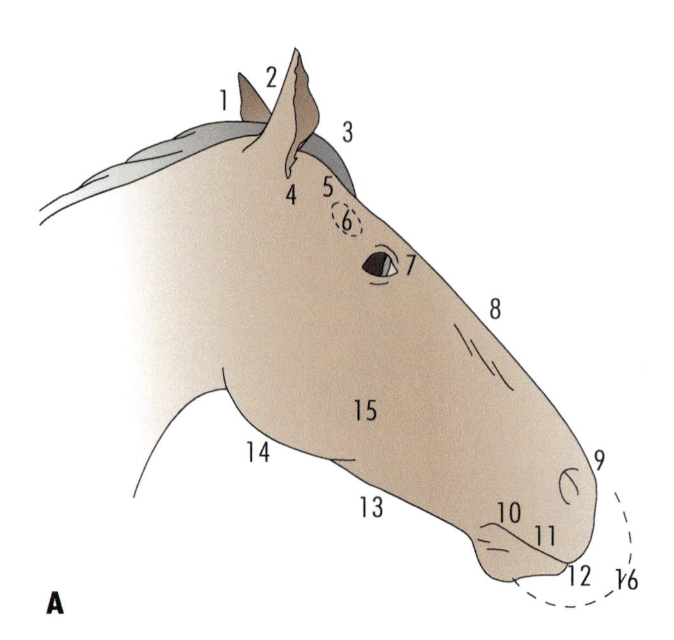

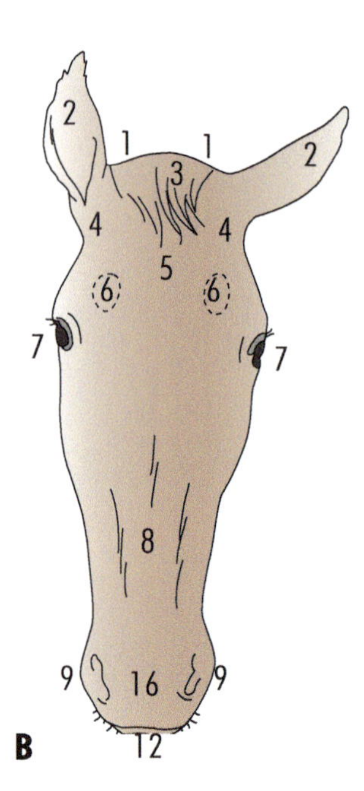

Figura 4.1 – (*A*) Cabeça vista de perfil. (*B*) Cabeça em vista frontal. Nomenclatura: 1 = nuca; 2 = orelhas; 3 = topete; 4 = têmporas ou fonte; 5 = testa ou fronte; 6 = olhais ou covas; 7 = olhos (pálpebras, terceira pálpebra, globo ocular, cílios, etc.); 8 = chanfro; 9 = narinas ou ventas; 10 = comissura labial; 11 = boca; 12 = lábios (inferior e superior); 13 = fauce ou calha; 14 = ganachas; 15 = bochechas; 16 = focinho ou nariz (compreende boca, queixo e narinas). Fonte: Ribeiro[1].

- Formas do pescoço:
  - Piramidal (Fig. 4.6): os bordos superior e inferior são retilíneos e convergem para a cabeça, lembrando um triângulo. Característica de raças como Mangalarga, Mangalarga Marchador, raças de hipismo, etc.
  - Rodado (Fig. 4.7): o bordo superior é convexo ou subconvexo. Característico de raças como Percheron, Bretão, Campolina, etc.
  - Cisne (Fig. 4.8): quando a metade superior é convexa e a inferior, retilínea. Característico da raça Puro-sangue Árabe.
- Direção do pescoço: observa-se o posicionamento em relação ao tronco e à cabeça:
  - Diagonal: direção em que o pescoço forma ângulo de 90° com a cabeça e de 45° com a linha horizontal do chão. É a cabeça que permite melhor equilíbrio ao cavalo.

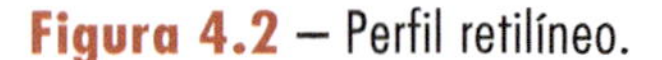

Figura 4.2 – Perfil retilíneo.

Figura 4.3 – Perfil subconvexilíneo.

978-85-7241-869-0

Figura 4.4 – Perfil subconcavilíneo. Foto: Paula da Silva.

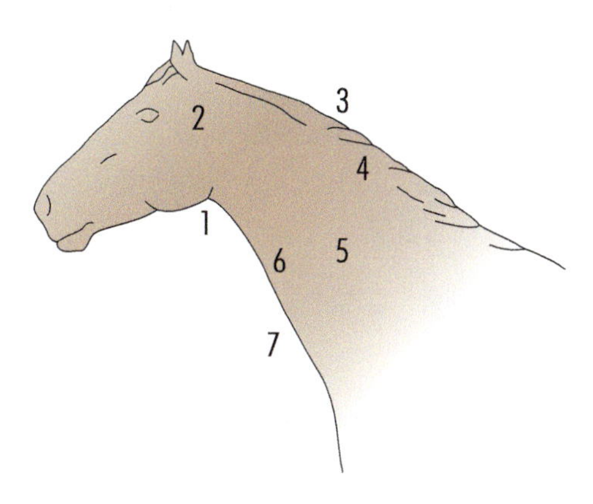

Figura 4.5 – Vista lateral do pescoço. Nomenclatura: 1 = garganta; 2 = parótida; 3 = bordo superior do pescoço; 4 = crina/crineira; 5 = tábua do pescoço; 6 = goteira da jugular; 7 = bordo inferior do pescoço.

- Vertical: o ângulo do pescoço com a horizontal é maior que 45°. É indesejável, pois sobrecarrega o peso nos membros posteriores, desequilibrando o animal, dificultando a equitação e o trabalho.
- Horizontal: o ângulo do pescoço com a horizontal é menor que 45°. É indesejável, pois sobrecarrega o peso nos membros anteriores, desequilibrando o animal, dificultando a equitação e o trabalho.

Tronco

No tronco (Fig. 4.9) observam-se cinco pontos fundamentais:

- Cernelha (1): é utilizada como parâmetro para a altura do animal. Deve ser bem destacada, principalmente em cavalos de sela, impedindo que a sela tenha movimento de rotação no dorso do animal, sendo alta e relativamente longa e com boa cobertura muscular.
- Dorso (2): serve de sustentação para o cavaleiro, portanto deve ser bem constituído, ligeiramente paralelo ao solo ou com ligeiro aclive no sentido garupa/cernelha. O dorso não deve ser côncavo, indicando um animal selado, nem convexo, com proeminência do processo espinhoso.
- Lombo (3): é a região compreendida entre o dorso e a garupa, devendo ser curto e musculoso, proporcionando boa cobertura aos rins. De um cavalo com essas características dizemos ser "bem ligado", isto é, a ligação dorso/lombo/garupa proporciona boa proteção aos rins do animal, prevenindo lesões.
- Garupa (4): deve ser ampla, musculosa e simétrica. Se houver assimetria, o animal é chamado de náfego.
- Peito (9): deve ser forte e amplo, demonstrando boa amplitude torácica.

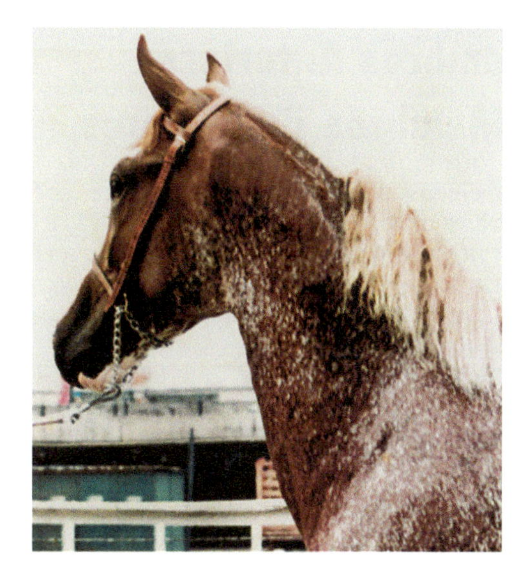

Figura 4.6 – Pescoço piramidal.

Figura 4.7 – Pescoço rodado.

Figura 4.8 – Pescoço de cisne. Foto: Paula da Silva.

Membros Anteriores e Membros Posteriores (Fig. 4.10)

Os membros anteriores sustentam cerca de 55% do peso do animal, sendo pontos de sustentação e amortecimento, e os membros posteriores, 45%, sendo mais pontos de sustentação e impulsão, fazendo com que os membros anteriores estejam mais sujeitos a lesões que os posteriores.

Para melhor sustentação, amortecimento e impulsão do animal, é necessário que este tenha aprumos corretos, que lhe permitam melhor desenvolver sua função. Os aprumos serão vistos em um capítulo à parte mais adiante.

Observe que o joelho zootécnico do cavalo (5) fica nos membros anteriores.

O machinho ou esporão e a castanha ou espelho são resquícios de segundo e quarto dedos, desaparecidos há alguns milhões de anos.

Cascos

O casco (Figs. 4.11 e 4.12) do cavalo é uma parte anatômica de fundamental importância para o animal, pois é sua base de sustentação física e funcional.

Um animal sem cascos não tem utilidade, daí a importância de se conhecer sua anatomia externa para prevenir lesões que possam comprometer a vida do animal.

Na coroa do casco, estão localizadas as células responsáveis pelo crescimento do casco, os osteoblastos. Essas células estão em permanente atividade e devem ser preservadas a qualquer custo, caso contrário comprometem a integridade do casco. Deve-se ter muito

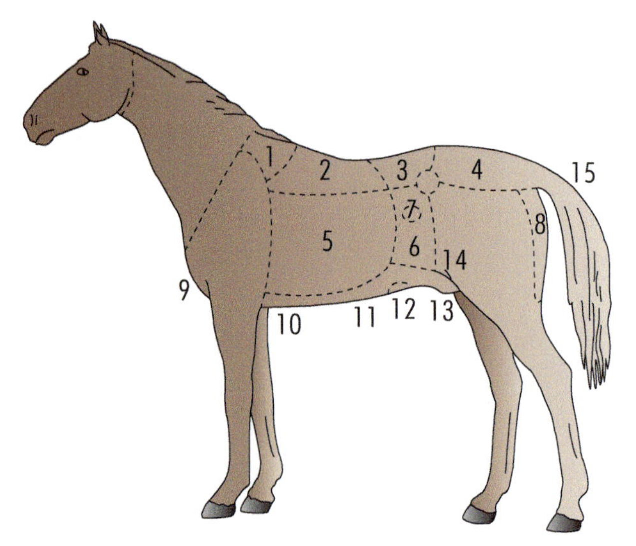

Figura 4.9 – Partes do tronco do cavalo. Nomenclatura: 1 = cernelha, garrote, cruz ou cruzeta; 2 = dorso; 3 = lombo (rins); 4 = garupa; 5 = costado; 6 = flanco; 7 = vazio do flanco; 8 = nádegas; 9 = peito; 10 = cilhadouro; 11 = ventre ou barriga; 12 = umbigo; 13 = bolsa ou prepúcio; 14 = virilha; 15 = cauda, cola, rabo (sabugo e crinas).

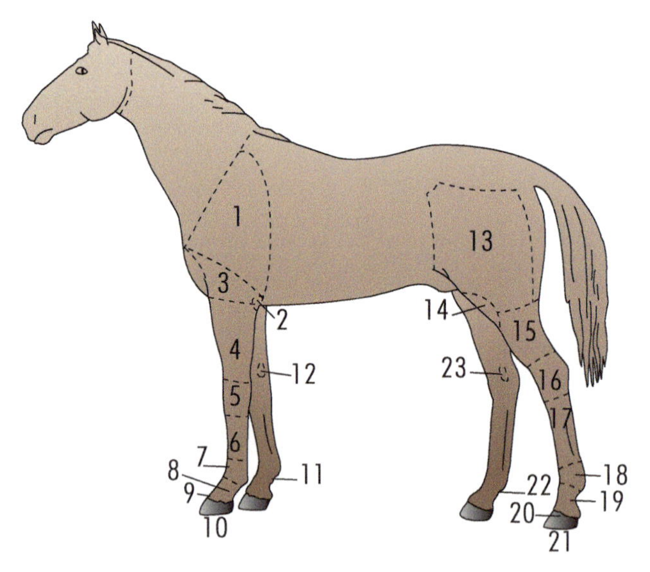

Figura 4.10 – Partes dos membros anteriores (*1 a 12*) e posteriores (*13 a 23*) do cavalo. Nomenclatura: 1 = paleta ou espádua; 2 = codilho; 3 = braço; 4 = antebraço; 5 = joelho; 6 = canela; 7 = boleto; 8 = quartela; 9 = coroa; 10 = casco; 11 = machinho ou esporão; 12 = castanha ou espelho; 13 = coxa; 14 = soldra, rótula, patela; 15 = perna; 16 = curvilhão, jarrete ou garrão; 17 = canela; 18 = boleto; 19 = quartela; 20 = coroa; 21 = casco; 22 = machinho ou esporão; 23 = castanha ou espelho.

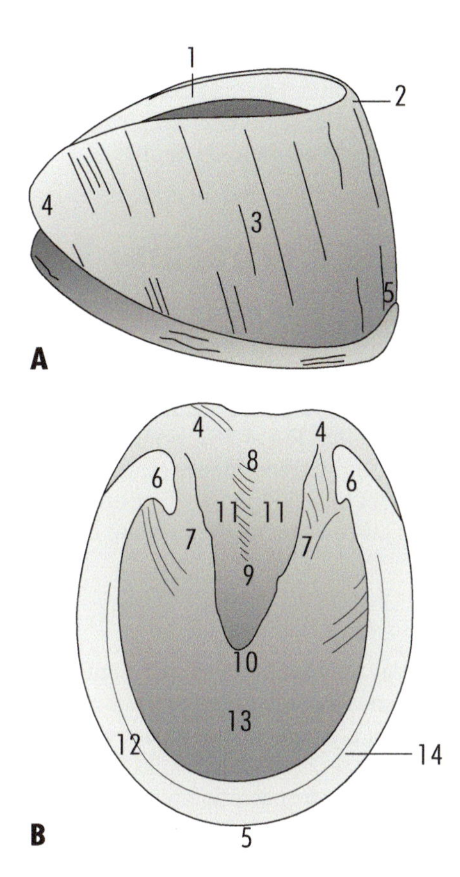

Figura 4.11 – (*A* e *B*) Casco: partes zootécnicas. Nomenclatura: 1 = tecido queratinoso; 2 = bordo coronário (coroa); 3 = região parietal (parede); 4 = talão; 5 = pinça; 6 = barras; 7 = lacunas laterais da ranilha; 8 = lacuna central da ranilha; 9 = corpo da ranilha; 10 = ponta da ranilha; 11 = ramos da ranilha; 12 = bordo plantar do casco; 13 = sola; 14 = linha branca.

978-85-7241-869-0

cuidado ao se passar produtos nos cascos do animal, pois produtos muito abrasivos, como iodo e soluções, podem matar essas células, levando à formação de um casco defeituoso.

A parede do casco deve ser lisa (Fig. 4.13), podendo apresentar-se em três cores: preta, branca e rajada (ver Cap. 8). Em situações de estresse grave, quer seja mental ou metabólico, e em situações de desequilíbrio nutricional, podemos observar na parede do casco linhas de crescimento (Fig. 4.14), indicando essa anomalia. Se for pequena e transitória, não causa maiores problemas, mas se for grave e prolongada, pode comprometer seriamente a qualidade do casco do animal (Fig. 4.15), levando a quadros de laminite ou aguamento.

A ranilha funciona com um amortecedor dos membros do cavalo. Tem muita sensibilidade, devendo ser retirada parcialmente, mas sempre que possível tocando levemente o solo.

As pinças e os talões são as partes do casco que mais crescem, devendo ser retiradas mensalmente por profissional capacitado, que irá equilibrar o casco conforme os aprumos do animal.

Figura 4.12 – Casco com ferradura.

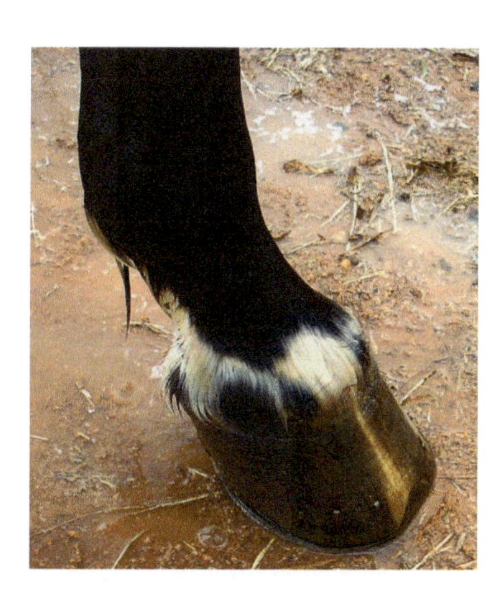

Figura 4.13 – Casco normal.

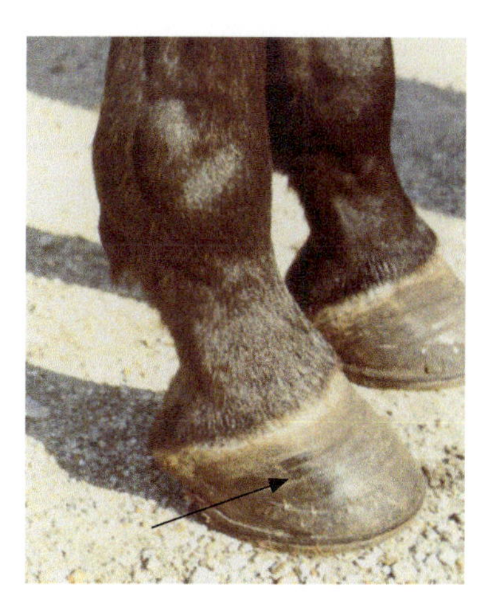

Figura 4.14 – Casco com linha de crescimento transitória (*seta*).

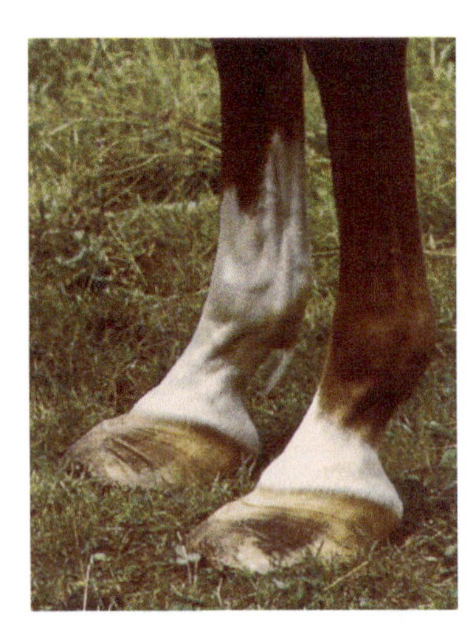

Figura 4.15 – Casco com linha de crescimento intensa, por problema grave e prolongado, que levou a um quadro de laminite.

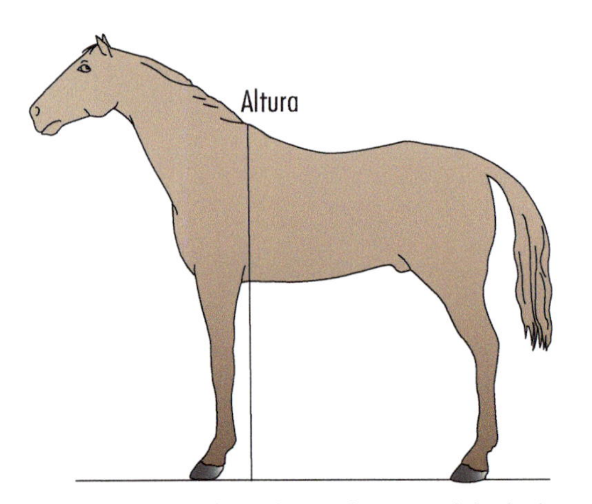

Figura 4.16 – A altura do cavalo é a medida da distância do chão à sua cernelha, com o cavalo em estação.

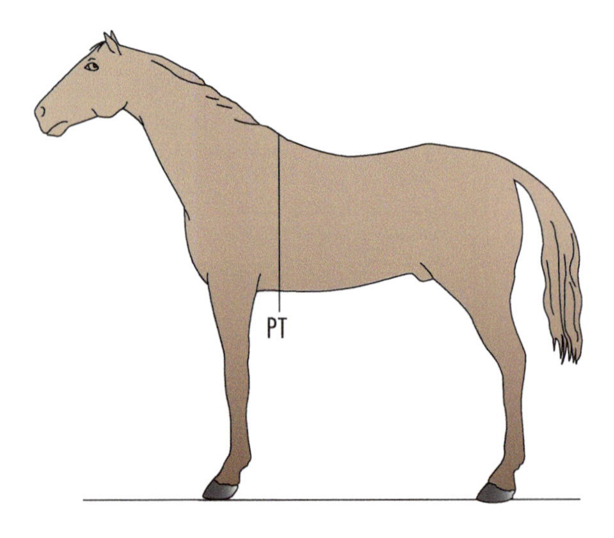

Figura 4.17 – Perímetro torácico (PT).

O limite máximo de retirada das pinças é a linha branca, que delimita a porção córnea viva da não sensível. Ultrapassar essa linha é atingir partes sensíveis, limitando a funcionalidade do animal.

Relações Corporais

Altura

A altura do cavalo é obtida medindo-se a distância do solo à sua cernelha (Fig. 4.16), em uma linha perpendicular ao solo, em terreno plano, estando o animal sem ferraduras e em estação (parado, bem aprumado, sem se movimentar). Pega-se a medida no alto da cernelha.

Peso

O peso do cavalo deve ser avaliado, sempre que possível, em balança devidamente aferida para tal. Entretanto, existem algumas possibilidades de se estimar o peso do cavalo através de fórmulas que nos dão uma ideia aproximada do peso do animal e, se mensurada sempre da mesma forma e pela mesma pessoa, nos dão uma proporção de ganho ou perda de peso do animal, mesmo que não seja exata.

Todas as fórmulas levam em consideração o perímetro torácico do cavalo retirado na circunferência que passa logo atrás da cernelha e circunda o corpo todo do animal, conforme observado na Figura 4.17. Essas fórmulas nos dão um peso aproximado, em kg, com margem de erro de cerca de 5%. Porém, pode haver diferenças entre as raças e estado gestacional das éguas, devendo ser utilizadas apenas como balizamento e não como peso absoluto.

Para cavalos de sela, existem três fórmulas que podem ser utilizadas:

1. Animais acima de 12 meses: $P = (PT)^3 \times 80$, isto é, o peso é igual ao perímetro torácico, em metros, ao cubo vezes 80.
2. Animais acima de 12 meses: $P = [(PT)^2 \times C]/11.877$, isto é, o peso é igual ao perímetro torácico, em centímetros, ao quadrado, vezes o comprimento, dividido por 11.877. O comprimento do cavalo é obtido medindo-se da ponta da espádua à ponta do ísquio, em linha reta (Fig. 4.18) (fórmula simplificada de Carroll e Huntington, *apud* Frape).
3. Para potros até 12 meses, a fórmula a ser utilizada deve ser:
   $P = (PT-25)/0,7$, isto é, o peso é igual ao perímetro torácico, em centímetros, menos 25, dividido por 0,7.

Para cavalos de raças de tração, acima de 650 kg de peso quando adulto, a fórmula a ser utilizada é: $P = (PT \times 7,3) - 800$, isto é, o peso do animal é igual ao perímetro torácico, em centímetros, vezes 7,3, menos 800.

Figura 4.18 – Comprimento (C) do cavalo: é a distância da ponta da espádua à ponta do ísquio.

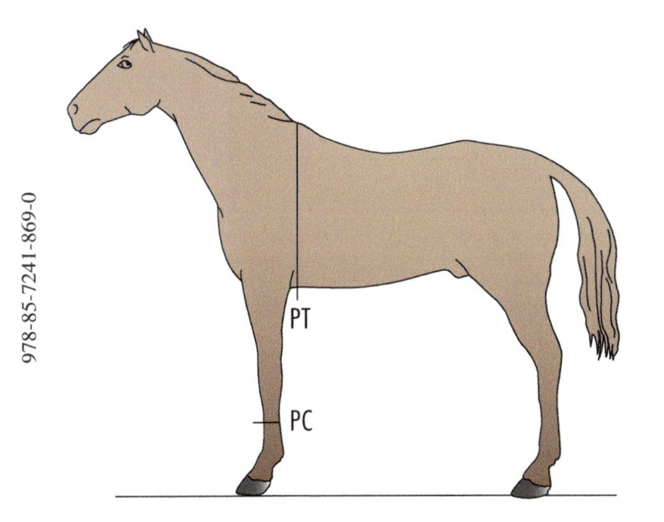

Figura 4.19 – Índice dactilotorácico. PC = perímetro da canela; PT = perímetro torácico.

978-85-7241-869-0

Nos Quadros 4.1, 4.2, 4.3 e 4.4 há exemplos de aplicação dessas fórmulas.

Índice Dactilotorácico

O índice dactilotorácico (IDt) é a distância entre o perímetro da canela (PC) tirada logo abaixo do joelho do equino e o perímetro torácico (PT) (Fig. 4.19). Dado pela fórmula: IDt = PC/PT.

- O IDt não deve ser inferior a 0,105 em cavalos pequenos.
- O IDt não deve ser inferior a 0,108 em cavalos de sela.
- O IDt não deve ser inferior a 0,115 em cavalos de tração.

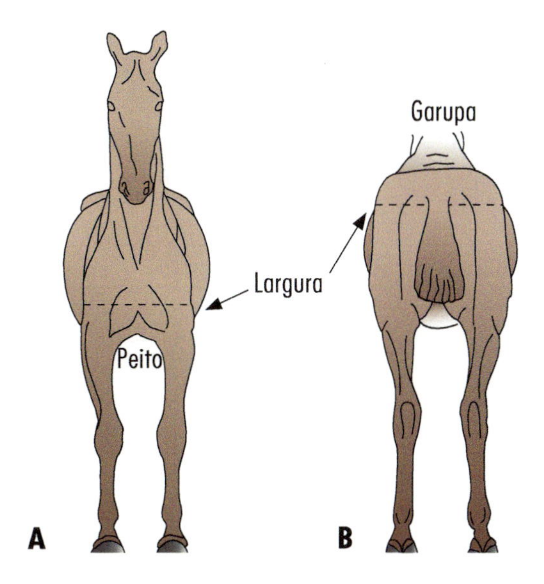

Figura 4.20 – (*A* e *B*) Larguras do peito e da garupa em um cavalo equilibrado são iguais.

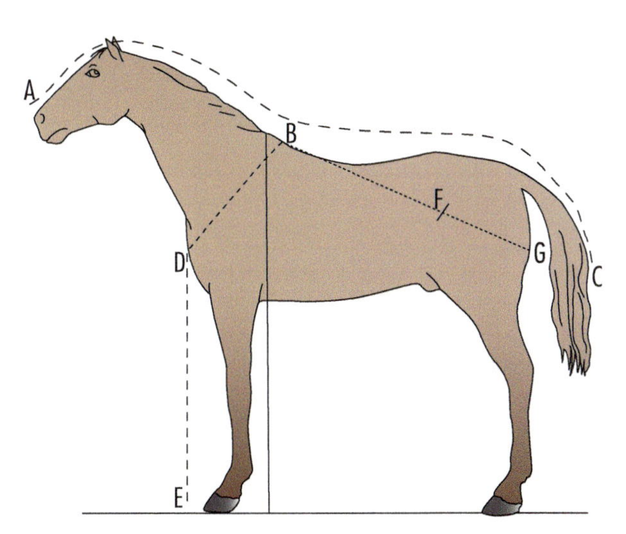

- **AB = BC:** cavalo bom, mas pouco veloz.
- **AB < BC:** cavalo ótimo para sela.
- **AB > BC:** cavalo ruim para sela.
- **AB ≥ BC:** agilidade.
- **BD ≥ DE:** resistência.
- **BF ≤ FG:** elegância.

Figura 4.21 – Proporções do cavalo de sela.

Índice Torácico

O índice torácico (It) é a relação entre largura (L) (Fig. 4.20) e altura (A) (ver Fig. 4.16), dado pela fórmula: It = L/A, em que L é a largura do animal, tomada entre as espáduas ou entre as pontas das ancas, e A é a altura do animal medida na cernelha.

- Se o It for inferior a 0,85, o animal é classificado como *longilíneo*.

Quadro 4.1 – Cavalos de sela – Adultos: $P = (PT)^3 \times 80$			
Perímetro torácico = 1,55m $P = 1,55 \times 1,55 \times 1,55 \times 80$ Peso = 298kg	Perímetro torácico = 1,70m $P = 1,7 \times 1,7 \times 1,7 \times 80$ Peso = 393kg	Perímetro torácico = 1,85m $P = 1,85 \times 1,85 \times 1,85 \times 80$ Peso = 506kg	Perímetro torácico = 2,00m $P = 2 \times 2 \times 2 \times 80$ Peso = 640kg

Quadro 4.2 – Cavalos de sela – Adultos: $P = [(PT)^2 \times C]/11.877$			
Perímetro torácico = 160cm Comprimento = 140cm $P = (160 \times 160 \times 140)/11.877$ Peso = 302kg	Perímetro torácico = 177cm Comprimento = 168cm $P = (177 \times 177 \times 168)/11.877$ Peso = 443kg	Perímetro torácico = 194cm Comprimento = 181cm $P = (194 \times 194 \times 181)/11.877$ Peso = 574kg	Perímetro torácico = 202cm Comprimento = 180cm $P = (202 \times 202 \times 180)/11.877$ Peso = 618kg

Quadro 4.3 – Cavalos de sela – Potros até 12 meses: $P = (PT-25)/0,7$			
Perímetro torácico = 134cm $P = (134 - 25)/0,7$ Peso = 155kg	Perímetro torácico = 142cm $P = (142 - 25)/0,7$ Peso = 167kg	Perímetro torácico = 153cm $P = (153 - 25)/0,7$ Peso = 183kg	Perímetro torácico = 160cm $P = (160 - 25)/0,7$ Peso = 193kg

Quadro 4.4 – Cavalos de tração – $P = (PT \times 7,3) - 800$			
Perímetro torácico = 167cm $P = (167 \times 7,3) - 800$ Peso = 419kg	Perímetro torácico = 198cm $P = (198 \times 7,3) - 800$ Peso = 645kg	Perímetro torácico = 217cm $P = (217 \times 7,3) - 800$ Peso = 784kg	Perímetro torácico = 241cm $P = (241 \times 7,3) - 800$ Peso = 959kg

- Se o It estiver entre 0,86 e 0,88, o animal é classificado como *mediolíneo*.
- Se o It for superior a 0,89, o animal é classificado como *brevilíneo*.

Proporções

Para o cavalo de sela, podem-se estabelecer proporções seguindo as linhas da Figura 4.21, em que:

Atenção apenas para o fato de que esses índices predispõem o animal à qualidade de animal de sela e servem apenas como referência, não devendo ser tomados ao pé da letra para a seleção e a escolha de um animal.

REFERÊNCIA BIBLIOGRÁFICA

1. RIBEIRO, D. B. *O Cavalo: Raças, Qualidades e Defeitos*.

BIBLIOGRAFIA COMPLEMENTAR

BECK, S. L. *Eqüinos: Raça, Manejo, Equitação*. São Paulo: Editora dos Criadores, 1985.

CAMARGO, M. X.; Chieffi, A. *Ezoognosia*. 2. ed. São Paulo: Instituto de Zootecnia, 1971.

FRAPE, D. *Nutrição e Alimentação dos Eqüinos*, 3. ed. São Paulo: Editora Roca, 2007.

Capítulo 5

Aprumos

Os aprumos são as direções que os raios ósseos dos membros apresentam na sustentação do corpo. Em um animal bem aprumado, quando visto de perfil, seus membros se encobrem. Vistos de frente ou de trás, estão na vertical e bem regulares.

Os aprumos podem ser regulares ou irregulares. Os aprumos regulares permitem ao cavalo desenvolver boa impulsão, ter bom equilíbrio, apoio e andamentos perfeitos. Nos aprumos irregulares, os membros não estão seguindo uma linha vertical perfeita, dificultando a locomoção e a estação, tornando o andamento irregular.

As linhas diretrizes dos aprumos corretos do cavalo são observadas na Figura 5.1, sendo:

- Linha AB: vertical que parte da ponta da espádua e vai até o solo a 10cm da pinça do casco.
- Linha XY: vertical tirada do centro de movimentação do tronco sobre os membros (meio da espádua), passando pelo meio do braço, indo até o solo, dividindo o casco ao meio.
- Linha CD: vertical que passa pelo meio do codilho, antebraço, joelho, canela, boleto, atingindo o solo atrás dos talões.
- Linha EF: vertical que parte da ponta da nádega, tangencia a ponta do jarrete, desce pela face posterior da canela e do boleto, atingindo o solo.

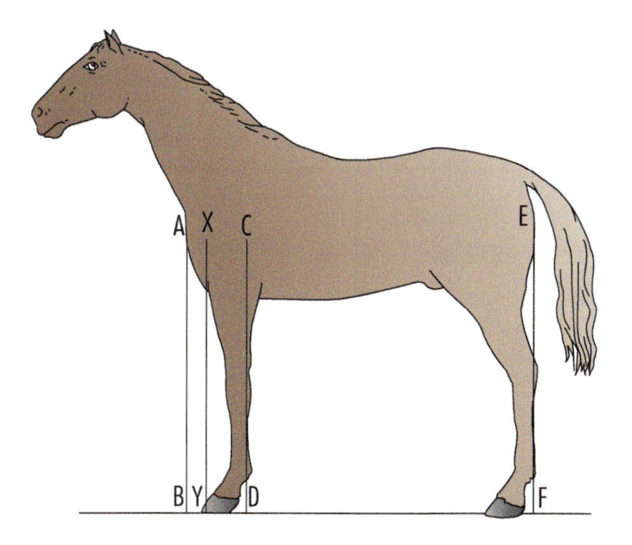

Figura 5.1 – Linhas diretrizes de aprumos corretos para um cavalo equilibrado.

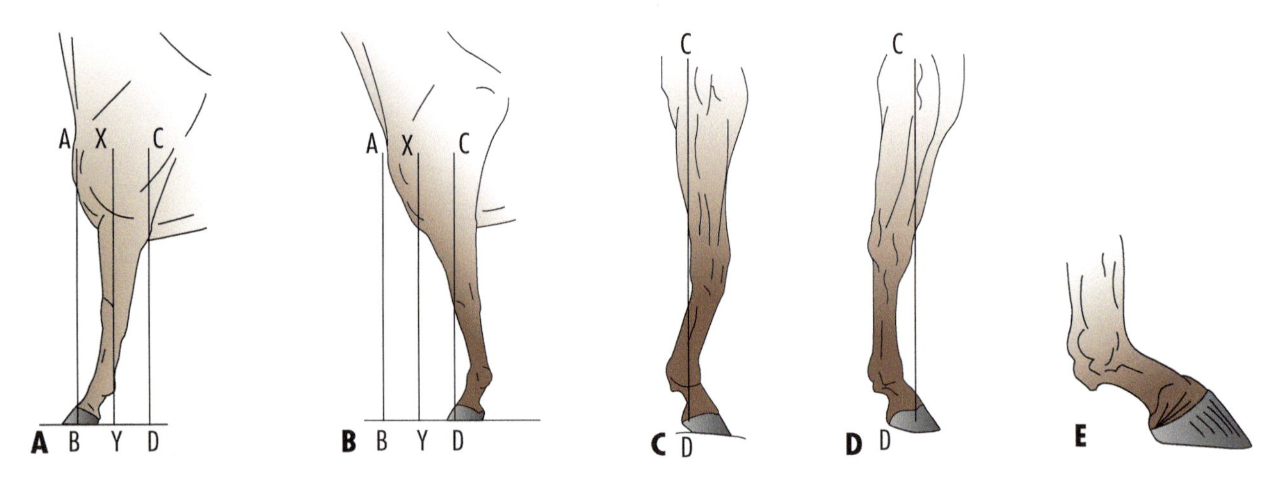

Figura 5.2 – (*A*) Acampado. (*B*) Sobre si. (*C*) Ajoelhado. (*D*) Transcurvo. (*E*) Arriado de quartela.

Uma observação importante se faz necessária quanto às correções de aprumos pela correção do casco. Esta somente poderá ser feita até os seis meses de idade do potro. Após essa idade, qualquer alteração drástica que se fizer nos cascos do cavalo irá refletir na estrutura esquelética, comprometendo o bom desenvolvimento e desempenho do animal.

Muitas pessoas têm o hábito de querer consertar aprumos de cavalos mais velhos. Isso é um erro grave, pois essa prática irá causar lesões mais altas no animal, de difícil cura, comprometendo sua funcionalidade.

Defeitos de Aprumos dos Membros Anteriores

Ao exame de perfil, as linhas AB, XY e CD não seguem o padrão de regularidade e, dependendo do desvio, total ou parcial, recebem designações especiais.

- Visto de perfil:
  - Acampado de frente (Fig. 5.2, *A*): os membros inclinam-se para a frente, estando as linhas dire-

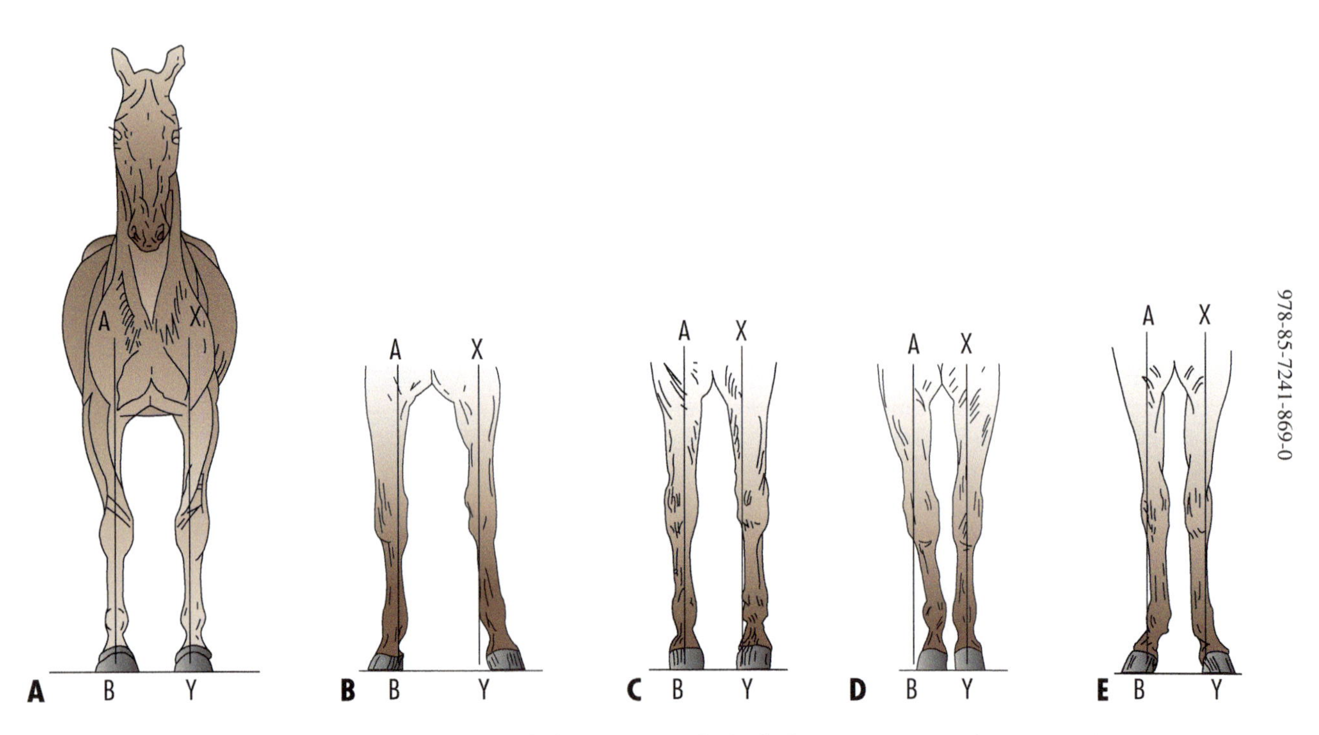

Figura 5.3 – (*A*) Aprumos corretos. (*B*) Aberto de frente. (*C*) Fechado de frente. (*D*) Esquerdo. (*E*) Cambaio.

978-85-7241-869-0

978-85-7241-869-0

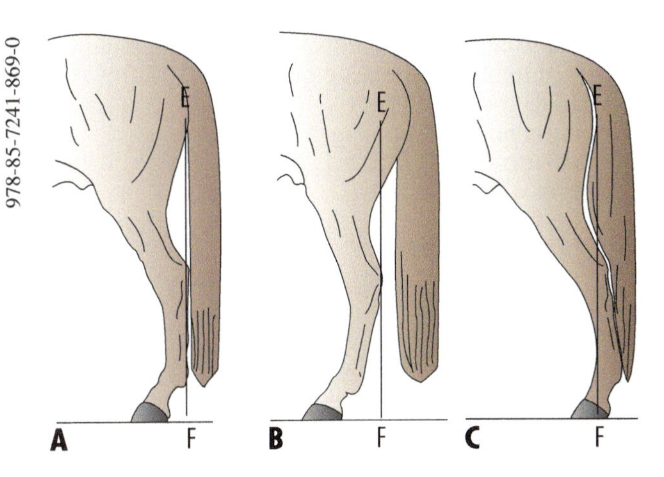

Figura 5.4 – (*A*) Aprumos corretos. (*B*) Acurvilhado. (*C*) Acampado.

trizes localizadas atrás de sua posição normal. Esse defeito sobrecarrega rins e jarretes.

- Sobre si de frente (Fig. 5.2, *B*): os membros inclinam-se para trás, estando as linhas diretrizes localizadas à frente de sua posição normal. Esse defeito sobrecarrega tendões, ligamentos e músculos dos membros anteriores, sujeitando o animal a tropeções e quedas.
- Ajoelhado (Fig. 5.2, *C*): o joelho do animal está deslocado para a frente da linha de aprumo. Esse defeito demonstra fraqueza dos membros anteriores.
- Transcurvo (Fig. 5.2, *D*): o joelho do animal está deslocado para trás da linha de aprumos. Esse defeito é prejudicial à firmeza dos membros anteriores.
- Arriado de quartela (Fig. 5.2, *E*): o boleto fica projetado para trás e a quartela está em posição quase horizontal.

• Visto de frente:

- Aprumos corretos (Fig. 5.3, *A*).
- Aberto de frente (Fig. 5.3, *B*): os membros anteriores são desviados para fora do eixo regular e as mãos estão muito afastadas entre si.
- Fechado de frente (Fig. 5.3, *C*): as mãos convergem de cima para baixo. É um defeito contrário ao anterior, expondo o animal a frequentes ferimentos provocados por um membro quando se toca com o outro.
- Joelhos cambaios ou fechados (Fig. 5.3, *D*): o desvio dos joelhos é para dentro.
- Esquerdo (Fig. 5.3, *E*): a torção dos membros é para fora, desde o codilho, fazendo com que os pés fiquem arqueados.

Defeitos Aprumos dos Membros Posteriores

Ao exame de perfil, a linha EF não segue o padrão de regularidade e, dependendo do desvio, total ou parcial, recebe designações especiais.

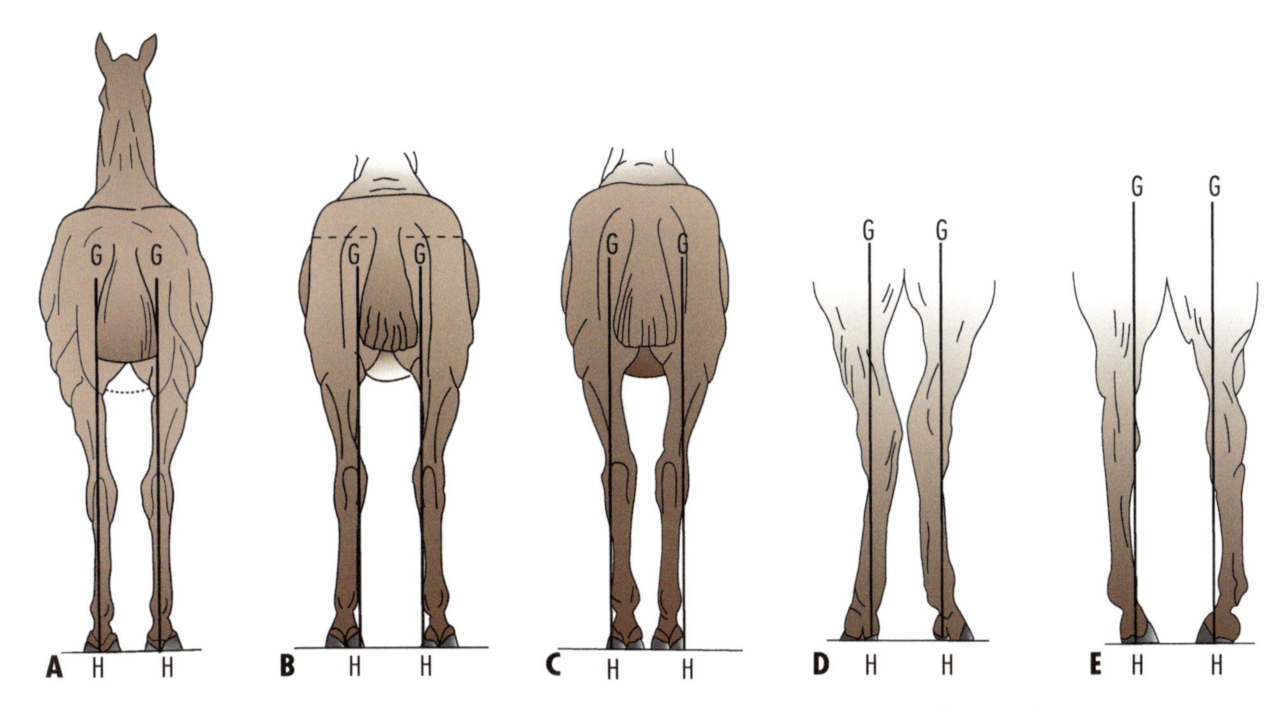

Figura 5.5 – Nos aprumos corretos (A), a linha GH parte da ponta da nádega e vai ao solo dividindo o jarrete e as regiões abaixo em duas partes iguais. (*B*) Aberto detrás. (*C*) Fechado detrás. (*D*) Jarretes cambaios. (*E*) Jarretes abertos.

- Visto de perfil:
  - Aprumos posteriores corretos (Fig. 5.4, *A*).
  - Sobre si detrás ou acurvilhado (Fig. 5.4, *B*): todo o membro se desvia para diante da linha diretriz EF, estando o jarrete e a canela ligeiramente avançados. Sobrecarrega as articulações do curvilhão e boleto.
  - Acampado detrás (Fig. 5.4, *C*): os membros inclinam-se para trás, estando a linha diretriz localizada à frente de sua posição normal. Esse defeito sobrecarrega tendões, ligamentos e músculos dos membros anteriores, sujeitando o animal a tropeções e quedas.
- Visto de trás:
  - Aprumos corretos (Fig. 5.5, *A*).
  - Aberto detrás (Fig. 5.5, *B*): o desvio dos membros é para fora.
  - Fechado detrás (Fig. 5.5, *C*): o desvio dos membros é para dentro.
  - Jarrete cambaio (Fig. 5.5, *D*): os jarretes se voltam para dentro.
  - Jarretes arqueados ou abertos (Fig. 5.5, *E*): o jarrete se volta para fora.

978-85-7241-869-0

Capítulo 6

Dentição

Luiz Fernando Rapp Pimentel

Anatomia

Os equinos são classificados como gnatostomatas, pois possuem mandíbula móvel[1]. São heterodontes, ou seja, possuem categorias de dentes de diferentes formatos: incisivos (I), caninos (C), pré-molares (PM) e molares (M)[2-4] (Fig. 6.1).

Os dentes dos equinos possuem coroas longas, de 7 a 10cm no sentido ápico-coronal, nos dentes pré-molares e molares, sendo classificados como hipsodontes. A dentina, o esmalte e o cemento na superfície oclusal (superfície de mastigação) se remodelam constantemente, graças à diferença de resistência entre os três tecidos que compõem os dentes. A erupção contínua – elodontia – segue uma dinâmica de 2 a 3mm por ano, durante toda a vida do cavalo[5-8] (Figs. 6.2 e 6.3).

Essas características (hipsodonte e elodontia) permitem que o equino se alimente por até 18 horas diárias com uma dieta composta de forragens abrasivas à superfície dentária por seus constituintes, como sílica, hemicelulose, celulose e lignina[9,10].

A superfície oclusal dos dentes dos equinos combina propriedades de elasticidade e plasticidade diferentes, proporcionadas pela inter-relação dos três tecidos dentários: o esmalte, a dentina e o cemento (Tabela 6.1)[11,12].

Acredita-se que a prolongada erupção do dente hipsodonte deva-se à contínua deposição de dentina e tração exercida pelo ligamento periodontal. A taxa de erupção deve ser equivalente à taxa de desgaste oclusal de 2 a 3mm por ano[7].

A contínua extrusão, o uso e o desgaste dos dentes promovem a diminuição da coroa de reserva. A altura da coroa clínica e o comprimento da raiz permanecem praticamente os mesmos a partir da época da maturação do dente, mas a posição do ápice da raiz migra na direção coronal enquanto a coroa de reserva diminui. A erupção da coroa de reserva inserida no osso alveolar ocorre até a completa extrusão da coroa, o que possibilita que equinos idosos mantenham seu aparato dental bem funcional por muito tempo[3].

Os equinos possuem 12 dentes incisivos, sendo 6 incisivos mandibulares (inferiores) e 6 incisivos maxi-

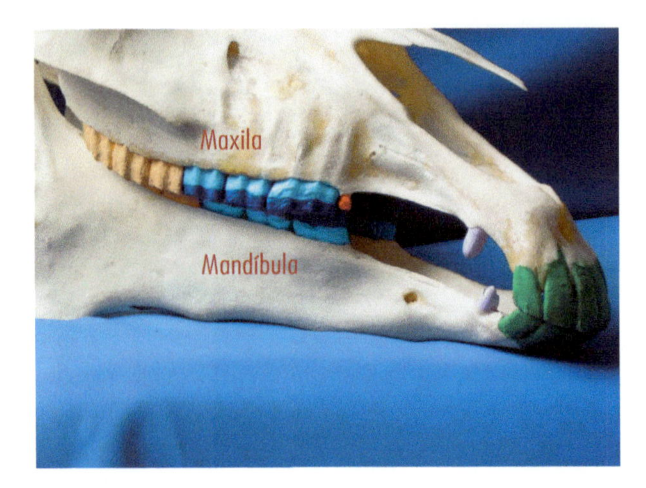

Figura 6.1 – Localização anatômica dos arcos dentários do equino: ossos da maxila e mandíbula (*letras em vermelho*), incisivos (*verdes*), caninos (*lilás*), dente de lobo (*vermelho*), pré-molares (*azul-claro*: permanentes; *azul-escuro*: decíduos), molares (*bege*). Fonte: Pimentel, 2004[4].

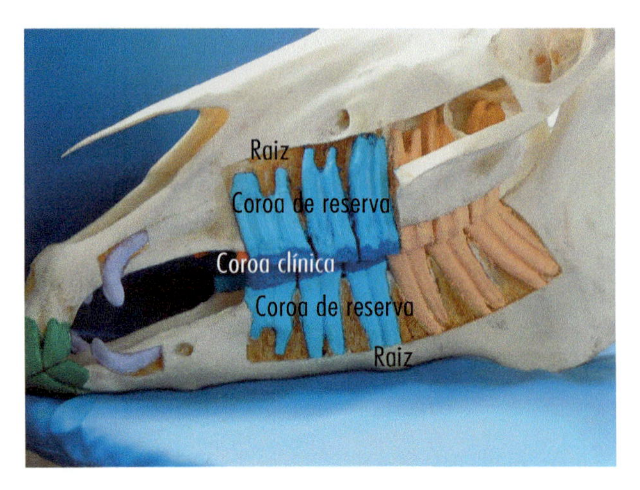

978-85-7241-869-0

Figura 6.3 – Crânio de equino. Parte dos ossos da maxila e da mandíbula foi removida para visualização dos dentes em seu tamanho total. A coroa clínica é a parte visível de um dente dentro da boca. A coroa de reserva é a porção do dente que irá extrusar para compensar o desgaste da coroa clínica durante a mastigação. A raiz é o ápice do dente por onde emergem as estruturas que nutrem e inervam cada elemento dentário. Fonte: Pimentel, 2004[4].

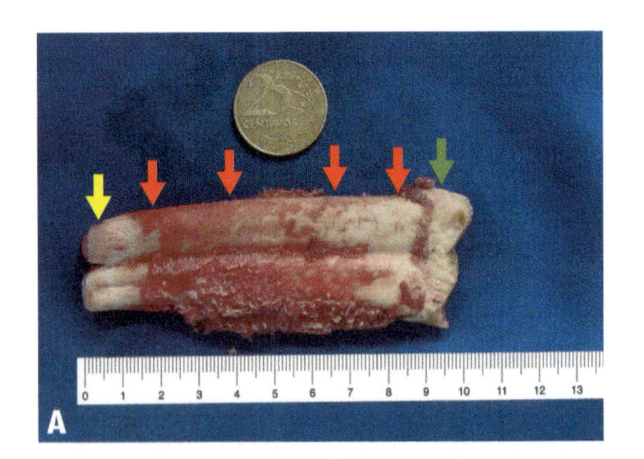

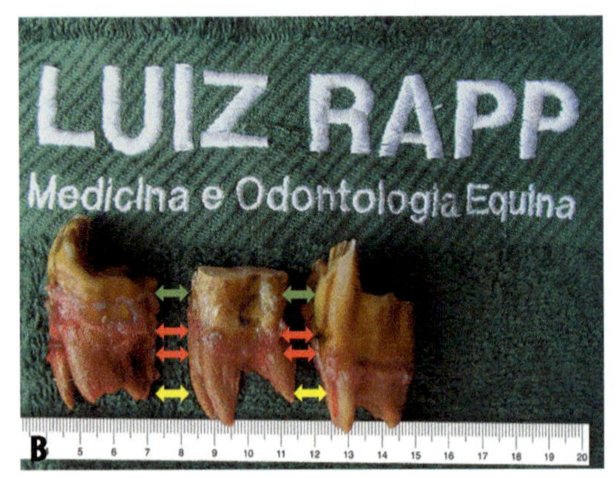

Figura 6.2 – (*A*) Dente equino aos dois anos de idade. Coroa longa (*setas vermelhas*) e raízes curtas (*seta amarela*) suportam o desgaste anual de 2 a 3mm. (*B*) Dentes de equino de 23 anos de idade. Note a reduzida coroa de reserva (*seta vermelha*). Os tamanhos da coroa clínica (*seta verde*) e das raízes (*seta amarela*) permanecem os mesmos. Fonte: Pimentel[8].

lares (superiores) (Tabela 6.2). A função dos dentes incisivos é apreender e cortar a forragem. Cavalos confinados e que não têm acesso ao pastoreio não usam seus dentes incisivos para cortar a forragem, o que pode tornar esses dentes muito mais longos que o padrão normal devido à falta de atrito[3].

Os incisivos são dentes difiodontes e sua função é o corte e a apreensão da forragem. Os dentes decíduos ("dentes de leite ou caducos") são mais claros, possuem um infundíbulo mais largo e superficial que o dos dentes permanentes e erupcionam na borda lingual[3,12,14].

Os dentes caninos e primeiro pré-molar ("dente do lobo") são braquiodontes, ou seja, são dentes de coroa simples. Embora ocorra variação numérica individual, esses dentes estão localizados no diastema ou espaço interdental entre incisivos e pré-molares, quando presentes[15]. Esses dentes não têm contato oclusal com

Tabela 6.1 – Composição dos dentes[12,13]

Tecidos	Composição inorgânica	Composição orgânica
Esmalte	98% Cristais de hidroxiapatita	2% Principalmente queratina
Dentina	70% Principalmente cristais de hidroxiapatita	Água, fibras colágenas, mucopolissacarídeos
Cemento	65% Principalmente cristais de hidroxiapatita	35% Água, fibras colágenas

Tabela 6.2 – Fórmula dentária

	Dentes decíduos: 24			
	Incisivos	*Caninos*	*Pré-molares*	*Molares*
Maxilares superiores (2×)	3	0	3	0
Mandibulares (inferiores) (2×)	3	0	3	0
	Dentes permanentes: 36 a 44			
	Incisivos	*Caninos*	*Pré-molares*	*Molares*
Maxilares (superiores) (2×)	3	1	3 ou 4	3
Mandibulares (inferiores) (2×)	3	1	3 ou 4	3

A variação dentária deve-se a dois aspectos:
- Ao dimorfismo sexual, em que os dentes caninos estão presentes apenas nos machos, mas podem ocasionalmente ser encontrados em fêmeas.
- À presença ocasional do "dente do lobo" (P1).

seus antagonistas, portanto, não é necessária a erupção contínua para repor o desgaste da coroa[3].

Os dentes caninos normalmente localizam-se no diastema de machos adultos. Normalmente, sua erupção ocorre entre quatro anos e meio e seis anos de idade, época que corresponde ao início do pico da maturidade sexual no garanhão. Acredita-se que sua função seja de defesa da manada e combate contra outros machos. Os caninos superiores estão situados na junção entre a pré-maxila e a maxila. Os caninos inferiores são mais rostrais e próximos aos incisivos laterais que os caninos superiores. Juntamente com os incisivos inferiores, os caninos inferiores servem de suporte para a língua no cavalo relaxado. Os caninos são dentes braquiodontes simples, menores que os incisivos e têm uma longa raiz curvada com a concavidade direcionada caudalmente. Quando presentes em éguas, os caninos são vestigiais, principalmente na mandíbula[15].

Os "dentes do lobo" são os primeiros pré-molares vestigiais e ocorrem de maneira inconsistente[8,15,16].

Os "dentes do lobo" normalmente são rostrais aos segundos pré-molares e, em geral, não têm mais do que 1 a 2cm de comprimento. Alguns "dentes do lobo" tornam-se angulados rostralmente e migram sob a mucosa, localizando-se por volta de 3cm rostral ao segundo pré-molar. Como não ocorre erupção desses dentes, são ditos "dentes do lobo ocultos"[15].

Os dentes pré-molares e molares têm uma natureza mais complexa que os incisivos. Os superiores têm dois infundíbulos. Os inferiores não possuem infundíbulo e são mais estreitos que os superiores[14]. Entretanto, suas coroas estão posicionadas de tal maneira que suas cúspides se inter-relacionam precisamente[3].

O equino adulto possui 12 dentes pré-molares e 12 dentes molares, que formam quatro fileiras de seis dentes acomodados nos ossos da mandíbula e maxila[2,3,5].

Os dentes pré-molares e molares têm as funções de triturar e mastigar os alimentos, quando ocorrem os principais fenômenos físico-mecânicos da digestão. A importância desses fenômenos é dar início ao processo digestivo na boca e criar condições para ocorrer os demais processos digestivos subsequentes[10].

Como Identificar um Dente

Para identificar um dente no equino: um sistema anatômico e um sistema numérico. Neste capítulo, serão abordados os sistemas de identificação anatômico e zootécnico.

No sistema anatômico, um dente é identificado com uma letra e um número que corresponde à sua função, seu tipo (decíduo ou permanente) e sua posição. A função é identificada pela primeira letra do nome próprio do dente: I = incisivo, C = canino, P = pré-molar, M = molar. A capitalização da letra indica se o dente é decíduo (letra minúscula) ou permanente (letra maiúscula). Dessa forma, por exemplo, M1 identifica o primeiro molar permanente e P2 identifica o segundo pré-molar decíduo[17,18].

O sistema zootécnico é generalista, pois os dentes são identificados apenas com o próprio nome: incisivos, molares e pré-molares. Particularmente, os incisivos são denominados de acordo com sua posição: pinças (I1), médios (I2) e cantos (I3). O primeiro pré-molar (P1) é identificado como "dente do lobo".

Determinação da Idade

Conforme indica a sexta edição do *Guide for Determining the Age of the Horse*, publicado em 2002 pela American Association of Equine Practitioners (AAEP), a determinação da idade de um cavalo é normalmente limitada ao exame dos dentes incisivos. A avaliação pelos exames visual e radiológico dos dentes pré-molares e molares é ocasionalmente realizada e ajuda na estimativa da idade, especialmente em potros (Tabela 6.3). A Tabela 6.3 indica a idade média de erupção dos dentes nos equinos. Conforme o cavalo envelhece (acima de 15 anos), as alterações na conformação dentária tornam-se menos precisas e a acurácia da determinação da idade dental diminui consideravelmente. A grande variação pode ser um resultado de variação individual e influência da raça[19].

Tabela 6.3 – Erupção dentária do equino

Dente	Identificação	Erupção
A – Decíduos		
Primeiro (pinça) incisivo	i1	Nascimento ou primeira semana
Segundo (médio) incisivo	i2	4 – 6 semanas
Terceiro (canto) incisivo	i3	6 – 9 meses
Segundo (pré-molar)	p2	Nascimento até a segunda semana
Terceiro (pré-molar)	p3	Nascimento até a segunda semana
Quarto (pré-molar)	p4	Nascimento até a segunda semana
B – Permanentes		
Primeiro (central) incisivo	I1	2 anos e meio
Segundo (médio) incisivo	I2	3 anos e meio
Terceiro (canto) incisivo	I3	4 anos e meio
Canino	C	4 – 5 anos
Primeiro pré-molar ("dente do lobo")	P1	5 – 6 meses
Segundo pré-molar	P2	2 anos e meio
Terceiro pré-molar*	P3	3 anos
Quarto pré-molar*	P4	4 anos
Primeiro molar	M1	9 – 12 meses
Segundo molar	M2	2 anos
Terceiro molar	M3	3 anos e meio

* Os períodos indicados para P3 e P4 referem-se aos dentes superiores. Os inferiores podem ter a *erupção até seis meses depois*.
Adaptado de Martin, 2002[19].

Indicadores de Idade: Aspectos Dentários que Auxiliam na Determinação da Idade

Erupção Dentária

A erupção dos dentes decíduos ou permanentes é considerada o mais acurado de todos os indicadores para animais com até cinco anos de idade. Os dentes decíduos são conhecidos como "capas" e são empurrados para fora da gengiva pelos dentes permanentes (processo conhecido como "muda") (Fig. 6.4).

Formato do Canto Superior (I3): Relação Comprimento/Largura

Entre cinco e nove anos de idade, o canto superior (I3) geralmente é mais largo do que alto. Por volta de dez anos de idade, o canto superior tende a ser quadrado. Acima dos dez anos de idade, o canto superior torna-se mais alto do que largo (Fig. 6.5).

Alterações de Formato da Superfície Oclusal ("Mesa") dos Incisivos Inferiores

O formato da superfície oclusal dos incisivos inferiores varia de acordo com o avanço da idade. Dos cinco aos nove anos, é oval. A passagem de oval para triangular indica que a idade varia de 10 a 15 anos. Nas idades entre 16 e 20 anos, o formato passa de triangular a biangular (Fig. 6.6).

Desaparecimento da Cavidade Infundibular ("Copo")

Na superfície oclusal dos dentes incisivos do equino, há uma depressão profunda chamada de infundíbulo. Essa cavidade forrada por esmalte torna-se marrom-escura pelo depósito de alimentos e é conhecida como "copo". Desaparece aos cinco ou seis anos de idade nas pinças, aos sete anos nos médios e aos oito anos nos cantos. Apesar de ocorrer alguma variabilidade no desaparecimento dos "copos", estes são indicadores úteis na determinação da idade entre cinco e nove anos (Fig. 6.7).

Aparecimento da Estrela Dentária

A estrela dentária é dentina secundária que oclui a cavidade pulpar e surge como uma estrutura linear marrom-amarelada na superfície oclusal entre a borda labial dos incisivos e o copo. Estudos recentes sugerem que a estrela dentária aparece aos cinco anos nas

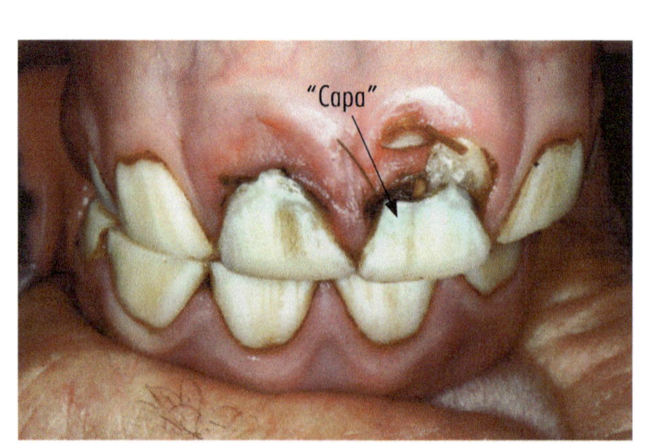

Figura 6.4 – Equino de dois anos de idade. Note o início do processo de ocorrência da muda das "capas" das pinças superiores (*seta*). Fonte: Martin, 2002[19].

978-85-7241-869-0

978-85-7241-869-0

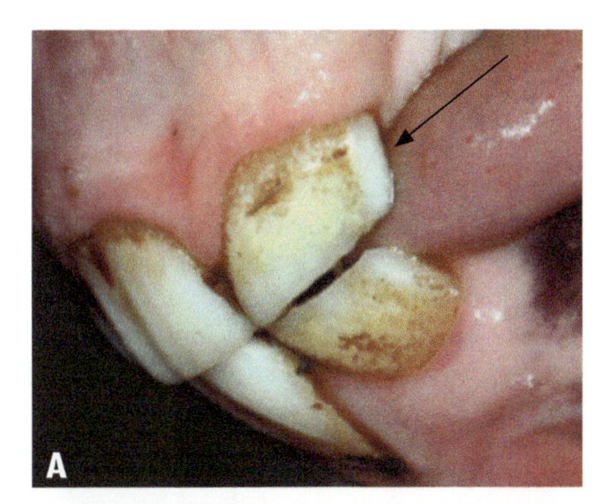

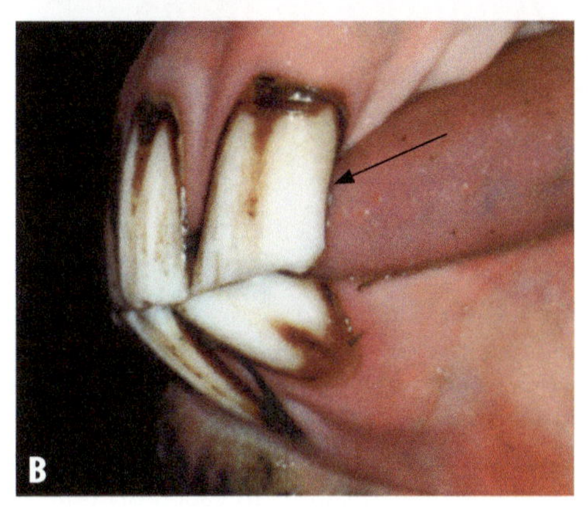

Figura 6.5 – (*A*) Equino de sete anos de idade. Note o dente incisivo do canto superior mais largo que alto (*seta*). (*B*) Equino de 17 anos de idade. O dente incisivo do canto superior é mais alto que largo (*seta*). Fonte: Martin, 2002[19].

pinças (Fig. 6.8), aos seis anos nos médios e aos sete para oito anos nos cantos. Com o avançar da idade, a estrela dentária torna-se ovalada, depois se arredonda e se move para o centro do dente. Entre 15 e 18 anos de idade, a estrela dentária torna-se a única estrutura na superfície oclusal das pinças.

Desaparecimento do Anel de Esmalte ("Marca")

A metade inferior do infundíbulo preenchida por esmalte é denominada anel de esmalte ou "marca". Quando o "copo" desaparece, a marca passa por mudanças em seu formato, semelhantes às que ocorrem sobre a superfície oclusal dos incisivos. No arco superior, desaparece nas pinças aos 13 anos, nos médios aos 14 anos e nos cantos aos 15 anos. No arco inferior, a marca desaparece aos 16 anos nas pinças (Fig. 6.9), aos 17 anos nos médios e aos 18 anos nos cantos. O início do desaparecimento das marcas é muito variável, a partir das pinças, e segue para os médios e cantos entre um e três anos mais tarde.

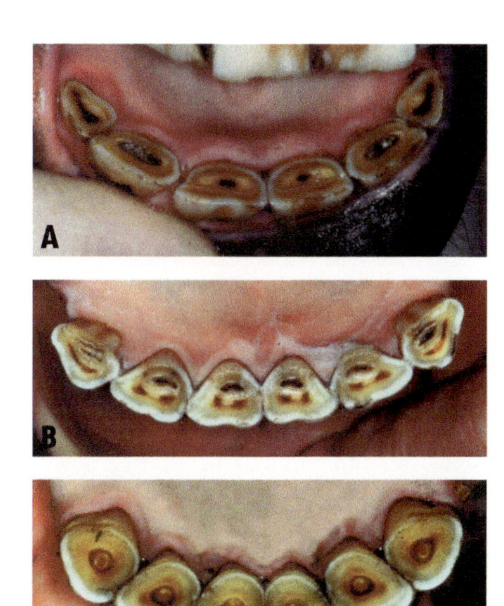

Figura 6.6 – (*A*) Equino de cinco anos de idade. A superfície oclusal dos dentes incisivos é oval. (*B*) Equino de 14 anos de idade. Note o formato triangular da superfície oclusal dos dentes incisivos. (*C*) Equino de 18 anos de idade. O formato da superfície oclusal dos dentes incisivos é biangular. Fonte: Martin, 2002[19].

Aparecimento e Posição do Sulco de Galvayne no Canto Superior (I3)

O sulco de Galvayne é uma depressão longitudinal sobre a superfície labial dos cantos superiores. O cemento pode permanecer em parte ou em todo o sulco e pode ou não ter coloração escura. Entre nove e dez anos de idade, o sulco surge a partir da margem da gengiva e atinge seu comprimento total aos 20 anos (Fig. 6.10). A presença do sulco de Galvayne é variável e, mesmo quando presente, o comprimento em relação à idade é inexato.

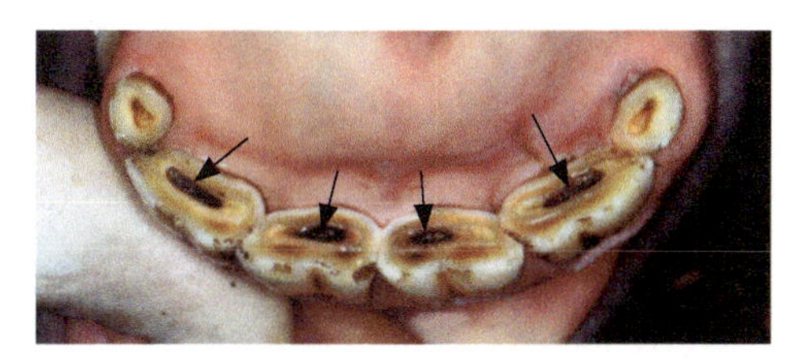

Figura 6.7 – Equino de três anos de idade. Presença da cavidade infundibular ("copo") na superfície oclusal dos incisivos centrais e médios (*setas*). Fonte: Martin, 2002[19].

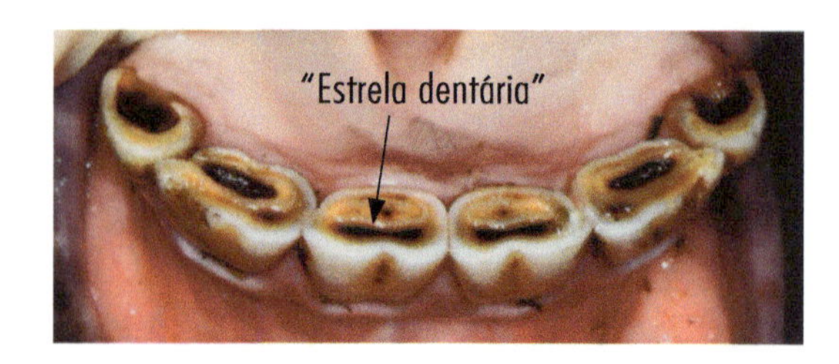

Figura 6.8 – Equino de cinco anos de idade. Presença da estrela dentária nos incisivos centrais (*seta*). Fonte: Martin, 2002[19].

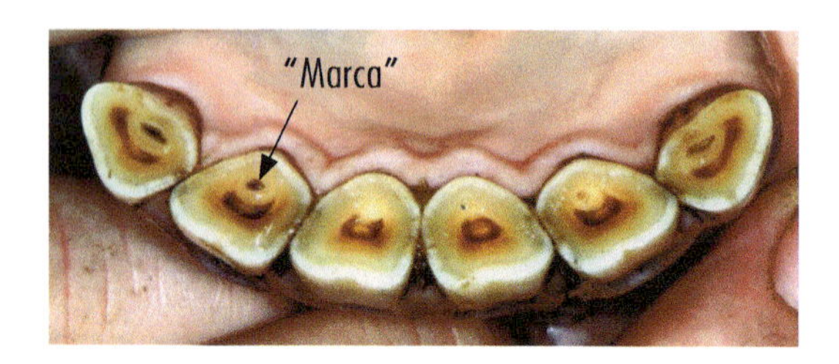

Figura 6.9 – Equino de 16 anos de idade. Observe a ausência da marca nos incisivos centrais e sua presença nos incisivos médios (*seta*). Fonte: Martin, 2002[19].

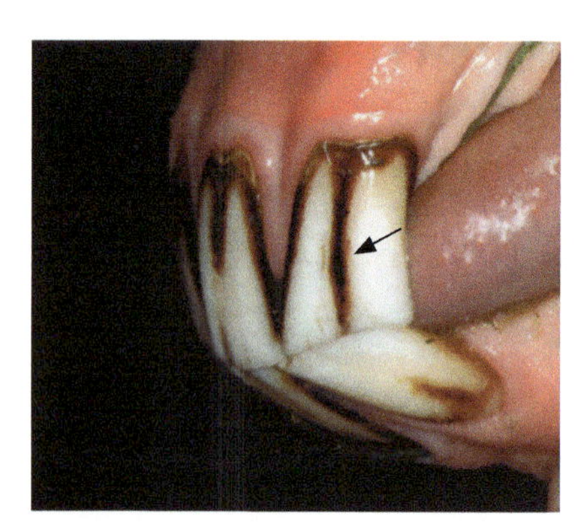

Figura 6.10 – Equino de 20 anos de idade. Presença do sulco de Galvayne na face labial do incisivo do canto (*seta*). Fonte: Martin, 2002[19].

Alterações na Inclinação dos Arcos Dentários dos Dentes Incisivos Superiores e Inferiores

O ângulo de inclinação dos arcos dentários dos incisivos é subjetivo e é útil apenas para comparar potros a cavalos idosos. A visualização do perfil dos arcos dentários dos incisivos em potros revela uma linha quase reta (180°). Com o envelhecimento, o ângulo dos arcos dentários torna-se mais agudo (próximo de 120° ou menos) e geralmente indica idade em torno de 20 anos (Fig. 6.11).

A "Cauda de Andorinha" (Gancho) no Canto Superior (I3)

De aparecimento variável, a "cauda de andorinha" ou gancho é visível na borda caudal do canto superior (I3). Pode ocorrer aos sete anos de idade e desaparecer aos nove anos. Pode reaparecer aos 11 anos (Fig. 6.12) e desaparecer aos 13 anos. Sua presença inconsistente torna esse indicador pouco útil na determinação da idade.

Determinação de Idade do Nascimento aos 20 Anos de Vida

- Do nascimento a duas semanas: erupção das pinças enquanto os outros incisivos estão cobertos pela gengiva (Fig. 6.13).
- Quatro a seis semanas: as pinças apresentam contato oclusal. Ocorre a erupção dos médios através da gengiva (Fig. 6.14).
- Seis a sete meses: as pinças e médios têm suas coroas completamente expostas e apresentam contato oclusal com sinais de desgaste. A vista de perfil revela que os cantos em recente erupção ainda não apresentam contato oclusal (Fig. 6.15).
- Um ano: a visualização do perfil dos arcos dentários revela contato parcial dos cantos. A superfície oclusal das pinças apresenta considerável desgaste. Aparecimento da estrela dentária nas pinças e médios. A estrela dentária surge como uma linha transversa marrom-escura ou marrom-amarelada na dentina na face labial do infundíbulo (Fig. 6.16).
- Dois anos: a visualização do perfil dos arcos dentários revela contato total dos cantos. A estrela dentária é bem visível nas pinças e médios inferiores (Fig. 6.17).
- Três anos: na visualização frontal, nota-se que ocorreu a muda e há presença das quatro pinças definitivas (são dentes mais sólidos que apresentam sulcos verticais e são mais largos que os dentes decíduos). Esses dentes possuem, em sua superfície oclusal, copos profundos. Dependendo da época do ano, podem ou não aparecer sinais da muda dos intermédios (Fig. 6.18).
- Quatro anos: na visualização frontal, nota-se que ocorreu a muda e há presença das quatro pinças e dos quatro intermédios definitivos. Dependendo da época do ano, podem ou não aparecer sinais da muda dos cantos, que são menores que os centrais e intermédios (Fig. 6.19).
- Cinco anos: ocorreram todas as mudas, a dentição permanente está completa. Observando o perfil dos cantos superiores nota-se que estes dentes são retangulares, mais largos do que altos. As pinças e os

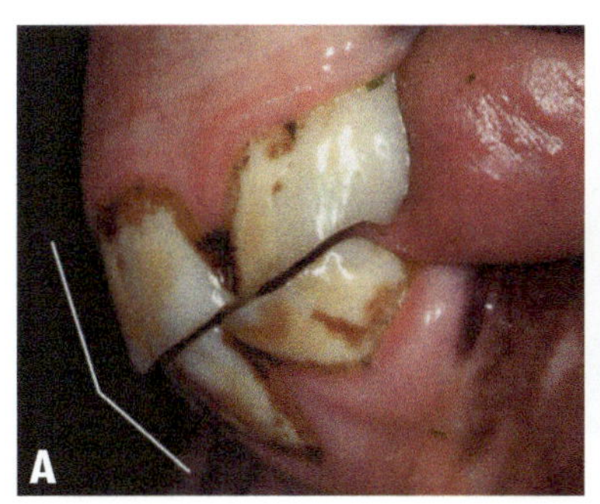

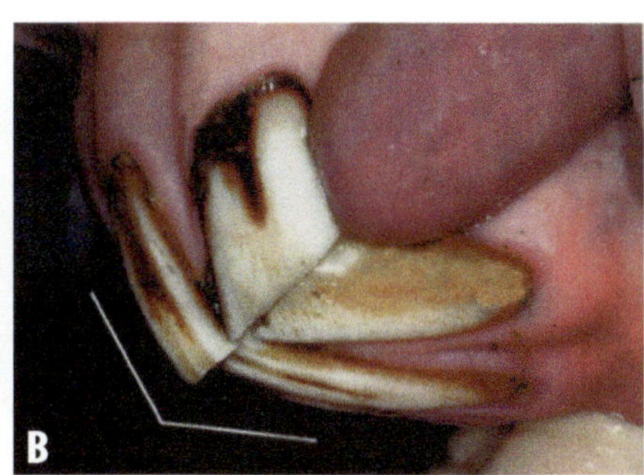

Figura 6.11 – Equinos de 7 (*A*) e de 16 anos de idade (*B*). Observe a diferença do ângulo de inclinação dos arcos dentários dos dentes incisivos. Fonte: Martin, 2002[19].

978-85-7241-869-0

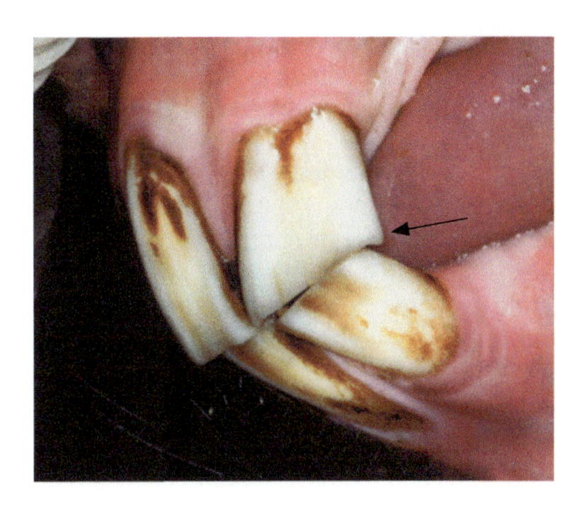

Figura 6.12 – Equino de 12 anos de idade. Presença da cauda de andorinha no incisivo do canto superior (*seta*). Fonte: Martin, 2002[19].

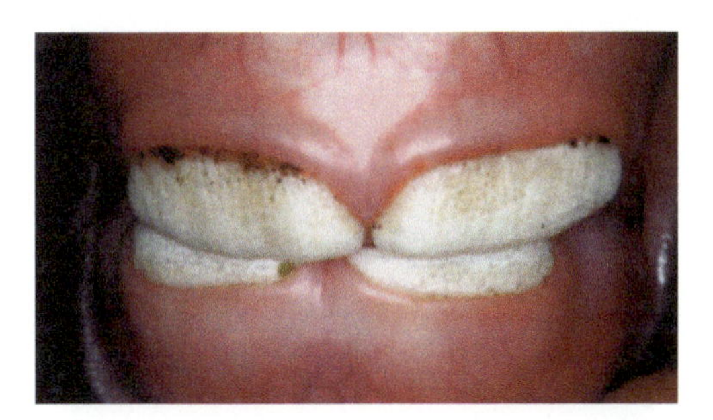

Figura 6.13 – Equino de dez dias de idade. Fonte: Martin, 2002[19].

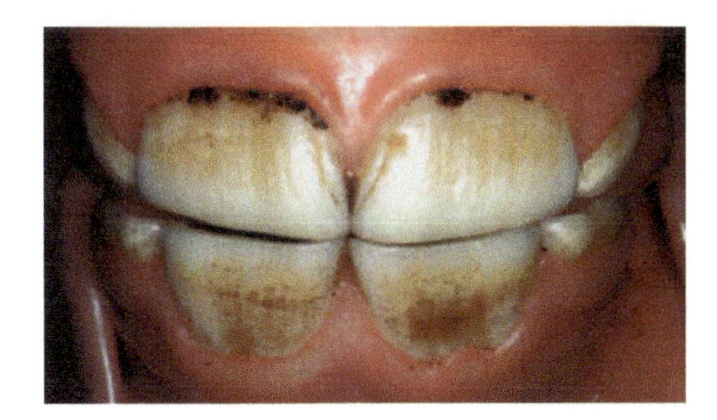

Figura 6.14 – Equino de cinco semanas de idade. Fonte: Martin, 2002[19].

intermédios são largos transversalmente e apresentam desgaste. Os copos são claramente visíveis e completamente circundados pelo esmalte central. A estrela dentária está presente nas pinças, labial ao copo. Os cantos estão começando a apresentar desgaste em sua borda labial (Fig. 6.20).

- Seis anos: os cantos superiores ainda são mais largos que altos e podem apresentar um pequeno gancho (também denominado "cauda de andorinha"), quando observados em perfil. Os incisivos apresentam seu ângulo menos agudo (aproximadamente 180°). Na inspeção da superfície oclusal dos incisivos inferiores, nota-se que as pinças tendem a ser ovais e não tão largas transversalmente como aos cinco anos. Os médios podem apresentar um copo ou resquícios deste, enquanto os cantos apresentam copos bem definidos. As pinças e os médios ainda apresentam estrelas dentárias. Os anéis de esmalte nas pinças são ovais (Fig. 6.21).

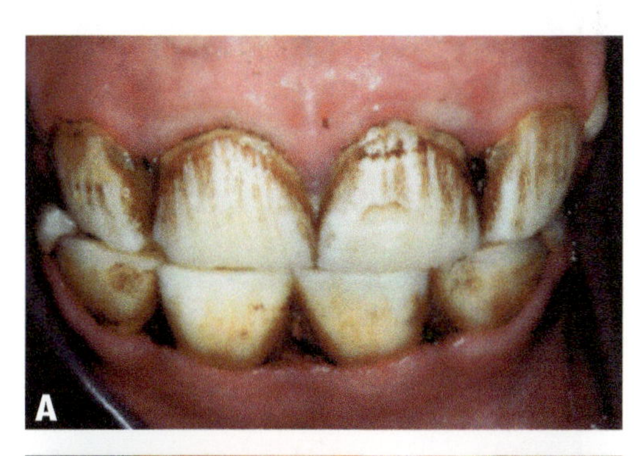

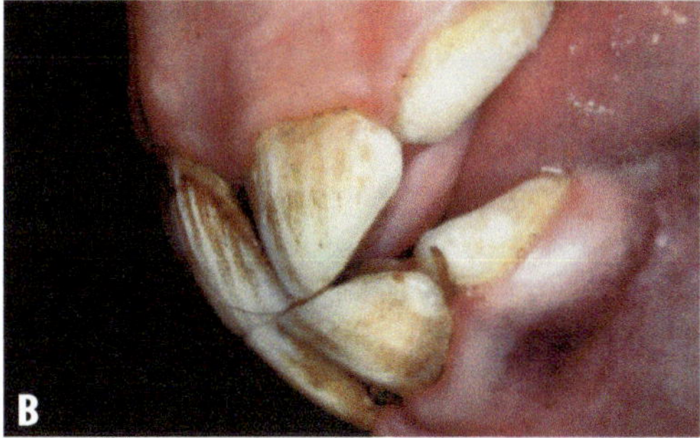

Figura 6.15 – Equino de oito meses de idade. (*A*) Vista frontal. (*B*) Perfil. Fonte: Martin, 2002[19].

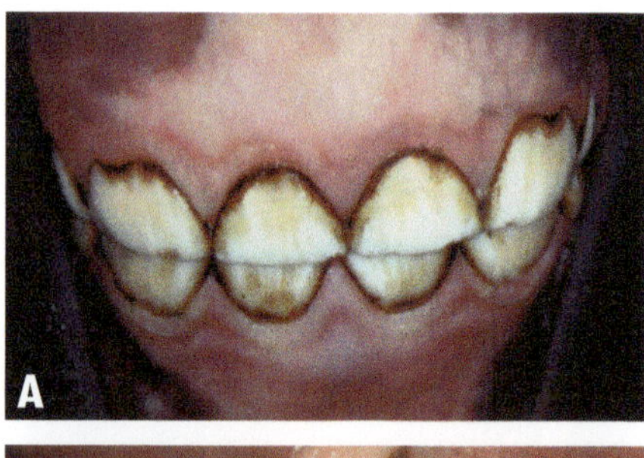

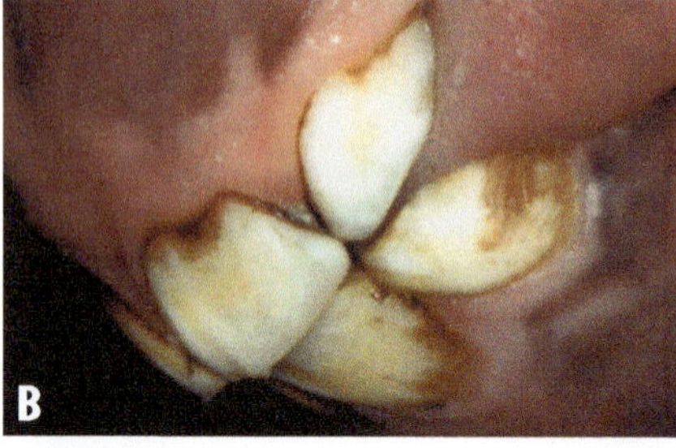

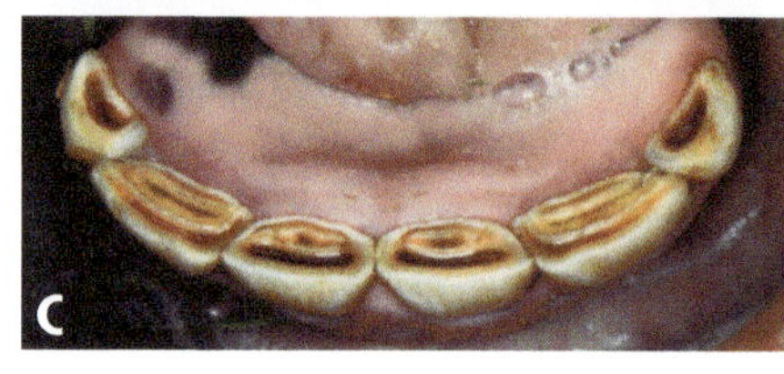

Figura 6.16 – Equino de um ano de idade. (*A*) Vista frontal. (*B*) Perfil. (*C*) Vista oclusal. Fonte: Martin, 2002[19].

- Sete anos: nesta idade, os cantos tendem a ser quadrados, mas ainda são mais largos que altos. A superfície oclusal das pinças é ovalada e o anel de esmalte é triangular. Uma mancha branca é observada na estrela dentária. Os médios apresentam resquícios dos copos e os cantos mostram esta estrutura muito definida. A "cauda de andorinha" nesse indivíduo não é bem evidente nos cantos (Fig. 6.22).
- Oito anos: os cantos são praticamente quadrados e ainda apresentam a cauda de andorinha, quando vistos em perfil. Os copos desapareceram da superfície oclusal dos incisivos inferiores (algumas vezes, podem permanecer resquícios destes nos cantos) (Fig. 6.23).
- Nove anos: na vista frontal, as pinças superiores ainda são menos largas e menores que os médios. Os cantos já são quadrados e as "caudas de andorinha" tendem a desaparecer. A margem gengival (área de onde o dente emerge da gengiva) começa a perder seu alinhamento, local de onde surgirá o sulco de Galvayne. A superfície oclusal da pinças é arredondada, com anéis de esmalte triangulares. Todos os incisivos inferiores apresentam uma estrela dentária, porém as pinças e os médios apresentam uma mancha branca no meio destas. Na Figura 6.24, o animal ainda apresenta resquícios dos copos nos cantos.
- Dez anos: os cantos, na vista em perfil, são quadrados bem definidos, mostram evidências do início do sulco de Galvayne e as "caudas de andorinha" desa-

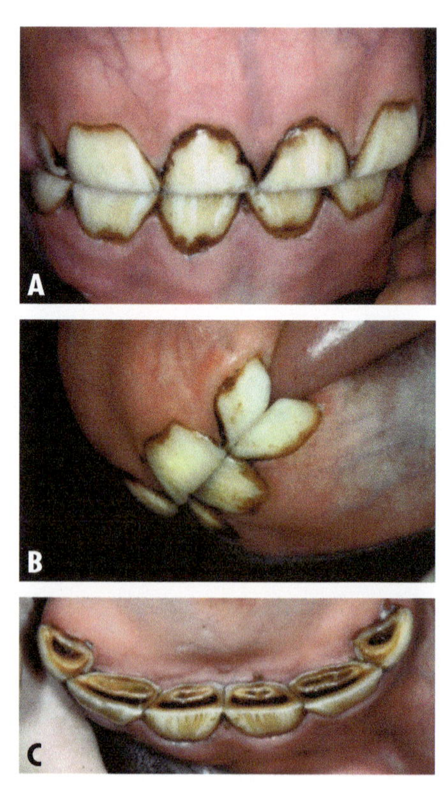

Figura 6.17 – Equino de dois anos de idade. (*A*) Vista frontal. (*B*) Perfil. (*C*) Vista oclusal. Fonte: Martin, 2002[19].

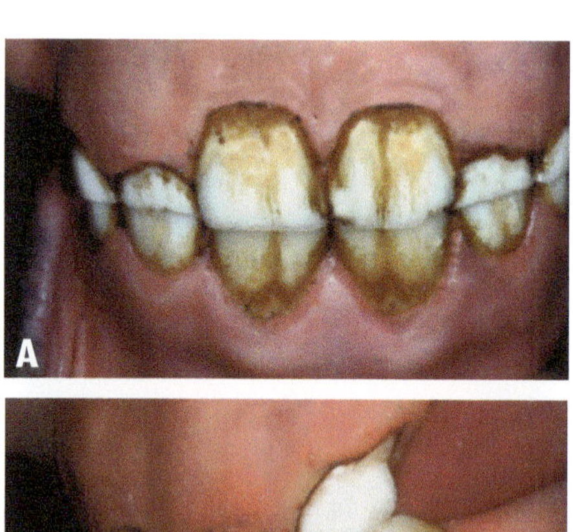

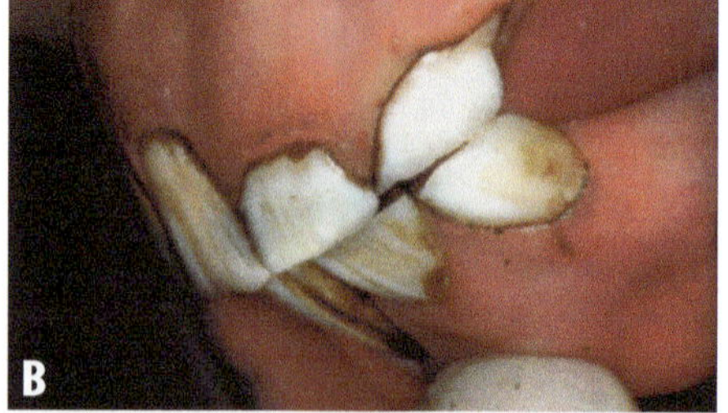

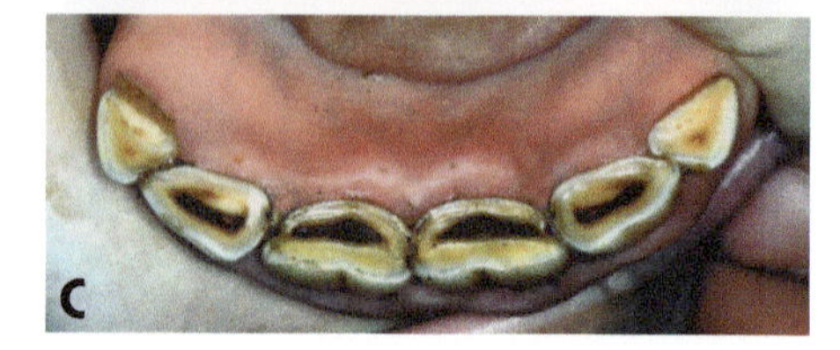

Figura 6.18 – Equino de três anos de idade. (*A*) Vista frontal. (*B*) Perfil. (*C*) Vista oclusal. Fonte: Martin, 2002[19].

978-85-7241-869-0

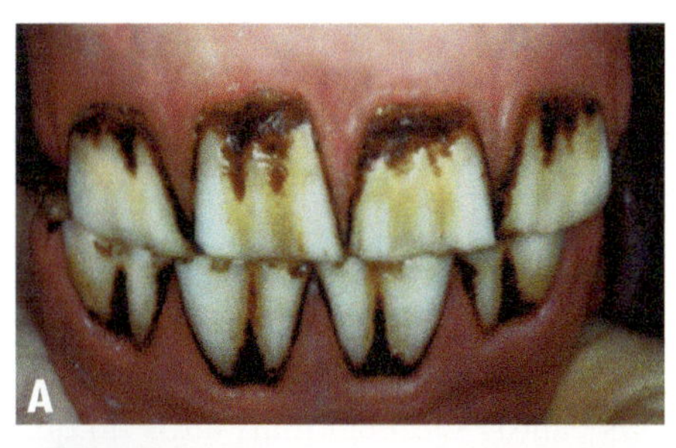

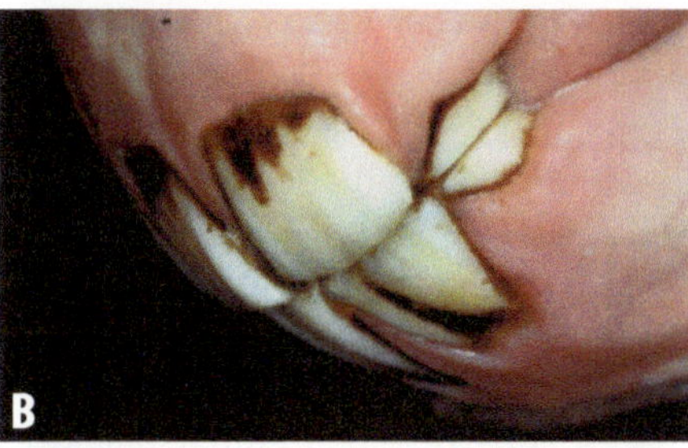

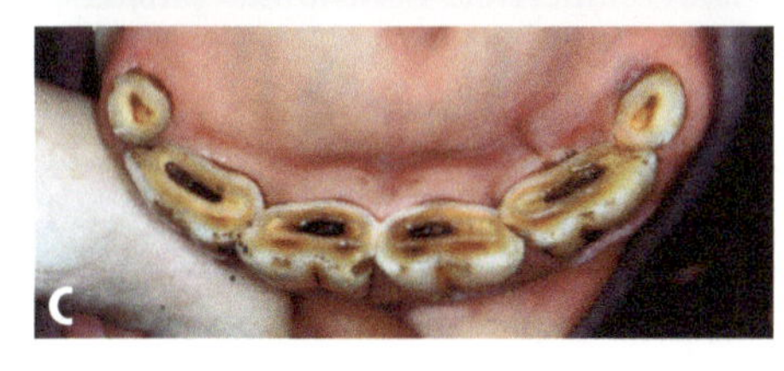

Figura 6.19 – Equino de quatro anos de idade. (*A*) Vista frontal. (*B*) Perfil. (*C*) Vista oclusal. Fonte: Martin, 2002[19].

parecem. A superfície oclusal das pinças permanece arredondada e a estrela dentária tem uma altura menor e tende a se deslocar para o centro do dente. Não ocorrem mudanças nos incisivos quando observados pela vista frontal (Fig. 6.25).

- Onze anos: os cantos ainda são quadrados, porém tendem a ser mais altos que largos. A margem gengival e dentária tem formato de V, de onde se inicia o sulco de Galvayne (Fig. 6.26, *B*, seta). A "cauda de andorinha" reaparece nos cantos. A superfície oclusal dos incisivos inferiores é arredondada e as pinças começam a adquirir formato triangular. As estrelas dentárias desses dentes estão estreitadas transversalmente e próximas ao centro dos dentes (Fig. 6.26).
- Doze anos: as pinças superiores são discretamente mais curtas que os médios, quando observados de frente. Nos cantos, a "cauda de andorinha" ainda permanece evidente, o dente já e mais alto que largo e o sulco de Galvayne é bem evidente. A superfície oclusal das pinças já é mais triangular do que arredondada. O anel de esmalte central pode desaparecer e a estrela dentária é uma pequena mancha amarela próxima ao centro do dente (Fig. 6.27).
- Treze anos: as pinças superiores começam a exibir uma redução de seu tamanho, quando comparadas com os médios. A superfície oclusal das pinças inferiores é triangular e o anel de esmalte

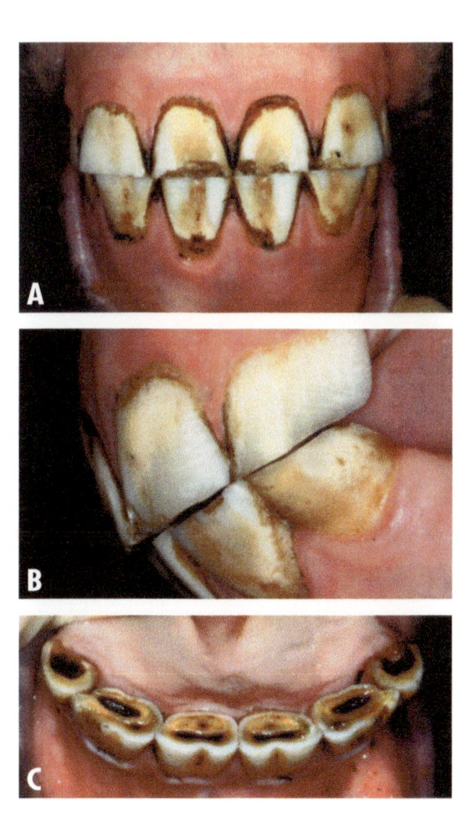

Figura 6.20 – Equino de cinco anos de idade. (*A*) Vista frontal. (*B*) Perfil. (*C*) Vista oclusal. Fonte: Martin, 2002[19].

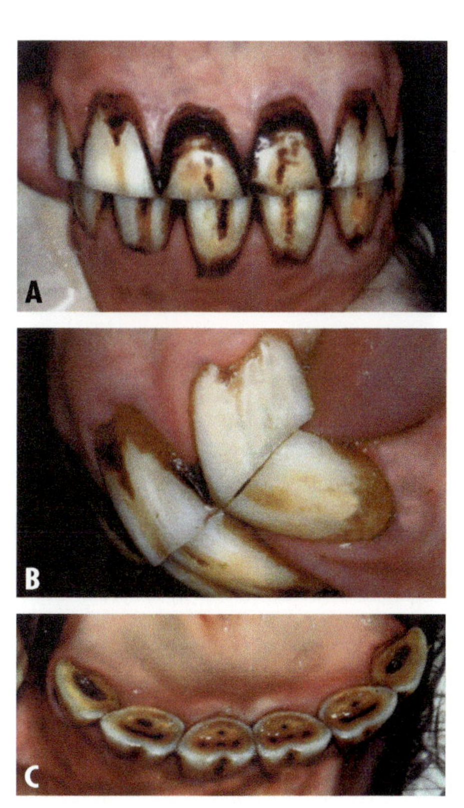

Figura 6.21 – Equino de seis anos de idade. (*A*) Vista frontal. (*B*) Perfil. (*C*) Vista oclusal. Fonte: Martin, 2002[19].

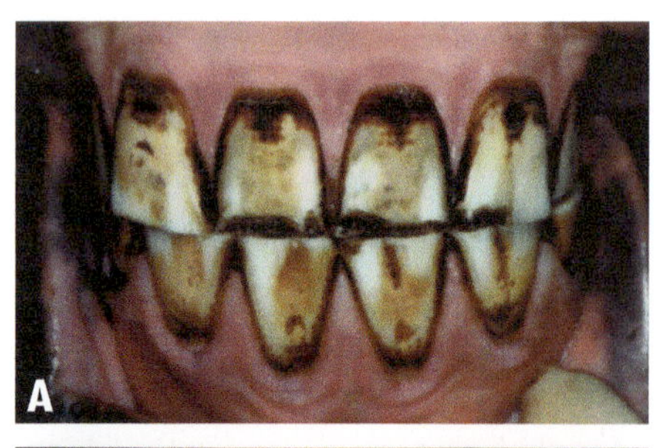

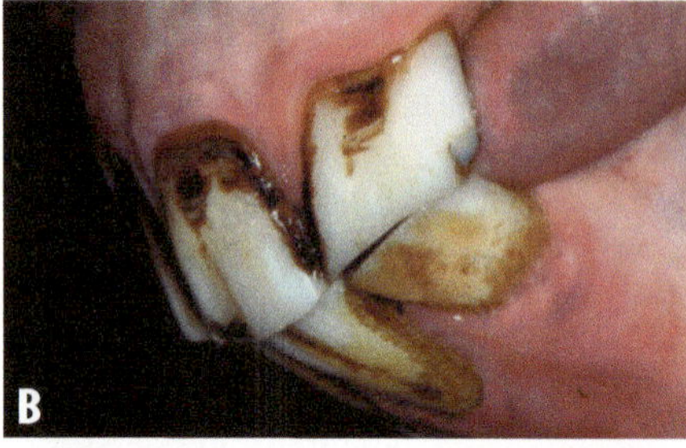

Figura 6.22 – Equino de sete anos de idade. (*A*) Vista frontal. (*B*) Perfil. (*C*) Vista oclusal. Fonte: Martin, 2002[19].

desaparece. As "caudas de andorinha" já não estão presentes e o sulco de Galvayne estende-se por aproximadamente um terço do dente a partir da margem gengival (Fig. 6.28).

- Quinze anos: todas as mudanças começam a ser discretas, graduais e muito variáveis, o que torna a determinação da idade mais imprecisa. As pinças superiores são menores em relação aos médios. Os cantos são bem mais altos do que largos e o sulco de Galvayne toma aproximadamente metade do dente (indicador muito variável). A superfície oclusal dos médios tende a ser triangular. A estrela dentária está no centro das pinças inferiores (Fig. 6.29).
- Dezessete anos: as pinças superiores são bem menores em relação aos médios. O sulco de Galvayne (se evidente) toma três quartos do tamanho vertical do dente. A superfície oclusal das pinças e médios tende a ser biangular. As estrelas dentárias são arredondadas e próximas ao centro dos dentes. As marcas estão ausentes nas pinças e nos médios e começam a desaparecer nos cantos (Fig. 6.30).
- Vinte anos: o ângulo dos incisivos é mais agudo e bem menor do que 180°. A superfície oclusal de todos os incisivos é biangular e as estrelas dentárias bem arredondadas ocupam o centro dos dentes (Fig. 6.31).

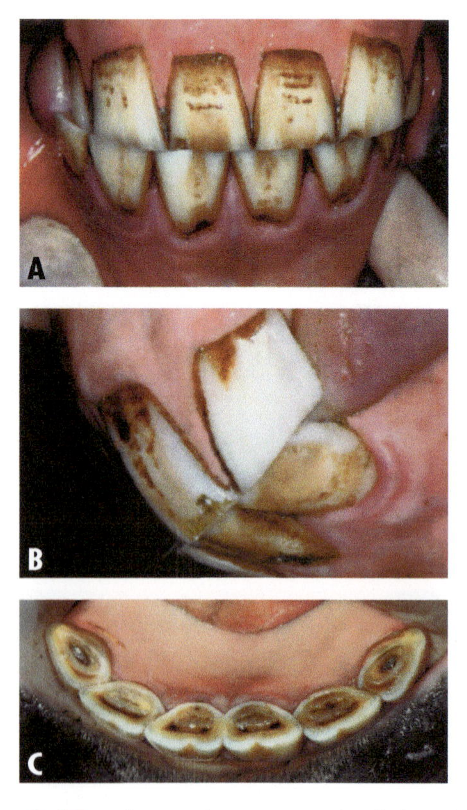

Figura 6.23 – Equino de oito anos de idade. (*A*) Vista frontal. (*B*) Perfil. (*C*) Vista oclusal. Fonte: Martin, 2002[19].

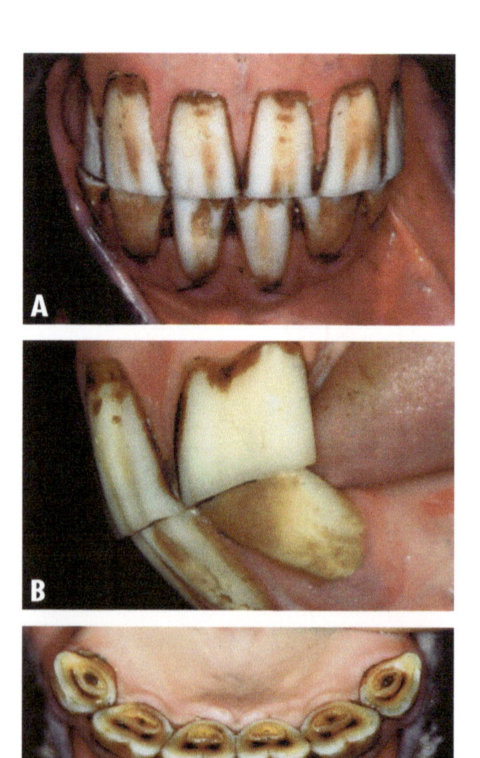

Figura 6.24 – Equino de nove anos de idade. (*A*) Vista frontal. (*B*) Perfil. (*C*) Vista oclusal. Fonte: Martin, 2002[19].

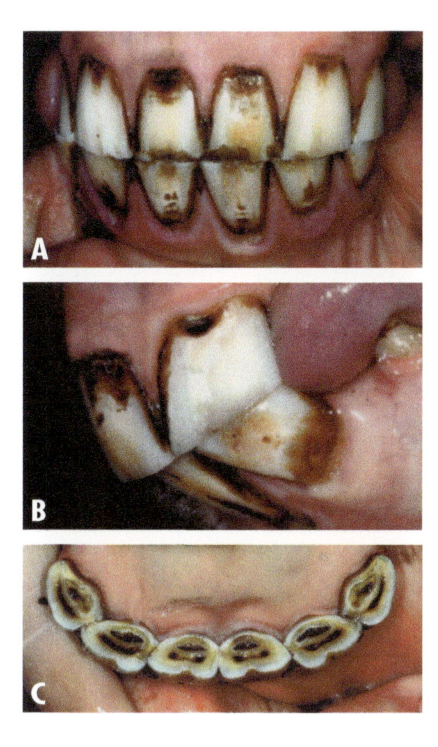

Figura 6.25 – Equino de dez anos de idade. (*A*) Vista frontal. (*B*) Perfil. (*C*) Vista oclusal. Fonte: Martin, 2002[19].

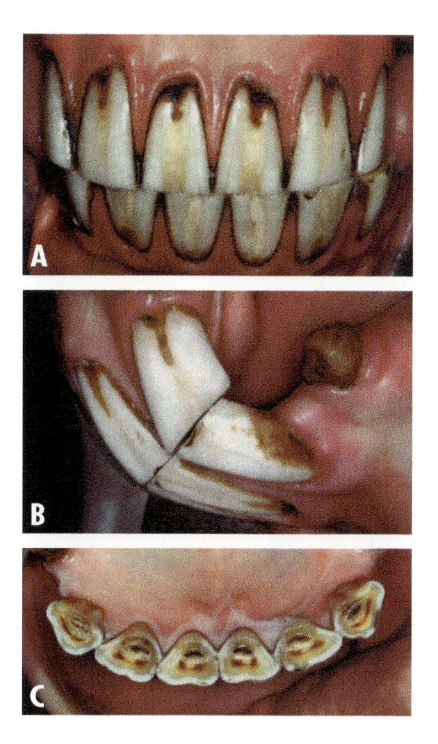

Figura 6.27 – Equino de 12 anos de idade. (*A*) Vista frontal. (*B*) Perfil. (*C*) Vista oclusal. Fonte: Martin, 2002[19].

978-85-7241-869-0

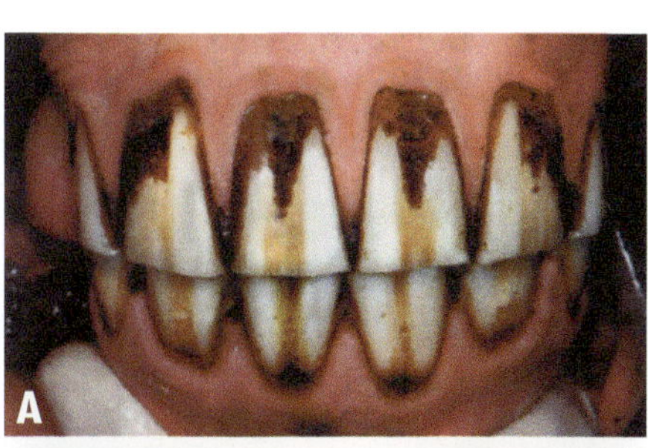

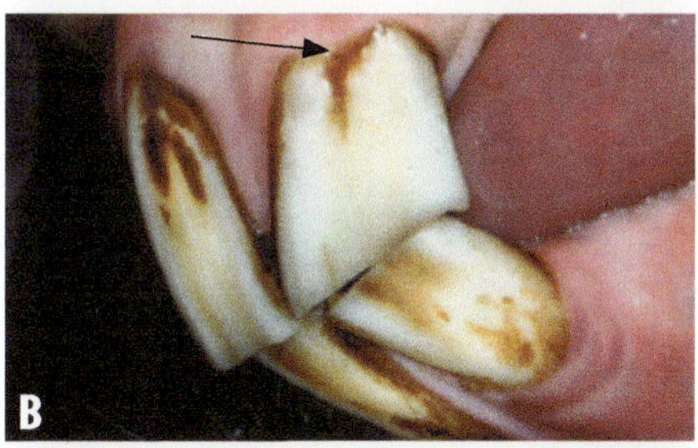

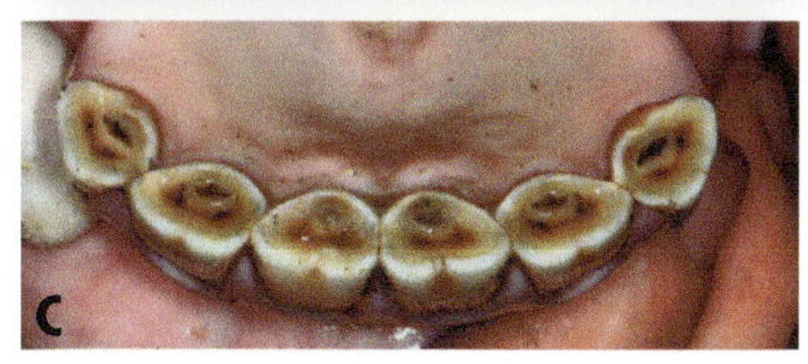

Figura 6.26 – Equino de 11 anos de idade. (*A*) Vista frontal. (*B*) Perfil. Observe o formato em V da margem gengival e dentária de onde emerge o sulco de Galvayne (*seta*). (*C*) Vista oclusal. Fonte: Martin, 2002[19].

A Influência dos Hábitos Alimentares sobre a Dentição

Os equinos são animais de pastoreio contínuo. Em condições de seu hábitat, um equino mastiga por um tempo que equivale até 75% do dia[6].

Segundo Alves[10], isso permite inferir que a mastigação é um ato que motiva o prazer. Caso contrário, o equino evitaria esse ato, minimizando o tempo de mastigação, como ocorre em casos de enfermidades ou restrição do seu hábitat natural.

Os equinos têm por hábito um pastoreio seletivo e tendem a evitar comer a forragem em locais poluídos com esterco e urina. Cavalos confinados em baias com livre acesso a forragem podem exibir os mesmos hábitos alimentares e normalmente comem 10 a 12h por dias em sessões que duram de 30 a 180min. Em contraste, cavalos confinados comem alimentos concentrados ou peletizados mais rapidamente. Esses cavalos confinados e que não têm livre acesso ao pastoreio não usam seus incisivos para o corte e isto pode torná-los demasiadamente longos devido à ausência de atrito e desgaste (Fig. 6.32)[3].

Gramíneas, feno e silagem são alimentos ricos em sílica e devem promover o desgaste dentário numa taxa semelhante à taxa de erupção. No entanto, dietas

978-85-7241-869-0

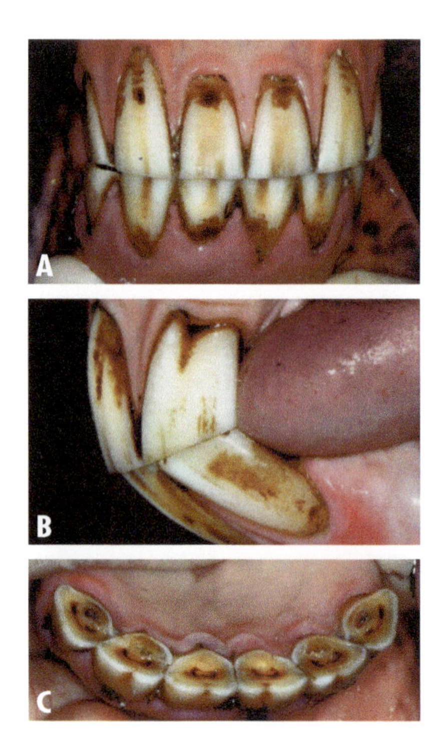

Figura 6.28 – Equino de 13 anos de idade. (*A*) Vista frontal. (*B*) Perfil. (*C*) Vista oclusal. Fonte: Martin, 2002[19].

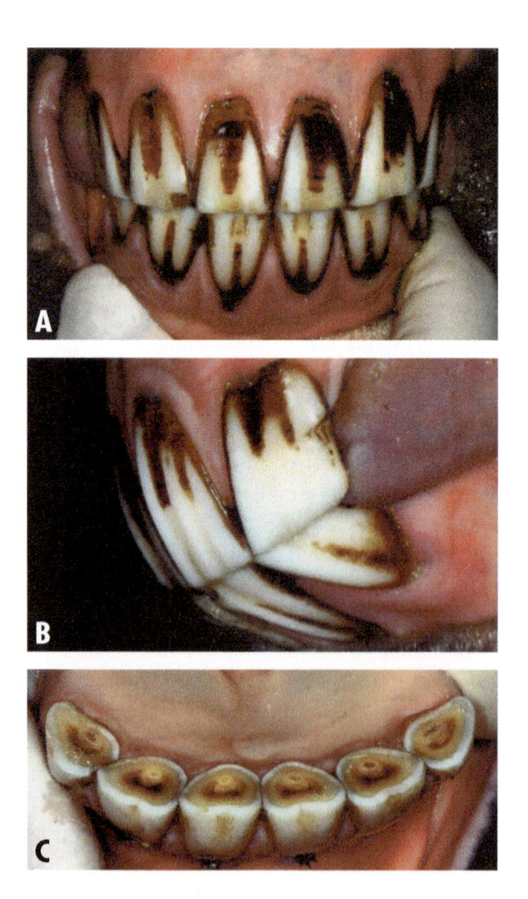

Figura 6.29 – Equino de 15 anos de idade. (*A*) Vista frontal. (*B*) Perfil. (*C*) Vista oclusal. Fonte: Martin, 2002[19].

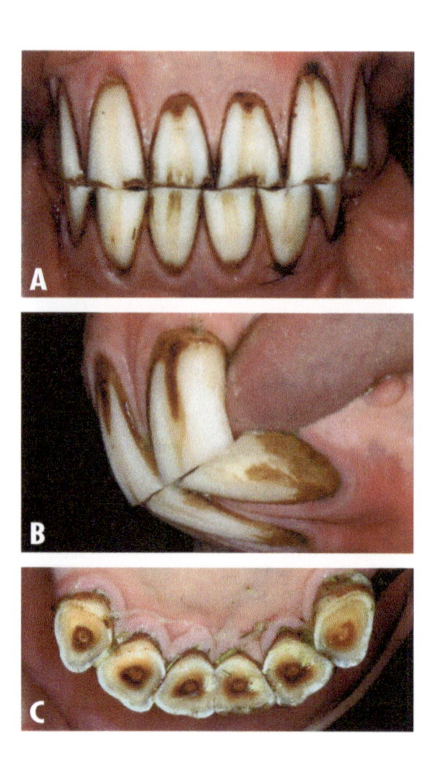

Figura 6.30 – Equino de 17 anos de idade. (*A*) Vista frontal. (*B*) Perfil. (*C*) Vista oclusal. Fonte: Martin, 2002[19].

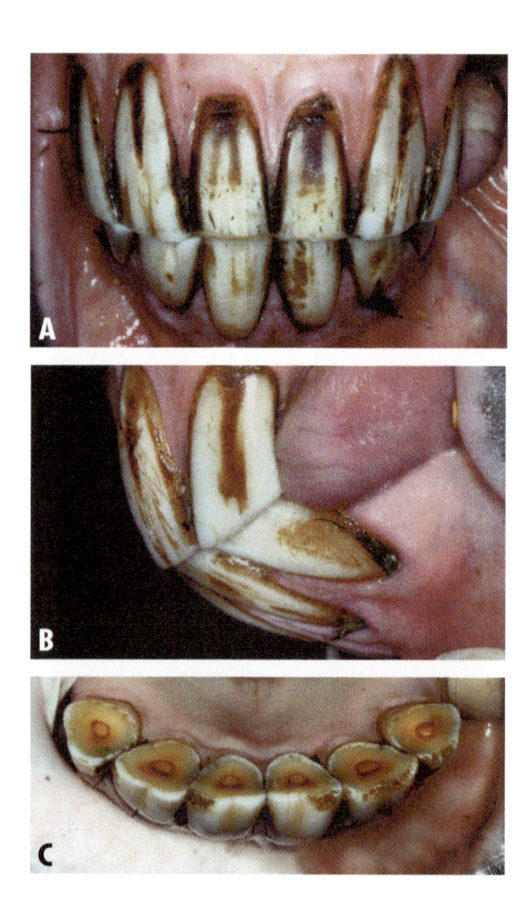

Figura 6.31 – Equino de 20 anos de idade. (*A*) Vista frontal. (*B*) Perfil. (*C*) Vista oclusal. Fonte: Martin, 2002[19].

ricas em alimentos concentrados reduzem o desgaste da superfície oclusal e restringem a amplitude da excursão da mandíbula. Como a taxa de erupção não é alterada, pode ocorrer sobre-erupção dos dentes.

Equinos mantidos a pasto praticam uma mastigação com predominância do movimento de excursão lateral da mandíbula sobre os movimentos verticais. Por outro lado, aqueles mantidos em cocheiras e alimentados com ração industrializada praticam uma mastigação anormal, com predominância de movimentos verticais da mandíbula. Esse tipo de movimento não é eficiente para a trituração da fibra da forragem[3,6]. Não há um modelo padrão de mastigação. A maneira pela qual o alimento é triturado depende da comida e do formato dos dentes molares e pré-molares[2].

O ciclo da mastigação é composto de quatro fases (Fig. 6.33) e inicialmente observa-se que o movimento vertical (de 1 a 3) ocorre quando o animal abre a boca. O fechamento se dá pelo movimento diagonal (de 3 a 5), que possibilita o início do próximo movimento que é o lateral (de 5 a 9). O movimento lateral é o mais importante movimento da mastigação nos bovídeos e equídeos, visto que proporciona as principais etapas da quebra do alimento do tipo forragem. A última fase do ciclo é o retorno em que ocorre o movimento misto vertical-diagonal (de 9 a 10)[10].

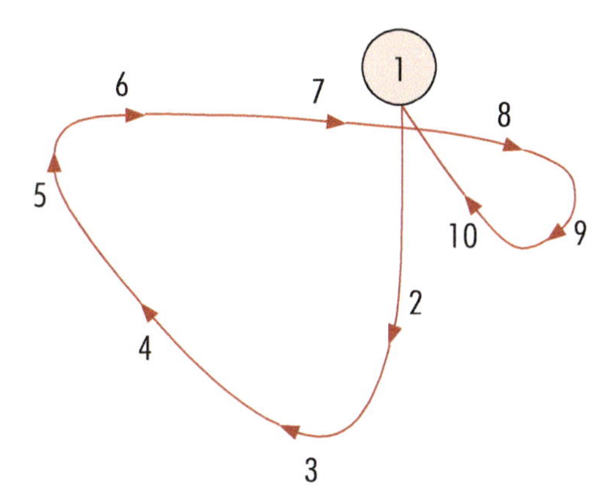

Figura 6.33 – Ciclo mastigatório do equino: 1 a 3 = movimento vertical; 3 a 5 = movimento diagonal; 5 a 9 = movimento lateral; 9 a 10 = movimento vertical-diagonal (ver texto).

Identificando Problemas na Boca e nos Dentes

Muitos equinos não apresentam qualquer sintoma de doenças dentárias até que ocorram intensos distúrbios. Ocorre uma frequência elevada de problemas na boca e nos dentes sem manifestação de sinais e sintomas clínicos. Adicionalmente, é importante considerar que alguns equinos desenvolvem a capacidade de se adaptar a determinados desconfortos, passando a sofrer em silêncio[10].

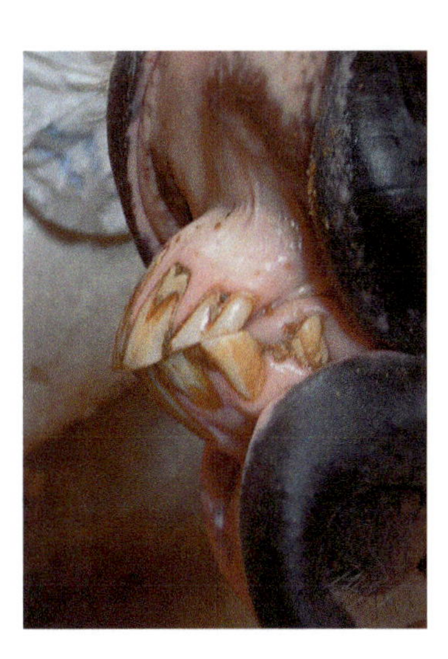

Figura 6.32 – Incisivos longos. Fonte: Pimentel, 2004[4].

Os sinais mais comuns de problemas na boca e nos dentes são[10,20]:

- Dificuldade para mastigar ou engolir.
- Mastigação lenta e intermitente.
- Salivação excessiva durante a mastigação (a salivação durante a equitação é desejável e representa sinal de descontração).
- Queda de forragem parcialmente mastigada durante a mastigação.
- Movimentos com a língua sob a forma de torcer ou girar.
- Volume na bochecha causado por acúmulo de forragem.
- Grandes fragmentos de forragem (maiores que 0,6cm) e/ou grãos inteiros nas fezes.
- Perda de peso ou dificuldade de ganho.
- Cólicas por compactação.
- Aumento de volume na borda ventral da mandíbula, nos ossos da face, com ou sem fístula.
- Odor fétido na boca (halitose) ou narinas.
- Dificuldade respiratória por obstáculo nasal e sinusite.
- Corrimento nasal sanguinolento, purulento ou pútrido.
- Mastigar, morder ou reagir contra a embocadura.
- Movimentos de sacudir, balançar, inclinar, levantar e abaixar a cabeça.
- Resistência ao comando pela embocadura para virar ou parar.
- Arrancadas repentinas.
- Limitação ou queda de *performance*.

A presença de uma boa condição física não é motivo para dispensar a necessidade de exame e tratamento dentários. O melhor tratamento é o preventivo, de preferência na ausência verdadeira de sinais e sintomas. Dessa forma, faz-se necessária a criação ou aumento da consciência racional das pessoas que se relacionam direta ou indiretamente com os equinos[8].

REFERÊNCIAS BIBLIOGRÁFICAS

1. PEYER, B. *Comparative Odontology*. Chicago: University of Chicago, 1968. p.17-27.
2. DIXON, P. M.; DACRE, I. A review of equine dental disorders. *The Vet. Journal*, v. 169, p. 165-187, 2005.
3. EASLEY, J. Equine dental development and anatomy. *AAEP Proceedings*, v. 42, p. p. 1-10, 1996.
4. PIMENTEL, 2004. Arquivo Pessoal.
5. LOWDER, Q. M.; MUELLER, P. O. E. Dental embryology, anatomy, development and aging. *Vet. Clin. North Am.*, v. 14, n. 2, p. 227-246, 1998.
6. DIXON, P. M. The aetiology, diagnosis and current therapy of developmental and acquired equine dental disorders. In: CONGRESS ON EQUINE MEDICINE AND SURGERY, 2003. Geneva. *Proceedings of the* Congress *on Equine Medicine and Surgery.* Geneva: IVISO, 2003.
7. TOIT, N. Gross equine dentition and their supporting structures. In: 50th ANUAL CONVENTION OF THE AMERICAN ASSOCIATION OF EQUINE PRACTIONERS, 2004. Denve. *Anual Convention of the American Association of Equine Practioners*, Dec, 2004.
8. PIMENTEL, L. F. R. O.; ZOPPA, A.; ALVES, G. E. S.; AMARAL, R. F. Equine dental disorders: review of 607 cases. In: X World Veterinary Dental Congress, (Guarujá), April, 2007. *Pesquisa Veterinária Brasileira,* (Supl. 27), p.111, 2007.
9. DIXON, P. M. Dental anatomy. In: BAKER, G. J.; EASLEY, K. J. *Equine Dentistry*. 2. ed. London. W.B. Saunders, 2005. p. 25-48.
10. ALVES, G. E. S. Odontologia como parte da gastroenterologia: sanidade dentária e digestibilidade. In: CONGRESSO BRASILEIRO DE CIRURGIA ANESTESIA VETERINÁRIA (MINICURSO DE ODONTOLOGIA EQÜINA), 2004. Indaiatuba. *Anais do Congresso Brasileiro de Cirurgia Anestesia Veterinária (Minicurso de Odontologia Eqüina)*, v. 6, 2004, p. 7-22.
11. TREMAINE, H. Dental care in horses. In: *Practice*, v. 19, p. 186-199, Abr., 1997.
12. PAGLIOSA, G. M. Aspectos fisiopatológicos e terapêuticos das odontopatias adquiridas: doenças periapical, periodontal e infundibular. In: CONGRESSO BRASILEIRO DE CIRURGIA ANESTESIA VETERINÁRIA (MINICURSO DE ODONTOLOGIA EQÜINA), 2004. Indaiatuba. *Anais do Congresso Brasileiro de Cirurgia Anestesia Veterinária (Minicurso de Odontologia Eqüina)*, v. 6, 2004. p. 37-52.
13. DIXON, P. M. Dental anatomy. In: BAKER, G. J .; EASLEY, K. J. *Equine Dentistry*. London: Saunders, 1999, p. 3-28.
14. EMILY, P.; ORSINI, P.; LOBPRISE, H. B.; WIGGS, R. B. Oral and dental disease in large animals. *Veterinary Dentistry: principles and practice*. Philadelphia: Lippicott-Raven, 1997. c. 19, p. 559-579.
15. EASLEY, K. J. Equine canine and first premolar (wolf) teeth. In: L ANUAL CONVENTION OF THE AMERICAN ASSOCIATION OF EQUINE PRACTITIONERS, 2004. Denve. *L Anual Convention of the American Association of Equine Practioners,* Dec., 2004.
16. DIXON, P. M.; DACRE I. A review of equine dental disorders. *The Veterinary Journal*, v. 169, p. 165-187, 2005.
17. GETTY, R. Dentes. In: SISSON/GROSSMAN. *Anatomia dos Animais Domésticos*. 5. ed. Rio de Janeiro: Interamericana, 1981. p. 429-439.
18. LOWDER, M. Q. Current nomenclature for the equine dental arcade. *Veterinary Medicine – Companion Animal Practice*, p. 754-755, Aug., 1998.
19. MARTIN, M. T. Guide for determing the age of the horse. *American Association of Equine Practitioners* (preface), iv, 2002.
20. PIMENTEL, L. F. R. O. Determinação da oclusão funcional ideal. In: VII CONGRESSO BRASILEIRO DE CIRURGIA E ANESTESIA VETERINÁRIA (II MINICURSO DE ODONTOLOGIA EQÜINA), 2006. Santos. *VII Congresso Brasileiro de Cirurgia e Anestesia Veterinária (II Minicurso de Odontologia Eqüina),* 2006, v. 7, p. 29-36.

Capítulo 7

Pelagem

A pelagem é a cor dos pelos do animal, que caracterizam seu aspecto visual. É composta de cor dos pelos, da crina e da cauda e não inclui as características brancas de resenha, observadas na cabeça e nos membros, principalmente, que serão discutidas no Capítulo 8.

A genética da pelagem é complexa e composta de vários pares de genes. Dependendo da escola estudada, alguns falam em sete pares de genes e outros em onze, os quais dependendo de sua combinação, vão determinar as características transmitidas de geração a geração. Em razão dessa complexidade e também pela falta de acordo comum, optamos por não entrar no detalhamento genético deste tópico, mas apenas generalizar sua nomenclatura.

Alguns pares de genes são responsáveis pela pigmentação da pele, outros pela pigmentação do pelo, outros ainda por uma maior ou menor diluição da pigmentação em determinadas áreas do corpo. Outros ainda determinam a cor da crina, da cauda e das extremidades ou ainda o aparecimento de características diferenciadas como zebruras (Fig. 7.1, *A*), listra de burro (Fig. 7.1, *B*) e cruz-de-malta (Fig. 7.1, *C*), ou a combinação de cores, originando as pelagens compostas e conjugadas e suas variações.

Um dos únicos pares de genes comum a todas as nomenclaturas e que deve ser ressaltado é o do lócus W. Esse par de genes determina a cor da pele do animal.

Se, nesse lócus, a combinação for W1W1, determinará ausência total de pigmentação e define o animal albino, porém é letal aos equinos. Dessa forma, não existe o cavalo popularmente chamado albino, com pele rosa e olhos azuis.

Se a combinação for W1W2, o animal apresentará ausência de pigmentação de pele (Fig. 7.2, *A*) e pelos (Fig. 7.2, *B*), determinante de um animal albinoide, erroneamente chamado de albino. Na raça Lusitano, é uma pelagem denominada isabel. Na raça Quarto-de-milha, é denominada cremelo ou perlino. Em geral, outra característica desse tipo de combinação genética é a cor dos olhos (Fig. 7.2, *C*), claros, normalmente azuis.

Se a combinação for W2W2, determinará a pigmentação escura, normal, de pele.

A cor do pelo será determinada pela combinação dos outros pares de genes.

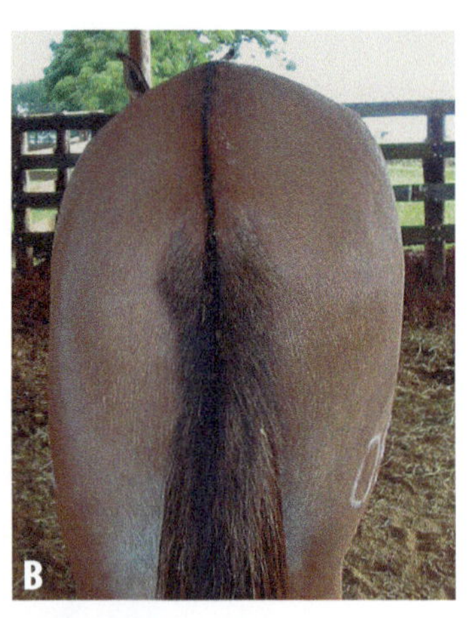

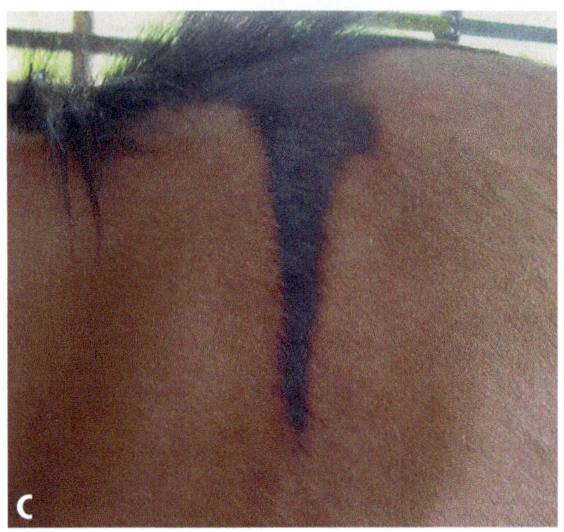

Figura 7.1 – (*A*) Zebruras. (*B*) Listra de burro. (*C*) Cruz-de-malta.

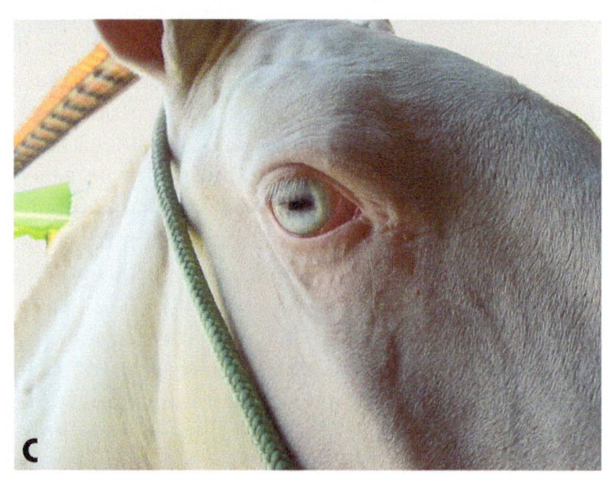

Figura 7.2 – (*A*) Albinoide – pele rosa. (*B*) Albinoide – pelos claros. (*C*) Albinoide – olhos azuis.

Nomenclatura das Pelagens

Há uma variação muito grande na denominação das pelagens, sendo encontradas, ao redor do mundo, mais de 2.500 nomenclaturas para determinar cada pelagem e suas variações, determinando regionalismos geográficos e, obviamente, a própria língua de cada país. Mesmo dentro de uma mesma língua existem, porém, diferentes denominações dos diferentes tipos de pelagens.

Muitas raças denominam suas pelagens independentemente da genética. Por exemplo, o Amarilho, por definição genética, está ligado ao Alazão e o Baio ao Castanho; entretanto, nas raças Quarto-de-milha e Lusitano existe a pelagem baio amarilho. Esta, porém, é uma definição zootécnica e não genética. É o que denominamos de regionalismo racial.

Neste capítulo, vamos abordar os principais aspectos das pelagens, principalmente, com base, em sua origem genética, sem determinar especificamente os genes que a compõem, por não haver consenso em sua

978-85-7241-869-0

denominação. Além disso, como sempre ocorre em biologia, há exceções em quase todas as nomenclaturas.

Entretanto, podem-se resumir as pelagens a três grupos:

1. Pelagens simples: há predominância de somente um tipo de cor de pelo por todo o corpo, excetuando-se as extremidades (cauda, crina e membros).
2. Pelagens compostas: observam-se dois tipos de cores de pelos no corpo do animal.
3. Pelagens conjugadas: pode-se observar alternância entre as cores do pelame do animal.

Pelagem Simples

Alazão

No qual há apenas uma cor de pelame no corpo todo e as extremidades dos membros não possuem a cor preta. Em geral, crina e cauda são da mesma cor ou mais claro que o tom de pelame do corpo (Fig. 7.3A). Entretanto, podem ocorrer exceções, em animais nos quais a cauda e crina são tão escuras que parecem pretas, e se não observarmos as cores dos membros, podem ser confundidos com o castanho (Fig. 7.3 B).

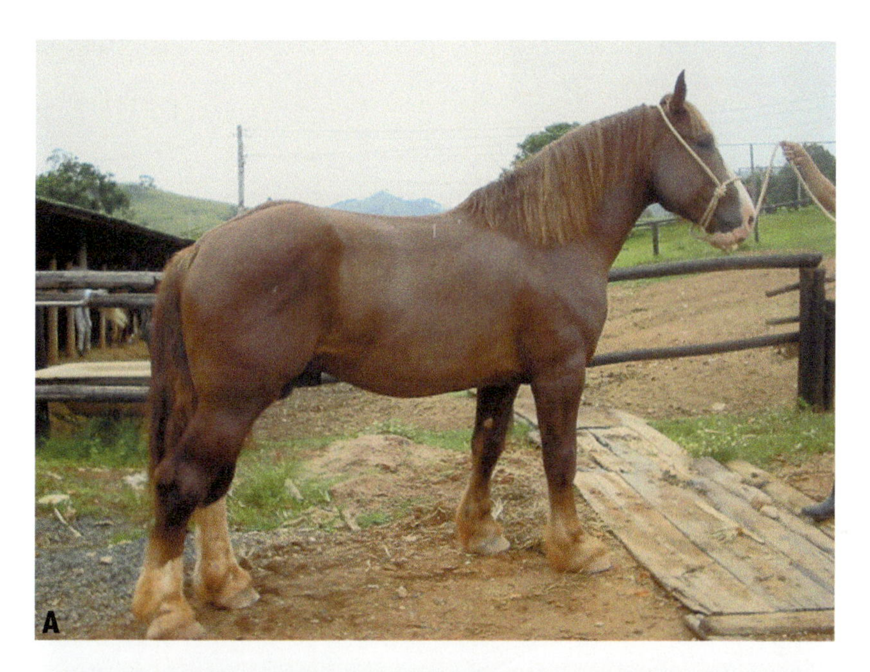

Figura 7.3 – (A) Alazão. (*B*) Atenção à crina e cauda do animal, da cor preta ou mais escura que o corpo, mas como as extremidades dos membros não são pretas, o animal é classificado como Alazão.

Figura 7.4 – Alazão Tostado.

Figura 7.5 – Alazão Amarilho. Em algumas raças, é denominado Amarilho ou Alazão Sopa de Leite, sendo essas denominações regionalismo racial.

978-85-7241-869-0

Existe uma variação muito grande de Alazão, podendo ser identificado de forma diferente conforme raça, região ou mesmo país onde é nomeado.

As formas mais comuns são: Alazão (Fig. 7.3, *A* e *B*), Alazão Tostado (Fig. 7.4), Alazão Amarilho [também chamado de Palomino, Alazão Sopa de Leite ou Baio Amarilho (Figs. 7.5 e 7.6)], Alazão Crinalvo (Figs. 7.7, *A* e *B*) e Alazão Salpicado (Fig. 7.8), entre muitos outros.

Geneticamente:

- Como a genética do cavalo alazão é determinada pela combinação de genes recessivos, se um garanhão alazão cruzar com uma égua alazã (ou vice-versa) o produto oriundo deste cruzamento deve ser alazão.
- Dessa forma: cruzamento de alazão com alazão, obrigatoriamente produz um filho alazão.
- O produto alazão pode ser oriundo de qualquer cruzamento.

Castanho

As extremidades, a cauda e a crina são da cor preta e os pelos do corpo não possuem a coloração branca. Pode variar do castanho-claro ao escuro, quase negro. Nessa pelagem inclui-se o Zaino e o Baio (Figs. 7.9 a 7.14).

Geneticamente: o produto castanho pode ser oriundo de qualquer cruzamento, exceto de Alazão com Alazão.

Preto ou Negro

O corpo todo do animal é recoberto por pelos negros, que, ao reflexo da luz, exibem uma tonalidade azulada (Fig. 7.15). É uma pelagem muito rara, procurada e valorizada pela maioria dos plantéis. Algumas raças não a consideram como grupo isolado de pelagem, mas pode existir na maioria das raças.

Geneticamente: o produto preto deve ser oriundo de pais que tenham o gene recessivo para essa pelagem e esse gene deve ser associado a um outro gene, associação que produz a cor preta.

Pelagem Composta

Tordilho

Apresenta pelos brancos e pretos diluídos por todo o corpo, com variações que podem ir do escuro ao bem claro (Fig. 7.16, *A* a *E*). Ao envelhecer, o animal tende a ficar totalmente branco (Fig. 7.16, *F*). Alguns exemplares já se apresentam brancos aos quatro anos de idade, outros após os dez anos. Dessa forma, algumas escolas chegam a dar a nomenclatura de branco a determinados animais com essa pelagem, mas está associada à diluição de pelos brancos e negros e não somente à presença de pelos brancos por toda a vida do animal.

Figura 7.6 – Alazão Amarilho. Em algumas raças, é denominado Baio Amarilho ou mesmo Palomino, sendo essas denominações regionalismo racial. Foto: Paula da Silva.

Figura 7.7 – (*A* e *B*) Alazão Crinalvo.

Figura 7.8 – Alazão Salpicado. Na raça Appaloosa, essa pelagem pode ser denominada Alazão Nevado (regionalismo racial). Aqui podemos citar uma exceção, afinal, encontramos pelos brancos alternados no corpo. Mas, geneticamente, está vinculado ao Alazão, sendo esse animal filho de pais da pelagem alazão.

Figura 7.9 – Castanho comum. Cauda, crina e extremidades na cor preta. Cor do pelo do corpo sólida.

978-85-7241-869-0

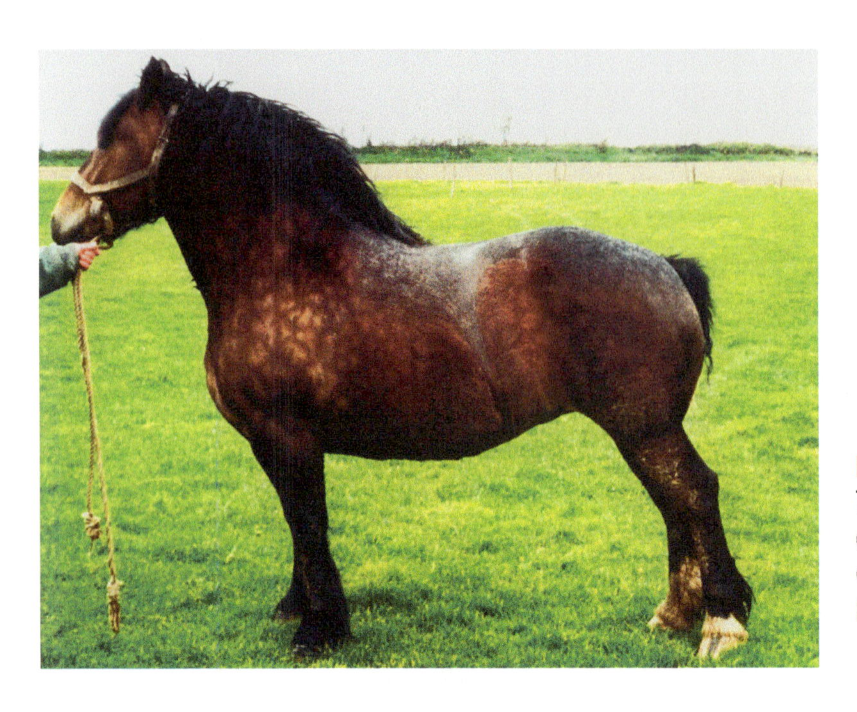

Figura 7.10 – Castanho Apatacado. Todo animal, de qualquer pelagem, que apresente oscilações em sua pelagem, como círculos mais escuros e mais claros, pode receber o nome Apatacado.

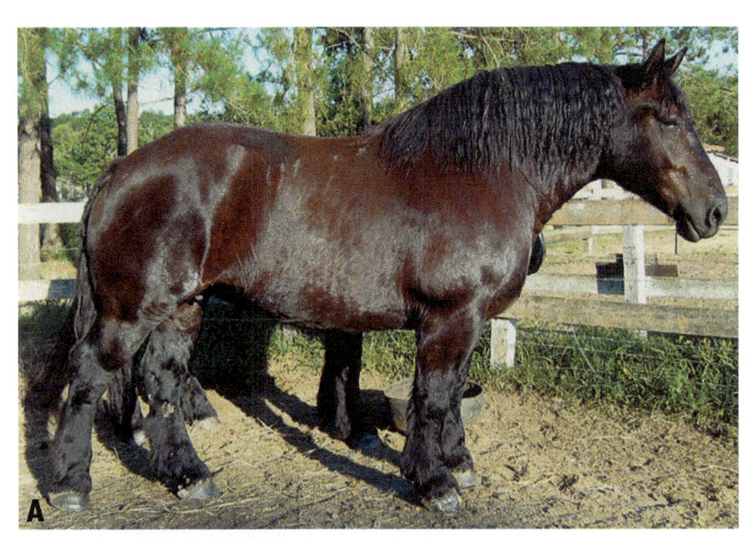

Figura 7.11 – (*A*) Castanho-escuro ou Zaino a pasto. (*B*) Castanho-escuro ou Zaino encocheirado. Animais com a pelagem castanho-escura ou zaina, quando fechados em baias, tendem a ficar muito escuros e erroneamente podem ser denominados de negros. A diferença é observada quando o animal é colocado ao sol, ocasião em que a pelagem apresenta tonalidade acastanhada, observada principalmente na região do flanco. Ambos os exemplares pertencem à raça Percheron e são registrados como Percheron Negro (regionalismo racial). Em sua seleção, produzem apenas animais tordilhos ou negros (castanho-escuros), dependendo do tipo de cruzamento realizado.

978-85-7241-869-0

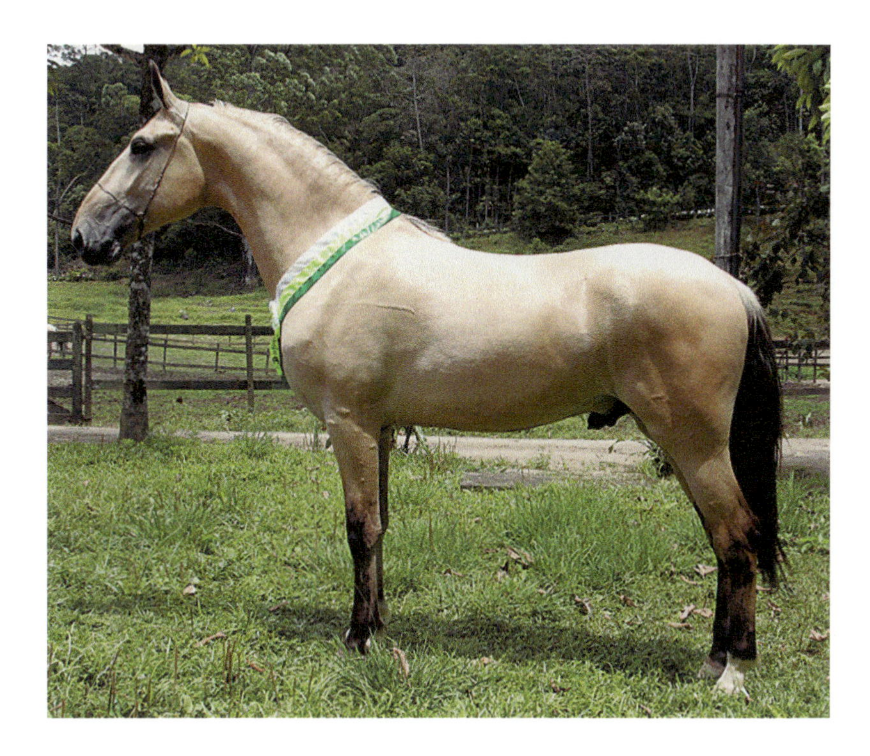

Figura 7.12 – Baio. Por definição, pode pertencer ao grupo do castanho, com cauda, crina e extremidades na cor preta e cor do corpo sólida, sendo, porém, mais clara que o castanho comum. A maioria dos animais com essa pelagem também apresenta listra de burro no dorso e no lombo. O tipo desta figura também pode ser denominado de Baio Palha (regionalismo racial). Foto e proprietário: Haras Mandala.

Figura 7.13 – Baio comum.

Figura 7.14 – Baio Encerado (regionalismo racial).

Figura 7.15 – Cavalo negro: pelagem muito rara e valorizada. Foto: Marisa Iório.

Geneticamente:

- Como o gene que determina a pelagem tordilha deve ser dominante, podendo ser homozigoto ou heterozigoto, para que o filho seja tordilho, um dos pais deve fornecer esse gene dominante. E se um dos pais tem o gene dominante, obviamente também deve ser tordilho.
- Produtos tordilhos obrigatoriamente devem ter ao menos um dos pais tordilho.
- O cruzamento de um animal tordilho com qualquer pelagem pode produzir produtos de qualquer pelagem, exceto de pelagens conjugadas.

Outra característica do tordilho é que os potros podem nascer de qualquer cor, entre as pelagens simples, isto é, alazão ou castanho, tornando-se tordilho entre dois e quatro meses de idade.

Para se saber se um potro, filho de pai ou mãe tordilha, ou ambos, irá ficar tordilho, devemos observar os pontos iniciais em que ocorrem as mudas nos potros, quais sejam: nas orelhas e ao redor dos olhos (Fig. 7.17). Entretanto, o potro aos quatro a cinco meses já deverá ter definida sua pelagem adulta (Fig. 7.18).

Rosilho

Apresenta pelos brancos e vermelhos diluídos por todo o corpo, podendo ser oriundo do Alazão (Fig. 7.19, *A* e *B*) ou do Castanho (Fig. 7.19, *C*).

Figura 7.16 – (*A*) Tordilho Negro. (*B*) Tordilho. (*Continua*)

978-85-7241-869-0

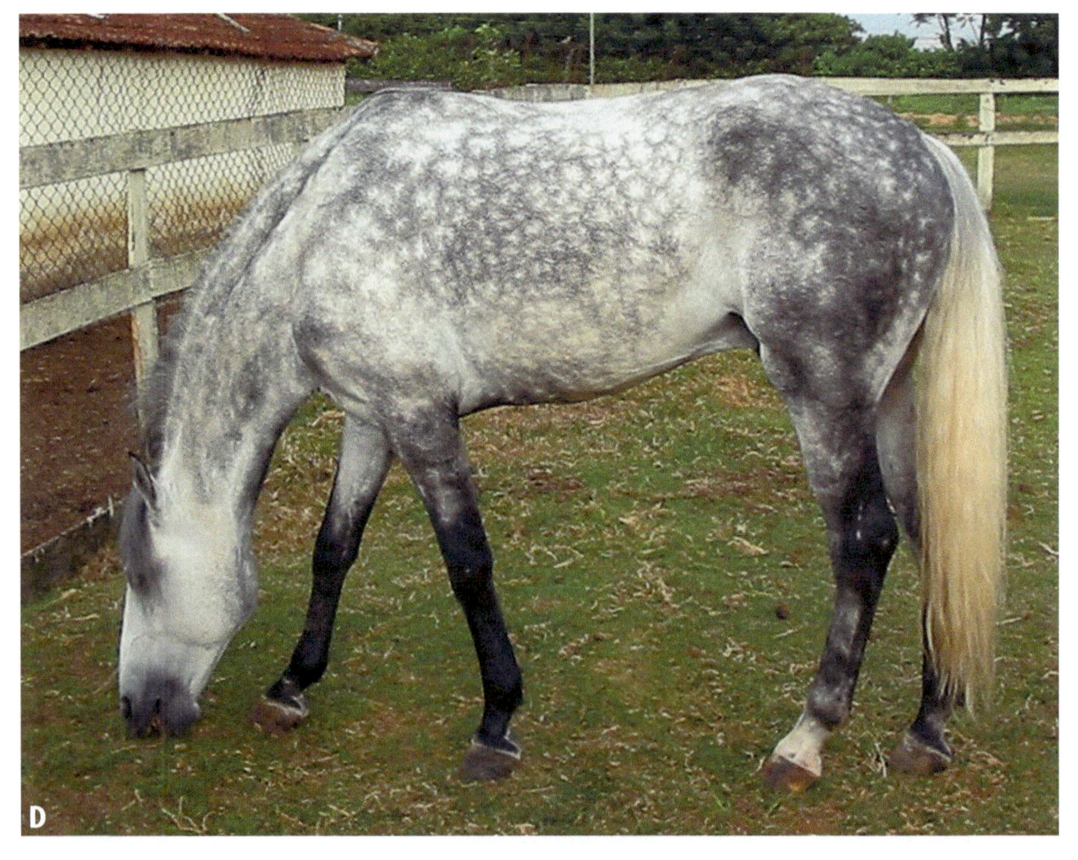

Figura 7.16 – (*Continuação*) (*C*) Tordilho com nuances de Alazão. (*D*) Tordilho Apatacado. (*Continua*)

Figura 7.16 – (*Continuação*) (*E*) Tordilho Pedrês. (*F*) Tordilho Branco.

978-85-7241-869-0

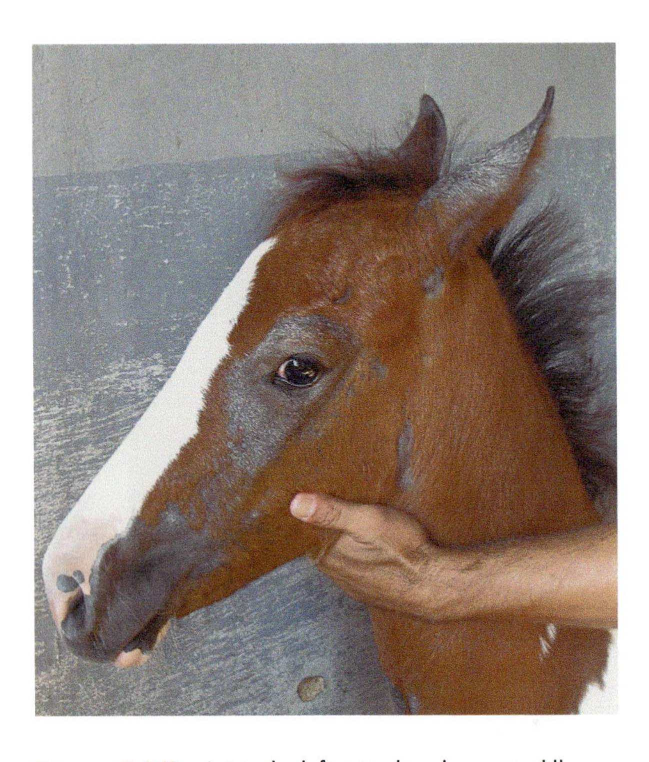

Figura 7.17 – Início de definição de pelagem tordilha em potro que nasceu Alazão.

Geneticamente:

- O produto Rosilho deve ter um ascendente Rosilho, pais ou avós.
- Existe variação dependente da raça.

Lobuno

É uma pelagem muito especial, inclusive quanto à sua classificação. Alguns a classificam como variação do castanho, pois possui extremidades, crina e cauda pretas e um único tipo de pelo. Outros a classificam como composta por esse único tipo de pelo possuir duas cores, sendo mesclado entre marrom e preto, assim como o pelo de lobos, daí o nome Lobuno ou Libuno (Fig. 7.20). É característica das raças Crioulo e Campolina, podendo ser encontrada ainda na raça Mangalarga Marchador, entre outras.

Pelagem Conjugada

Pampa

As cores escuras formam uma malha sobre um fundo branco. É característico de raças como Paint Horse e

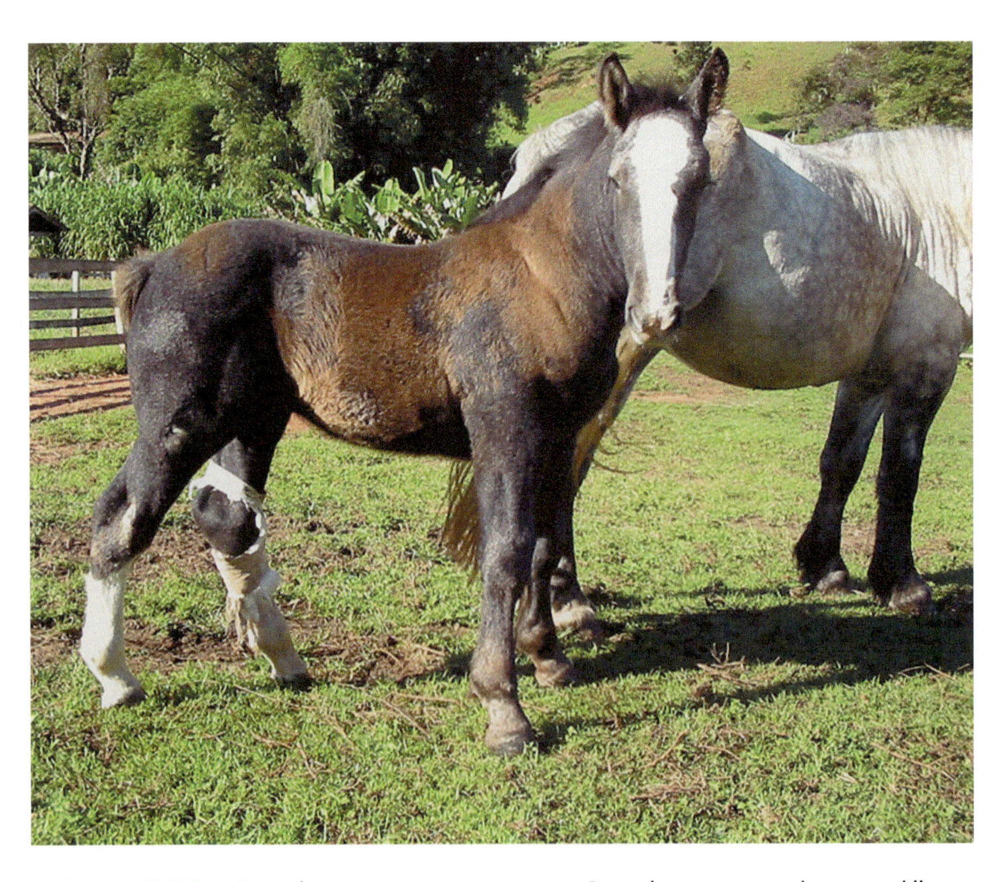

Figura 7.18 – Potro de quatro meses, que nasceu Castanho, com sua pelagem tordilha já definida.

978-85-7241-869-0

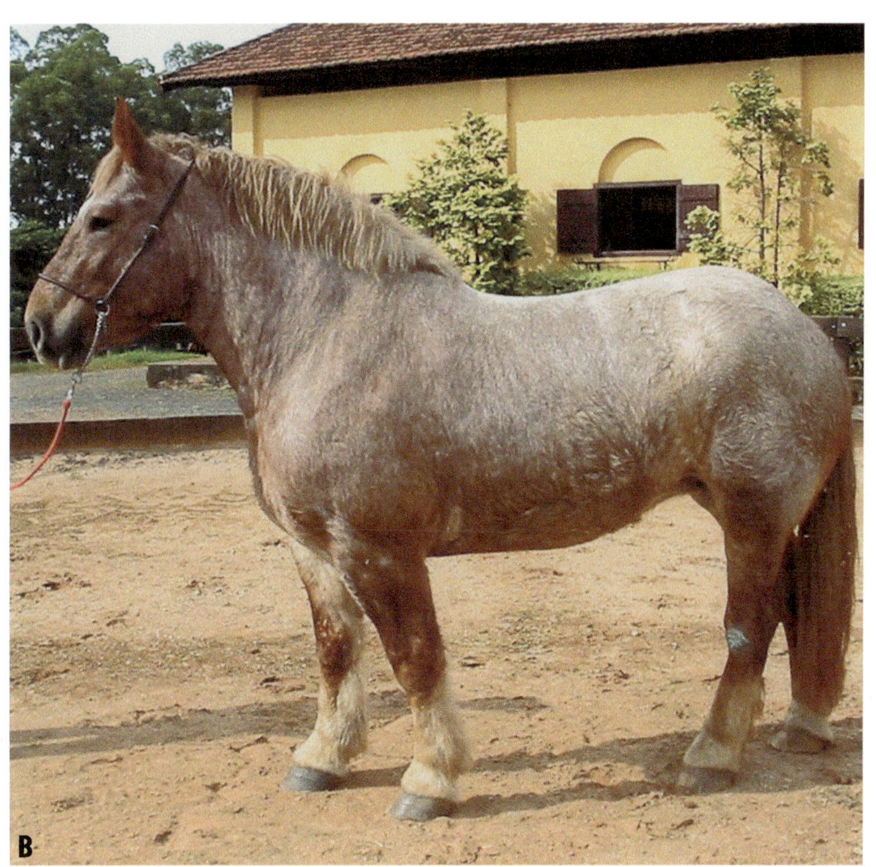

Figura 7.19 – (*A* e *B*) Rosilho de Alazão. (*Continua*)

Figura 7.19 – (*Continuação*) (*C*) Rosilho de Castanho.

Figura 7.20 – Lobuno ou Libuno. Foto: Ana Clark.

Figura 7.21 – Pampa de Alazão. Predominância do branco sobre o alazão. Foto: Marisa Iório.

Figura 7.22 – Pampa de Preto. Predominância do branco sobre o preto. Foto: Marisa Iório.

978-85-7241-869-0

Pampa. Dentro da raça Paint Horse, é dividido em Oveiro, Tobiano e Toveiro, dependendo da quantidade de branco predominante.

Oveiro é o animal com maior predominância de pelagem escura sobre o branco ou, ainda, cujas manchas brancas não ultrapassam a linha dorsolombar e a garupa. Tobiano é a classificação de cavalo com maior predominância do branco sobre a pelagem escura ou, ainda, cujas manchas brancas ultrapassam a linha dorsolombar e a garupa e com calçamento muito alto. Essas duas denominações e classificações são características da raça Paint Horse (ver Cap. 10). Nessa raça, ainda se denomina toveiro o animal intermediário entre essas duas pelagens.

Geneticamente: o produto deve ter um dos ascendentes (pais ou avós) com essa característica.

Também dentro da pelagem Pampa, algumas denominações particulares podem ser encontradas.

Se o animal tiver maior predominância de manchas brancas, é chamado de:

- Pampa de Alazão, se a cor escura vier do Alazão (Fig. 7.21).
- Pampa de Castanho, se a cor escura vier do castanho.
- Pampa de Preto, se a cor escura vier do preto (Fig. 7.22).
- Pampa de Tordilho, se a cor escura vier do Tordilho – interessante observar que animais Pampa de Tordilho, quando mais velhos, visualmente parecem tordilhos brancos, sendo somente observadas as nuances do Pampa quando molhados ou quando observados de muito perto (Figs. 7.23 e 7.24).
- Pampa de Rosilho, se a cor escura vier do Rosilho (Fig. 7.25).

Se o animal tiver predominância de manchas mais escuras sobre o branco, será denominado de:

- Alazão de Pampa, se a cor escura vier do Alazão (Fig. 7.26).
- Castanho de Pampa, se a cor escura vier do castanho (Fig. 7.27 e 7.28).
- Preto de Pampa, se a cor escura vier do preto (Fig. 7.29).
- Tordilho de Pampa, se a cor escura vier do Tordilho, observadas as mesmas condições do Pampa de Tordilho (Fig. 7.30).
- Rosilho de Pampa, se a cor escura vier do Rosilho.

Leopardo

As cores escuras formam pintas sobre um fundo branco. Característico da raça Appaloosa. As cores escuras podem ter origem em quaisquer pelagens sólidas simples (Fig. 7.31).

Geneticamente: o produto deve ter um dos ascendentes (pais ou avós) com essa característica ou, ao menos, ser mantado.

Figura 7.23 – Pampa de Tordilho. Predominância do branco sobre o Tordilho. Foto: Marisa Iório.

Mantado

Ocorre predominância de cores escuras, mas na região da garupa, podendo atingir o lombo, ocorre predominância de branco com pintas escuras. Característico da raça Appaloosa. As cores escuras podem ter origem em quaisquer pelagens sólidas simples (Fig. 7.32).

Geneticamente:

- O produto deve ter um dos ascendentes (pais ou avós) com essa característica.
- O produto pode nascer mantado ou esta característica aparecer até os dois anos de idade.

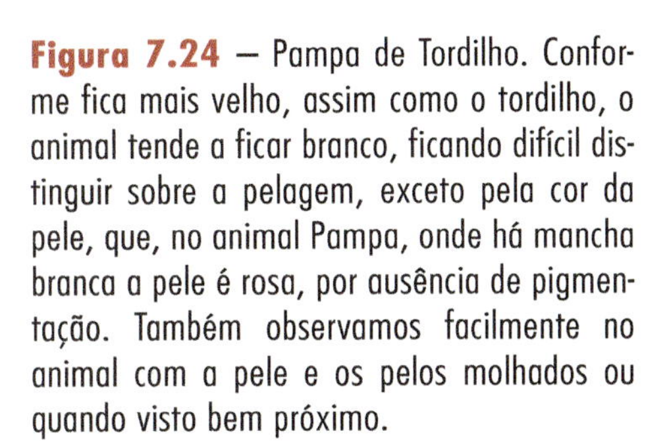

Figura 7.24 – Pampa de Tordilho. Conforme fica mais velho, assim como o tordilho, o animal tende a ficar branco, ficando difícil distinguir sobre a pelagem, exceto pela cor da pele, que, no animal Pampa, onde há mancha branca a pele é rosa, por ausência de pigmentação. Também observamos facilmente no animal com a pele e os pelos molhados ou quando visto bem próximo.

Figura 7.25 – Pampa de Rosilho. Predominância de pelos brancos sobre o Rosilho. Foto: Marisa Iório.

978-85-7241-869-0

Figura 7.26 – Alazão de Pampa. Predominância do alazão sobre o branco. Foto: Marisa Iório.

978-85-7241-869-0

Figura 7.27 – Castanho de Pampa. Predominância de cor sólida sobre a branca. Foto: Marisa Iório.

Figura 7.28 – Zaino de Pampa ou Castanho-escuro de Pampa. Predominância da cor sólida sobre a branca. Foto: Marisa Iório.

Figura 7.29 – Preto de Pampa. Predominância do preto sobre o branco. Foto: Marisa Iório.

Figura 7.30 – Tordilho de Pampa. Predominância de pelos tordilhos sobre o branco. Foto: Marisa Iório.

Figura 7.31 – Leopardo.

978-85-7241-869-0

Figura 7.32 – Mantado de Castanho.

Capítulo 8

Resenha

Resenha é a marcação, em documento apropriado (Fig. 8.1), de forma clara e simples, dos principais sinais e marcas exteriores de um animal.

Deve-se examinar o animal de frente, de costas e de perfil, bilateralmente, para se descrever todos os sinais e marcas encontradas.

Nesse documento, deve constar:

- Proprietário/criador.
- Propriedade.
- Nome do animal: dado pelo criador e um afixo, que é o sobrenome do animal que o identifica com o criador. Pode ser um sufixo, que vem após o nome do animal, ou um prefixo, que vem antes do nome do animal.
- Número de registro: dado pela associação de raça à qual o animal pertence, após comunicação de seu nascimento.
- Data de nascimento: identificação do dia, mês e ano em que o animal nasceu.
- Sexo: identificação de macho ou fêmea.
- Raça: identificação da raça do animal, conforme a raça de seus pais.
- Medidas: caso necessário, fornecer altura, peso, perímetro de canela, etc.
- Pelagem: caracterizar a pelagem observada.
- Marcas: devem ser anotadas as marcas a fogo ou nitrogênio, do proprietário ou da associação de criadores, se assim houver.
- Sinais particulares: um dos pontos altos da resenha, devem ser desenhados em um esquema anexo à folha de resenha e descritos conforme as características do animal. São totalmente independentes da pelagem do animal. Os sinais particulares podem ser manchas brancas, remoinhos ou espigas, podendo aparecer na cabeça, nos membros ou pelo corpo. O remoinho e a espiga são formações diferenciadas do pelo, que segue um sentido diferente ao do corpo do animal. O remoinho tem sentido circular e a espiga, sentido longitudinal, podendo ocorrer na cabeça, no pescoço ou corpo do animal.

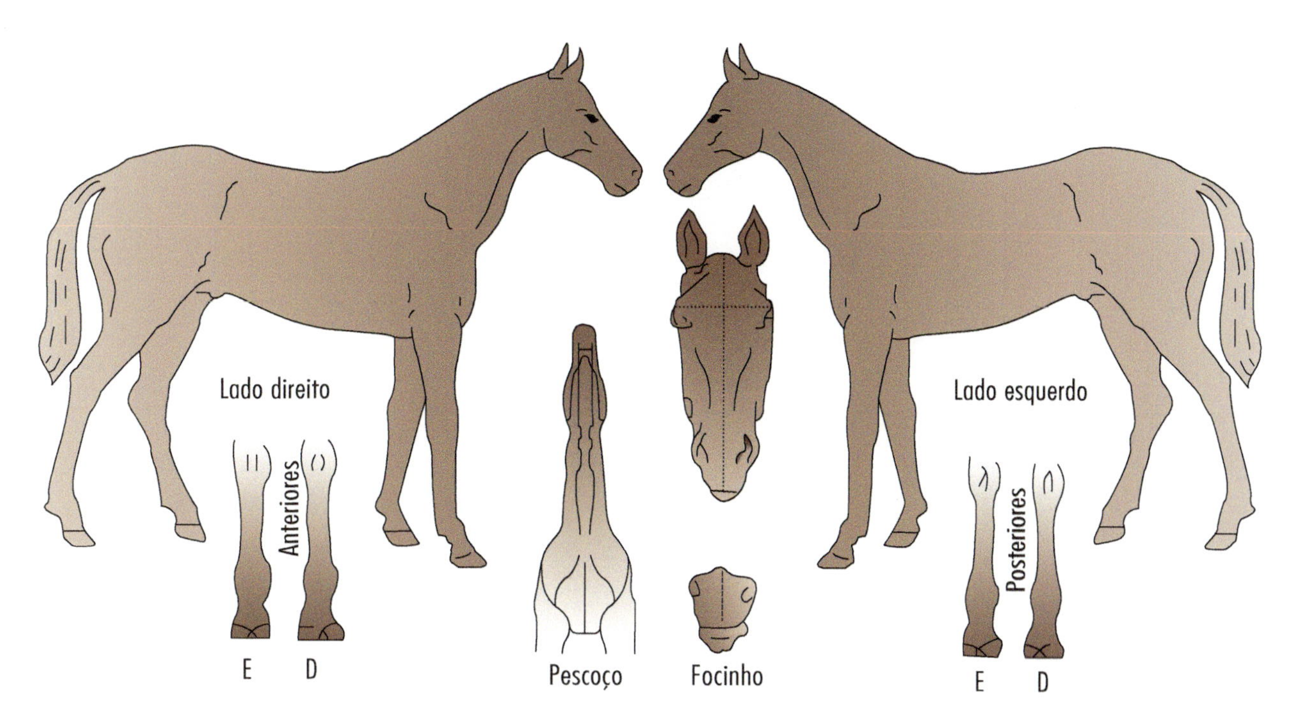

Figura 8.1 – A resenha deve ser marcada em um desenho como este, que acompanha documentos oficiais ou exames de anemia infecciosa equina. E = esquerdo; D = direito.

Sinais Descritos em uma Resenha

Cabeça

Remoinhos

Geralmente encontrados na linha entre os olhos (Figs. 8.2, *A* e 8.3, *A*), próximo à nuca (Fig. 8.4, *A*) e próximo ao bordo superior (Fig. 8.5, *A*) e inferior (Fig. 8.6, *A*) do pescoço. São representados por um X ou R na resenha, puxando-se um fio para fora do desenho (Figs. 8.2, *B*; 8.3, *B*; 8.4, *B* e 8.5, *B*). Entretanto, podem ser achados em outras partes do corpo do animal e devem ser assinalados onde são encontrados e descritos com sua localização.

Espigas

Geralmente encontradas no pescoço, próximo ao bordo superior (Fig. 8.7, *A*) ou inferior (Fig. 8.8, *A*). Po-

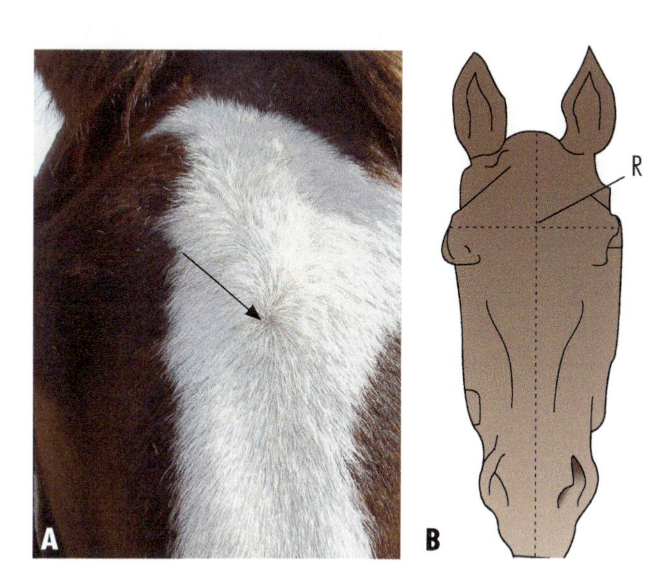

Figura 8.2 – (*A*) Remoinho (R) entre os olhos (*seta*). (*B*) Marcação na resenha de remoinho entre os olhos.

978-85-7241-869-0

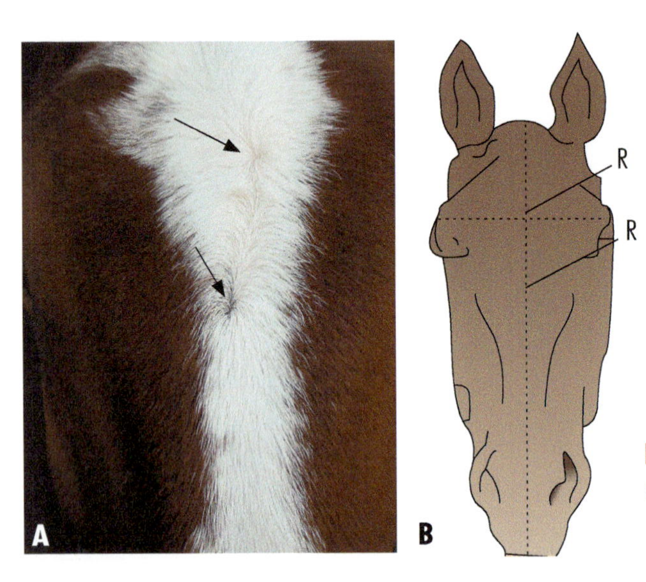

Figura 8.3 – (*A*) Dois remoinhos no chanfro (*setas*). (*B*) Marcação na resenha de dois remoinhos (R) no chanfro.

dem ocorrer em outras regiões, como face (Fig. 8.9, *A* e *B*), base do pescoço e peito ou ainda no flanco. É representada por uma linha em zigue-zague com a letra E (Figs. 8.7, *B*; 8.8, *B* e 8.9, *C*).

No final do documento, em geral, há um campo para descrição das marcas e sinais. Se necessário, e isso depende do tipo de documento, devem ser descritos os sinais encontrados, além da marcação. Dessa forma, deve-se descrever exatamente como observado no animal, no local para descrição de "cabeça" (se os sinais forem na cabeça) ou "outros sinais" (se os sinais forem em outras partes do corpo do animal, citando onde foi encontrado o remoinho ou a espiga):

- Remoinho na linha entre os olhos.
- Remoinho no chanfro.
- Remoinho na nuca uni ou bilateral.
- Remoinho no bordo superior ou inferior do pescoço, uni ou bilateral.
- Espiga no bordo superior ou inferior do pescoço, uni ou bilateral.
- Remoinho ou espiga em qualquer outro local; determinar o local (flanco, espádua, próximo à comissura labial, etc.).

Caso seja unilateral, dizer em qual dos lados está o sinal (direito ou esquerdo).

Manchas Brancas

Podem ter diversas formas e ser desenhadas conforme se observa e descritas como segue, podendo sua descrição variar de raça para raça:

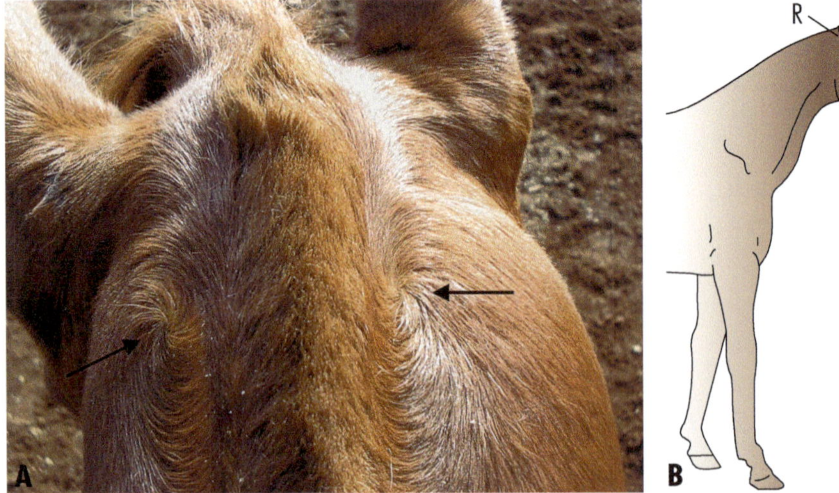

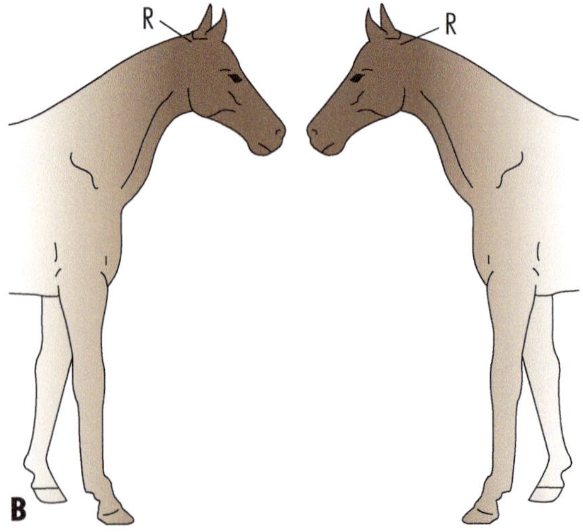

Figura 8.4 – (*A*) Remoinho bilateral na nuca (*setas*). (*B*) Marcação na resenha de remoinho (R) bilateral na nuca.

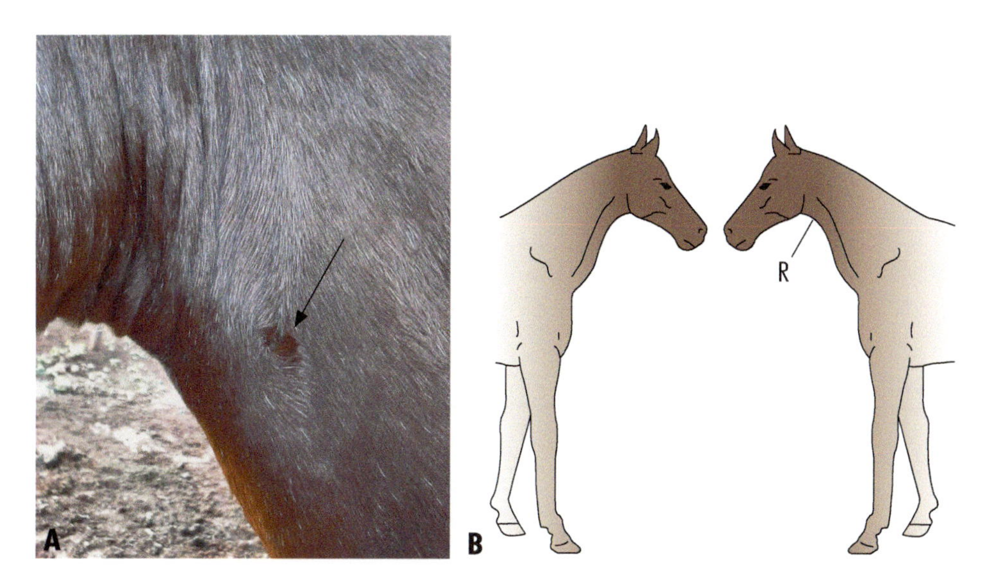

Figura 8.5 – (*A*) Remoinho no bordo inferior do pescoço (*seta*). (*B*) Marcação na resenha de remoinho (R) no bordo inferior do pescoço.

978-85-7241-869-0

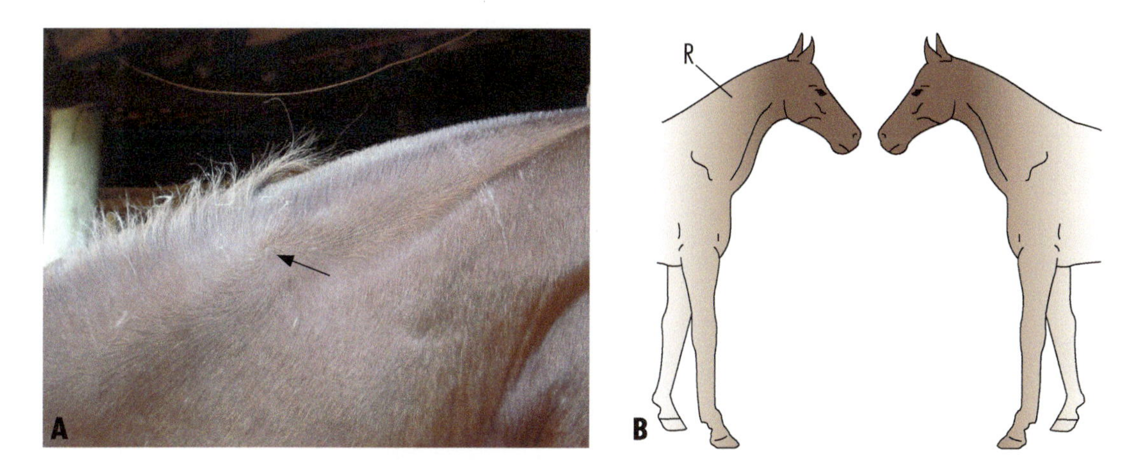

Figura 8.6 – (*A*) Remoinho no bordo superior do pescoço (*seta*). (*B*) Marcação na resenha de remoinho (R) no bordo superior do pescoço.

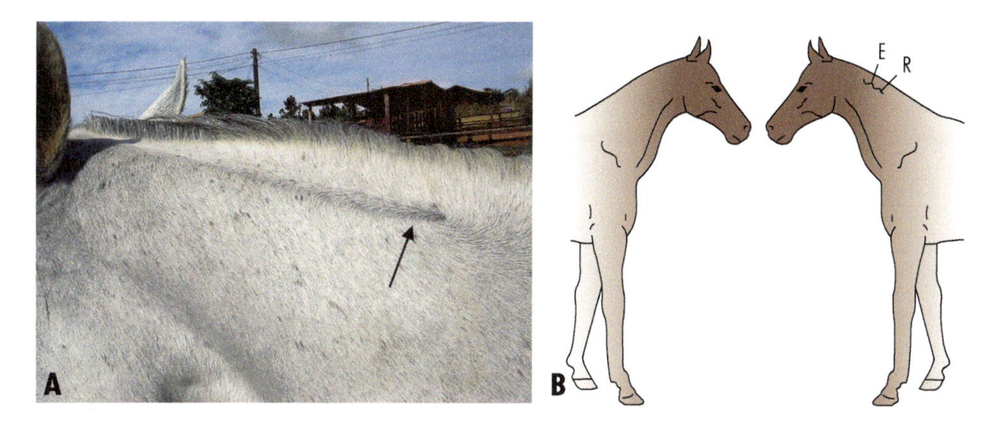

Figura 8.7 – (*A*) Remoinho com espigas no bordo superior do pescoço (*seta*). (*B*) Marcação na resenha de remoinho (R) com espigas (E) no bordo superior do pescoço.

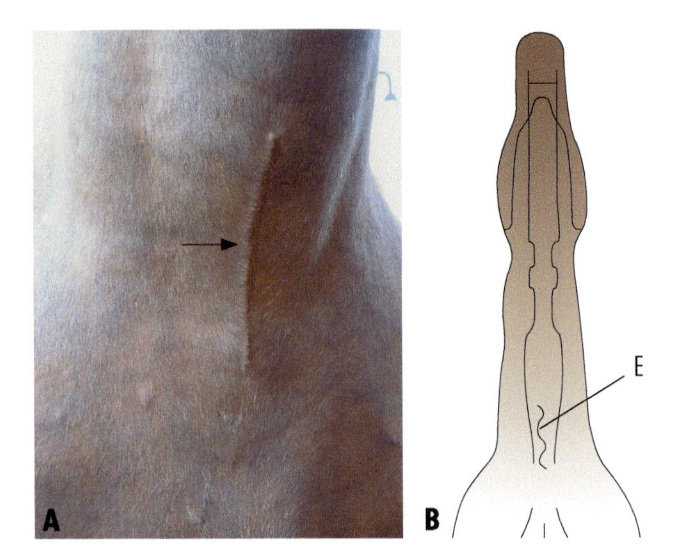

Figura 8.8 – (*A*) Espiga na base do pescoço (*seta*). (*B*) Marcação na resenha de espiga (E) na base do pescoço.

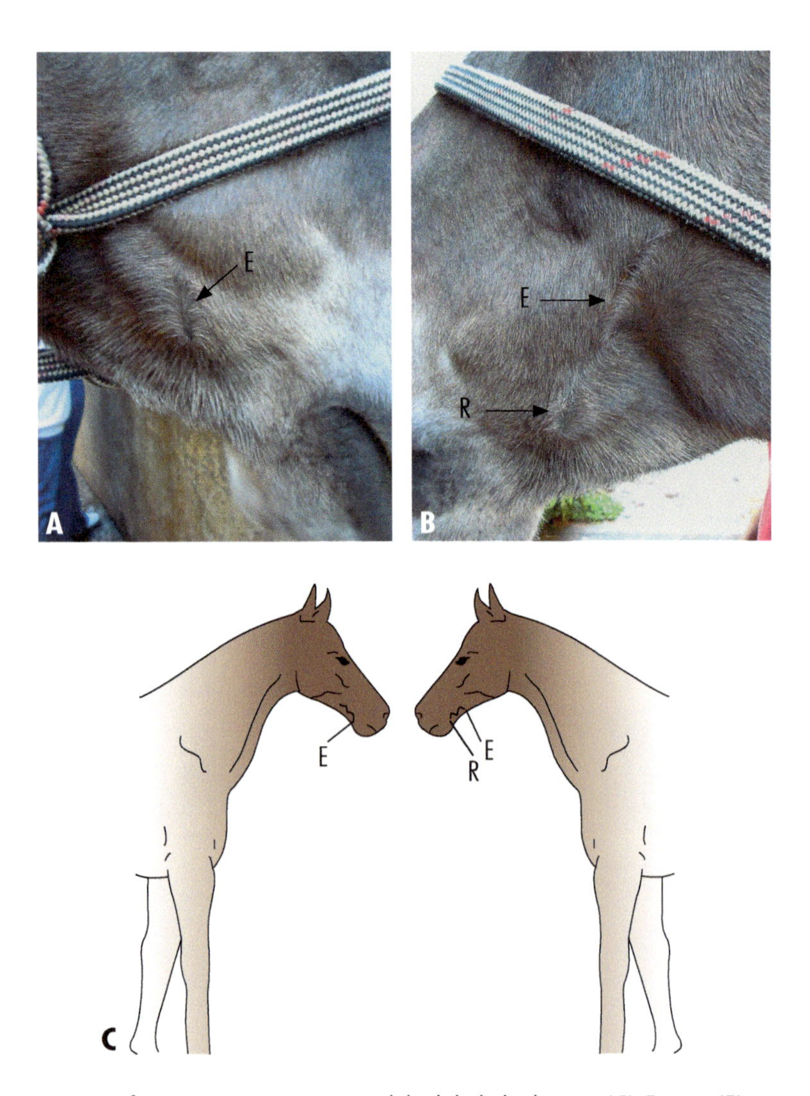

Figura 8.9 – (*A*) Espiga (E) na face, próximo à comissura labial do lado direito. (*B*) Espiga (E) com remoinho (R) na face, próximo à comissura labial do lado esquerdo (*setas*). (*C*) Marcação na resenha de espiga com remoinho na face esquerda e espiga na face direita, próximo à comissura labial, bilateral.

- Estrela: qualquer forma branca na testa do animal leva o nome de estrela. Algumas raças tentam identificar a figura formada (Fig. 8.10, *A* e *B*).
- Estrela em filete: a figura desce pelo chanfro (Fig. 8.11, *A* e *B*).
- Estrela em filete incompleto: a figura na testa também tem um desenho no chanfro, mas não se comunicam (Fig. 8.12, *A* e *B*).
- Filete: há somente uma mancha no chanfro (Fig. 8.13, *A* e *B*).
- Frente aberta: o desenho branco ocupa todo o chanfro do animal (Fig. 8.14, *A* e *B*).
- Malacara: a mancha branca chega ou ultrapassa a bochecha e os olhos (Fig. 8.15, *A* a *B*).

Deve-se ainda descrever a despigmentação (se houver) dos lábios superior e inferior (ver Figs. 8.11, *A* e *B* e 8.14, *A* e *B*), citando-a como mento despigmentado ou mento parcialmente despigmentado, quando houver despigmentação somente de um lábio (Fig. 8.16), ou ainda ladre, se for nos lábios superior e inferior, identificando-o. O ladre inferior é marcado com um traço abaixo da cara do animal, na resenha (ver Figs. 8.11, *B* e 8.14, *B* e 8.15B).

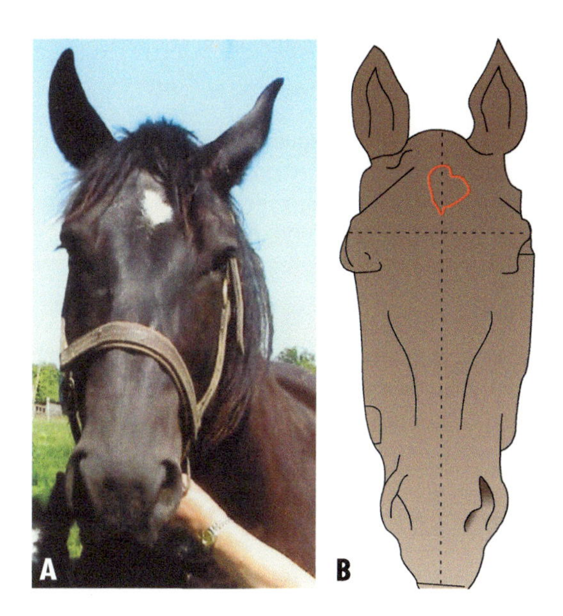

Figura 8.10 – (*A*) Estrela. (*B*) Marcação na resenha de estrela.

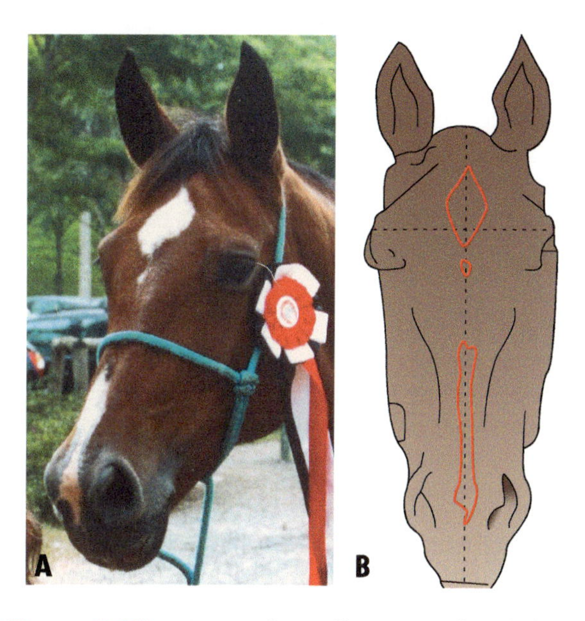

Figura 8.12 – (*A*) Estrela em filete incompleto, ladre superior. (*B*) Marcação na resenha de estrela em filete incompleto, ladre.

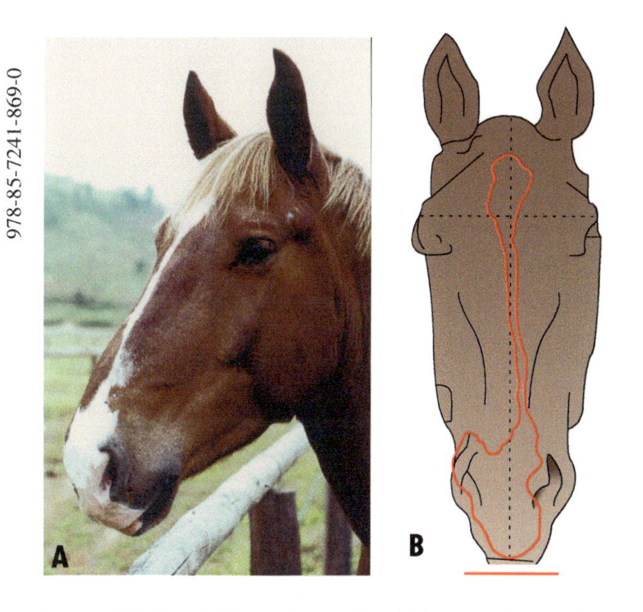

Figura 8.11 – (*A*) Estrela em filete, ladre superior e inferior. (*B*) Marcação na resenha de estrela em filete, ladre.

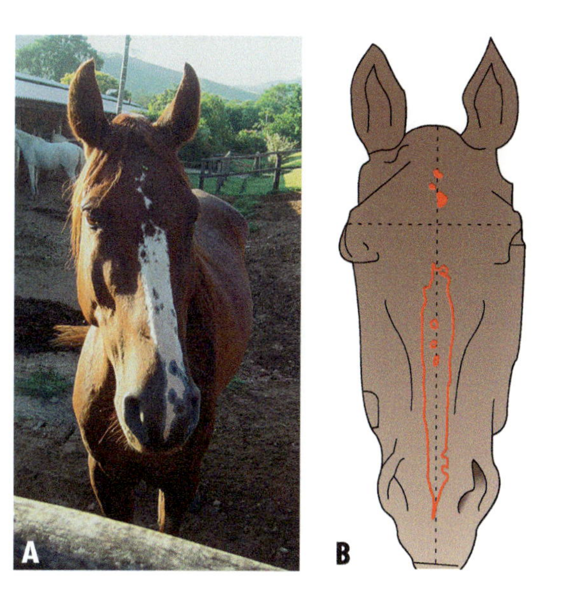

Figura 8.13 – (*A*) Filete. (*B*) Marcação na resenha de filete.

978-85-7241-869-0

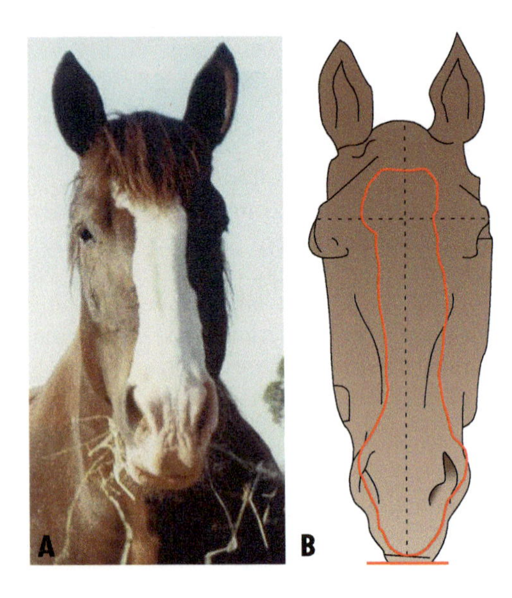

Figura 8.14 – (*A*) Frente aberta e mento despigmentado. (*B*) Marcação na resenha de frente aberta e mento despigmentado.

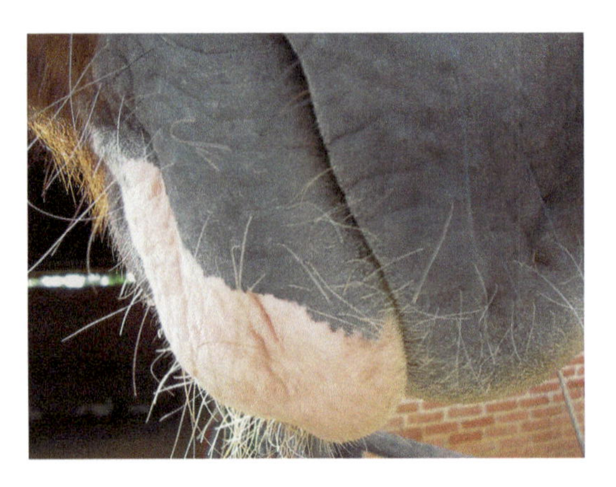

Figura 8.16 – Mento despigmentado ou ladre.

Membros

São representados os calçamentos de branco observados nos membros do animal. Note que extremidades negras ou mais claras que o corpo, mas não brancas, não devem ser anotadas, pois constituem a pelagem do animal e não calçamento.

Os calçamentos podem ser em um ou mais membros, em qualquer altura, Completos (quando iniciados na coroa do Casco – ver Fig. 8.18), Incompleto (quando não se inicia na coroa do casco – ver Fig. 8.21), ou Irregular (quando de um lado é médio e de outro baixo, por exemplo – ver Fig. 8.19).

Assinalar somente o membro calçado e, na descrição dos sinais, colocar o membro com o respectivo calçamento encontrado (MAD = membro anterior direito, MAE = membro anterior esquerdo; MPD = membro posterior direito; MPE = membro posterior esquerdo). Deve-se ter atenção, pois os calçamentos podem ser totalmente diferentes, conforme o membro e o lado observado.

Tapado

Caso não haja qualquer mancha branca no membro nem nos cascos, o animal é denominado tapado (Fig. 8.17, *A*) e o membro na resenha deve ser cortado por dois riscos paralelos (Fig. 8.17, *B*).

Calçado sobre Coroa

Pequena faixa de branco acima da coroa do casco (Fig. 8.18, *A*). Assinalar apenas no membro observado o sinal branco, o mais próximo possível do que se está observando. Lembre-se que a observação deve ser bilateral, pois alguns animais apresentam alturas diferentes do calçamento (calçado incompleto). Na Figura 8.18, *B*, o membro calçado sobre a coroa é o membro posterior esquerdo.

Figura 8.15 – (*A*) Malacara, ladre. (*B*) Marcação na resenha de Malacara, ladre.

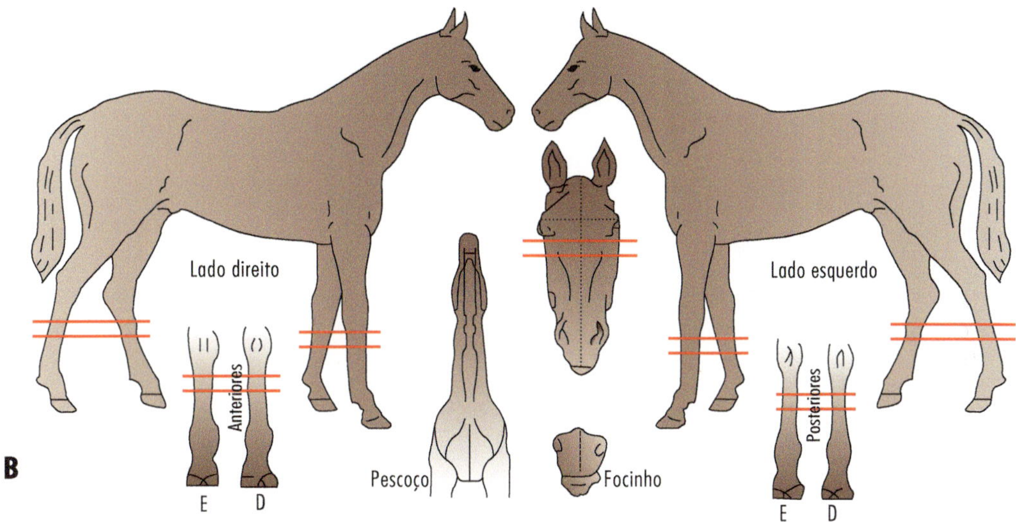

Figura 8.17 – (*A*) Cavalo Tapado. (*B*) Marcação na resenha de Tapado. E = esquerdo; D = direito.

978-85-7241-869-0

Baixo Calçado

Uma mancha branca que segue até o boleto, não o recobrindo (Fig. 8.19, *A*). Assinalar com uma linha que não ultrapasse o membro do cavalo próximo à altura do calçamento observado somente no membro calçado. Na Figura 8.19, *B,* o membro baixo calçado é o membro posterior direito.

Médio Calçado

Mancha branca que segue acima do boleto até a metade da canela (Fig. 8.20, *A*). Assinalar com uma linha que não ultrapasse o membro do cavalo próximo à altura do calçamento observado somente no membro calçado (Fig. 8.20, *B*).

Calçado Incompleto

Mancha branca irregular na meia altura (Fig. 8.21, *A*). Assinalar com uma linha que não ultrapasse o membro do cavalo próximo à altura do calçamento observado somente no membro calçado (Fig. 8.21, *B*).

Calçado Alto

Mancha branca que se estende acima da metade da canela até a altura superior do joelho e superior dos jar-

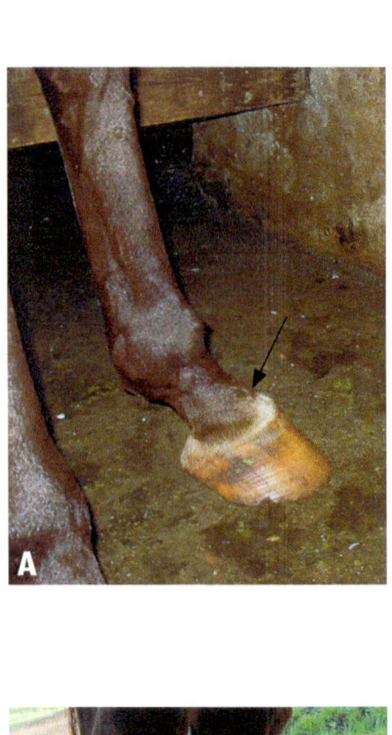

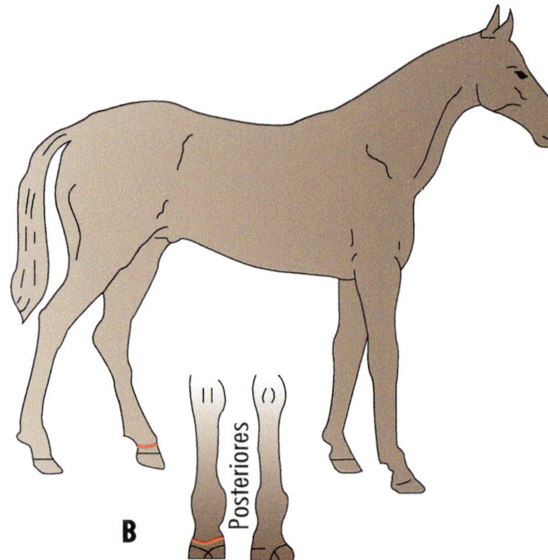

Figura 8.18 – (*A*) Calçado sobre coroa, membro posterior esquerdo (MPE) (*seta*). (*B*) Marcação na resenha de calçado sobre coroa no MPE.

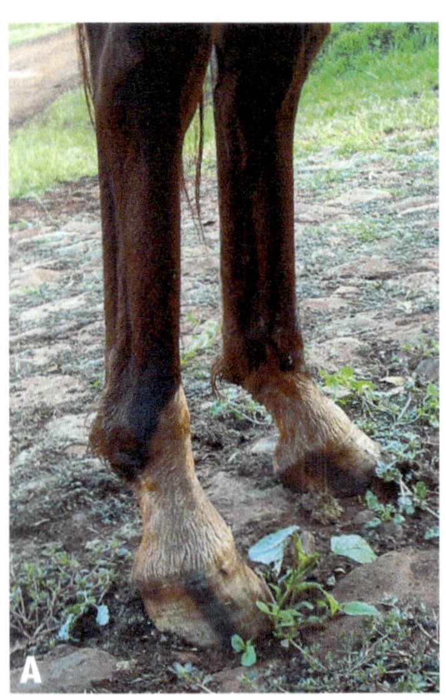

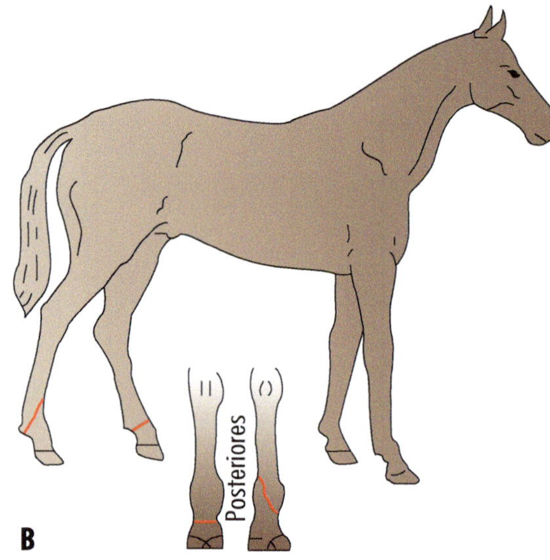

Figura 8.19 – (*A*) Baixo calçado no membro posterior esquerdo e baixo calçado irregular no membro posterior direito. (*B*) Marcação na resenha de baixo calçado nos membros posteriores.

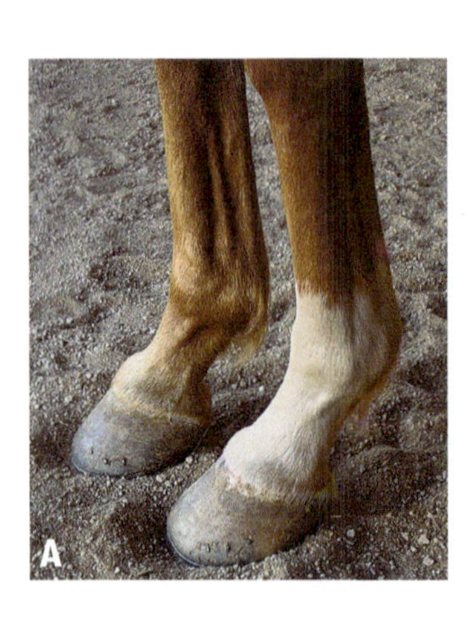

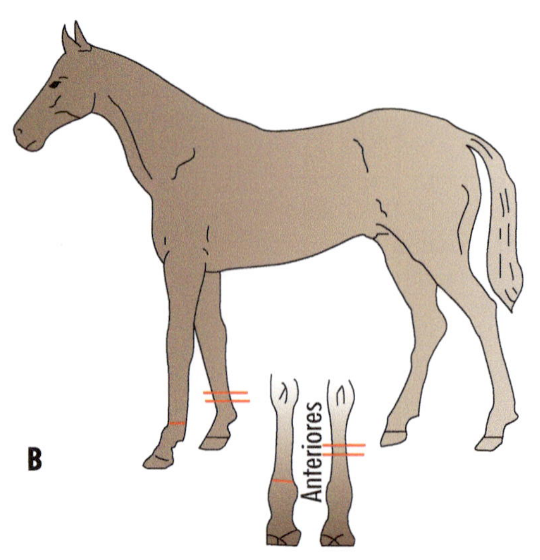

Figura 8.20 – (*A*) Médio calçado no membro anterior esquerdo (MAE). (*B*) Marcação na resenha de médio calçado no membro anterior esquerdo (MAE).

978-85-7241-869-0

retes (Fig. 8.22, *A*). Assinalar com uma linha que não ultrapasse o membro do cavalo próximo à altura do calçamento observado somente no membro calçado (Fig. 8.22, *B*).

Arregaçado

Mancha branca que ultrapassa a altura do joelho ou jarrete (Fig. 8.23, *A*). Assinalar com uma linha que não ultrapasse o membro do cavalo próximo à altura do calçamento observado somente no membro calçado (Fig. 8.23, *B*). Esse tipo de calçamento é muito comum em cavalos Pampa e Tobianos.

Arminhado

Há um entremeado de pelagem do animal no meio do calçamento (Fig. 8.24, *A*). A marcação na resenha é feita pela extremidade superior do calçamento, como no calçamento integral, mas com pontos onde aparece a pelagem do animal (Fig. 8.24, *B*).

Cascos

- Os cascos podem ser pretos (Fig. 8.25, *A*), brancos (Fig. 8.25, *B*) ou rajados (Fig. 8.25, *C*).

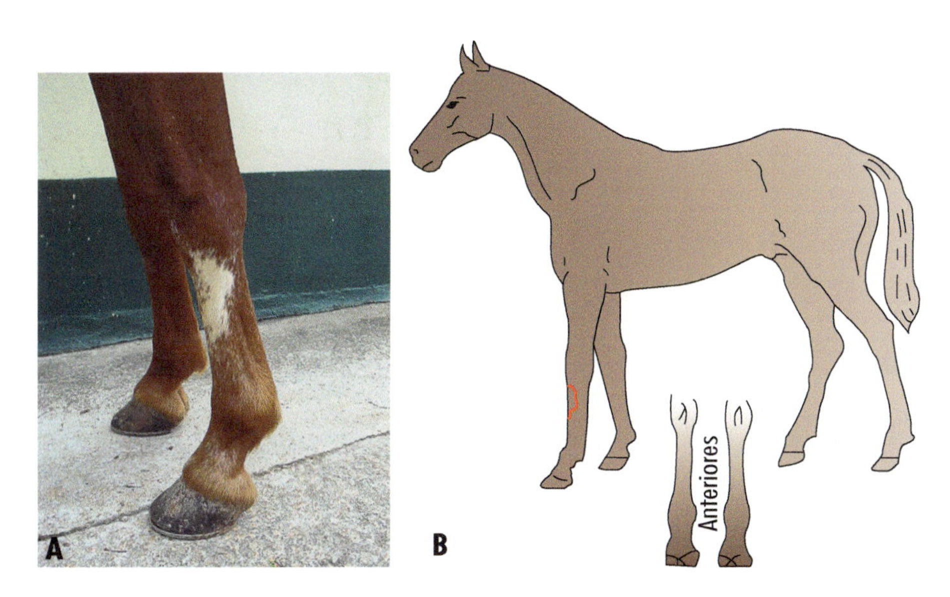

Figura 8.21 – (*A*) Calçado incompleto. (*B*) Marcação na resenha de calçado incompleto.

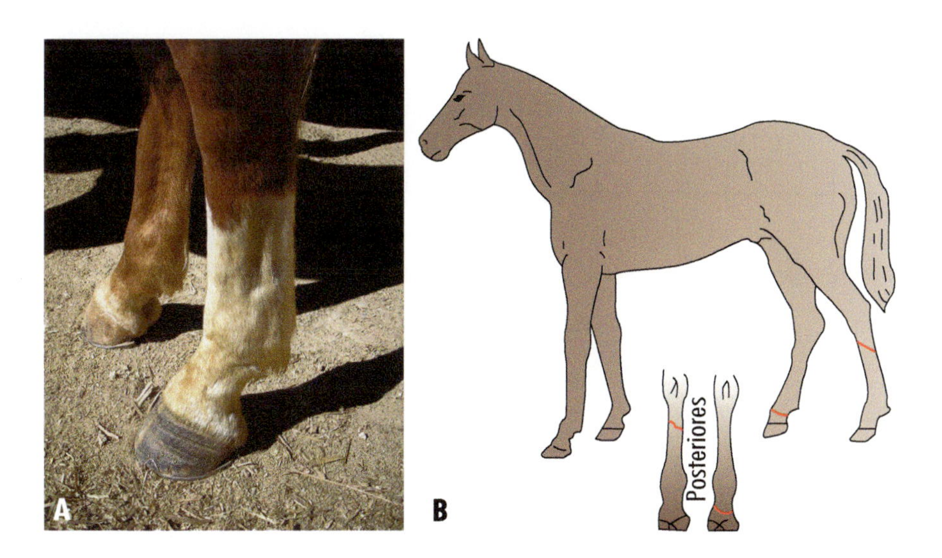

Figura 8.22 – (*A*) Calçado alto no membro posterior esquerdo e calçado baixo no membro posterior direito. (*B*) Marcação na resenha de calçado alto no membro posterior esquerdo e calçado baixo no membro posterior direito.

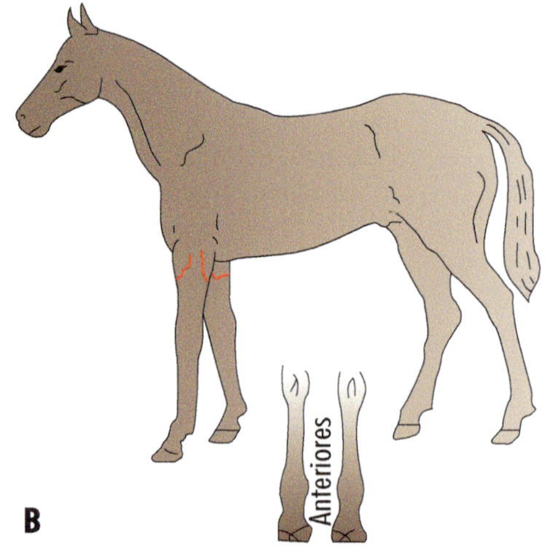

Figura 8.23 – (*A*) Arregaçado. (*B*) Marcação na resenha de Arregaçado nos membros anteriores.

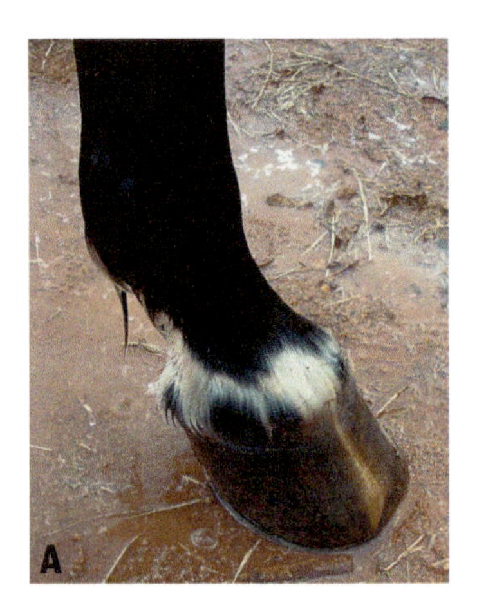

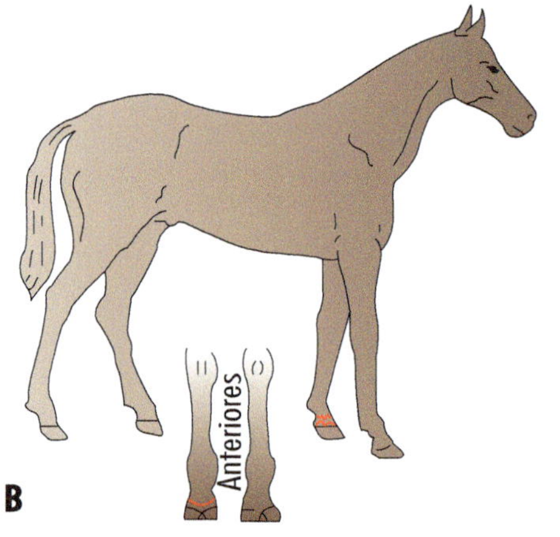

Figura 8.24 – (*A*) Baixo calçado arminhado. (*B*) Marcação de arminhado nos membros. Membro anterior baixo calçado arminhado.

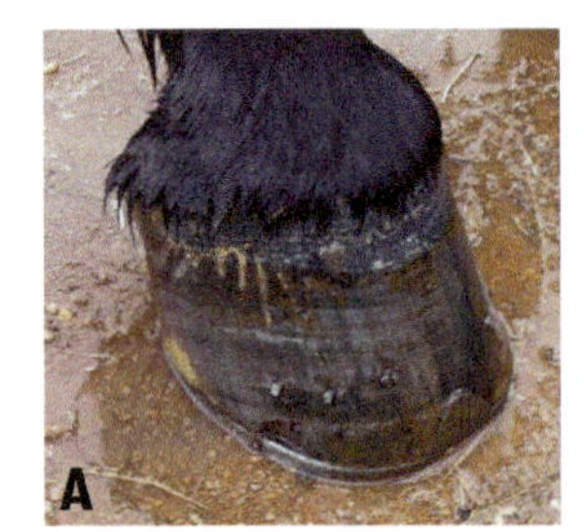

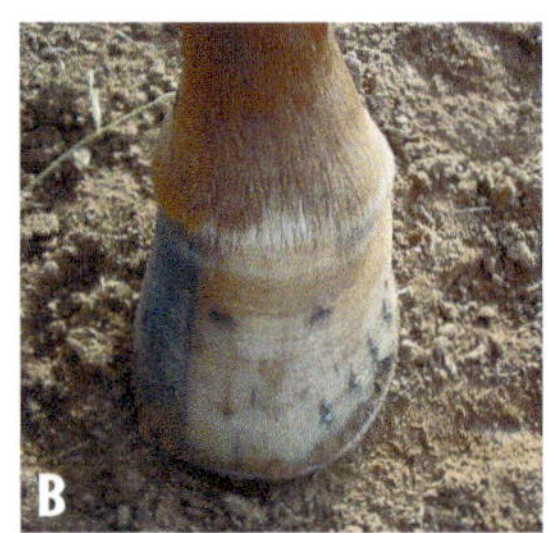

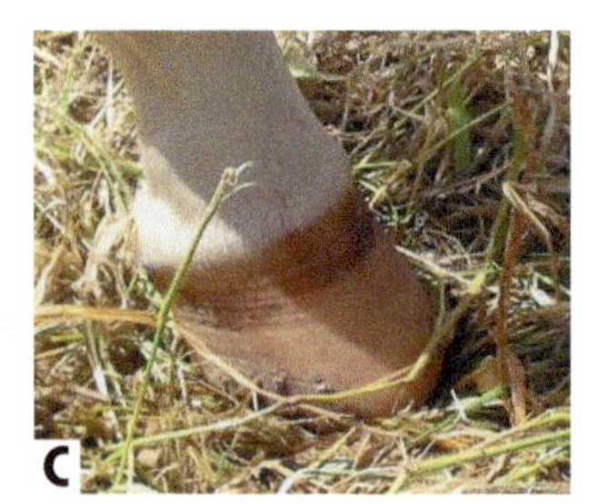

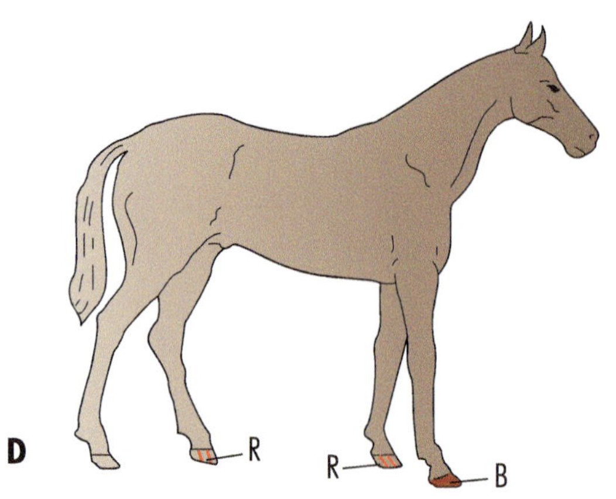

Figura 8.25 – (*A*) Casco preto. (*B*) Casco rajado. (*C*) Casco branco. (*D*) Marcação de cascos em uma resenha: B = casco branco; R = casco rajado. Quando não houver marcação, significa que os cascos são pretos.

- Cascos pretos não são identificados na resenha. Lembre-se que em uma resenha marcamos apenas as marcas brancas (Fig. 8.25, *D*).
- Cascos rajados são identificados pintando-se o casco parcialmente e colocando-se a letra R (Fig. 8.25, *D*).
- Cascos brancos são identificados pintando-se o casco totalmente e colocando-se a letra B (Fig. 8.25, *D*).

Tronco

Descrever e assinalar manchas brancas pelo corpo do animal, se houver. Na Figura 8.26, *A*, temos um animal com mancha branca na barriga, cuja resenha está na Figura 8.26, *B*. Há maior dificuldade em animais Pampa (Fig. 8.27, *A*), Tobianos ou Oveiros, pois suas manchas brancas são sinais que devem ser demarcados (Fig. 8.27, *B*), mas nunca pintados. Faz-se o contorno das manchas brancas do animal e puxa-se um fio assinalando, fora do esquema, com um B, acentuando que aquela é a mancha branca. Atenção: manchas brancas de cavalos Appaloosa, Mantados, Leopardos ou Persa não são assinaladas, pois a identificação de sua pelagem pressupõe o tipo de mancha branca determinado.

Outros Sinais

Deve-se proceder ao exame detalhado do animal para observação de outros sinais, como marca do criador, marca de associação, numeração, cicatrizes, etc.

As marcas e os números, se forem laterais, são desenhados na resenha, no local onde se encontram no cavalo e descritos na região de marca e outros sinais como:

- Marca da associação na paleta/coxa (ou onde houver), lado direito ou esquerdo (Fig. 8.28).

978-85-7241-869-0

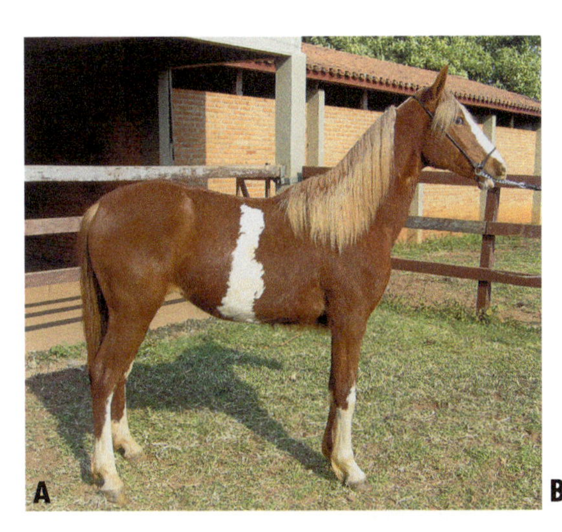
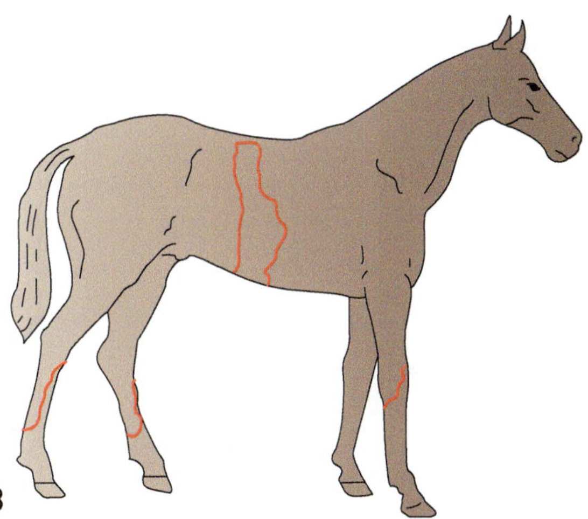

Figura 8.26 – (*A*) Mancha branca no costado direito com calçamento em três membros. (*B*) Marcação na resenha de mancha branca no costado direito com calçamento em três membros.

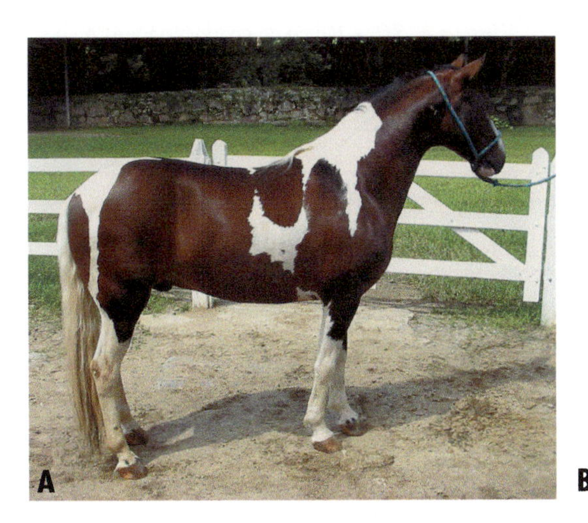
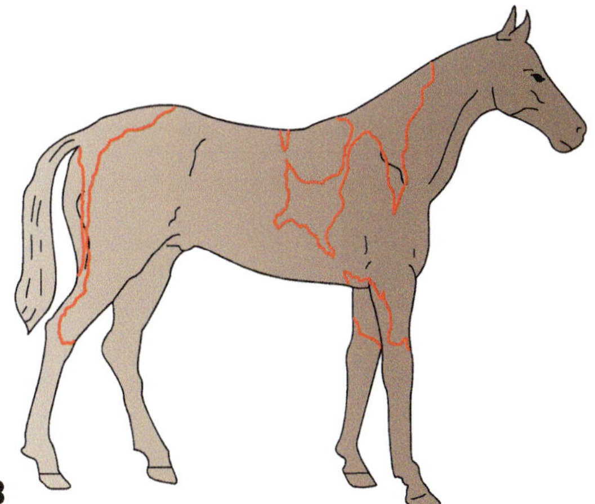

Figura 8.27 – (*A*) Pampa. (*B*) Marcação na resenha de Pampa.

Figura 8.28 – Marca da associação na paleta esquerda.

- Marca do criador na paleta/coxa (ou onde houver), lado direito ou esquerdo (Figs. 8.29 e 8.30).
- Número (descrever o número) na paleta/coxa (ou onde houver), lado direito ou esquerdo.

As cicatrizes não são assinaladas no esquema, mas apenas citadas na descrição de marcas e outros sinais, especificando o local onde se encontram, desde que sejam profundas e não desapareçam com o tempo.

Caso não seja possível identificar corretamente a marca a fogo, apenas citar na descrição de outros sinais como "marca a fogo em..." identificando o local corretamente (coxa, paleta, nádega, etc.) e o lado (direito ou esquerdo).

Nas Figuras 8.31 *A*, *B*, *C*, *D* vemos um animal de ambos os lados, de costas e de frente, com as marcações possíveis de resenha. Na Figura 8.31 *E* podemos observar uma resenha completa feita para o animal das Figuras 8.31 *A* a *D*. No Quadro 8.1, temos a descrição completa da resenha da Figura 8.31.

Figura 8.29 – Marca do criador (com nitrogênio) na paleta esquerda.

Figura 8.30 – Marca do criador (a fogo) na paleta esquerda.

Quadro 8.1 – **Descrição de sinais de resenha de um animal**
Descrição dos sinais
• Pelagem: castanho-escura
• Cabeça: estrela na testa; remoinho no chanfro
• MAD: –
• MAE: baixo calçado irregular arminhado
• MPD: médio calçado arminhado; casco rajado
• MPE: médio calçado arminhado; casco rajado
• Outros sinais: remoinho bilateral na nuca; remoinho bilateral com espiga no bordo superior do pescoço; espiga bilateral no peito; remoinho central bordo inferior do pescoço; espiga no flanco esquerdo

MAD = membro anterior direito; MAE = membro anterior esquerdo; MPD = membro posterior direito; MPE = membro posterior esquerdo.

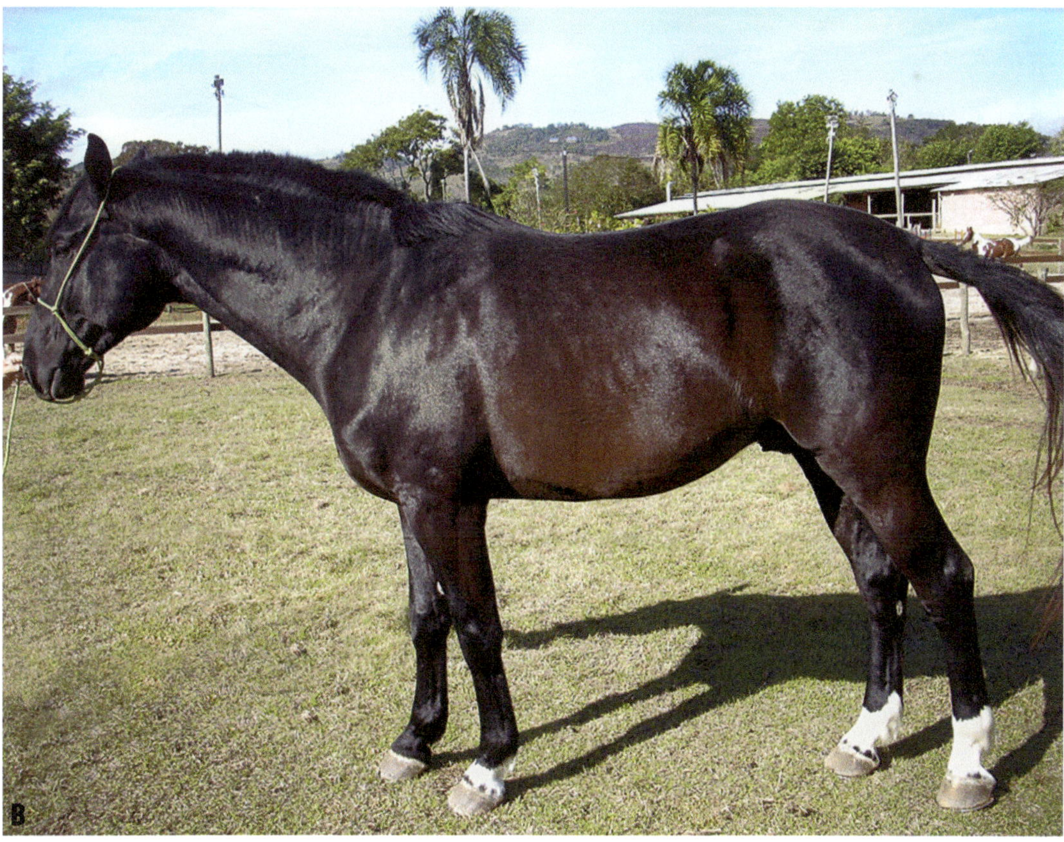

Figura 8.31 – (*A*) Vista lateral direita. (*B*) Vista lateral esquerda. (*Continua*)

978-85-7241-869-0

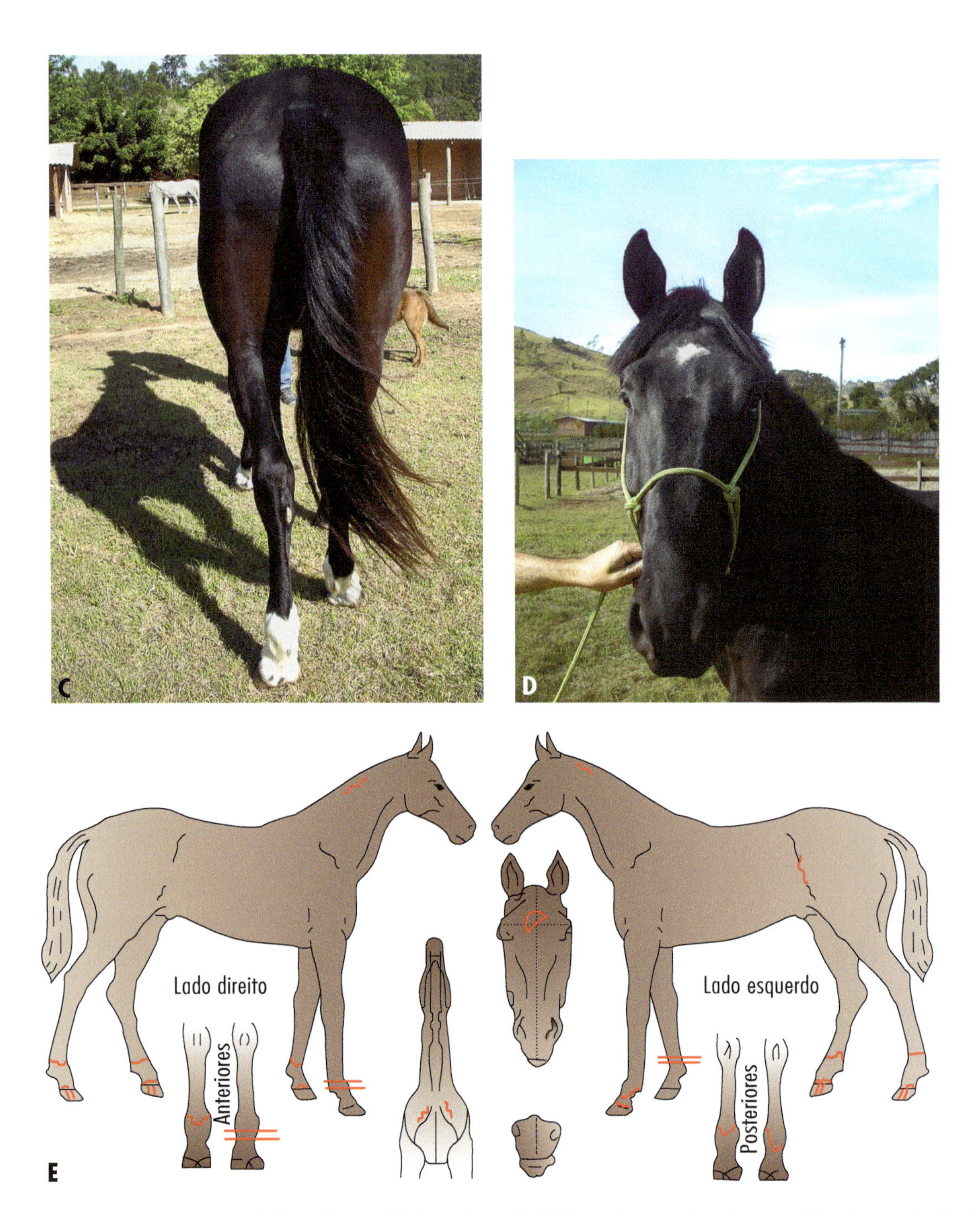

Figura 8.31 – (*Continuação*) (*C*) Vista detrás. (*D*) Vista frontal. (*E*) Resenha completa do animal das Figuras 8.31 *A* a *D*.

Capítulo 9

Melhoramento Animal: Bases de Seleção Genética

O primeiro passo para se ter uma boa criação de cavalos, um cavalo de esporte de ótimo desempenho ou mesmo um saudável cavalo de lazer é lembrar que todo cavalo é fruto de uma combinação de fatores: *genética × alimentação × manejo × treinamento* (*se for cavalo de esporte*).

Sabendo-se que esses quatro componentes são fundamentais para o desempenho e a saúde do cavalo, podemos então tomar os devidos cuidados para ter e oferecer o melhor para ele.

Importante lembrar que o manejo ou treinamento e a alimentação são fatores profundamente relacionados ao meio ambiente e influenciam drasticamente o fenótipo do indivíduo, dando-lhe características externas boas ou ruins, dependendo das condições a que os animais são submetidos.

Além disso, a genética é um fator limitante muito importante para que a alimentação e o manejo do animal possam produzir um animal acima da média e a recíproca também é verdadeira, podendo a alimentação e o manejo ou treinamento limitar drasticamente uma excelente seleção genética.

Melhoramento Animal

O melhoramento das espécies pode ser obtido de duas formas:

- Melhoramento zootécnico: é quando podemos melhorar a "produtividade" do animal com a melhoria das condições ambientais (Figs. 9.1 e 9.2), como manejo (Figs. 9.3 e 9.4), treinamento, alimentação (Figs. 9.5 e 9.6), etc. Discutiremos melhor este tópico nos capítulos subsequentes.
- Melhoramento genético: buscamos melhorar a "produtividade" do animal com a composição genética, buscando características interessantes à função a que o animal se destina em determinado garanhão e determinada égua para se obter uma conjunção dessas características no potro. Claro que isso não é certeza absoluta, mas a busca das características certas, em animais comprovados, facilita – e muito – a transmissão para o potro.

Figura 9.1 – Instalações inadequadas.

Figura 9.2 – Instalação adequada: baias mais adequadas.

Figura 9.3 – Instalação inadequada: arraçoamento a pasto de forma inadequada.

Figura 9.4 – Instalação adequada: baias individuais a pasto.

978-85-7241-869-0

Figura 9.5 – Instalação inadequada: capineira velha que pode trazer problemas digestivos aos animais.

Figura 9.6 – Instalação adequada: capineira boa.

Na essência, o que se busca são características predeterminadas, dependendo da função que se deseja do animal, podendo ser:

- Características qualitativas: características que são governadas por poucos genes, como pelagem, cor dos olhos, etc. Essas características são pouco afetadas pelo ambiente ou não o são. Como exemplos, temos as raças Paint Horse (Fig. 9.7), Appaloosa (Fig. 9.8) e Pampa (Fig. 9.9) no Brasil e Palomino nos Estados Unidos, que têm em sua pelagem uma característica bem determinante.
- Características quantitativas: características que são governadas por muitos pares de genes, como porte do animal, peso, velocidade, comportamento, etc. Essas características são muito influenciadas pelo ambiente, podendo mesmo não ser exteriorizadas se não forem oferecidas as condições adequadas. Como exemplos, temos cavalos de corrida ou de hipismo que, se não receberem alimentação e treinamento adequados, jamais chegarão a ser campeões, mesmo que oriundos de linhagens campeãs.

Um ponto fundamental das características genéticas é que bons genes podem ser herdados, mas não sua combinação genética. Isto é, mesmo utilizando pais campeões, não há garantia absoluta de produção de campeões.

Critérios de Seleção – Herdabilidade

Bons genes podem ser herdados, mas não sua combinação genética, isto é, por melhor que seja o critério de seleção utilizado, não há garantia absoluta de que os descendentes tenham as características exatas de seus pais.

Vários são os critérios utilizados para se selecionar um animal conforme as características desejadas (*herdabilidade*):

a. *Pedigree*: é um documento que mostra a ascendência do animal; quem são seus pais, avós e bisavós. É um indicador de qualidade, mas não há garantia de herdabilidade, isto é, se os filhos serão realmente bons como foram seus pais.
b. *Performance* ou fenótipo: a *performance* é válida para animais de esporte e trabalho e fenótipo são as características externas do animal. É a observação do desempenho do animal nas características que se deseja preservar.
c. Testes de progênie: esta avaliação observa as características passadas dos pais para os filhos. Determina o real valor reprodutivo do animal.

Podemos resumir esses três critérios da seguinte forma: o *pedigree estima* o que o animal *deve* ser. A *performance* ou o fenótipo *estimam* o que o animal *parece* ser. A progênie *mostra* o que o animal realmente *é*.

d. Pelagem: inicialmente, é uma seleção emocional, porém já originou várias raças, como Paint Horse e Appaloosa.
e. Conformação: baseia-se na conformação zootécnica do padrão racial. Pode ser de dois tipos:
- Conformação subjetiva: por meio de tabelas de pontuação, baseadas no padrão da raça. Tem dois inconvenientes: as morfologias ideais hoje podem não o ser daqui a alguns anos e estas características podem ser variáveis de juiz para juiz.
- Conformação objetiva: baseada em mensurações da parte anatômica. São tomados pontos de

Figura 9.7 – Exemplar de Paint Horse.

Figura 9.8 – Exemplar de Appaloosa.

Figura 9.9 – Exemplar de Pampa. Foto: Marisa Iório.

referência em grande número de animais, situados no esqueleto do animal, próximo às extremidades dos ossos (Figs. 9.10 e 9.11). São tomadas essas medidas e comparadas às dos animais de elite.

Para os esportes de salto, adestramento e corrida, não há relação comprovada entre conformação biométrica e desempenho.

Entretanto, existe uma relação entre esses valores biométricos e a *performance* do animal apenas para cavalos de concurso completo de equitação (CCE), em alguns pontos analisados, conforme a Figura 9.12.

Deve-se seguir a fórmula:

$$k = \frac{(1.000 \times c^3 \times d^3)}{g^2 \times h^2 \times i^2}$$

978-85-7241-869-0

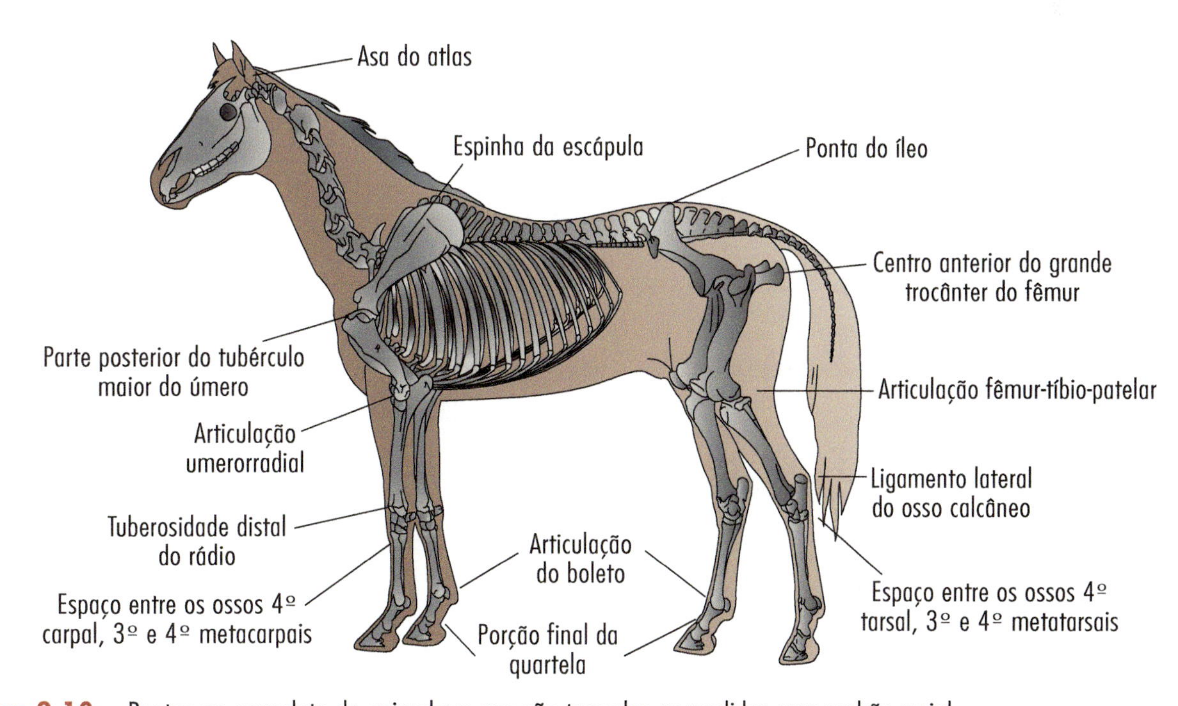

Figura 9.10 – Pontos no esqueleto do animal em que são tomadas as medidas para padrão racial.

Figura 9.11 – Pontos no corpo do animal em que são tomadas as medidas para padrão racial.

f. Porte: seleção que se baseia na altura do animal para produção de animais muito grandes (Fig. 9.13), ou para animais de pequeno porte, como os pôneis (Fig. 9.14).
g. *Performance* reprodutiva: seleção baseada na produtividade das fêmeas, para aumentar significativamente o rebanho aproveitando o índice de produção de potros (Fig. 9.15).
h. Temperamento: seleção de animais de índole mais tranquila (Figs. 9.16 e 9.17).
i. Inteligência: seleção de animais de melhor treinabilidade e adestramento (Figs. 9.18 e 9.19).

Em que:

k = predisposição à *performance* em CCE.
c = altura do chão ao acessório do carpo.
d = altura do chão ao ligamento lateral do tubérculo do calcâneo.
g = comprimento do grande tubérculo do úmero à tuberosidade isquiática.
h = comprimento do grande tubérculo do úmero à tuberosidade ilíaca.
i = circunferência do tórax.

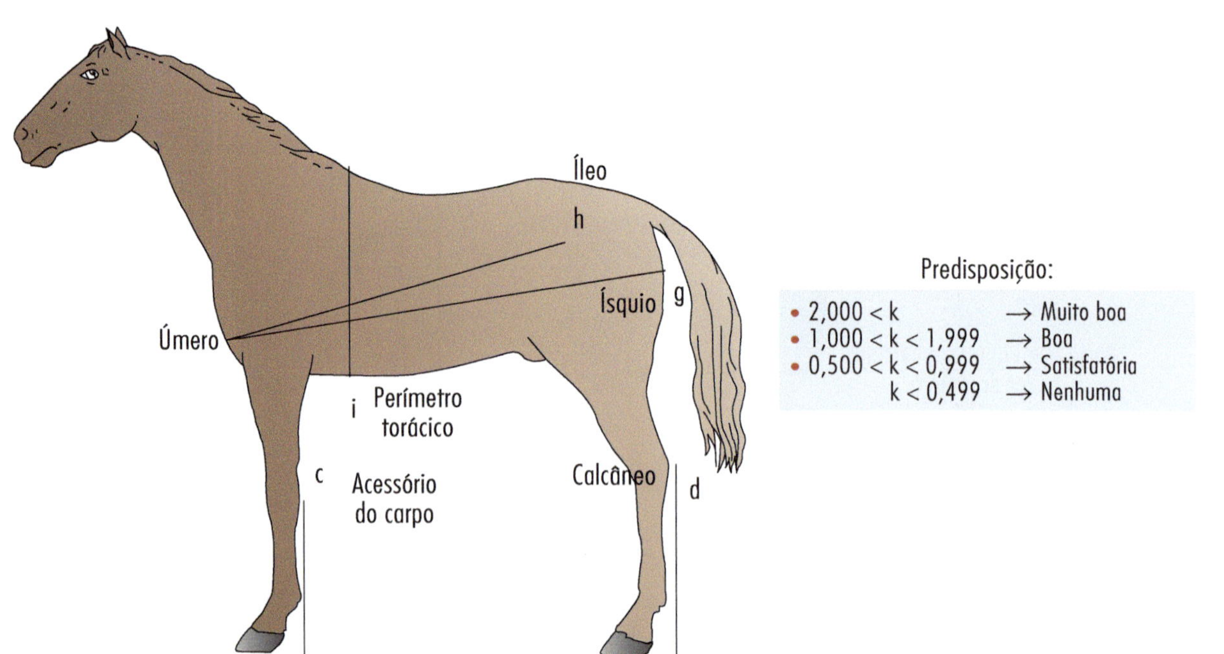

Figura 9.12 – Pontos de mensuração para parâmetros biométricos para cavalos de concurso completo de equitação (CCE).

978-85-7241-869-0

Figura 9.13 – Percheron de 1,70m de altura. Seleção pela altura.

Figura 9.14 – Pônei de 1m de altura. Seleção pela altura. Foto: Arquivo do Pônei.

Figura 9.15 – Seleção baseada na *performance* reprodutiva.

Figura 9.16 – Seleção pelo temperamento.

Figura 9.17 – Seleção pelo temperamento.

Figura 9.18 – Treinamento em atrelagem, seleção pela inteligência.

Figura 9.19 – Treinamento em adestramento, seleção pela inteligência.

978-85-7241-869-0

Formas Básicas de Melhoramento Genético

As formas básicas de melhoramento genético são acasalamento, seleção e descarte, descritas a seguir.

Acasalamento

O acasalamento pode ser dividido em cruzamento (heterose) e consanguinidade.

Cruzamento (Outcrossing – Heterose)

Cruzamento realizado entre animais de raças ou linhagens diferentes, explorando as diferenças genéticas entre os grupos. Por exemplo, cruzamento entre garanhão Puro-sangue Inglês (Fig. 9.20) e égua Puro-sangue Árabe (Fig. 9.21), visando explorar os caracteres desejáveis de resistência do árabe com a velocidade do inglês, dando formação à raça Anglo-árabe.

Figura 9.20 – Puro-sangue Inglês.

Figura 9.21 – Puro-sangue Árabe.

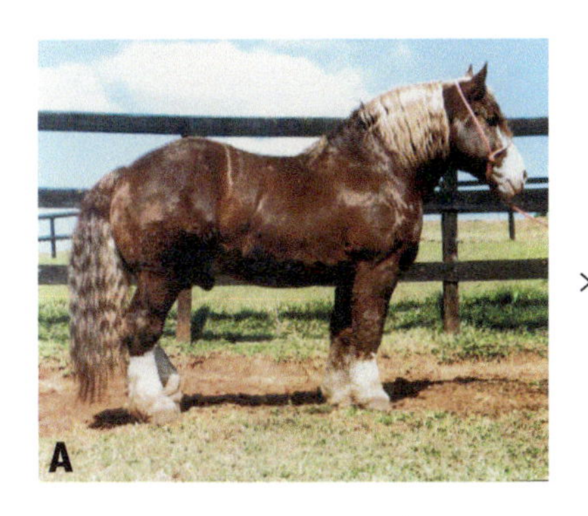
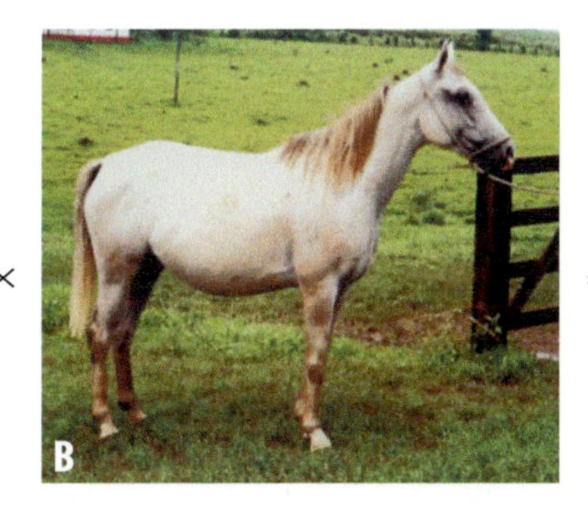
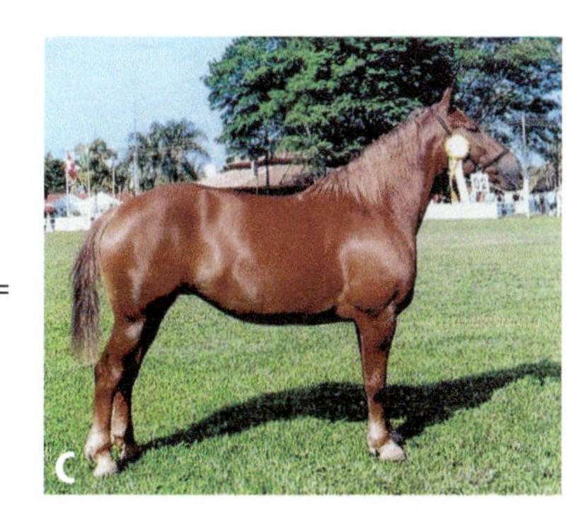

Figura 9.22 – (*A*) Garanhão superior. (*B*) Égua abaixo da média. (*C*) Produto superior à mãe. Foto: Fátima Deanna Buono.

978-85-7241-869-0

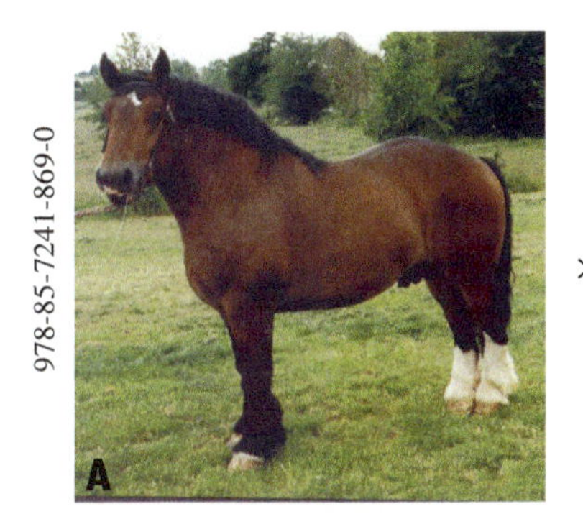
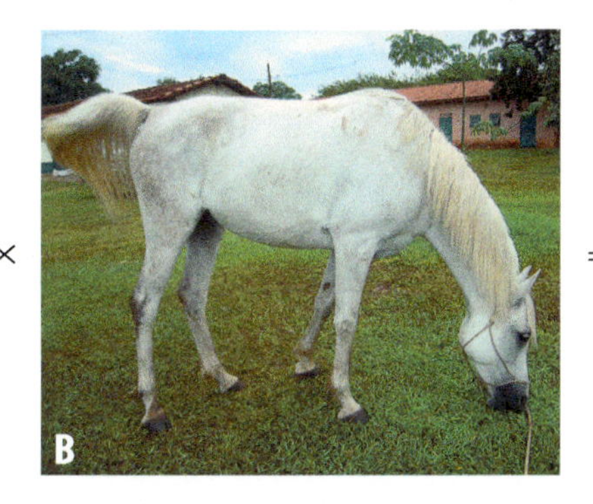

Figura 9.23 – (*A*) Garanhão campeão. (*B*) Égua de qualidade. (*C*) Produto campeão. Foto: Fátima Deanna Buono.

Tipos de Cruzamento em Heterose

*Cruzamento Linear (*Nicks*)*

Cruzamento de linhagens conhecidas que consistentemente produzem animais de qualidades somadas.

O produto pode ser excepcional para o esporte, mas não tem prepotência para ser raçador (prepotência é a característica que um animal tem de originar linhagem semelhante, acima da média).

*Cruzamento Absorvente (*Grading*)*

Cruzamento de um garanhão superior (Fig. 9.22, *A*) com éguas abaixo da média (Fig. 9.22, *B*), esperando-se elevar a qualidade dos produtos (Fig. 9.22, *C*).

Ou mesmo o cruzamento de garanhão de qualidade superior (Fig. 9.23, *A*) com égua de qualidade superior (Fig. 9.23, *B*), esperando gerar um produto superior (Fig. 9.23, *C*).

No cruzamento absorvente, o grau de sangue para efeitos de registro é determinado pelo garanhão, na maioria das raças. Por exemplo, se cruzarmos um garanhão puro Bretão com uma égua pura Appaloosa, o produto terá registro somente de metade de sangue Bretão (com 50% de sangue da raça do garanhão). O grau de sangue da mãe não é levado em consideração no registro.

O cruzamento absorvente também é uma forma de chegarmos ao animal puro por cruza (PC) se continuarmos o cruzamento de um animal $^1/_2$ sangue com o garanhão da mesma raça que o originou. Teremos então o filho de uma égua $^1/_2$ sangue com um garanhão da mesma raça de seu pai sendo um $^3/_4$ de sangue (com 75% de sangue da raça do garanhão).

Uma égua $^3/_4$ de sangue coberta por um garanhão de mesma raça que seu pai gerará um produto $^7/_8$ de sangue (com 87,5% de sangue da raça do garanhão).

Uma égua $^7/_8$ de sangue coberta por um garanhão de mesma raça que seu pai gerará um produto $^{15}/_{16}$ (com 93,75% de sangue da raça do garanhão).

Uma égua $^{15}/_{16}$ de sangue coberta por um garanhão de mesma raça que seu pai gerará um produto $^{31}/_{32}$ (com 96,87% de sangue da raça do garanhão). Em algumas raças, como Bretão, esse produto já recebe a denominação de PC.

Uma égua $^{31}/_{32}$ de sangue coberta por um garanhão de mesma raça que seu pai gerará um produto $^{63}/_{64}$ (com 98,43% de sangue da raça do garanhão). Em algumas outras raças esse produto recebe a denominação de PC.

Algumas raças, como Puro-sangue Árabe, jamais chegarão ao PC, sendo o animal sempre mestiço, com grau de sangue mais apurado, sendo a partir daí $^{127}/_{128}$, $^{255}/_{256}$ e assim por diante.

Hibridização

Cruzamento entre espécies diferentes. Tem como característica a produção de progênie estéril. É na hibri-

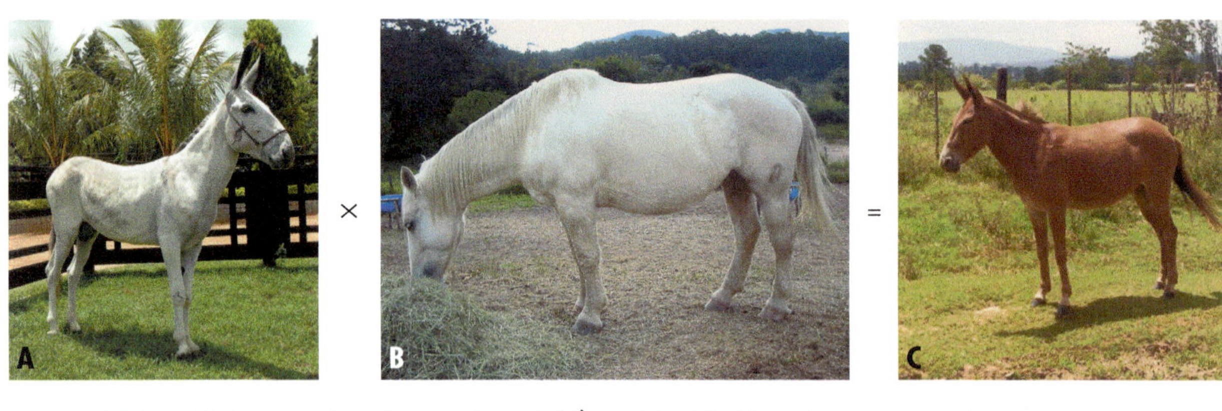

Figura 9.24 – (*A*) Jumento. Foto: Revista *Horse*. (*B*) Égua. (*C*) Mula (fêmea) ou burro (macho).

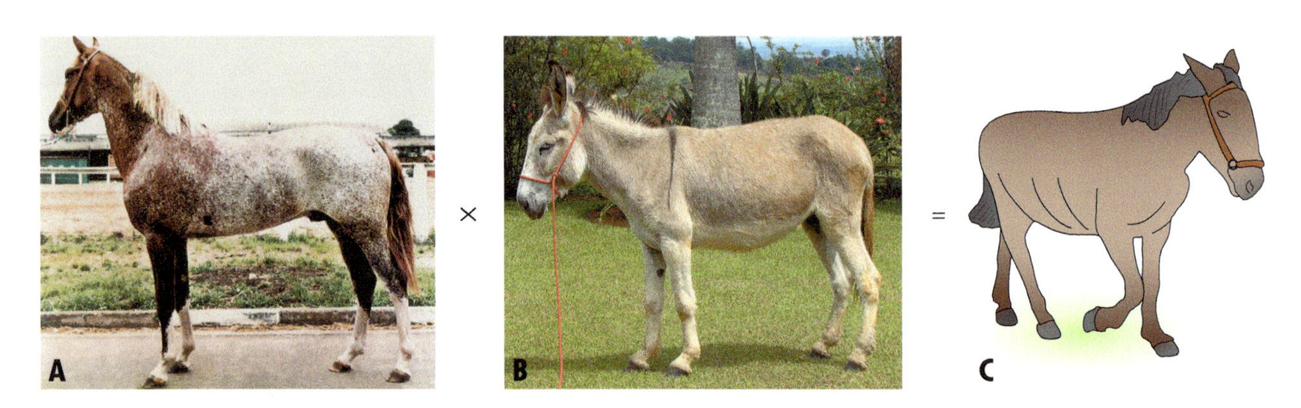

Figura 9.25 – (*A*) Garanhão. (*B*) Jumenta. Foto: Rodrigo Cintra. (*C*) Bardoto.

dização que se produz o burro, a mula, o bardoto, ou o zebroide.

O cruzamento de *Equus asinus* (macho) (Fig. 9.24, *A*) com *Equus caballus* (fêmea) (Fig. 9.24, *B*) produz o *burro* (macho) ou a *mula* (fêmea) (Fig. 9.24, *C*).

- O cruzamento de *Equus caballus* (macho) (Fig. 9.25, *A*) com *Equus asinus* (fêmea) (Fig. 9.25, *B*) produz o *bardoto* (Fig. 9.25, *C*).
- O cruzamento de *Equus caballus* (Fig. 9.26, *A*) com *Equus zebra* (Fig. 9.26, *B*) produz o *zebroide* (Fig. 9.26, *C*), sendo este cruzamento muito raro de ocorrer.

Consanguinidade

Cruzamento entre indivíduos parentes entre si, explorando as diferenças entre indivíduos de uma mesma raça ou linhagem.

Tem como consequência aumentar a homozigose, fazendo com que os animais apresentem maior grau de semelhança que a média da população.

Figura 9.26 – (*A*) Garanhão. (*B*) Zebra. (*C*) Zebroide. Foto: Revista *Horse*.

978-85-7241-869-0

Tipos de Cruzamento em Consanguinidade

Inbreeding

Cruzamento entre indivíduos aparentados entre si, procurando fixar certas características na progênie:

- Origina linhagens prepotentes (semelhantes entre si, acima da média).
- Eleva o número de genes homozigotos.
- Pode proporcionar o aparecimento de características indesejáveis que podem não estar aparentes nos pais.
- Muito utilizado para a formação de raças, como Puro-sangue Inglês e Puro-sangue Árabe.

Closebreeding

Cruzamento de indivíduos aparentados, muito próximos entre si, como irmão × irmã, pai × filha ou filho × mãe.

Características indesejáveis, que podem não estar aparentes nos pais, podem ser muito fortemente realçadas.

Entretanto, esse cruzamento pode realçar características muito desejáveis em sua progênie, mas há o risco de aparecimento de genes deletérios, que não apareceriam se não houvesse a consanguinidade.

Como exemplo prático no Brasil tivemos o garanhão Mangalarga Turbante JO, que foi um dos maiores raçadores da raça. Produzia filhos de excepcional qualidade. Em determinado momento da criação, não havia mais garanhão disponível com a qualidade de suas filhas, então se tornou muito comum cobrir éguas filhas desse garanhão com ele mesmo, ou seus filhos com suas filhas, mas não havia garantia de que seus filhos teriam suas qualidades fenotípicas.

Linebreeding

Máximo grau possível da presença de um indivíduo no *pedigree*, com o menor grau de consanguinidade possível.

Não causa aumento rápido da homozigose, apesar de ela estar presente.

Propõe elevar as percentagens de genes de ancestral interessante (Fig. 9.27).

Seleção

Cruzamento explorando as diferenças entre indivíduos de uma mesma raça ou linhagem de qualidade superior. Dessa forma, busca-se selecionar os melhores indivíduos (Fig. 9.28) com características diferentes e que possam produzir filhos de qualidade superior. Os animais de qualidade inferior para o padrão racial devem ser castrados ou retirados da criação (Fig. 9.29).

Eliminação

Descartar animais que não atinjam o padrão mínimo desejado é o melhor método para se elevar o nível de

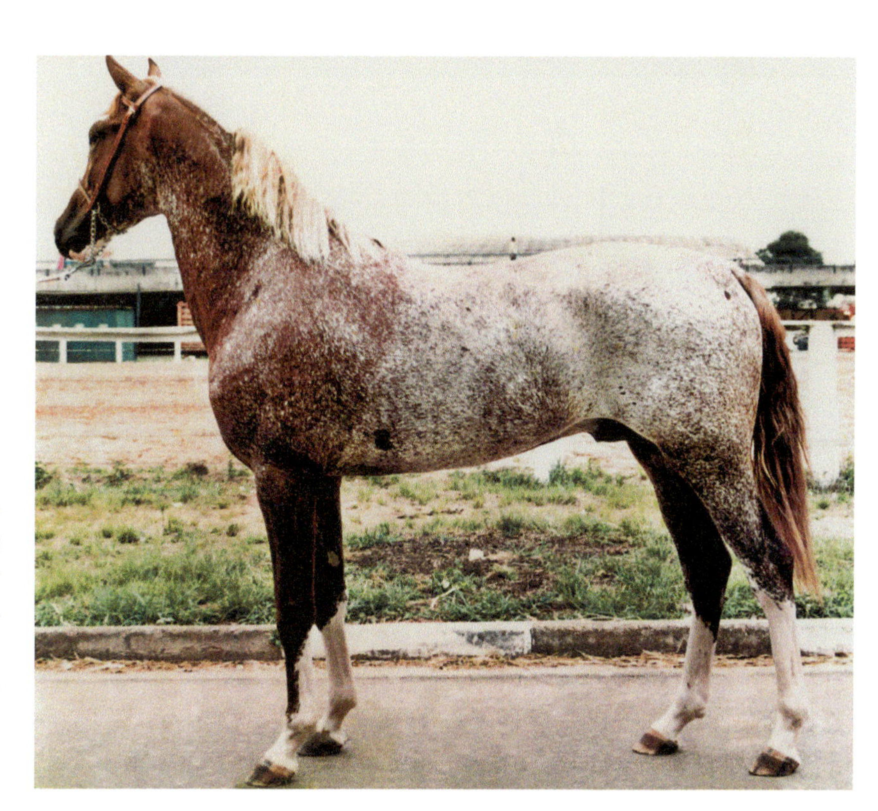

Figura 9.27 – Garanhão Mangalarga que tinha em sua genealogia seis vezes o mesmo ancestral, o raçador Sheik, melhorador da raça. Foi registrado com 90 pontos no Stud Book. Entretanto, não produziu filhos com a mesma qualidade.

978-85-7241-869-0

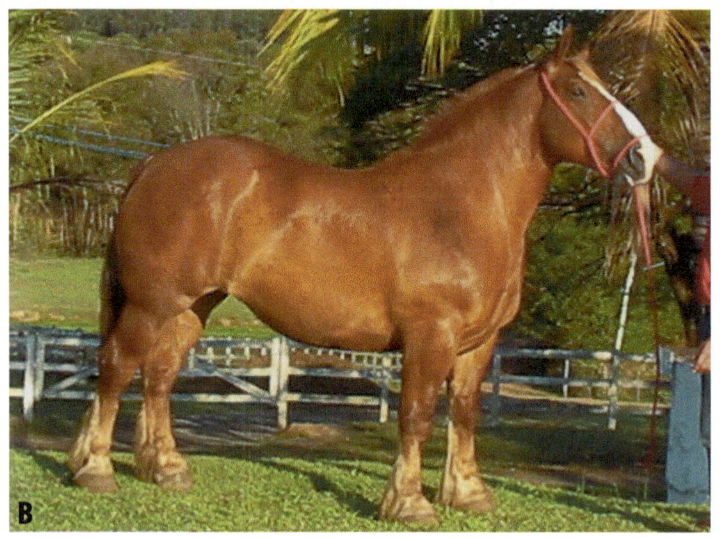

Figura 9.28 – (*A*) Garanhão superior. (*B*) Égua superior. Ambos os animais com características superiores são selecionados para melhoria da raça.

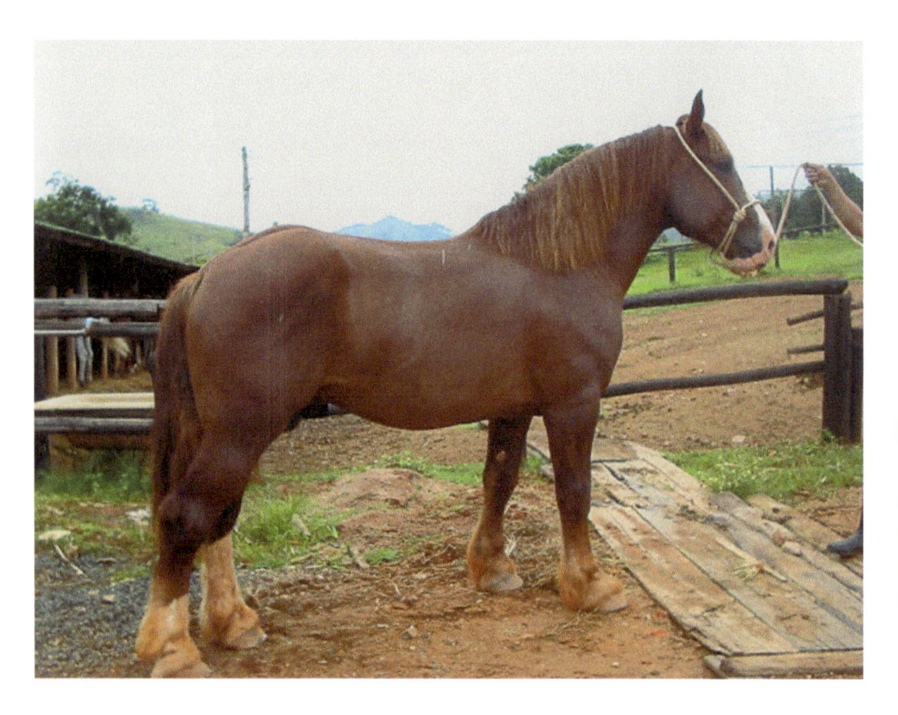

Figura 9.29 – Macho Bretão abaixo da qualidade para servir como reprodutor, tendo sido castrado. É um ótimo animal para sela e atrelagem, mantendo suas características funcionais.

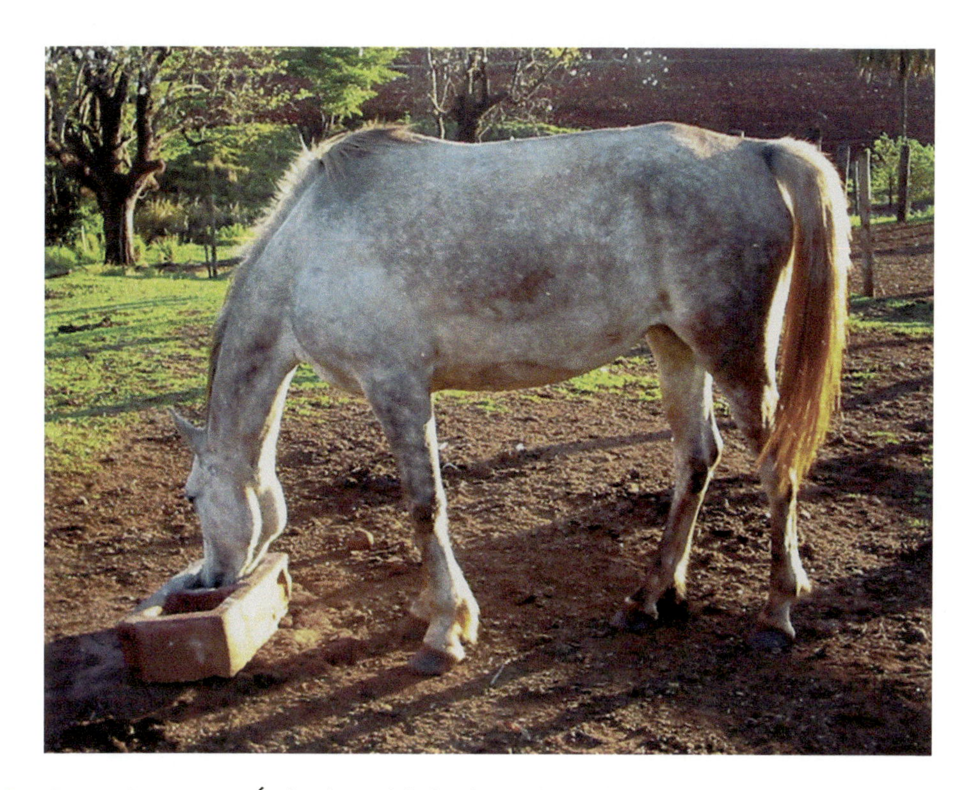

Figura 9.30 – Fêmea Puro-sangue Árabe de qualidade abaixo da média desejada pelo criador, tendo sido doada. É um ótimo animal para sela, salto e enduro.

uma criação. Se o animal não obtiver o mínimo de padrão considerado aceitável para elevar a qualidade da criação, deve ser descartado como raçador, podendo ser utilizado como cavalo de sela e em competições. Isso é uma prática muito comum nos grandes criatórios de cavalos de hipismo, principalmente em países como França e Alemanha. No Brasil, alguns criatórios de diferentes raças também têm esse procedimento como hábito. Os animais abaixo da média, cuja expectativa funcional não seja atingida, são castrados (Fig. 9.29), retirados da produção e muitas vezes são doados ou vendidos a preços baixos, mas sem seu *pedigree* (Fig. 9.30), de forma que não possam comprometer o melhoramento da raça.

Capítulo 10

Raças de Cavalos Criadas no Brasil

Este capítulo é dedicado a todas as raças de cavalos com representatividade e associação constituída no Brasil. Estão descritas de forma sintética, abordando um pouco de suas origens, características principais como andamento, peso médio, altura média e pelagens aceitas pelo Stud Book de cada associação, além de citarmos quais suas principais funções. Para informações mais detalhadas, acesse os *sites* das respectivas associações, cujos endereços constam na Bibliografia desta obra.

Uma das perguntas mais difíceis de serem respondidas, de forma imparcial e isenta, é: qual a melhor raça de cavalos?

E ressalto aqui, de forma categórica, que não existe "a" melhor raça de cavalos.

Infelizmente, no Brasil, tem-se o costume bairrista de sempre se achar a melhor raça aquela que se cria. Esse bairrismo traz uma rivalidade extremamente desagradável, desnecessária e prejudicial à equinocultura nacional.

Cada raça, selecionada pela mão do homem para suprir necessidades específicas e necessárias em determinado momento, tem sua função e utilidade e, devido a essa seleção, tem sua função específica, podendo e devendo ser utilizada para deleite do homem e não para criar ranço e desprezo pelas outras raças.

Cada raça tem sua especificidade, sua própria versatilidade e suas funções, selecionadas e adaptadas para tal. Dessa forma, a melhor raça de cavalos é aquela que se adapta melhor às funções que se pretendem com ela. Existem raças que se sobrepõem em funções e aí a escolha acaba recaindo sobre aquela que melhor agrade aos olhos do proprietário ou criador de cavalos, mas jamais em detrimento de outra raça.

A equinocultura nacional passa por momentos não muito fáceis, mas movimenta a extraordinária quantia de R$ 7.000.000.000,00 por ano, empregando direta e indiretamente mais de 3.000.000 de pessoas, como pudemos ver no capítulo inicial.

A união de todos aqueles que amam a equinocultura é primordial para uma boa sustentação e melhor desenvolvimento do setor.

Após os tópicos sobre as raças, elaboramos uma síntese das modalidades equestres aqui citadas.

Este capítulo teve a contribuição inestimável dos amigos Sérgio Lima Beck e Alfredo Amaral, além de pesquisadores da Embrapa, que contribuíram com dados e fotografias de cavalos de algumas raças nacionais.

Andaluz

A raça Andaluz (Fig. 10.1) possui as mesmas origens da raça Lusitana, datada desde a Antiguidade, quando Homero cita na Ilíada os animais selecionados na Península Ibérica. Os cavalos selvagens ibéricos foram cruzados com cavalos berberes durante os oito séculos em que os mouros dominaram a região e desta cruza resultou o Andaluz.

Esses cavalos de sangue quente receberam a denominação da região geográfica de sua origem, Andaluzia, sendo então criados na Espanha e em Portugal.

Posteriormente, os cavalos selecionados na Espanha receberam o nome de Pura Raça Espanhola (PRE) e os selecionados em Portugal, Puro-sangue Lusitano (PSL).

A raça Andaluz foi introduzida no Brasil pelos espanhóis à época da colonização, mas quase desapareceu no século XVIII, vindo a ser reintroduzida por um toureiro espanhol em 1966, quando se reiniciou a criação da raça no Brasil, mas sem controle de registro genealógico oficial.

A Associação Brasileira de Criadores do Cavalo Andaluz foi fundada em 1975, sendo à época responsável pelo controle de registro genealógico de animais de origem da Espanha e Portugal. Em um acordo feito com a Associação Portuguesa de Criadores do Cavalo Lusitano (APSL), em 1991, criou-se a Associação Brasileira de Criadores do Cavalo Lusitano (ABPSL), que tem a reciprocidade de registros nas duas associações, ficando o Andaluz com uma pequena parcela do criatório original registrando apenas os animais de origem espanhola.

A sede atual está baseada em Belo Horizonte, contando o Stud Book com 40 animais registrados, com excelente linhagem genética, com alguns exemplares exportados para a Espanha.

É um cavalo utilizado para touradas na Espanha, por sua extrema inteligência, sendo um ótimo animal também para sela, adestramento e equitação de trabalho, além de ser utilizado para salto, atrelagem, enduro e volteio.

Características:

- Pelagens: tordilho, castanho e alazão.
- Altura: média de 1,57m.
- Peso: média de 500kg.
- Andamento: trote.

Anglo-árabe

Por meio de uma criteriosa seleção entre cruzamentos de cavalos Puro-sangue Árabe (PSA) e Puro-sangue

Figura 10.1 – Exemplar da raça Andaluz ou Pura Raça Espanhola (Imperador – proprietário: José Fernando Scarelli Lopes).

Figura 10.2 – Exemplar da raça Anglo-árabe (criador: Fazenda Morro Alto).

978-85-7241-869-0

Inglês (PSI), surge na primeira metade século XIX, na França, mais precisamente no Haras Pompadour, a raça Anglo-árabe (RAA) (Fig. 10.2).

A intenção era aliar resistência e coragem à velocidade e ao porte atlético, criando-se um cavalo com excelente aptidão esportiva.

Foi introduzida no Brasil no final da década de 1940 pela Coudelaria de Colina, interior de São Paulo, hoje Agência Paulista de Tecnologia dos Agronegócios – Polo Regional (APTA Regional), mas o controle oficial da raça deu-se somente a partir do início da década de 1970, pela Associação Brasileira de Criadores do Cavalo Árabe.

Hoje, a raça conta com mais de 4.000 cavalos registrados no Stud Book.

Os cavalos da raça Anglo-árabe são utilizados principalmente em provas de conformação, concurso completo de equitação (CCE), enduro, salto e hipismo rural.

Cruzamento Produto *versus* Registro

São permitidos ainda hoje cruzamentos diretos de cavalos da raça Árabe e Puro-sangue Inglês ou descendentes diretos de Anglo-árabe para registros, conforme o Quadro 10.1, não podendo o percentual de sangue árabe ser superior a 75% nem inferior a 25%.

Quadro 10.1 – Cruzamento produto *versus* registro

Cruzamento	Registro
• PSA × PSI = RAA	50% PSA, aprovado
• PSA × RAA = RAA	75% PSA, aprovado
• PSI × RAA = RAA	25% PSA, aprovado
• RAA × RAA = RAA	Aprovado em qualquer percentagem

PSA = Puro-sangue Árabe; PSI = Puro-sangue Inglês; RAA = raça Anglo-árabe.

Características:

- Pelagens: as básicas são castanho, alazã, tordilha e variedades.
- Altura: média de 1,58m.
- Peso: média de 500kg.
- Andamento: trote.

Appaloosa

A raça Appaloosa (Fig. 10.3), também conhecida como "cavalo dos índios", tem sua origem na América

Figura 10.3 – Exemplar da raça Appaloosa (Noble Dream And – proprietário: Tiago Faé – Haras Arizona).

do Norte, no século XIX, selecionada pela tribo dos Nez Perce, às margens do rio Paloose, daí a origem do nome. Nesses primórdios, os cavalos foram selecionados pela sua pintura característica, em que ocorre a incidência de uma manta branca na garupa do animal, podendo se estender por todo o corpo, dando características peculiares à raça. Apesar de inicialmente ser selecionado por sua pintura, hoje a Associação registra animais denominados sólidos, sem as manchas características, que devem passar por um controle genético – análise de ácido desoxirribonucleico (DNA) ou tipagem sanguínea – e são chamados de Appaloosa CG.

Primeiramente selecionada pelos colonizadores americanos para lida com gado, com base principalmente em sua pelagem, hoje o cavalo Appaloosa é muito utilizado com destaque em provas de trabalho, como apartação, baliza, laço de bezerro, laço em dupla, maneabilidade e velocidade, rédeas, tambor e *team penning*, entre outras.

Foi introduzida no Brasil na década de 1970, possuindo hoje mais de 23.000 animais registrados e 450 criadores por todo o país.

Características:

- Pelagens: as básicas são preta, zaina, castanha, alazã, baia, palomina, tordilha e rosilha.
- Altura: média de 1,50m.
- Peso: média de 500kg.
- Andamento: trote.

Peculiaridades da Pelagem do Appaloosa

Aqui se evidenciam as características particulares dos animais da raça Appaloosa, que podem ser:

- Manta: área branca sólida, geralmente sobre a região dos quartos, mas sem se limitar sobre esta. Na manta, normalmente encontram-se pintas ou manchas de pelagem básica (ver Fig. 10.3).
- Leopardo: refere-se ao animal branco com manchas ou pintas escuras em todo o corpo, inclusive nos membros, pescoço e cabeça (Fig. 10.4).
- Nevado: refere-se ao animal que apresenta uma mistura de pelos brancos e pelos da cor básica, geralmente sobre a área dos quartos. Assemelha-se a flocos de neve caídos sobre a pelagem básica (Fig. 10.5).
- Pintas ou manchas: pontos claros ou escuros sobre uma parte do corpo, geralmente sobre a garupa.

Além das características peculiares da pelagem, outras particularidades são encontradas na raça Appaloosa, como despigmentação ao redor dos olhos (Fig. 10.6), além da esclerótica branca evidente (área ao redor da córnea), despigmentação ao redor do focinho (Fig. 10.7), cascos rajados e despigmentação na genitália, observadas em machos (Fig. 10.8) e fêmeas (Fig. 10.9).

978-85-7241-869-0

Figura 10.4 – Appaloosa Leopardo.

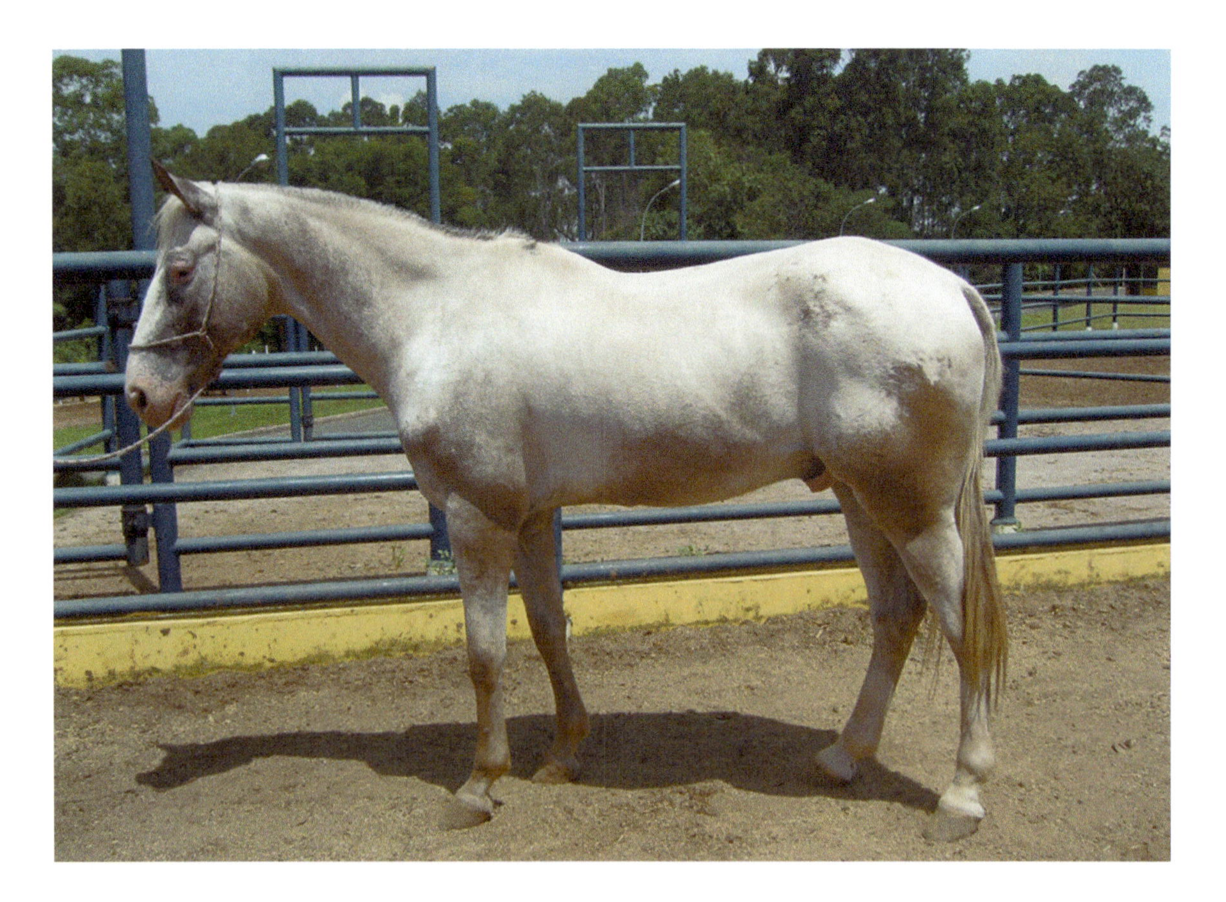

Figura 10.5 – Appaloosa Nevado.

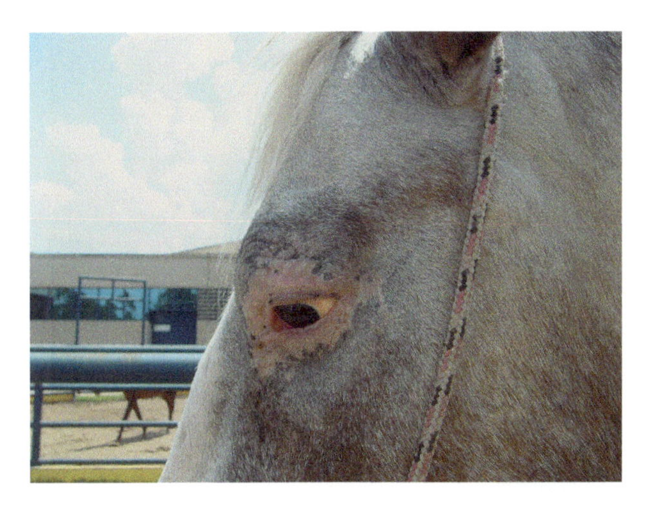

Figura 10.6 – Despigmentação ao redor dos olhos.

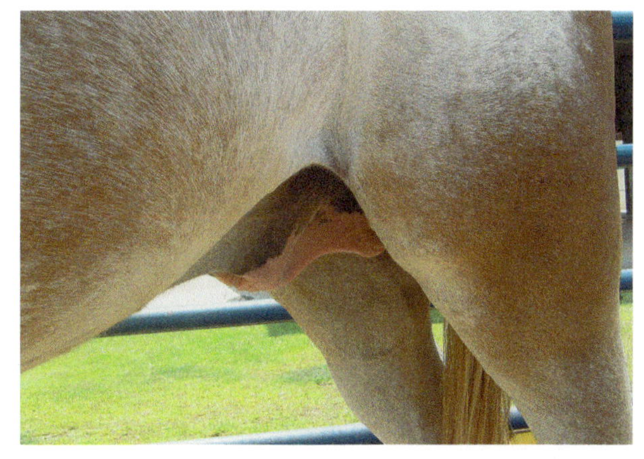

Figura 10.8 – Despigmentação parcial na genitália em um macho.

Árabe

Muitas são as lendas a respeito da raça Puro-sangue Árabe (Fig. 10.10), por inúmeros historiadores considerada a mais antiga do mundo. Seus relatos mais antigos datam do ano 1600 a.C., ou seja, há mais de 3.500 anos, em afrescos do Antigo Egito.

Em uma das lendas, conta-se que Maomé, depois de uma longa caminhada, mandou que soltassem os animais para beberem água. A seguir, chamou-os de volta e apenas cinco éguas o atenderam. Então, Maomé abençoou essas éguas e delas descendem as cinco linhagens famosas que compõem os criatórios da raça.

Outra lenda mais poética, reforçando a ascendência divina do cavalo Árabe, conta que Alá pegou o vento sul e disse:

> Vou fazer de ti uma nova criatura. Terás o olhar da águia, a coragem do leão e a velocidade da pantera. Da gazela terás a elegância, do tigre a força e do elefante a memória. Teus cascos terão a dureza do sílex e teu pelo a maciez da plumagem da pomba. Terás o faro do lobo e saltarás como o gamo. À noite serão teus os olhos do leopardo e se orientará como o falcão que sempre retorna à origem. Serás incansável como o camelo e terás o amor do cão pelo seu dono. E por fim, como presente para fazer-te cavalo e chamar-te Árabe, terás a beleza da Rainha e a majestade do Rei.

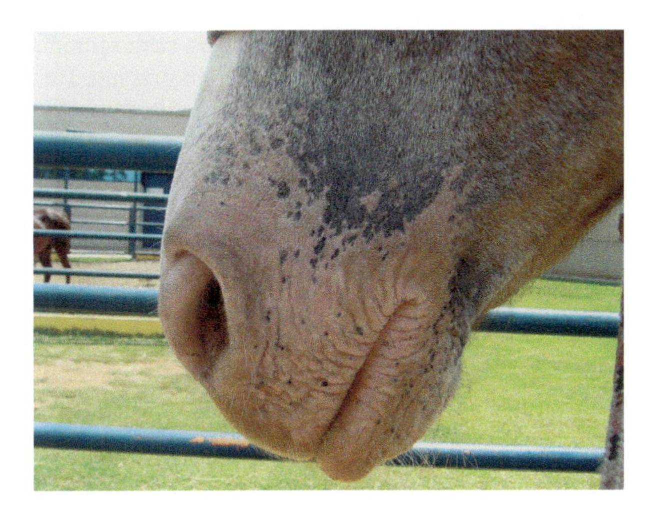

Figura 10.7 – Despigmentação no focinho.

A raça Árabe foi introduzida no Brasil na década de 1920, em criatórios no Rio Grande do Sul, porém a

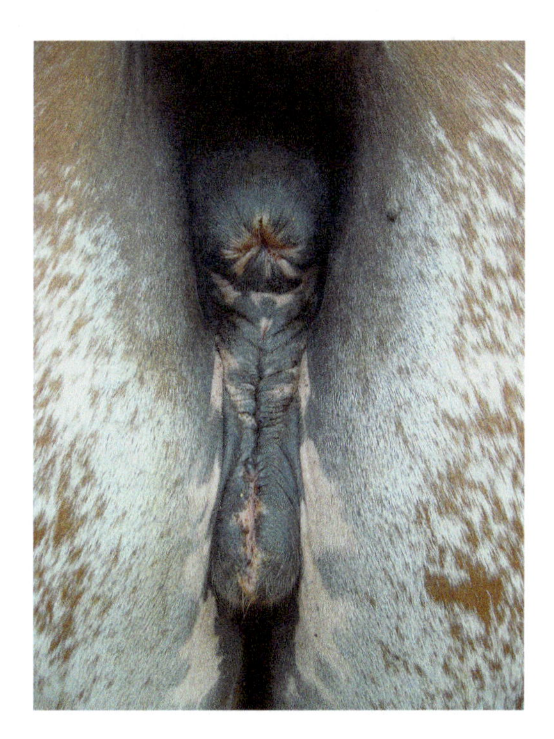

Figura 10.9 – Despigmentação parcial na genitália em uma fêmea.

978-85-7241-869-0

Figura 10.10 – Exemplar da raça Puro-sangue Árabe (proprietária: Camilla Cintra). Foto: Paula da Silva.

história registra diversas importações desde o século XIX. Também foi grande importador o Departamento Animal de São Carlos, interior de São Paulo. Inicialmente, foi muito utilizada como melhorador do plantel de equinos de fazendeiros da região.

A Associação Brasileira de Criadores do Cavalo Árabe foi fundada em 1964, por Aluysio Faria, que reuniu no Stud Book do Cavalo Árabe todos os registros do RS e de São Carlos, dando grande impulso ao criatório nacional.

Hoje, o Stud Book conta com mais de 35.000 cavalos registrados e mais de 3.200 haras inscritos e distribuídos por todo o país.

Lendas à parte, devido às suas características obtidas pela seleção como cavalo do deserto, o cavalo Árabe possui excelente resistência e rusticidade. Muito utilizado para guerras, é um cavalo de coragem e inteligência acima da média.

Além disso, o cavalo Árabe, por sua prepotência genética (alta capacidade de transmitir características a seus filhos), é muito utilizado para mestiçagem, transmitindo e melhorando características para cavalos de trabalho e esporte. O Stud Book do cavalo Árabe registra os produtos mestiços, sempre oriundos de um pai PSA com uma égua de qualquer raça, ou mestiça árabe, cujo produto deverá conter, ao lado do nome, seu grau de sangue. Os mestiços da raça árabe têm grande destaque nos mais diversos esportes equestres, como CCE, hipismo rural, hipismo clássico, enduro, rédeas, etc.

A raça árabe foi muito utilizada na história equestre mundial como formadora de outras raças, por exemplo, Quarto-de-milha, Puro-sangue Inglês, Hanoveriano, Trakehner, Orloff, Sela Francês, entre muitos outros.

Entre as principais utilizações do cavalo árabe no Brasil, destacam-se as provas de *halter* (conformação), *performance* (montarias em vários estilos, como *western pleasure*, *English pleasure*, prova de tração, traje típico, *trail horse* e *hunter pleasure*), corridas (realizadas principalmente no Jockey Club do Paraná), enduro, hipismo clássico e rural, CCE, laço, rédeas e vaquejada (principalmente no Estado do Ceará).

Características:

- Pelagens: castanha, alazã, tordilha e preta e suas variações. Pampa e Pintado permitidos para o Cruza Árabe, mas não para o Puro.

- Altura:
  - Mínima: 1,42m.
  - Máxima: 1,58m.
- Peso: entre 360 e 460kg.
- Andamento: trote.

Brasileiro de Hipismo

No início da década de 1970, o criador Ênio Monte resolveu criar uma raça brasileira destinada ao hipismo (Fig. 10.11). Para tanto, cruzou as raças Orloff, de origem russa, com Westfalen e Trakehner, alemãs, e pequenas doses de PSI, Hanoveriano, Holsteiner e Hackney, Oldenburg, Sela Argentina, Sela Francesa, etc. (Tabela 10.1).

Cavalos importados dessas raças são registrados na Associação Brasileira de Criadores de Cavalo de Hipismo, fundada em 1975 e que conta com mais de 18.000 animais registrados no Stud Book e 230 associados. Hoje, já existe um livro fechado, mas nada impede que a raça seja aprimorada com a renovação de sangue (*pool* genético) com indivíduos das raças formadoras.

A raça é mais utilizada para salto, adestramento, CCE, equitação de trabalho e volteio.

Características:

- Pelagens: são permitidas todas as pelagens, em todos os seus matizes.

Tabela 10.1 – **Principais raças formadoras do Brasileiro de Hipismo**

Raça	Origem
Andaluz	Espanha
Anglo-árabe	França
Árabe	Oriente Médio
Budjony	Rússia
Hackney	Inglaterra
Hanoveriano	Alemanha
Holsteiner	Alemanha
Hunter Irlandesa	Irlanda
Lusitano	Portugal
Oldenburger	Alemanha
Orloff	Rússia
Puro-sangue Inglês	Inglaterra
Sela Argentina	Argentina
Sela Belga	Bélgica
Sela Dinamarquesa	Dinamarca
Sela Francesa	França
Sela Holandesa	Holanda
Sela Sueca	Suécia
Trakehner	Alemanha
Westfalen	Alemanha
Zangersheide	Bélgica
E outras raças de aptidão esportiva	

Figura 10.11 – Exemplar da raça Brasileiro de Hipismo (proprietário: Coudelaria Vale Verde).

- Altura:
  - Média para macho: 1,68m.
  - Média para fêmea: 1,65m.
- Peso:
  - Médio para macho: 600kg.
  - Médio para fêmea: 550kg.
- Andamento: trote.

Bretão

A origem da raça Bretão (Fig. 10.12) teve início em 1830 na França, mais precisamente na região da Bretanha (noroeste da França).

O livro genealógico iniciou-se em 1909 e hoje é controlado pelo Syndicat des Eleveurs du Cheval Breton.

O Bretão teve como raças formadoras as raças Suffolk (inglesa), Ardennes e Percheron (francesas), que foram sendo cruzadas com éguas nativas de médio e grande porte do noroeste da França e que, após anos de selecionamento, conseguiram um padrão no qual se dividia em três tipos: Trait, Postier e Petit Breton, sendo hoje o tipo Trait o mais difundido.

O Bretão foi trazido para o Brasil pelo Exército, que precisava do animal para puxar os equipamentos de artilharia. As primeiras importações ocorreram em 1927 pelo Estado de São Paulo. Entre 1932 e 1956, o Exército Brasileiro importou perto de 100 reprodutores para as Coudelarias de Tindiquera (PR), Rincão (RS), Pouso Alegre (MG) e Campo Grande (MS).

Com os programas de expansão da raça, muitos governos estaduais e criadores particulares receberam, mediante empréstimo, garanhões do Exército para cruzar com éguas Bretãs e éguas comuns (as éguas puras eram adquiridas em leilões realizados pelo Exército).

Com a desativação da maioria das coudelarias do Exército na década de 1970, devido à chegada da mecanização agrícola, o já reduzido rebanho centralizado em Tindiqüera (PR) foi vendido em leilão e algumas dezenas de criadores paranaenses cuidaram de sua preservação.

Novos produtos foram adquiridos ou emprestados para cruzamentos, que ajudaram a aumentar o plantel paulista, que ganhou mais três fêmeas e um garanhão importados da França em 1976 e outros seis animais em 1983. Os produtos foram sendo comercializados em leilões anuais e comprados por criadores de todos os Estados, mas principalmente de São Paulo e Minas Gerais. Outras importações foram feitas ao longo dos anos, melhorando muito a qualidade dos animais, tendo hoje o Brasil o segundo maior plantel dessa raça, perdendo somente para a França, com exemplares dignos de constar em qualquer plantel mundial.

A Associação Brasileira de Criadores do Cavalo Bretão (ABCCB) foi fundada em 1982, em Curitiba, PR, onde funcionou até 1995, quando foi transferida

Figura 10.12 – Exemplar da raça Bretão (proprietário: Haras von Gold).

978-85-7241-869-0

para Jaguariúna, SP, e posteriormente para Amparo, SP, onde funciona até hoje.

Hoje, a ABCCB tem registrado em seus livros em torno de 2.000 animais, entre puros de origem e mestiços, e conta com cerca de 150 criadores e proprietários, concentrados nas regiões de São Paulo, Rio de Janeiro, Paraná e Minas Gerais, já tendo alguns criadores no Sul, Centro-oeste, Norte e Nordeste do país.

É uma das raças preferidas dos pequenos e médios agricultores e é muito usada para puxar carroças e implementos agrícolas. Sua capacidade de tração é surpreendente, sendo capaz de tracionar, sob rodas, bem treinado e alimentado, até quatro vezes seu próprio peso, o que significa até 4.000kg. Em provas de arrasto na França, tem-se o recorde de 1.940kg de tração diretamente no chão.

A criação desses cavalos é extremamente simples, já que são criados a campo, em razão de sua rusticidade. Tanto nas baias como nos campos, se alimentam de capim e a complementação se faz com sal mineral, podendo ser acrescida pequena quantidade de ração granulada, proporcionalmente em menor quantidade que para as outras raças. Enquanto em outras raças normalmente se oferece 1kg de ração para cada 100kg de peso vivo do cavalo, a esses animais bastam 0,5 a 0,8kg para cada 100kg de peso vivo.

Uma excelente característica da raça é que as fêmeas são excelentes produtoras de leite, podendo chegar a 32L diários, sendo então muito procuradas como amas de leite e receptoras de embrião.

O cavalo Bretão, no Brasil, é muito utilizado para atrelagem, volteio, sela, trabalho florestal, potência, ama de leite e receptora de embrião.

O Bretão é um cavalo de tração de porte médio, brevilíneo, com temperamento dócil e de fácil manejo.

Características:

- Pelagens: alazã e castanha e suas variações, incluindo a rosilha, não sendo admitidas tordilha, pampa e albina.
- Altura:
  - Macho: mínima de 1,52m.
  - Fêmea: mínima de 1,47m.
  - Podendo chegar a 1,70m.
- Peso:
  - Machos: média de 850kg.
  - Fêmeas: média de 650kg.
  - Pode chegar a 1.100kg.
- Andamento: trote, com movimentação ampla e desenvolta.

Campeiro

Raça originária tem Santa Catarina, teve origem no século XVI, de cavalos de origem espanhola levados por Álvaro Nuñez Cabeza de Vaca em expedição ao interior

Figura 10.13 – Exemplar de Campeiro. Foto: Sérgio L. Beck.

do Brasil. No século XVIII, foram observados rebanhos de cavalos selvagens originários dessa expedição que se desenvolveram em liberdade, formando um padrão fenotípico homogêneo, com características morfológicas semelhantes ao Crioulo e tão resistente e rústico quanto este, mas mais bem adaptado para regiões acidentadas, típicas de região em que se desenvolveu.

A raça do cavalo Campeiro (Fig. 10.13) desenvolveu-se muito bem nas regiões de Curitibanos, Campos Novos, Ponte e Lajes, sendo hoje seu hábitat natural.

Em 1976, foi fundada a Associação Brasileira de Criadores do Cavalo Campeiro, com sede em Curitibanos, SC, sendo a raça oficializada pelo Ministério da Agricultura em 1985. Estimam-se hoje 2.000 animais registrados e cerca de 100 criadores.

O cavalo Campeiro é muito utilizado para lida com gado e em cavalgadas.

Características:

- Pelagens: castanha, baia e tordilha em suas variações.
- Altura: média de 1,48m.
- Peso: média de 400kg.
- Andamento: marcha de quatro tempos.

Campolina

A raça Campolina (Fig. 10.14) foi criada pelo Coronel Cassiano Campolina, da cidade de Entre Rios, no Estado do Rio de Janeiro. Em 1857, Cassiano Campolina começou comprando as melhores éguas existentes no município de Entre Rios e cruzando-as com reprodutores também do mesmo município; estes, no entanto, eram escolhidos, altos e bons marchadores. Em poucos anos, tinha em sua fazenda um plantel de éguas novas, altas e marchadeiras.

Cassiano Campolina trouxe da cidade de Juiz de Fora uma égua preta, de nome Medeia, coberta por um Andaluz; poucos meses depois, nascia um belo potro, sendo considerado o primeiro cavalo Campolina.

Por 25 anos, aquele potro, chamado Monarca, foi utilizado como reprodutor do plantel de éguas da fazenda de Cassiano Campolina, que ainda introduziu sangue Anglo-normando, por intermédio do garanhão Menelicke.

Após a morte de Cassiano Campolina, foram ainda introduzidos animais de sangue Marchador, Puro-sangue Inglês, Andaluz e Anglo-normando para obter um animal de porte grande e andamento cômodo.

Em 1951, foi fundada a Associação Brasileira de Criadores do Cavalo Campolina para direcionar os rumos da criação, ainda aceitando éguas e cavalos no Stud Book em registro de livro aberto, até o ano de 1966, quando se fechou definitivamente o registro para animais não filhos de Campolinas controlados pelo Stud Book.

O cavalo Campolina é famoso pela sua marcha cômoda e andamento característico, sendo esta sua marca registrada, muito utilizado em cavalgadas e provas de marcha.

978-85-7241-869-0

Figura 10.14 – Exemplar da raça Campolina (proprietário: Haras Mandala).

Figura 10.15 – Exemplar da raça Crioulo. Foto: Sérgio L. Beck, arquivo pessoal.

Características:

- Pelagens: admitidas todas as pelagens e particularidades.
- Altura:
  - Machos: mínima aos 36 meses de 1,54m; adulto ideal: 1,62m.
  - Fêmeas: mínima aos 36 meses de 1,45m; adulto ideal: 1,56m.
- Peso: média de 500kg.
- Andamento: marcha.

Crioulo

Os conquistadores espanhóis são responsáveis pela introdução dos cavalos no continente americano, no século XVI.

O cavalo Crioulo (Fig. 10.15) predomina na região Sul, sendo a maioria descendente de Berbere e cavalos oriundos da Península Ibérica. Boa parte se pôs em fuga durante as batalhas, passando a viver livremente por muitas décadas, e a natureza encarregou-se de selecionar os mais adaptados às planícies dos pampas e ao clima.

A Associação Brasileira dos Criadores de Cavalos Crioulos, fundada em 1932, conta hoje com mais de 180.000 animais vivos registrados no Stud Book e mais de 2.100 associados por todo o Brasil, com maior incidência nos Estados do Sul e em São Paulo.

O Crioulo é adequado às necessidades dos criadores de gado do Sul, que precisam de animais que cubram grandes distâncias, muitas vezes em condições difíceis, enfrentando os rigores do frio, por exemplo.

Características: é um cavalo extremamente forte e saudável. Vive em condições climáticas extremas: calor ou frio, com o mínimo de alimentação. É um ótimo cavalo para lida no campo, devido à sua incrível resistência e longevidade.

Uma particularidade dessa raça é o limite máximo de estatura, que não deve ultrapassar 1,50m, apesar de os animais terem aptidão genética para estatura maior.

É um animal muito versátil, sendo utilizado para provas do tipo campereada (prova semelhante ao *team penning*), chasque (prova para avaliar a recuperação do animal em percursos de 300m em diversos andamentos), paleteadas (condução de uma rês por dois cavaleiros que devem passar por diversas porteiras em percurso predeterminado), enduro (30 a 80km), marcha de resistência (750km) e, a principal delas, o freio de ouro, que consiste em avaliação morfológica e funcional dos animais.

Características:

- Pelagens: admitidas todas as pelagens e particularidades. Somente não serão aceitas as pelagens pintada e albina total.
- Altura:
  - Machos: mínima de 1,40m e máxima de 1,50m.
  - Fêmeas/castrados: mínima de 1,38m e máxima de 1,50m.
- Peso: média de 400kg.
- Andamento: marcha trotada.

Lavradeiro

A origem do cavalo Lavradeiro (Fig. 10.16) data do início do século XVIII, quando os portugueses chega-

978-85-7241-869-0

Figura 10.16 – Exemplar mestiço de Lavradeiro mas que preserva bem as características do animal puro. Foto: Sérgio L. Beck, arquivo pessoal.

ram ao hoje Estado de Roraima, levando cavalos provavelmente de origem Andaluz, onde os animais se reproduziram em estado selvagem devido às extensas áreas de pastagem disponível.

Encontrando condições geoclimáticas adversas e de pastagens de baixa qualidade nutritiva, o Lavradeiro adquiriu, através dos séculos, características peculiares como porte pequeno e altíssima fertilidade (segundo dados da Embrapa, chegam a 100%), conseguindo alcançar grandes velocidades por longo período (mantém 60km/h por 30min, em liberdade), sendo muito resistentes ao trabalho e às enfermidades, inclusive à anemia infecciosa equina.

Estima-se que existam 2.000 animais em Roraima, sendo 1.500 criados em grandes propriedades de maneira extensiva.

A caça indiscriminada quase levou a raça à extinção, mas projetos de pesquisa e preservação da espécie em Roraima, realizados pela Embrapa, buscam manter essa raça selecionada pela natureza em seu hábitat natural.

Apesar de serem animais selvagens, quando domesticados, tornam-se muito dóceis, de fácil lida e manejo, sendo ótimos para montaria e lida com o gado.

Características:

- Pelagens: castanha, tordilha, rosilha, alazã e baia.
- Altura: média de 1,40m.
- Peso: média de 280kg.
- Andamento: trote.

Lusitano

Os cavalos selvagens ibéricos foram cruzados com cavalos Berberes durante os oito séculos em que os mouros dominaram a região e desta cruza resultou o Andaluz. Com a formação de Espanha e Portugal, a raça é chamada de Puro-sangue Lusitano (Fig. 10.17), enquanto na Espanha é registrada como Pura Raça Espanhola.

Como foram os espanhóis e portugueses que colonizaram a América, o Andaluz tornou-se responsável pela formação de boa parte das raças nacionais, especialmente nas regiões Sul e Sudeste, como Campolina, Campeiro e os dois tipos de Mangalarga.

Apesar de os primeiros animais terem chegado ao Brasil por volta de 1540, a criação nacional melhorou muito com a vinda da corte real para o Brasil, no início do século XIX, quando D. João VI trouxe diversos animais da Coudelaria de Alter, que eram Lusitanos criados pelo rei, então chamados Alter Real.

Após a independência do Brasil, a raça foi praticamente extinta no Brasil, sobrevivendo apenas seu sangue nas raças nacionais a que deu origem.

Em meados do século XX, diversas tentativas de reintroduzir animais dessa raça foram feitas sem o devido sucesso, até o ano de 1966, quando um toureiro espanhol se estabeleceu em Teresópolis, RJ, dando origem ao primeiro criatório oficial da raça. No entan-

Figura 10.17 – Exemplar da raça Lusitano (criador: Haras Mineral).

to, somente teve impulso na década de 1970, quando novas importações foram feitas por diversos criadores que fundaram a Associação Brasileira de Criadores do Cavalo Andaluz, em 1975.

A Revolução dos Cravos em Portugal deu o impulso final para o patrimônio genético do criatório nacional. Com medo de perder seus animais, importantes criadores portugueses venderam a maioria deles, reserva genética, a alguns criadores brasileiros que trouxeram ao Brasil o que foi possível em um navio cargueiro, em 1976.

Em um acordo feito com a APSL, em 1991, a associação brasileira mudou seu nome para ABPSL e tem a reciprocidade de registros nas duas associações.

Hoje, a ABPSL possui mais de 6.000 animais registrados no Stud Book e conta com mais de 140 criadores por todo o Brasil.

É um cavalo utilizado para touradas na Espanha e em Portugal, devido à sua extrema inteligência, sendo um ótimo animal também para sela, adestramento e equitação de trabalho, além de ser utilizado para salto, atrelagem, enduro e volteio.

Características:

- Pelagens: tordilha, castanha, alazã, preta, baia e todas as suas variações.
- Altura:
  - Machos: média de 1,60m.
  - Fêmeas: média de 1,55m.
- Peso: média de 500kg.
- Andamento: ágeis e elevados, projetando-se para a frente, suaves e de grande comodidade para o cavaleiro.

Mangalarga

O cavalo Mangalarga (Fig. 10.18) teve sua origem no cavalo da Península Ibérica. Os cavalos trazidos pelos colonizadores do Brasil eram nativos da Península Ibérica e Berbere. Com a vinda da Família Real Portuguesa ao Brasil, foram também trazidos os melhores espécimes Lusitanos da Coudelaria Real de Alter, fato que desempenhou papel decisivo na formação da raça, pois os reprodutores trazidos nessa viagem, assim como seus descendentes, foram muito utilizados pelos criadores da época para o melhoramento de seus rebanhos.

Os primeiros animais vieram de criatórios da família Junqueira, do sul de Minas Gerais, que trouxeram exemplares e se estabeleceram na região de Orlândia e Colina (SP), onde definiram as bases de sua seleção, sendo erroneamente chamados de Mangalarga Paulista em razão dos primórdios de sua criação e base no Estado de São Paulo.

Como esses criadores procuravam animais para o trabalho nas fazendas (lida com o gado) e para o esporte

Figura 10.18 – Exemplar da raça Mangalarga (proprietários: irmãos Pupo).

(na época, a caçada do veado), desenvolveu-se uma raça dotada de qualidades imprescindíveis a tais finalidades, com bons andamentos, resistência, docilidade e nobreza de caráter.

Assim sendo, desde a sua origem, o cavalo Mangalarga foi selecionado como animal de trabalho e esporte.

Uma grande característica da raça é sua marcha cômoda, intermediária entre a marcha batida e o trote, denominada de marcha trotada. Caracteriza-se por um andamento diagonal, bipedal de dois tempos. Diferencia-se do trote porque tem um tempo ínfimo de suspensão entre os apoios, o mínimo necessário para que se processe a troca destes. Vem dessa particularidade o pouco atrito.

A fundação da Associação de Criadores de Cavalos da Raça Mangalarga, que posteriormente passou a chamar-se Associação Brasileira de Criadores de Cavalos da Raça Mangalarga, ocorreu em 1934. Hoje, a Associação possui 193.000 animais registrados em seu Stud Book, sendo considerados vivos 60.000 animais e 1.400 criadores espalhados por todo o Brasil, com forte predominância nos Estados de São Paulo e Bahia e no Distrito Federal.

Características:

- Pelagens: são admitidas todas as pelagens, à exceção da pelagem albina (despigmentada) e da pintada (tipo Appaloosa e Persa).
- Altura:
  - Macho: mínima de 1,50m.
  - Fêmea: mínima de 1,45m.
- Peso médio: 500kg.
- Andamento: marcha trotada.

Mangalarga Marchador

O início da criação do cavalo Mangalarga Marchador (Fig. 10.19), também erroneamente conhecido como Mangalarga Mineiro em razão dos primórdios de sua criação no Estado de Minas Gerais, mais precisamente no sul de Minas Gerais, se confunde com a do Mangalarga.

Dessa forma, descende de animais Lusitanos e Berberes trazidos para o Brasil pela comitiva real de D. João VI, no século XIX.

Consta que os primeiros animais foram selecionados na Fazenda Campo Alegre, pertencente a Gabriel Francisco Junqueira, o Barão de Alfenas. Outro grande incentivador da raça em seus primórdios foi seu sobrinho, José Fausino Junqueira, grande adepto e incentivador de caçadas de veado e selecionador de cavalos de marcha cômoda e resistência para esta atividade.

As bases da seleção do cavalo Mangalarga Marchador priorizaram a marcha, denominada de marcha batida ou então a marcha picada, que se caracterizam pelo apoio tripedal, ou tríplice apoio, isto é, em determinado momento da marcha, três membros do animal se apoiam no solo, dando característica mais cômoda ao andamento.

Hoje, o cavalo Mangalarga Marchador é muito utilizado em provas de conformação, provas de marcha,

978-85-7241-869-0

Figura 10.19 – Exemplar da raça Mangalarga Marchador (proprietário: Ricardo Casiuch).

enduro, cavalgadas e até mesmo para salto, como vem sendo selecionado pela Coudelaria Desempenho, no interior do Rio de Janeiro, com resultados bastante expressivos.

Fundada em 1949, em Belo Horizonte (MG), a Associação Brasileira de Criadores do Cavalo Manga-larga Marchador tem registrado em seu Stud Book mais de 300.000 animais e conta com mais de 8.000 associados espalhados por todo o Brasil, com predominância nos Estados de Minas Gerais, Rio de Janeiro, São Paulo, Bahia e Espírito Santo.

Características:

- Pelagens: são admitidas todas as pelagens, à exceção da pelagem albina.
- Altura:
  - Macho: mínima de 1,47m, máxima de 1,57m e ideal de 1,52m.
  - Fêmea: mínima de 1,40m, máxima de 1,54m e ideal de 1,46m.
- Peso médio: 400kg.
- Andamento: marcha batida, picada ou de centro.

Marajoara

Raça desenvolvida na Ilha de Marajó, no Estado do Pará, oriunda de uma seleção natural que ocorreu na Ilha de cavalos de nativos da Península Ibérica e Berbere que ali chegaram no século XVII.

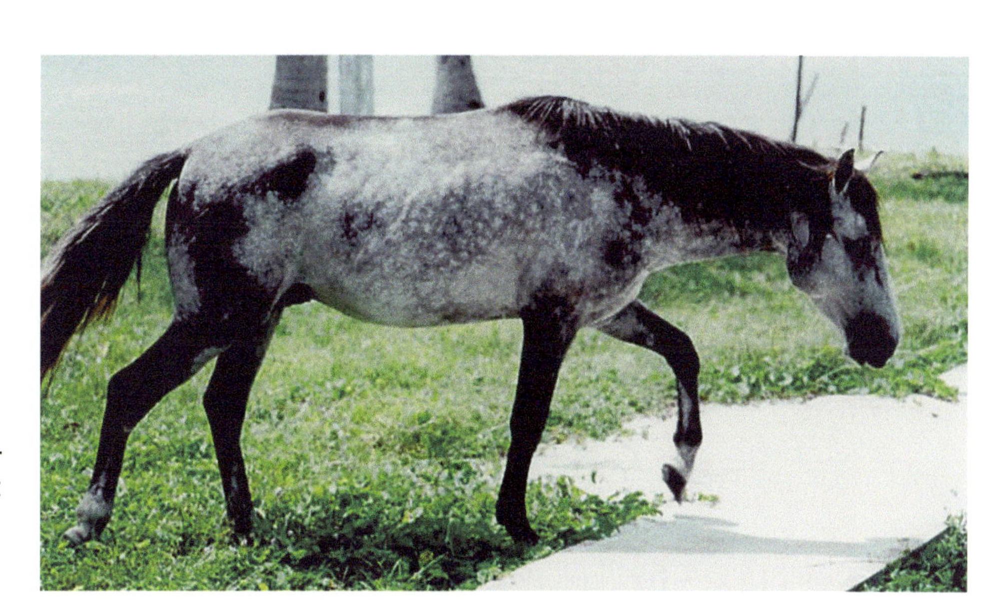

Figura 10.20 – Exemplar de Marajoara. Foto: J. R. F. Marques.

O cavalo Marajoara (Fig. 10.20) adaptou-se muito bem às condições adversas da Ilha, com excesso de umidade o ano todo e clima muito quente e úmido, procriando-se aos milhares, estimando-se em mais de 1.000.000 de cabeças no final do século XIX, além das necessidades locais da Ilha, a tal ponto que teve seu abate estimulado pelo governo local por trazer prejuizos às outras atividades agropecuárias.

Em 1979, foi fundada a Associação Brasileira de Criadores do Cavalo Marajoara, com sede em Belém (PA), com instalação de um Posto de Fomento para preservação e divulgação dessa raça, muito rústica e útil ao serviço nas condições rústicas e adversas do ambiente local. Estima-se haver mais de 150.000 exemplares do cavalo Marajoara que povoam algumas regiões do norte do Brasil, a maioria mestiçada com Mangalarga, Puro-sangue Inglês e Puro-sangue Árabe.

É muito utilizada como animal de serviço na lida com búfalos e gado bovino na Ilha de Marajó, além de hoje ser utilizada como cavalo de esporte, em festas tradicionais da Ilha, como competições de resistência, prova de argola e prova de velocidade, que ocorrem em diversas cidades no festival do cavalo Marajoara.

Características:

- Pelagens: qualquer pelagem, exceto pampa e albina.
- Altura:
  - Machos: mínima de 1,35m e máxima de 1,56m.
  - Fêmeas: mínima de 1,30m e máxima de 1,50m.
- Peso: média de 350kg.
- Andamento: trote em todas as modalidades, andamento com apoio, bipedal diagonalizado.

978-85-7241-869-0

Morgan

A raça Morgan (Fig. 10.21) surgiu nos Estados Unidos no final do século XVIII, originária do cruzamento de Puro-sangue Inglês com uma égua mestiça de raça selvagem e provavelmente Hackney (raça de atrelagem leve).

Aparentemente, foi um cruzamento acidental realizado por Justin Morgan, que deu o nome de Figure ao potro nascido deste cruzamento. Esse animal mostrou-se excelente trotador, tendo destaque em competições de corrida, salto, tiro leve, desfile, etc. e transmitindo suas excelentes qualidades a seus descendentes, surgindo assim a raça.

Figura 10.21 – Exemplar de Morgan. Foto: Susana Cintra.

É considerado um cavalo de tiro leve, apto à sela e atrelagem de competição e lazer.

O início da raça no Brasil se deu em 1934, com a importação de dois casais dos Estados Unidos para o Estado do Rio Grande do Sul. O livro de controle de registro foi aberto nesse ano e contabilizou seis animais, quatro machos e duas fêmeas, mais duas fêmeas em 1935, ficando desativado até 1984, quando ocorreram novas importações dos Estados Unidos e, desde então, se tem mantido regular.

O controle de registro genealógico é feito pela Associação Nacional de Criadores "Herd-Book Collares", com sede em Pelotas (RS), e que até 2005 contabilizou 102 animais puros registrados.

A partir de 1988, abriu-se um livro para controle de animais puros por cruza absorvente, que contabiliza 292 animais registrados, um livro para controle de animais Mestiços, que contabiliza 107 animais registrados e um livro para controle de éguas-base para obtenção de meio sangue, que contabiliza 73.

Características:

- Pelagens: alazão, castanho e negro.
- Altura: média entre 1,50 e 1,60m.
- Peso: médio entre 400 e 600kg.
- Andamento: trote.

Paint Horse

Falar sobre a origem do Paint Horse (Fig. 10.22) é obrigatoriamente passar pela história do Quarto-de-milha, pois o Paint é derivado deste, que também tem origem norte-americana, sendo o resultado do cruzamento do Puro-sangue Inglês com o nativo e selvagem Mustang Americano.

O Quarto-de-milha passou a discriminar o cavalo com manchas, classificado como "Artigo 53". Essa regra desprezava animais que tivessem qualquer mancha branca acima de 5cm^2 no corpo, acima do joelho do animal ou entre o canto da orelha até o canto da boca. Não podiam então se reproduzir e eram eliminados da raça.

No início da década de 1960, os norte-americanos perceberam no Paint Horse um cavalo extremamente versátil, dócil e com a vantagem da pelagem, ou seja, um Quarto-de-milha exótico.

Em 1962, nos Estados Unidos, foi fundada a American Paint Horse Association, que reúne aproximadamente 48.000 criadores.

Por sua semelhança morfológica com as raças Quarto-de-milha e Appaloosa, o cavalo Paint possui as mesmas funções e provas que estas raças: conformação, apartação, rédeas, *team penning*, *bulldogging*, laço em dupla, corrida, baliza, tambor, etc.

Com características morfológicas semelhantes ao Quarto-de-milha, o grande diferencial é a pelagem. Cada Paint tem uma combinação particular de branco em qualquer outra cor dos equinos. As manchas podem ser de qualquer forma ou tamanho e podem ser localizadas virtualmente em qualquer lugar do corpo do animal. As variedades de pelagem característica do Paint Horse podem ser de três tipos:

- Oveiro (Fig. 10.23): o branco não ultrapassa as costas do cavalo entre a cernelha e a cauda; pelo menos uma pata ou todas as patas são escuras; o branco é irregular e um tanto espalhado.

Figura 10.22 – Exemplar da raça Paint Horse. Foto: Paula da Silva.

Figura 10.23 – Oveiro.

- Tobiano (Fig. 10.24): a cor escura geralmente cobre um ou ambos os flancos, e a cor branca vai passar o lombo entre a cernelha e a cauda. Geralmente, todas as quatro patas são brancas.
- Toveiro: mistura de características de oveiro e tobiano.

Características:

- Pelagens: tobiana, oveira, toveira.
- Altura média: 1,50m.
- Peso médio: 500kg.
- Andamento: trote.

Figura 10.24 – Tobiano.

Pampa

O cavalo Pampa (Fig. 10.25) não é propriamente considerado uma raça, pois abrange animais oriundos de outras raças que tenham como característica principal sua pelagem.

O principal objetivo da associação é a formação de um cavalo Pampa com aptidão esportiva e de lazer, sendo aceitos cavalos de origem em diversas raças.

A base de formação é a de um cavalo de padrão morfológico internacional para sela, preservando as modalidades de andamento. Para não descaracterizar o padrão morfológico Pampa nacional, são vetados os registros de animais de origem no Quarto-de-milha e no Puro-sangue Árabe, entre outras raças consideradas exóticas.

São aceitos registros de cavalos Pampa com origem nas seguintes raças: Anglo-árabe, Campeiro, Campolina, Crioulo, Mangalarga, Mangalarga Marchador e Puro-sangue Inglês.

Devido a essa diversidade racial, tendo como principal ponto comum a pelagem conjugada, há grandes diferenças de andamento e morfologia dentro do cavalo Pampa. Nos julgamentos em exposições, os animais são previamente divididos em cinco categorias pelos juízes, conforme o tipo de andamento, e avaliados em morfologia e andamento em suas respectivas categorias, as quais são:

- Marcha batida: andamento dissociado a quatro tempos bem definidos e quatro batidas que se aproximam duas a duas na sonoridade. Há predominância dos avanços dos bípedes em diagonal e momentos de tríplice apoio.
- Marcha picada: andamento dissociado a quatro tempos bem definidos e quatro batidas que se aproximam duas a duas na sonoridade. Há predominância dos avanços dos bípedes em lateral e momentos de tríplice apoio.
- Marcha de centro: andamento dissociado a quatro tempos com quatro batidas, com espaçamentos aproximadamente iguais, com momentos de tríplice apoio e em que não se evidencia predominância do deslocamento dos bípedes em diagonais ou laterais.
- Marcha trotada: andamento de avanços diagonais sincronizados, em dois tempos, em que não se observa nitidamente o momento de suspensão para a troca dos apoios.
- Trote: andamento de avanços diagonais sincronizados, em dois tempos, em que se observa nitidamente o momento de suspensão para a troca dos apoios.

Figura 10.25 – Exemplar de Pampa (proprietário: Haras Lagoinha). Foto: Marisa Iório.

978-85-7241-869-0

A Associação Brasileira de Criadores do Cavalo Pampa (ABCC Pampa) foi fundada em 1993 e conta com 12.000 animais registrados em seu Stud Book e 1.500 associados, sendo 800 considerados ativos e regulares.

Características:

- Pelagens: a pelagem pampa é conjugada com as pelagens sólidas contidas no regulamento, devendo o animal ter no mínimo uma área de pelos brancos sobre pele despigmentada medindo em torno de $100cm^2$, podendo ser composta de, no máximo, duas manchas formando a área total. As despigmentações de crina e cauda podem ser de qualquer forma e tamanho expressivo. Na composição da pelagem Pampa, serão permitidas as pelagens alazã, baia, branca, castanha, lobuna, preta, rosilha e tordilha:
  - Quando o animal apresentar mais de 50% de área branca, será denominado Pampa mais o nome de uma das pelagens sólidas precedidas da preposição "de". Por exemplo: Pampa de Alazão.
  - Quando o animal apresentar em sua pelagem uma área branca inferior a 50% de sua superfície, inverter-se-á a ordem e dispensar-se-á a preposição "de", tendo-se, então, por exemplo, Alazão Pampa.
- Altura:
  - Machos: mínima de 1,45m.
  - Fêmeas: mínima de 1,40m.
- Peso médio: 500kg.
- Andamento: qualquer modalidade de andamento natural, com exceção da andadura nos machos.

Pantaneiro

O cavalo Pantaneiro (Fig. 10.26) tem origem em cavalos oriundos de expedições de exploração do interior do Brasil, que se organizaram desde o século XVI, levando cavalos de nativos da Península Ibérica e

Figura 10.26 – Exemplar de Pantaneiro. Foto: Sérgio L. Beck.

Berbere ou Barbo, além do Crioulo Argentino. Também recebem outras denominações, conforme a região do Mato Grosso onde vivem, em que são chamados de Mimoseano (oriundos dos campos de capim-mimoso, no município Barão de Melgaço), Poconeano (oriundos do município de Poconé) ou Bahiano ou da Bahia (oriundos da campina Bahia).

Esses animais das expedições encontraram na liberdade do Pantanal mato-grossense condições inóspitas de excesso de umidade, mas com pastagem em abundância para sua proliferação e seleção natural, alternância de clima seco para úmido, o que lhe confere características peculiares como alta resistência dos cascos à umidade e uma grande capacidade de capturar alimentos oriundos de pastagens submersas, condição comum na maior parte do ano no Pantanal.

No final do século XIX e início do século XX, ocorreram infusões de sangue Árabe, Anglo-árabe e Puro-sangue Inglês para a formação do cavalo atual, buscando elevar o porte e melhorar sua conformação. Essa mistura, porém, nem sempre deu certo, pois, ao mesmo tempo em que elevava o porte do cavalo, piorava sua rusticidade, conseguida através de séculos de seleção natural.

Os primeiros criadores foram os índios cavaleiros Guaicurus que chegaram a ter mais de 20.000 animais domesticados em seu rebanho e foram os responsáveis pela sua proliferação por toda a região do Pantanal mato-grossense.

A Associação Brasileira de Criadores do Cavalo Pantaneiro foi fundada em 1972, em Poconé (MT), e busca a preservação desta raça cuja seleção natural deve ser muito bem respeitada. Existem hoje 3.000 animais registrados na associação, que conta ainda com 120 criadores e 80 proprietários do cavalo Pantaneiro, espalhados pelos estados de Mato Grosso e Mato Grosso do Sul, além da Bolívia.

É um cavalo muito utilizado na lida diária com o gado e em provas de resistência, maneabilidade e velocidade, além de cavalgadas pelo Pantanal.

Características:

- Pelagens: todas, exceto albina.
- Altura:
  - Machos: mínima de 1,40m.
  - Fêmeas: mínima de 1,35m.
- Peso médio: 350kg.
- Andamento: trote em todas as suas modalidades.

Percheron

Os cavalos da raça Percheron (Fig. 10.27) são oriundos da França e conhecidos por sua grande força associada a uma surpreendente elegância. Muito difundida nos Estados Unidos, a raça ganhou notoriedade por volta do século XIX, quando era responsável por quase todo o trabalho de tração em fazendas e na cidade. Com a modernização e a mecanização mundial, a raça foi quase totalmente esquecida, voltando a ter prestígio por volta do ano de 1960. Desde então, é utilizada em pequenas fazendas, como cavalo de tração, e para animar eventos e jogos, puxando charretes.

Originário da região do nordeste da França, em Le Perche (províncias de Sarthe, Eure-et-Loir, Loir-et-Cher, L'Orne), o Percheron em sua formação recebeu misturas das raças Shire, Belga e Árabe. Deriva de cavalos orientais e normandos, misturados há muitos séculos e posteriormente cruzados com raças pesadas de tração, aparentemente cruzados novamente com poucos árabes.

O cavalo Percheron chegou ao Brasil no início do século XX, mais precisamente na década de 1920, trazido pelo Exército Brasileiro, pela Companhia Matarazzo e pela Companhia Cervejaria Antárctica. Esses cavalos

978-85-7241-869-0

Figura 10.27 – Exemplar da raça Percheron (França). Foto: Susana Cintra.

eram usados para puxar as carroças de entrega dessas companhias na cidade de São Paulo.

Somente em 1936 foram registrados os primeiros animais no Stud Book Brasileiro da raça, que funciona até hoje em Pelotas (RS), na Associação Nacional de Criadores "Herd-Book Collares", e está aberto aos registros de animais puros de origem (PO e POI), puros por cruzamento absorvente (PA), mestiços (MM) e éguas-base (EB).

O Stud Book conta com 711 animais puros de origem, 122 puros por cruza absorvente, 531 mestiços e 920 éguas-base para obtenção de meio sangue, inscritos desde sua abertura.

Atualmente, existem poucos criadores de Percheron no Brasil. Os Estados de São Paulo, Rio de Janeiro e, principalmente Rio Grande do Sul são os que possuem maior concentração de cavalos dessa raça.

Divide com o Bretão a preferência dos pequenos e médios agricultores e é muito usado para puxar carroças e implementos agrícolas. Assim como a do Bretão, a criação desses cavalos é extremamente simples, já que são criados a campo, devido à sua rusticidade. Tanto nas baias como nos campos, os Percherons se alimentam de capim e a complementação se faz com sal mineral, podendo ser acrescida pequena quantidade de ração granulada, proporcionalmente em menor quantidade que para as outras raças. Enquanto para outras raças normalmente se oferece 1kg de ração para cada 100kg de peso vivo do cavalo, a esses animais bastam 0,5 a 0,8kg para cada 100kg de peso vivo.

Uma excelente característica da raça, assim como o Bretão, é que as fêmeas são excelentes produtoras de leite, podendo chegar a 35L diários, sendo então muito procuradas como amas de leite e receptoras de embrião.

É um cavalo que pode ser utilizado para atrelagem (principal função), potência, sela, trabalho florestal, ama de leite e receptora de embrião.

Características:

- Tipo: apesar de ser um animal pesado, sua aparência não é tão atarracada como a do Bretão, pois sua estatura média é superior. Suas pernas são um pouco mais curtas que a dos cavalos comuns e bem mais fortes.
- Pelagens: predomina a tordilha, em suas nuances de tordilho negro e tordilho claro, mas também é permitida a negra.
- Altura: 1,60 a 1,70m.
- Peso: 800 a 1.000kg.
- Andamento: trote; para um animal de seu porte, o Percheron apresenta andamento ágil e leve.

Pônei

Pôneis são equinos de baixa estatura, com as mesmas origens dos equinos em geral.

Na Europa, são designados assim quaisquer equinos com estatura inferior a 1,50m e podem ser de várias raças, dependendo do país de origem.

Os primeiros pôneis foram selecionados da necessidade das minas de minérios de animais de baixa estatura e fortes para retirar as cargas de minérios das minas nos corredores estreitos e íngremes.

No Brasil, a Associação Brasileira de Criadores de Pônei, fundada em 1965, controla o registro genealógico de algumas raças como Pônei Brasileiro, Piquira, Fjord, Haflinger, Shetland e Welsh Pony, Pônei de Hipismo e Reit Poney, estes dois últimos com apenas 15 e 8 animais registrados na associação, respectivamente.

A associação conta atualmente com 1.963 associados, sendo 300 bastante atuantes, espalhados por todo o Brasil, tendo cerca de 38.000 animais registrados de todas as raças.

Figura 10.28 – Pônei Brasileiro. Foto: Arquivo ABC Pônei.

Pônei Brasileiro

O Pônei Brasileiro (Fig. 10.28) é um animal descendente dos pôneis de Shetland da Escócia e Falabella da Argentina. O criatório nacional conta com quase 22.000 animais registrados na associação.

É destinado à iniciação de crianças na equitação, também utilizado em tração leve.

Características:

- Pelagens: todas, exceto albinoide.
- Altura:
  - Ideal: 0,90m.
  - Machos: máxima de 1m.
  - Fêmeas: máxima de 1,10m.
- Peso: entre 100 e 150kg.
- Andamento: trote, sendo aceita a marcha.

Piquira

O Piquira (Fig. 10.29) é um animal oriundo de Minas Gerais, que se espalhou por todo o Brasil, formado pela mistura de diversas raças através da seleção com éguas de pequeno porte. Pode ser utilizado com tranquilidade em iniciação de crianças no hipismo, possuindo estatura superior ao pônei brasileiro, podendo chegar a 1,30m. O criatório nacional conta com mais de 15.000 animais registrados na associação.

É muito utilizado na sela e atrelagem. Na sela, pode ser utilizado em diversas modalidades hípicas, como salto, cavalgadas e provas de marcha, devido ao seu andamento cômodo. É o menor dos marchadores.

Características:

- Pelagens: todas, exceto albinoide.

Figura 10.29 – Piquira. Foto: Arquivo ABC Pônei.

- Altura:
  - Machos: máxima aos 36 meses de 1,30m; ideal: 1,22m.
  - Fêmeas: máxima aos 36 meses de 1,28m; ideal: 1,20m.
  - Altura mínima: 1,15m.
- Peso: entre 120 e 200kg
- Andamento: marcha batida ou picada.

Fjord

O Fjord (Fig. 10.30) é originário da Noruega, sendo uma das raças mais antigas do mundo, selecionados há 2.000 anos. São rústicos, de fácil adaptação climática e geográfica. O criatório nacional conta com 48 animais registrados na associação.

São muito utilizados para equitação, tração e adestramento.

Características:

- Pelagens: a mais comum é a baia, sendo característica dessa raça, podendo-se encontrar lobuno e amarilho.
- Altura: variam entre 1,37 e 1,47m.
- Peso: entre 400 e 500kg.
- Andamento: trote.

Haflinger

De origem austríaca, o Haflinger (Fig. 10.31) possui cascos duros e resistentes, que lhe permitem andar com facilidade em terrenos acidentados. É um animal ágil, resistente, forte e de boa índole, tendo sido muito utilizado pelo exército alemão nas duas guerras mundiais. O criatório nacional conta com 500 animais registrados na associação.

Uma de suas principais marcas é a pelagem, sempre alazã, com variações, de crina e cauda claras.

Características:

- Pelagens: alazã uniforme, indo do bege-claro (café com leite claro), até o avermelhado, com crinas e caudas cheias compridas e de coloração quase branca.
- Altura:
  - Machos: ideal de 1,42 a 1,50m.
  - Fêmeas: ideal de 1,38 a 1,48m.
- Peso: entre 350 e 450kg.
- Andamento: trote.

Shetland

Originários das Ilhas Shetland na Escócia, o pônei de Shetland (Fig. 10.32) é a menor das raças equinas do Reino Unido.

Figura 10.30 – Pônei Fjord. Foto: Arquivo ABC Pônei.

978-85-7241-869-0

Figura 10.31 — Haflinger. Foto: Arquivo ABC Pônei.

Suas origens datam de 2500 a.C., sendo muito resistentes e ágeis. São animais de ótima índole, dóceis, inteligentes e de fácil treinabilidade, por isso são muito utilizados como animais de carga em minas de grande profundidade.

O criatório nacional conta com 90 animais registrados na associação.

Características:

- Pelagens: todas, sendo as mais comuns castanha, negra e tordilha.
- Altura: entre 0,65 e 1,21m.
- Peso: entre 150 e 200kg
- Andamento: trote.

Welsh Pony

Originário da Escócia, o Welsh Pony (Fig. 10.33) assemelha-se ao Puro-sangue Árabe em sua morfologia, provavelmente pela miscigenação ocorrida com essa

Figura 10.32 — Pônei de Shetland. Foto: Arquivo ABC Pônei.

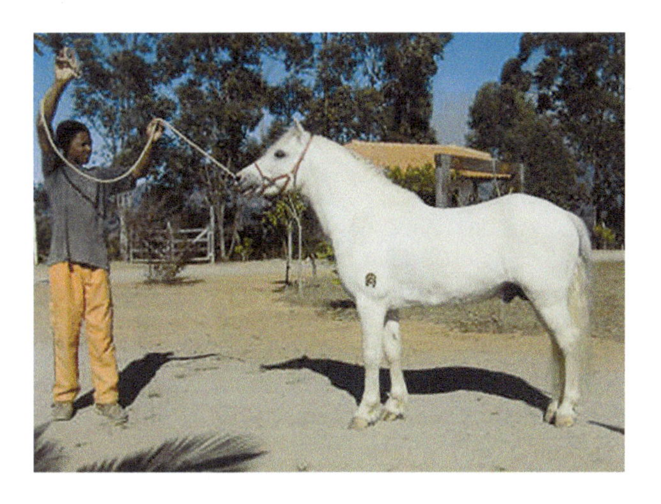

Figura 10.33 – Welsh Pony. Foto: Arquivo ABC Pônei.

raça há 300 anos nas montanhas de Gales, sendo, é claro, de porte muito menor.

O criatório nacional conta com 25 animais registrados na associação.

Pode ser utilizado para atrelagem leve, adestramento, salto, sela, enduro e cavalgadas.

Características:

- Pelagens: todas, exceto albinoide, Appaloosa e pampa.
- Altura: máxima de 1,22m.
- Peso: entre 150 e 250kg.
- Andamento: trote.

Puro-sangue Inglês

A raça Puro-sangue Inglês (Puro-sangue de Corrida – Fig. 10.34) foi formada na Inglaterra, no início do século XVIII, durante o reinado de Charles II.

Teve como base alguns garanhões Árabes, destacando-se, entre eles, Darley Arabian, Bierley Turk e Godolphin Barb, que foram cruzados com éguas nativas das ilhas Britânicas, sendo fundamentais 30 éguas selecionadas e pertencentes ao Haras Real, denominadas Royal Blood Mares.

Os primeiros produtos registrados no Stud Book inglês (General Stud Book) datam de 1704.

A seleção da raça foi feita objetivando-se a disputa de corridas de longa distância.

Sendo oriunda de uma rigorosa seleção atlética para competições, o PSI é um animal muito bem desenvolvido, com grande agilidade e ótima estrutura óssea e muscular.

Por suas características raciais bem definidas pelo rigoroso processo de seleção dos últimos 300 anos, o Puro-sangue Inglês é muito utilizado como melhorador de outras raças, produzindo excelentes exemplares aptos para tração leve e para o esporte, como salto e adestramento, tendo entrado na formação de diversas

Figura 10.34 – Exemplar de Puro-sangue Inglês (proprietário: Kim Cintra).

978-85-7241-869-0

raças, como Quarto-de-milha, Mangalarga, Anglo-árabe, etc.

Para ser aceito como puro, deve o Puro-sangue Inglês apresentar oito gerações de animais puros registrados no Stud Book oficial.

É considerado o cavalo mais veloz do mundo em média distância, entre 800 e 3.000m, sendo esta, portanto, sua principal função, mas também tem aptidão para salto e adestramento.

Características:

- Pelagens: alazão, castanho, preto e tordilho e suas variedades.
- Altura: média de 1,60m.
- Peso médio: 450kg.
- Andamento: trote.

Puruca

O Puruca (Fig. 10.35) é um pônei selecionado na região norte do país, mais precisamente na Ilha de Marajó, no Pará. É oriundo do cruzamento de Marajoara com pôneis Shetland.

São animais selecionados pela sua altura e temperamento dócil e enérgico, muito utilizado na lida de fazendas, tendo grande resistência, velocidade em galopes curtos e adaptação a locais pantanosos e ao clima quente e úmido.

Características:

- Pelagens: qualquer pelagem, exceto albina e pampa.
- Altura:
  - Macho: mínima de 1,10m e máxima de 1,18m.
  - Fêmea: mínima de 1m e máxima de 1,16m.
- Peso: entre 150 e 200kg.
- Andamento: trote em todas as suas modalidades, andamento com apoio bipedal diagonalizado.

Quarto-de-milha

O cavalo Quarto-de-milha (Fig. 10.36) surgiu nos Estados Unidos entre os séculos XVII e XVIII, originário de cavalos trazidos pelos espanhóis. Esses animais foram cruzados com éguas oriundas da Inglaterra, produzindo cavalos fortes, compactos, musculados, capazes de cobrir curtas distâncias mais rapidamente que quaisquer outros.

Muito utilizados pelos *cowboys* na lida diária com o gado, também foram selecionados para corridas de curta distância em 402m (um quarto de milha, daí o seu nome), sendo imbatíveis neste intento.

Em 1940, foi fundada a American Quarter Horse Association (AQHA), sendo a maior associação de criadores de cavalos do mundo, com mais de 340.000 associados e 4.200.000 animais registrados.

A introdução da raça no Brasil deu-se pelo King Ranch, que, em 1955, importou seis animais dos Estados Unidos.

Em 1969, foi fundada a Associação Brasileira de Criadores do Cavalo Quarto-de-milha, tendo em seu Stud Book mais de 300.000 animais registrados, 8.000 criadores e mais de 35.000 proprietários espalhados por todo o Brasil.

O cavalo Quarto-de-milha é muito utilizado hoje como animal de esporte em competições de diversas modalidades, atraindo centenas de cavaleiros em provas organizadas em inúmeras cidades do Brasil, contando com diversas modalidades, como apartação, *bulldogging*, três e cinco tambores, conformação, corrida, laço em suas diversas modalidades, maneabilidade e velocidade, rédeas, seis balizas, *team penning*, *trail*, vaquejada, entre outras.

Características:

- Pelagens: alazã, castanha, tordilha, preta e suas variedades, além de cremela (pelo pode ser branco ou creme bem claro, crina e cauda brancas, pele cor-

Figura 10.35 – Exemplar de Puruca. Foto: Sérgio L. Beck.

978-85-7241-869-0

Figura 10.36 – Exemplar de Quarto-de-milha. Foto: Ana Clark.

-de-rosa ou rosada por todo o corpo e olhos azuis), lobuna, perlina (pelagem creme bem clara ou branca, pele rosa ou rosada, crina, cauda e extremidades normalmente têm uma tonalidade mais escura de cobre ou laranja e olhos azuis).

- Altura: média de 1,50m.
- Peso: média de 500kg.
- Andamento: trote.

Modalidades Equestres

Adestramento (*Dressage*)

No adestramento, o conjunto deve efetuar determinados movimentos, que são as figuras, e o objetivo é obter a maior pontuação possível.

O julgamento na prova de adestramento é subjetivo. Os juízes julgam a reprise de cada conjunto, dando notas de 1 a 10, de acordo com cada figura feita.

Existem várias figuras divididas em menor ou maior grau de dificuldade de acordo com o nível da reprise. Por exemplo, figuras galope alongado, passo livre, mudança de galope simples, mudança de galope a tempo, pirueta, espádua a dentro, *passage*, *piaffé*, etc.

As raças mais utilizadas são Brasileiro de Hipismo e suas raças formadoras, Puro-sangue Inglês, Andaluz e Lusitano.

Apartação

Dentro de um curral, são colocadas várias reses e uma é escolhida pelo juiz para ser separada do rebanho.

Cavalo e cavaleiro adentram o picadeiro e calmamente apartam o bovino do rebanho, dirigindo-o para o centro da arena e mantém-no afastado do rebanho.

As raças mais utilizadas são Appaloosa, Quarto-de-milha e Paint Horse.

Atrelagem

A prova de atrelagem consiste em atrelar um veículo ou implemento a um animal, seja para esporte, lazer ou trabalho.

As provas de atrelagem, ainda embrionárias no Brasil, podem ser divididas em:

- Atrelagem de adestramento: semelhante ao adestramento montado.

- Atrelagem de maneabilidade: prova em pista, em que o conjunto deve desenvolver um percurso predeterminado, em pista de grama, formando figuras.
- Atrelagem de enduro: prova de atrelagem em campo aberto, em que o conjunto deve passar por obstáculos de campo, como riachos, florestas, etc. É uma das provas mais exigentes da modalidade, em termos de adestramento do animal.
- Atrelagem de tração: prova de força, em que o animal deve puxar pesos cada vez maiores.

As raças mais utilizadas são Bretão, Percheron (tração pesada), Árabe, Lusitano e Andaluz (tração leve), podendo ainda ser utilizada qualquer raça de sela.

Baliza (Seis Balizas)

Competição de precisão ao cronômetro, em que o percurso consiste em uma série de seis balizas distantes 6,5m uma da outra e o conjunto (cavalo/cavaleiro) vai contornando-as em alta velocidade. Ganha quem fizer o percurso em menor tempo.

As raças mais utilizadas são Appaloosa, Quarto-de-milha e Paint Horse, podendo ainda ser realizada por qualquer raça de sela.

Bulldogging

Dois cavaleiros partem atrás de um boi. Quem fica à direita faz o trabalho de esteira, uma forma de garantir que o boi não fuja da esquerda. O cavaleiro, que fica do lado contrário, salta do cavalo em movimento em cima da cabeça do boi, derrubando-o e virando seu pescoço no chão. Vence quem fizer o trabalho no menor tempo.

As raças mais utilizadas são Quarto-de-milha, Paint Horse e Appaloosa.

Cavalgada

Apesar de ser uma atividade de lazer, deve ser encarada como esporte, pois se exige do animal esforço físico e fisiológico de um animal atleta em trabalho leve.

São longos passeios a cavalo, com distâncias que variam de 15 a 40km, feitas em um único dia.

As raças mais utilizadas são Mangalarga, Mangalarga Marchador e Campolina, podendo ainda ser feita por qualquer animal de sela.

Concurso Completo de Equitação

O CCE é uma competição composta de três provas: adestramento, *endurance* ou prova de fundo e salto, geralmente competida em três dias.

Pode ser denominado triatlo equestre, exigindo muito do cavalo e do cavaleiro.

No primeiro dia de prova, compete-se o adestramento, conforme descrito anteriormente.

No segundo dia é quando mais se exige de *performance* física do conjunto. Nesse dia, realiza-se uma prova de enduro de curta distância e, em seguida, uma prova de *cross-country*, em que o conjunto deve percorrer distâncias que variam de 2 a 5km, dependendo do nível da prova, com obstáculos naturais, ou semelhantes ao natural, como saltar troncos, riachos, etc.

No terceiro dia, acontece a prova de salto, em pista de areia, com obstáculos simples, variando em sua altura.

As raças mais utilizadas são Anglo-árabe, Puro-sangue Árabe, Brasileiro de Hipismo e suas raças formadoras e Puro-sangue Inglês.

Corrida

Esporte realizado dentro dos Jockey Clubs, cuja distância varia de 400 a 3.600m, ou ainda em percursos informais de rua, sendo no Sul do país também chamada de cancha reta.

É um esporte restrito aos cavaleiros, chamados jóqueis, de baixa estatura e baixo peso, facilitando o trabalho do cavalo

As raças mais utilizadas são Quarto-de-milha em curta distância (350 a 700m) e Puro-sangue Inglês em média distância (1.000 a 3.600m). No Sul, utiliza-se muito o Crioulo.

Enduro

O enduro equestre é uma modalidade esportiva originária do turismo equestre, em que cavalo e cavaleiro devem percorrer uma trilha com obstáculos naturais, em um tempo predeterminado ou em velocidade livre.

As provas de tempo predeterminado são denominadas Velocidade Controlada, com distâncias que variam de 15 a 80km

As provas de Velocidade Livre são contra o relógio, com distâncias que variam de 45 a 160km, percorridas em um único dia.

Em enduro de regularidade (velocidade controlada), as raças mais utilizadas são: quaisquer raças de sela. Em enduro de velocidade livre: Anglo-árabe, Puro-sangue Árabe e Cruza Árabe.

Equitação de Trabalho

A modalidade nasceu da ideia de reunir em uma única competição conjuntos de origens diversas, a fim de demonstrar o trabalho diário de campo com a simulação de obstáculos e situações reais. A vantagem é que pode ser utilizada qualquer raça de sela.

A disputa de equitação de trabalho é dividida em três etapas/provas diferentes, em que são somados os pontos para efeito de classificação.

As etapas são divididas em prova de ensino, semelhante ao adestramento, prova de maneabilidade (prova de pista em que se observa a qualidade de equitação do conjunto cavalo/cavaleiro) e prova de velocidade, em pista e contra o tempo.

No Brasil, é uma prova característica do cavalo Lusitano, podendo ainda ser utilizada qualquer raça de sela.

Freio de Ouro

Prova típica da raça Crioula, com origens no Rio Grande do Sul, que está se espalhando pelo país, conquistando muitos adeptos.

Consiste em somatória de avaliação da morfologia do animal e de seu desempenho em pista em uma série de modalidades como andadura (avaliação do animal em passo, trote, galope), prova de figura (contra o tempo, em que se realiza um percurso predeterminado com diversas figuras), atropelada e esbarrada (dois percursos de 20m, em que se deve esbarrar o animal), volta sobre patas (ou *spin*, em que o animal deve girar sobre seus membros posteriores sem sair do lugar), mangueira (semelhante à apartação) e paleteada (conduzir uma rês em uma pista, prensada na paleta de dois cavalos, a galope).

Hipismo Rural

O hipismo rural compõe-se por um conjunto de provas realizadas em dois dias, às vezes em um único dia, em versão menor, incluindo competições de resistência, *steeple chase*, *cross* e picadeiro.

O hipismo rural é caracterizado por mostrar o trabalho do cavalo em espaço fechado (como dentro de um curral), tendo o animal que fazer as figuras de baliza, tambor, salto de obstáculos e recuos.

Hoje, as provas são disputadas em sete categorias: escola, minimirim, nível I, intermediária, *master*, *performance* e força livre.

As raças mais utilizadas são de sangue árabe (puros ou cruza).

Laço

Modalidade típica dos Estados Unidos, sendo ainda dividida em três categorias:

- Laço em dupla: os cavalos entram no brete e esperam calmamente o bezerro ser solto do brete. O cavalo é julgado quanto à sua calma (quietude) dentro do brete; rapidez como parte em direção ao garrote, seguindo-o; habilidade em manter a mesma velocidade do garrote e posicionar o pezeiro; e sua habilidade de parar reto e intensamente, apertando a corda esticada depois que laçar. É permitido a ambos, cabeceiro e pezeiro, jogar duas cordas com um tempo máximo de 2min, depois que o garrote for solto para ser laçado.
- Laço comprido: o cavaleiro deve laçar a rês pelos chifres dentro de um limite de 100m. Vence aquele que conseguir maior número de laçadas. A armada deve medir 8m, com quatro rodilhas na mão, não podendo retê-la ao laçar.
- Laço de bezerro: os cavalos entram no brete e esperam calmamente o bezerro ser solto do brete. O cavalo e o cavaleiro devem ficar atrás de uma barreira para dar vantagem à largada do bezerro. Quando o bezerro é solto do seu brete, o cavalo deve correr em sua direção, seguir a velocidade do bezerro e o cavaleiro deve se posicionar onde possa laçá-lo. O laçador, então, joga seu laço e quando o bezerro é pego, o cavalo para rapidamente. Enquanto o cavaleiro desmonta e derruba o bezerro para amarrar três de suas pernas juntas, o cavalo deve se manter parado e quieto (mas atento) e manter a corda esticada.

As raças mais utilizadas são Quarto-de-milha, Paint Horse e Appaloosa.

Maneabilidade

A prova consiste em um percurso composto de salto (80cm); um coração ou margarida; um recuo; um oito ou uma baliza; um esbarro e um rodopio; e no máximo três tambores. Vencerá a prova o cavalo que fizer o percurso completo em menor tempo. A cada falta cometida pelo competidor são acrescidos a seu tempo 5s.

As raças mais utilizadas são Appaloosa, Árabe, Anglo-árabe, Cruza Árabe, Mangalarga, Mangalarga Marchador, Quarto-de-milha, Paint Horse ou, ainda, ser feita por qualquer animal de sela.

Provas de Marcha

Têm a função de preservar e valorizar o andamento característico das raças de marcha e dar ao público a oportunidade de focalizar e visualizar esse andamento característico.

É uma atividade que exige do animal o esforço físico e fisiológico de um animal atleta em trabalho médio.

As raças mais utilizadas são Mangalarga Marchador, Campolina e Mangalarga, também tendo sua versão para muares, em competições muito concorridas.

Raid

Modalidade mais ligada ao lazer. São grandes cavalgadas, de mais de um dia, que variam de dois a dez dias, entre 100 e 500km.

É uma atividade que exige do animal o esforço físico e fisiológico de um animal atleta em trabalho médio.

As raças utilizadas são quaisquer raças de sela, porém, devido ao conforto de seu andamento, as mais cotadas são Mangalarga, Mangalarga Marchador e Campolina.

Rédeas

O cavaleiro deve executar 13 percursos existentes preestabelecidos, os quais incluem: manobras prescritas de esbarros, *spins* (giros de 360°), *rollbacks* (esbarro com mudança de direção em 180° saindo ao galope), mudança de mão e círculos ao galope. O cavalo deve ser voluntariamente guiado com pouca ou nenhuma resistência.

As raças mais utilizadas são Quarto-de-milha, Paint Horse, Appaloosa, Crioulo e Árabe.

Salto

Também chamado de provas de hipismo ou hipismo clássico, o salto consiste na transposição de um obstáculo, cuja altura varia de 0,4m para iniciantes até 1,60m em provas de nível olímpico.

Existem obstáculos fixos e obstáculos móveis. São fixos aqueles que, se forem esbarrados pelas patas do cavalo, permanecem no mesmo local, ao passo que os móveis são aqueles que caem quando tocados.

O percurso inclui saltos duplos, triplos, rio e outros; dependendo do nível da competição.

As raças mais utilizadas são as formadoras do Brasileiro de Hipismo, principalmente nas séries mais fortes. Nas séries mais baixas, até 1,20m, qualquer raça de cavalo de sela tem condições de participar.

Tambor

Possui duas variáveis:

- Três tambores: os competidores correm contra o cronômetro, seguindo um percurso que consiste em três tambores dispostos triangularmente.
- Cinco tambores: é uma prova de resistência, velocidade e adestramento. Consiste em fazer, no menor tempo possível, o trajeto segundo o diagrama, vencendo seu concorrente na dupla.

As raças mais utilizadas são Quarto-de-milha, Appaloosa, Paint Horse, podendo ainda ser feita por qualquer raça de sela.

Team Penning

Um time de três cavaleiros deve isolar (separar) três cabeças de gado especificamente identificadas do rebanho e então colocá-las em um curral do lado oposto da arena em 90 a 120s.

As raças mais utilizadas são Quarto-de-milha, Appaloosa, Paint Horse, Mangalarga, Árabe e qualquer raça de sela.

Trail

É a maneabilidade em um percurso com obstáculos, testando a destreza do cavalo em contornar certas situações que podem ocorrer em um passeio a cavalo fora das pistas. Por exemplo, abrir, atravessar e fechar uma porteira. Outros dois obstáculos obrigatórios são ir a passo, ao trote e ao galope sobre uma série de troncos e afastar através de troncos arrumados em figuras em L, U ou V.

As raças mais utilizadas são Quarto-de-milha, Appaloosa, Paint Horse, Mangalarga, Árabe e qualquer raça de sela.

Vaquejada

Modalidade em duplas, sendo um dos componentes denominado esteira, responsável pela condução da rês, de forma que permite ao parceiro derrubar o animal no limite estabelecido, em geral uma faixa de 10 metros, distante 100 metros do brete de largada. Só será válida a derrubada se o boi estiver com as quatro patas para cima ao cair e se levantar totalmente dentro das faixas de classificação sem tocá-las.

As raças mais utilizadas são Quarto-de-milha, Appaloosa e Paint Horse.

Volteio

Definido como ginástica sobre um cavalo em movimento.

O volteio, em sua totalidade, consegue aliar os princípios básicos da equitação: equilíbrio, força e a leveza e flexibilidade da ginástica olímpica.

As raças mais utilizadas são as de grande porte, que possam dar apoio ao cavaleiro, como Brasileiro de Hipismo, Bretão, Andaluz, Lusitano, etc.

Parte 2

Manejo e Alimentação

Manejo Diário

O manejo diário do cavalo (Fig. 1) deve ser uma tarefa delegada a pessoas competentes, qualquer que seja a categoria utilizada. Essa competência não deve ser traduzida como alto nível de escolaridade ou elevado nível social. Essa competência deve ser traduzida pela busca de pessoas interessadas, abertas a novos conhecimentos, tranquilas e que realmente gostem de cavalos.

O cavalo, como qualquer ser vivo, é muito suscetível ao humor de quem o trata. Dessa forma, se o tratador não souber separar o trabalho da vida pessoal, talvez o cavalo tenha mais problemas que benefícios. O despreparo pode levar a situações quase irreversíveis para o equilíbrio mental do cavalo.

É muito comum, principalmente em grandes centros, a utilização de pessoas na lida com cavalos que estão "disponíveis". Essas pessoas nem sempre realizam o trabalho da melhor forma possível, sendo o trabalho com o cavalo apenas um "emprego", e não um trabalho em que se manuseiem seres vivos que respondem positiva ou negativamente, conforme a maneira que os tratemos.

Outras tantas vezes, também ocorrendo no interior do Brasil afora, encontramos pessoas interessadas, com capacidade para trabalhar com animais, mas inexperientes e com baixo conhecimento teórico e prático na lida equestre.

Nesse último caso, o mais comum, muitos proprietários são renitentes em treinar e capacitar essas pessoas para que possam estar mais bem preparadas para lidar com os cavalos.

Infelizmente, quem paga por isso são os próprios cavalos, pobres seres inocentes, que fazem o que dele exigimos, se submetendo a todo tipo de ações e atitudes nem sempre benéficas à sua sobrevivência.

O bem-estar animal exige que busquemos, sempre e cada vez mais, pessoas qualificadas. Se estas não o forem, devemos buscar a qualificação. Existem hoje alguns cursos que buscam a qualificação da mão de obra básica para se lidar com o cavalo. O proprietário do animal só tem a ganhar. E, certamente, os cavalos também.

Algumas regras básicas devem ser seguidas no manejo diário com o cavalo, independentemente de sua atividade e categoria.

Contato Físico

Os cavalos, quando vivem em bandos, como citado no Capítulo 3 sobre comportamento, têm o hábito de se coçarem uns aos outros. A elevada sensibilidade tátil do tecido cutâneo faz com que possamos nos aproveitar disso e ampliar nosso contato com ele, estabelecendo uma relação muito intensa e tranquila, que nos permita um melhor retorno. Qualquer um fica mais tranquilo em um ambiente agradável com companhia agradável.

Dessa forma, até mesmo para conhecermos melhor o cavalo e sua individualidade, o rasqueamento deve ser feito diariamente, não apenas para retirar os pelos velhos e deixar a pelagem e a aparência mais bonitas, mas como forma de sabermos se o cavalo tem algum ponto de maior sensibilidade, no qual podemos tocar com mais tranquilidade e em que devemos tomar mais cuidado para não agredi-lo. Muitos cavalos sentem cócegas no costado, na barriga, na virilha, no cilhadouro, locais onde são estimulados na equitação. Cócegas ou excesso de sensibilidade nessas áreas podem prejudicar e dificultar a montaria. Muitos cavaleiros e amazonas, por não conhecerem adequadamente seus animais, acabam por ter dificuldade na equitação e acabam por utilizar uma força desnecessária por simples desconhecimento de sua individualidade.

O rasqueamento é feito delicadamente, jamais com força e brutalidade, como já presenciamos tratadores despreparados realizarem, tornando o ato mais incômodo que prazeroso.

Sempre realizar o rasqueamento no sentido do pelo (Fig. 2). Em casos excepcionais, quando há muitos folículos pilosos comprometidos por excesso de chuva (Fig. 3) ou pela falta de manuseio, pode, delicadamente, ser feito em sentido contrário. Lembre-se apenas que nesse sentido a sensibilidade do animal está aumentada.

O equipamento é simples, sendo composto de pelo menos quatro tipos: raspadeira de ferro (Fig. 4), raspadeira de borracha (Fig. 5), escovão (Fig. 6) e pente de crina (Fig. 7).

Cada um desses equipamentos deve ser utilizado delicadamente (Figs. 8 e 9), de forma que o cavalo tenha prazer em ser, dessa maneira, manuseado. A pressa pode comprometer o bom resultado que esse hábito deve trazer no manejo diário do animal.

Além do rasqueamento, o contato deve ser ampliado para a limpeza dos cascos, tanto para deixar o animal mais tranquilo como por questões de manejo sanitário.

Esse hábito deve ser realizado desde os primeiros dias de vida do potro, a fim de habituá-lo a ceder as patas sem maiores problemas quando adulto.

É necessário um pequeno limpa-casco, com escova (Fig. 10). Delicadamente, pegar cada pata do animal e limpar os cascos (Fig. 11), no mínimo a cada montada. Em cavalos de pasto, no mínimo semanalmente, de forma a manter a saúde dos membros e detectar possíveis problemas.

Figura 1 – O manejo ideal é manter os equinos em piquetes.

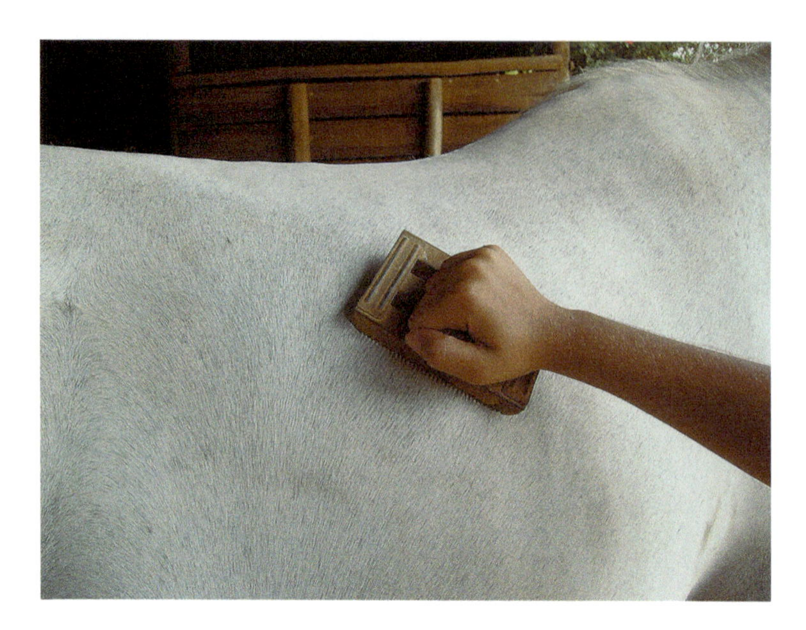

Figura 2 – Rasqueamento sempre no sentido do pelo do animal.

Rotina Diária

O cavalo é um animal de hábitos. Precisa e deve ser alimentado, manuseado e trabalhado seguindo uma rotina que deve ser alterada o menos possível, para um melhor desempenho do animal.

Uma pergunta frequente que se faz é qual o melhor horário para se alimentar o cavalo ou qual o horário ideal da primeira ração. Na verdade, não há especificamente um horário a ser recomendado, seis, sete, nove ou mesmo onze horas da manhã, mas o importante é que, determinado um horário específico, este seja rigorosamente respeitado todos os dias, em todas as refeições.

Da mesma forma, as rotinas de trabalho e manuseio do animal devem ser respeitadas o máximo possível, buscando-se seguir horários diários próximos. Claro que uns dias se trabalha mais, outros se trabalha menos, mas isso deve fazer parte do tipo de treinamento.

Entretanto, já recomendamos que rotinas no tipo de trabalho não sejam tão rígidas. Cavalos que realizam somente trabalho de pista, como salto, baliza e tambor, rédeas, etc., sentem-se muito melhor psicologicamente se, uma vez por semana, fizerem trabalho exterior, como uma pequena cavalgada de 40min a 1h30min, dependendo do animal, alternando-se passo e trote e até mesmo um galopinho mais à vontade.

Figura 3 – Folículos pilosos comprometidos pelo excesso de chuva. Para sua remoção, pode-se rasquear o animal em sentido oposto ao pelo, delicadamente.

Figura 4 – Raspadeira com serrilha de ferro. Deve ser utilizada delicadamente, para remover os pelos velhos.

Da mesma forma, cavalos que trabalham somente no exterior, como em provas de enduro, uma vez por semana podem realizar um trabalho de pista, que, além de melhorar a equitação do animal, altera um pouco a rotina de treinamento, podendo tornar mais prazeroso o trabalho em si.

Isso faz bem ao físico e à mente do animal.

Figura 6 – Escovão. Utilizado para retirar os pelos excedentes e o pó.

Alimentação Equilibrada

Uma boa alimentação deve seguir basicamente dois princípios:

- Fórmulas estáveis: garantem sempre a qualidade do produto final. Também neste item cabe destacar que a constante alteração do tipo de alimento fornecido ao animal, principalmente potros e cavalos de trabalho, pode alterar o resultado final. Quanto menos se altera a dieta básica, melhores serão os resultados.
- Matérias-primas nobres: oferecem o que há de melhor em valor nutricional para o cavalo. O uso

Figura 5 – Raspadeira de borracha. Utilizada depois da raspadeira de ferro. É bem mais macia.

Figura 7 – Pente para crina e cauda. Deve ser utilizado com delicadeza para não quebrar a crina e a cauda.

978-85-7241-869-0

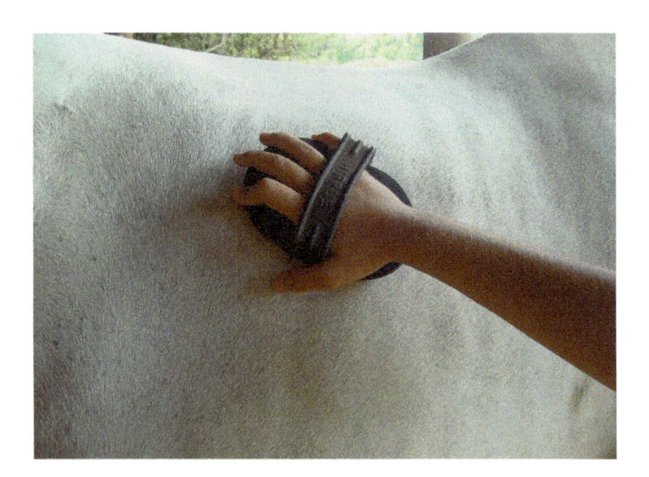

Figura 8 – Uso de raspadeira de borracha.

de volumoso, concentrado ou suplemento de qualidade duvidosa, por uma questão de custo, certamente compromete o resultado final. Por outro lado, o uso de produtos de qualidade, inclusive volumoso, permite uma economia por poder-se utilizar menor quantidade de alimento para suprir as necessidades do cavalo.

Necessidades do Cavalo

Devemos sempre avaliar as necessidades do animal com o auxílio de técnicos especializados que saberão oferecer o que realmente supre as necessidades do cavalo, de acordo com:

- Raça: algumas raças têm melhor conversão alimentar que outras, isto é, necessitam de menos alimento para suprir suas necessidades, como Bretão. Por outro lado, outras raças têm uma exigência maior, por exemplo, Campolina.
- Idade: cavalos idosos têm mais dificuldade de absorver nutrientes (ver Cap. 23) e potros absorvem melhor o que lhes oferecemos.
- Peso: ao se iniciarem os cálculos de uma dieta para equinos, devemos avaliar se o peso do cavalo é compatível com sua estrutura. Se estiver com sobrepeso, o cálculo nutricional deve ser feito com um peso abaixo do mensurado, para que o animal atinja seu peso ideal. Se o animal estiver abaixo do peso ideal para sua conformação, o cálculo nutricional é feito com o peso esperado para sua melhor *performance*.
- Esforço: deve-se avaliar com critério o esforço ao qual o animal está sendo submetido, do ponto de vista nutricional. Esse esforço baseia-se em tempo de trabalho diário e tipo de exercício físico. Dessa forma, um esforço considerado intenso pelos cavaleiros de salto, nutricionalmente falando, é esforço médio em relação às necessidades.
- Forrageira: sempre levar em consideração a forrageira utilizada. O volumoso deve ser a base da alimentação. Concentrados e suplementos deverão ser adicionados à dieta conforme as deficiências do volumoso, individualmente para cada animal.
- Objetivo fixado: se o intuito for cavalo para fim de semana, somente para lazer, as necessidades são simples. Entretanto, se o animal for de alta *performance*, com qualquer tipo de trabalho, suas necessidades são mais elevadas. Se o objetivo for alimentar um campeão, a chamada sintonia fina nutricional, em que nos preocupamos com pequenos detalhes, se torna fundamental.

Figura 9 – Uso de pente de crina e cauda.

Figura 10 – Limpa-casco.

Exigências Nutricionais Diferentes para cada Categoria

Qualquer propriedade que possua animais de diferentes categorias deve ter um manejo diferente para cada uma delas. Potros, éguas e garanhões em reprodução, cavalos de trabalho e animais idosos têm necessidades nutricionais e de manejo diferentes e estas devem ser respeitadas.

Menores Quantidades de Alimentos Têm Aproveitamento Mais Eficiente

Como na natureza o cavalo se alimenta 13 a 15h/dia, habituou-se a comer pequenas porções constantemente nesse período. Dessa forma, devido à anatomofisiologia de seu aparelho digestivo, quanto mais fracionarmos as refeições, melhor será a absorção de nutrientes.

Para Animais Estabulados, a Última Refeição Deve Ser de Volumoso

Quando o animal está estabulado, a última refeição diária é oferecida, normalmente, às 16 ou 17h. A próxima refeição será oferecida somente às 7h do dia seguinte. Para uma boa "higiene mental" do cavalo, este deve ter uma boa ocupação quando estabulado e o oferecimento de alimento volumoso suficiente para passar a noite é o melhor meio de tranquilizar o animal. De forma geral, recomendamos que 50% do volumoso sejam oferecidos na última refeição.

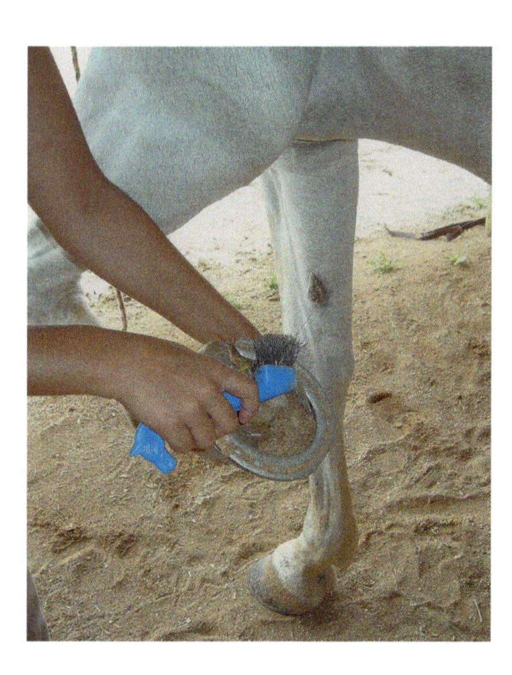

Figura 11 – Limpando o casco.

As Mudanças de Ração Devem Ser Graduais

Para que a flora intestinal possa se adequar ao novo tipo de alimento, devemos proceder a um esquema gradual de mudança de ração: $\frac{1}{3}$ da ração nova mais $\frac{2}{3}$ da ração antiga (sendo a mistura feita em todas as refeições diárias) por cinco a sete dias; $\frac{1}{2}$ a $\frac{1}{2}$ por cinco a sete dias e $\frac{2}{3}$ da ração nova e $\frac{1}{3}$ da ração antiga por mais cinco a sete dias. Após esse período, o animal já estará adaptado e não sofrerá consequências pela alteração brusca da ração.

Ajustar o Nível Energético da Alimentação conforme as Necessidades

Cavalos de trabalho intenso necessitam de muita energia. Cavalos em trabalho leve necessitam de pouca energia em sua alimentação.

Diminui o trabalho, diminui a energia da alimentação.

Qualidade e Não Quantidade

Não dar importância excessiva à quantidade de concentrado, mas sim à sua qualidade. É melhor oferecer uma ração de qualidade superior em pequena quantidade do que oferecer muita ração de qualidade inferior. Lembre-se que o cavalo necessita de mais volumoso do que de concentrado. Adote o princípio: "mínimo necessário, não máximo obrigatório". Devemos oferecer aquilo que o cavalo necessita realmente e não aquilo que achamos que ele pode ingerir. Não é porque o cavalo pode ingerir até 3% de seu peso em matéria seca que sempre vamos oferecer essa quantidade a ele.

Dessa forma, seguindo essas dez regras básicas, podemos ainda nortear nossa rotina de alimentação e manejo procurando sempre conselhos nutricionais utilizando programas informatizados, que nos permitem a escolha do melhor produto completo e/ou complementar. Esses programas são uma

978-85-7241-869-0

978-85-7241-869-0

Figura 12 – *Antes*: animal com pelo opaco, costelas aparecendo, postura corporal de defesa, orelhas para trás, incomodado com a situação.

Figura 13 – *Depois*: animal bem alimentado, pelos brilhantes, sem costelas aparentes, postura corporal relaxada, orelhas em atenção, tranquilo com a situação. Observação: esta fotografia foi tirada apenas quatro meses depois da fotografia anterior (Fig. 12). O animal foi alimentado com ração de ótima qualidade, 4kg/dia e capim picado à vontade, e manuseado diariamente.

diretriz que deve nos conduzir no manejo diário dos cavalos. Lembre-se sempre das individualidades que podem representar até 25% de diferença nas necessidades do cavalo, para mais ou para menos, buscando sempre o melhor resultado.

Uma alimentação equilibrada deve, sempre:

- Permitir a exteriorização do potencial genético.
- Favorecer o trabalho (treinamento e manejo) do cavaleiro.
- Reforçar as chances de sucesso esportivo e na criação.

A Alimentação dos Cavalos

A chamada alimentação racional procura fornecer ao animal os alimentos capazes de manter sua vida e proporcionar, com o máximo de rendimento, a produção ou o desempenho que o homem pretende desse animal.

Antes de qualquer coisa, devemos ter em mente que a boa alimentação do cavalo visa levar a este um estado de saúde adequado, buscando sempre seu bem-estar físico e mental. Conforme as figuras a seguir, podemos observar o mesmo animal em dois momentos, um antes (Fig. 12) e um depois (Fig. 13) de alimentação e manejo adequados:

À medida que cresce a especialização genética, aumentam as necessidades de nutrição e alimentação mais especializadas para se aproveitar melhor esse potencial genético.

Entende-se aqui por nutrição a parte teórica que determina as necessidades de cada animal de acordo com suas características e categoria. Por outro lado, a alimentação procura traduzir, de forma prática, as necessidades nutritivas teóricas em necessidades alimentares reais, em que se procura formular rações e regimes alimentares que permitam ao animal ter sua nutrição equilibrada.

Enquanto a nutrição baseia-se em números técnicos e científicos, a alimentação coloca esses números na prática do dia a dia, o que é muito mais complexo e implica outros aspectos do alimento propriamente dito, como:

- Alimentos isentos de substâncias nocivas.
- Os alimentos não devem ter substâncias tóxicas, considerando-se a toxicidade por espécie.
- Devem ser adaptados às partes anatômicas do indivíduo (ver aparelho digestivo do cavalo, a seguir).
- Estar de acordo com a capacidade de utilização de cada indivíduo.
- Ser altamente palatáveis, ou seja, de excelente aceitação pelo animal.

Capítulo 11

Instalações para Equinos

Neste capítulo, abordamos os principais tipos de instalações adequadas para equinos segundo as necessidades destes, levando-se sempre em consideração a melhor forma de manter seu equilíbrio físico e mental. Não incluímos medidas, dicas de construção, plantas, etc. por entendermos que são funções pertinentes a um engenheiro ou arquiteto. Dessa forma, para se elaborar e projetar um haras ou centro hípico, deve-se sempre ter a combinação de um especialista em cavalos e outro em construções rurais. Um sem o outro certamente vai deixar brechas para o mau funcionamento das instalações.

Instalações adequadas levam a um melhor estado de saúde do animal, não apenas prevenindo-se acidentes, mas também proporcionando maior tranquilidade ao animal, levando a um equilíbrio mental adequado que lhe permite aproveitar melhor os nutrientes oferecidos, com menor desgaste e consequente melhora na *performance*.

Piquetes e Pastagens

A primeira preocupação com os piquetes ou pastagens (Figs. 11.1, *A* e *B*, 11.2 e 11.3) é quanto à topografia do terreno, que não deve ter declives acentuados, mas sim uma boa qualidade de terra para produzir boas pastagens e com água abundante e sombra.

O tipo de capim deve ser muito bem escolhido, conforme as possibilidades de cada região. Alguns capins recomendados são *coast-cross*, tífton, *jiggs*, tanzânia, etc. Mas, principalmente, deve-se escolher um bom capim para cavalos, que seja adequado à região onde irá se mantê-los.

Deve-se observar o tipo de capim escolhido e adequar o manejo dos piquetes a esse capim. A melhor escolha deve ser seguida sob orientação de um técnico, agrônomo, da região onde deverá ser implantada a pastagem ou capineira.

Uma boa rotação de pastagens, a adubação correta (lembre-se que pasto também é cultura) e o respeito à capacidade de suporte da pastagem são requisitos indispensáveis para a formação e a manutenção do pasto; quanto melhor a pastagem, menor a complementação de ração que se precisa fornecer.

Além disso, no piquete deve haver sombra para os animais poderem se abrigar do sol forte e água fresca e limpa à vontade, além de um cocho de sal mineral coberto. Uma observação importante é que esses co-

Figura 11.1 – (*A* e *B*) Piquetes de boa qualidade, com sombra abundante e cocho de água no meio da área.

chos devem, preferencialmente, ser colocados no meio do piquete, não muito próximos um do outro. Essa distância se torna necessária para evitar que o cavalo suje o cocho de água com sal mineral. Muitos criadores colocam o cocho próximo à cerca, em geral aproveitando o mesmo cocho para dois piquetes, mas deve-se ter o cuidado com animais que têm o hábito de caminhar e correr pela beira da cerca, pois podem se acidentar.

Além dos piquetes, em locais onde, em razão do tamanho, os animais vivem em baias, é fundamental a existência de redondel (Fig. 11.4) ou piquete solário (Figs. 11.5 e 11.6), para os animais saírem algumas horas por dia da baia (no mínimo 2h), a fim de se exercitar e tomar sol, buscando assim seu equilíbrio físico e mental.

Cercas

Devemos nos preocupar também com o tipo de cerca utilizada para delimitar os piquetes.

Figura 11.2 – Piquete com pastagem muito alta, diminuindo o aproveitamento.

978-85-7241-869-0

Figura 11.3 – Piquete com declividade acentuada, que pode predispor a acidentes.

Figura 11.4 – Redondel para exercício diário e sol.

Figura 11.5 – Piquete solário de terra com cochos.

978-85-7241-869-0

Figura 11.6 – Piquete solário de grama.

Cerca de Arame Liso

É um tipo de cerca que já foi muito utilizado e recomendado para cavalos, pois aparentemente o cavalo fica menos sujeito a acidentes. Também por não ter as pontas da cerca de arame farpado, muitos criadores a têm preferido por não causar ferimentos leves na pele nem estragar as crinas dos cavalos, que podem enfiar a cabeça entre seus fios.

Nesse tipo de cerca, podem-se utilizar palanques a cada 3m, com esticadores nas extremidades ou quando o terreno assim o determinar (Fig. 11.7), ou palanques a cada 10m com balancins de madeira ou de arame (Figs. 11.8 e 11.9). O ideal é utilizar apenas três ou quatro fios, a uma altura mínima de 60cm do solo, para que o cavalo não enrosque a pata com facilidade no fio mais baixo, e altura máxima por volta de 1,20 a 1,40m, dependendo da raça de animal utilizada.

É um tipo de cerca que hoje, porém, não é muito recomendado, pois, contrariamente à ideia inicial, os acidentes causados por ela são de gravidade muito maior que os dos outros tipos. Muitos cavalos não se intimidam com a cerca de arame liso e forçam-na para tentar comer o capim do piquete vizinho (Fig. 11.10) ou se aproximar de outro animal; como o arame é tensionado firmemente, quando arrebenta por pressão do cavalo, ricocheteia e, se atingir o cavalo, causa ferimentos grandes e profundos (Figs. 11.11 a 11.13).

Uma boa forma de se utilizar esse tipo de cerca é usar uma mangueira de borracha (do tipo de irrigação – Fig. 11.14) cobrindo o arame para evitar o ricocheteio quando houver a quebra do arame. Mesmo nessa cerca, o animal tende a forçar o arame (Fig. 11.15), porém diminui o risco de acidente.

Figura 11.7 – Cerca tradicional de arame liso, com palanques a cada 3m e esticador, que mantém a tensão do arame.

Figura 11.8 – Cerca de arame liso com balancim de arame (*seta*).

Figura 11.9 – Cerca de arame liso com balancim de madeira (*seta*).

978-85-7241-869-0

Cerca de Arame Farpado

Cerca mais segura quanto a ferimentos graves para o cavalo, pois o fio não está sob grande tensão como ocorre com o arame liso (Fig. 11.16). Dessa forma, se acaso o arame arrebentar, não há o ricocheteio. O cavalo costuma respeitar essa cerca, mas ainda pode enfiar a cabeça entre os fios, o que dificulta manter crina em bom estado, ou podem ocorrer pequenos ferimentos superficiais sem gravidade. Pode ser feita com palanques a cada 20 ou 30m (dependendo do terreno) e utilizando-se lascas a cada 2 ou 3m. Pode--se também utilizar lascas a cada 8 a 10m com balancins de arame ou madeira entre as lascas (Fig. 11.17). Utilizam-se três fios apenas, sendo o primeiro a 0,50m do solo e com altura de 1,20 a 1,40m, dependendo da raça utilizada.

Cerca de Réguas de Madeira

É o tipo de cerca mais utilizado quando se quer fazer um piquete para cavalos. Além da beleza, é uma cerca

Figura 11.10 – Muitos cavalos têm o hábito de forçar a cerca de arame liso, não a respeitando, o que pode causar acidentes.

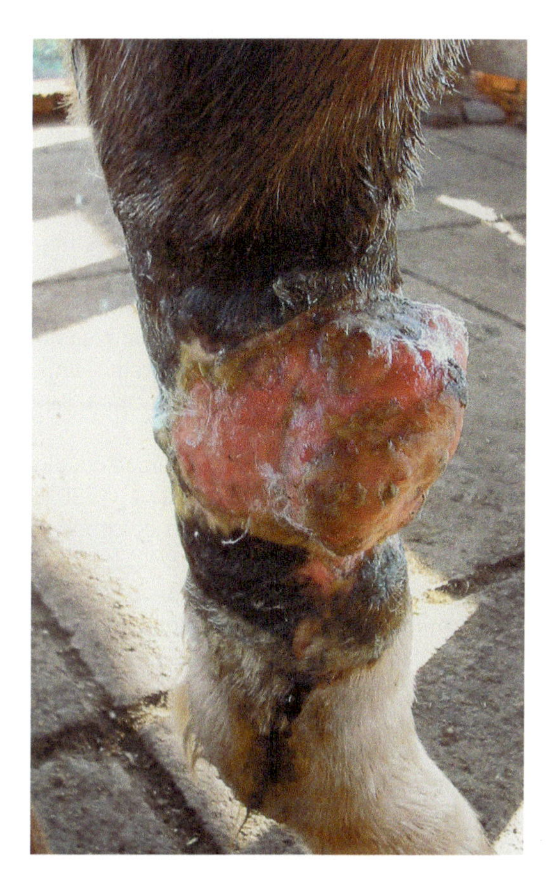

Figura 11.11 – Acidente causado por arame liso, em que houve corte profundo que seccionou o tendão do animal, levando a complicações e inutilizando-o.

bastante segura, desde que feita com madeira de boa qualidade (Figs. 11.18 e 11.19). Possui o grande inconveniente do custo, pois a madeira é um material caro, tanto para implantação como para manutenção. Pode-se fazer com duas ou três réguas, com palanques a cada 2,5 ou 3m de distância. A régua mais baixa deve ficar no mínimo a 0,50m do solo, para evitar que o cavalo enrosque a pata nela. Exceção pode ser feita em piquete maternidade, no qual a égua ficará alguns dias até o parto, e cuja régua mais baixa deve ficar mais próxima do solo, evitando que o potro possa passar debaixo da cerca ao nascer. A altura fica entre 1,20 e 1,40m, dependendo da raça utilizada.

Uma observação importante nesse caso se faz quanto à colocação das réguas de madeira. Estas devem ser colocadas pelo lado de dentro da cerca (ver Fig. 11.18), e não pelo lado de fora (ver Fig. 11.19), pois muitos cavalos têm o hábito de correr muito próximo à cerca e, se a régua estiver pelo lado de fora, o animal pode se chocar com o palanque, que estará do lado de dentro, correndo riscos de acidentes graves.

Cerca Elétrica

É um tipo de cerca mais barato e muito eficiente para equinos. Antigamente, havia muitas restrições a esse tipo de cerca, mas hoje quaisquer que fossem essas restrições, para os cavalos, são de grande segurança, desde que feitas adequadamente. Há um respeito muito grande do animal por ela, tanto que se utiliza normalmente apenas um fio eletrificado (Fig. 11.20),

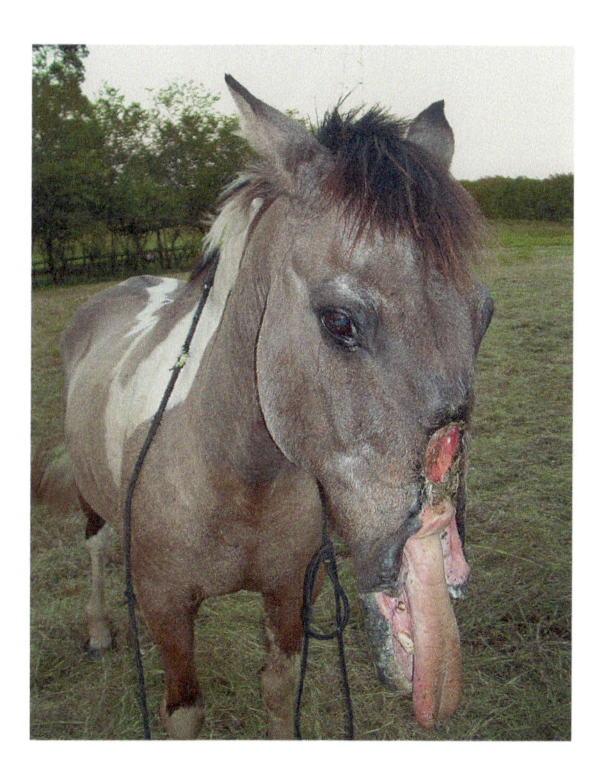

Figura 11.12 – Acidente grave com arame liso (frontal).

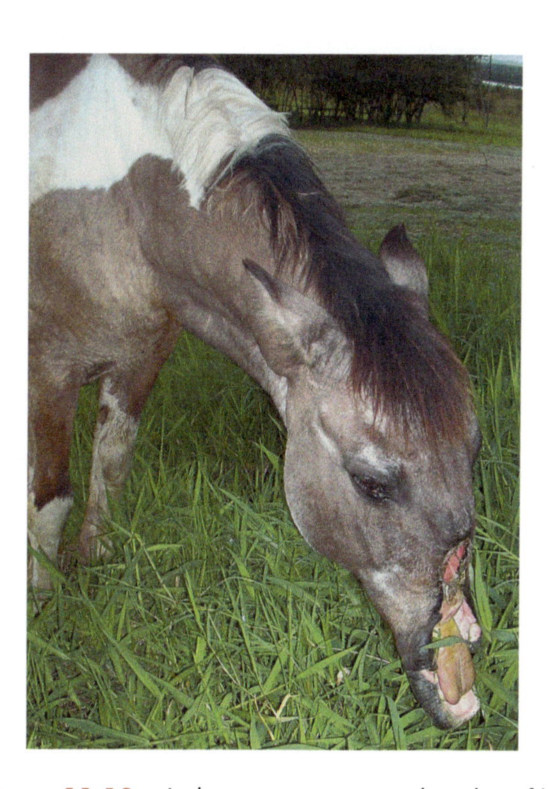

Figura 11.13 – Acidente grave com arame liso (de perfil).

Figura 11.14 – Arame liso revestido com mangueira de irrigação (*seta*).

o que segura os animais em uma área isolada. Em alguns casos, coloca-se mais um fio, normalmente de arame farpado, um pouco mais baixo (cerca de 40 a 50cm) (Fig. 11.21).

Esse tipo de cerca pode ser de fio de arame (ver Fig. 11.21) ou de um tipo de fita (Figs. 11.22 e 11.23) ou fio de *nylon* (Fig. 11.24) entremeado por fios condutores de eletricidade (que podem variar em largura de 20 a 100mm, no caso da fita). Esse último tipo de cerca elétrica é muito utilizado na Europa e em provas equestres (principalmente enduro equestre) no Brasil, em que, ao invés de deixar o cavalo confinado a uma baia, delimita-se uma área de 40 ou 50m^2 com essa fita, deixando o cavalo bem mais confortável e à vontade.

Para transmissão do impulso elétrico, são utilizados eletrificadores específicos para isso, que transmitem a eletricidade de forma pulsátil, intermitente, impedindo assim que o animal fique grudado na cerca, caso venha a tocá-la.

O eletrificador pode ser ligado diretamente à eletricidade, com um conversor de voltagem de 110/220V para 12V (Fig. 11.25) ou com baterias para cerca móvel, do tipo utilizado em provas equestres (Fig. 11.26). Há ainda um tipo de bateria solar, muito útil quando se quer fazer uma cerca em local distante de eletricidade (Fig. 11.27).

Nesse tipo de cerca, a sua construção deve ser muito bem feita, com isoladores adequados (Fig. 11.28, *A* e *B*), fios apropriados e eletrificadores com especificações para tal, além de um correto aterramento (Fig. 11.29), pois, do contrário, seu funcionamento ficará prejudicado e o animal não respeitará a cerca.

É fundamental que da primeira vez em que o animal tiver contato com o fio elétrico, este esteja com a pul-

Figura 11.15 – Animal forçando a cerca revestida com mangueira de irrigação.

978-85-7241-869-0

Figura 11.16 – Cerca de arame farpado com quatro fios (*seta*).

Figura 11.17 – Arame farpado com três fios e balancim de arame (*seta*).

sação elétrica adequada, pois, do contrário, o animal aprenderá que essa cerca pode não barrar sua passagem e depois não mais a respeitará.

Sua manutenção não é complicada, desde que seguidas todas as normas corretas para sua implantação, ficando restrita à roçada de capim debaixo da cerca, pois, caso o capim ou qualquer objeto toque na cerca e no chão ou nos mourões, irá funcionar como terra, diminuindo o poder do choque, comprometendo a eficácia da cerca.

Cerca Elétrica Mista

Muito utilizada principalmente para cercas elétricas de divisa ou para piquetes de garanhão (Fig. 11.30, *A* e *B*).

Nas cercas de divisa, podem ser com arame farpado (Fig. 11.31) ou mesmo arame liso. Nos piquetes de garanhão, costuma ser junto a uma cerca de madeira, que impõe mais respeito ao garanhão.

A base, contudo, é a mesma, utilizando-se um afastador de cerca de 30cm para que o animal não chegue próximo à cerca, não tendo problemas com sua manutenção.

Cerca Viva

Muito utilizada em diversos haras e fazendas, a cerca viva (Fig. 11.32) não é muito recomendável, pois isola o garanhão do contato social visual com outros animais, deixando o animal mais inquieto, indócil e estressado.

Conservação

Um cuidado muito importante é quanto à conservação das cercas em piquetes que tenham cavalos.

Figura 11.18 – Cerca de tábua com três réguas colocadas pelo lado de dentro do piquete, o que previne acidentes.

Figura 11.19 – Cerca de tábua com três réguas colocadas pelo lado de fora do piquete, o que pode causar acidentes.

978-85-7241-869-0

Figura 11.20 – Cerca elétrica de um fio. Quando o animal está bem adaptado, respeita-a, mesmo sendo garanhão.

Figura 11.21 – Cerca elétrica com fio de aço e um fio de arame farpado.

Figura 11.22 – Cerca elétrica com fita de *nylon* e dois fios de arame farpado.

Figura 11.23 – Cerca elétrica com fita de *nylon*, no caso utilizada em uma prova de enduro no Brasil.

Figura 11.24 – Cerca elétrica com fio de *nylon*, no caso utilizada como cerca móvel, aproveitando-se área externa ao haras.

Figura 11.26 – Bateria portátil para cerca elétrica móvel.

Figura 11.25 – Eletrificador 110/220V para 12V.

Figura 11.27 – Bateria solar para cerca elétrica, em que se liga o eletrificador. Como o local é mais isolado, construiu-se uma proteção de alvenaria para o eletrificador.

978-85-7241-869-0

Figura 11.28 – (*A* e *B*) Isoladores de cerca elétrica.

Como "a grama do vizinho é sempre mais verde", o cavalo procura pastar forçando muito a cerca, enfiando a cabeça entre os fios para comer do outro lado (isto já não acontece com cerca elétrica, por exemplo, ou com cercas em bom estado de manutenção).

A inspeção constante dos fios e palanques é fundamental para prevenirmos acidentes por uma cerca malconservada (Figs. 11.33 e 11.34) ou mesmo por cercas feitas como quebra-galho (Fig. 11.35).

Também as cercas feitas com palanques de concreto (Fig. 11.36) não são muito adequadas para cavalos, pois o cavalo, ao se coçar no palanque, faz com que este facilmente se quebre, aumentando os riscos de acidentes e os gastos com conservação.

Figura 11.29 – O aterramento adequado exige três barras de ferro ou cobre corretamente enterradas (mínimo de 1,20m) e ligadas entre si, conectadas ao fio terra do eletrificador.

Baias

Como queremos ter o cavalo sempre próximo a nós, muitas vezes se torna impossível mantê-lo em piquetes e pastagens, então utilizamos baias para abrigar o animal. Aqui, mais ainda, alguns cuidados são importantes de se tomar para tornar a vida do cavalo o mais confortável possível.

Devemos ter cuidados com o tamanho da baia, que deve ter no mínimo 3 × 4m, sendo ideal 4 × 4m, dependendo sempre do porte do animal. Baias com tamanhos inferiores a 3 × 4m trarão um desconforto muito grande para o animal, o que o levará a um estado de estresse, que pode comprometer a qualidade de vida e a *performance* esportiva.

A baia deve ser bem ventilada, não exposta a calores excessivos nem a frios intensos ou correntes de ar desagradáveis. Devemos evitar utilizar telhas de fibro-amianto, exceto se a ventilação for excepcional e o calor não for problema.

O cavalo é um animal muito sociável; não gosta de ficar isolado. Para amenizar esse problema, quando o confinamos a uma baia devemos fazer com que tenha contato visual com outros cavalos, através de janelas com grades entre as baias (Fig. 11.37) e deixando a parte superior das portas das baias sempre abertas (ao menos durante o dia).

Existem vários tipos de baias, desde alvenaria até madeira. Não importa exatamente o material do qual essa baia seja feita, mas sim os cuidados que devemos ter em sua confecção, em que a preocupação com o bem-estar do cavalo deve ser bem maior que apenas o visual para o ser humano ou o bem-estar deste. Uma boa baia deve cumprir quatro quesitos básicos: tamanho adequado à raça; ventilação adequada ao clima; conforto específico ao animal e visualização de outros animais (através de grades ou portas adequadamente feitas).

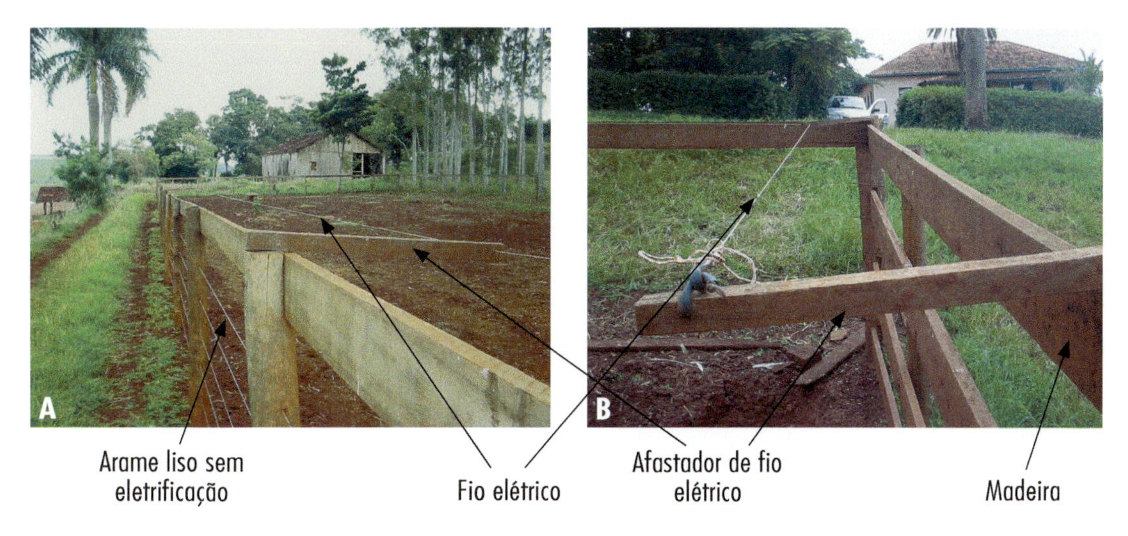

Figura 11.30 – (*A*) Piquete de garanhão com cerca elétrica mista, arame liso, régua de madeira e fio elétrico com afastador de madeira. (*B*) Piquete de garanhão com cerca elétrica mista, arame liso, régua de madeira e fio elétrico com afastador de madeira.

Figura 11.31 – Cerca mista, com dois fios de arame farpado e fita elétrica, com afastador em alumínio do mourão, para piquete de garanhão ou divisa.

Figura 11.32 – Cerca viva, inadequada para equinos.

978-85-7241-869-0

Figura 11.33 – Cerca de arame malconservada.

Figura 11.34 – Cerca com palanque caído.

Figura 11.35 – Cerca quebra-galho, em que os riscos de acidentes são muito grandes.

Tipos de Baias

Baias de Alvenaria

É considerado o melhor tipo de baia para cavalos (Figs. 11.38 a 11.42); entretanto, isso é muito mais pelo ponto de vista do homem que do cavalo. Esse tipo de baia, se não tiver tamanho e ventilação adequados e contato visual com outros animais, pode ser inadequado ao animal. A beleza estética dessa baia não deve se sobrepor ao benefício de qualidade de vida do animal.

Baias em Galpão

Pode ser uma forma mais econômica de se fazer uma baia. Constrói-se um galpão de estrutura metálica (ver Fig. 11.42) ou madeira (Fig. 11.43), coberta, com paredes laterais de alvenaria ou madeira. As divisões das baias podem ser de alvenaria (Fig. 11.44), madeira (Fig. 11.45), costaneira de eucalipto (Fig. 11.46) ou canos de ferro (Fig. 11.47), apenas para dividir o espaço entre os animais. São bem ventiladas e com ótimo contato visual entre animais. Além disso, facilitam o manuseio dos animais em dias de chuva ou mesmo sol intenso.

Baias de Madeira

É um tipo de baia bastante rústica, mas barata e que pode ser muito bem utilizada desde que respeitadas as condições básicas de conforto. Pode ser de tábuas (Figs. 11.48 e 11.49), varas de eucalipto (Fig. 11.50) ou mesmo de costaneiras de eucaliptos (Fig. 11.51). Exige manutenção maior, pois o cavalo muitas vezes fica roendo as tábuas. Nem sempre possui a be-

Figura 11.36 – Cerca com palanque de concreto, não adequada para cavalos.

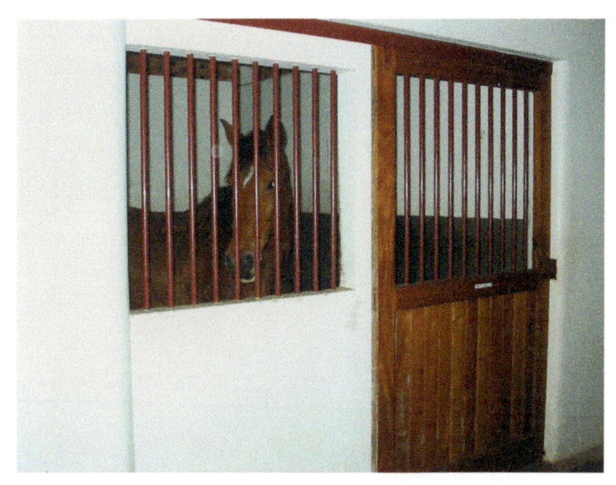

Figura 11.37 – Baia com grade, que permite boa visualização de outros animais, além de boa ventilação.

leza de outras estruturas, mas lembre-se que para o cavalo o que importa é o respeito às suas necessidades básicas.

Baias Individuais

Também chamadas de bretes ou lanchonetes. São baias para apenas um cavalo e utilizadas somente para alimentar os animais. Muito importante em propriedades com muitos cavalos, o que facilita o manejo, pois podemos alimentar muitos animais de uma vez. Devem ter um tamanho adequado para o porte do animal a que se deseja alimentar (Figs. 11.52 a 11.59), podendo ser cobertas para evitar desperdício em período de chuvas.

No caso de impossibilidade de local para fazer baias individuais e tendo-se a necessidade de alimentar diversos animais ao mesmo tempo, pode-se fazer essa alimentação no piquete, em cochos individuais, deixando-se cada cavalo no cabresto (Fig. 11.60, *A* e *B*), impedindo que animais mais fortes e que comem mais rápido comprometam a ingestão de alimentos de animais mais tranquilos e que comem mais lentamente.

Baias Ruins

Devemos atentar para o conforto do animal nas baias e não deixá-los em qualquer cobertura, para que não tenhamos problemas de manejo e saúde com o animal (Fig. 11.61).

Figura 11.38 – Baia de alvenaria em piquete. A baia junto ao piquete é o melhor meio de se manejar o cavalo. Fica aberta durante o dia todo, às vezes à noite, permitindo ao cavalo entrar e sair, conforme suas necessidades individuais. Exige maior área disponível.

Piso da Baia

O piso da baia pode ser de quatro tipos.

Piso de Concreto

O piso de concreto (Fig. 11.62) deve ser bem feito, com espessura suficiente para suportar o pisoteio do cavalo, se a cama for baixa. Se for muito fino, com o tempo começam a se formar buracos que se tornam um problema na limpeza. Por ser um piso muito duro, exige uma cama de ótima qualidade, permitindo que o cavalo possa se deitar e que absorva bem a urina, o que eleva mais os custos de manutenção.

Figura 11.39 – (*A* a *D*) Baias de alvenaria.

Figura 11.40 – Baia de alvenaria, com frente ampla, espaçosa, ventilada e boa visualização.

Figura 11.41 – Baia de alvenaria, simples, porém muito pequena e baixa, inadequada para cavalos (infelizmente, muito comum em parques de exposições).

Figura 11.42 – Galpão de alvenaria, com portas no interior e janelas para fora.

Figura 11.43 – Galpão de madeira, com portas para o corredor interno.

Figura 11.44 – Baias de alvenaria, em galpão com porta de correr e janelas com grades, o que melhora a ventilação e o contato visual.

978-85-7241-869-0

Figura 11.45 – Galpão de madeira, fechado até meia altura com madeira e aberto acima, próprio para éguas e machos castrados.

Figura 11.46 – Galpão rústico, de costaneira de eucalipto. Apesar do visual simples, possui qualidades, pois atende às diversas necessidades do cavalo.

Figura 11.47 – Galpão rústico, separação com canos de ferro, bem ventilado, com visualização, tamanho adequado, bem forrado, em centro hípico na região da Bretanha, França.

Figura 11.48 – Baia de madeira, ampla e ventilada.

978-85-7241-869-0

Figura 11.49 – Baia de madeira.

Figura 11.50 – Baia de vara de eucalipto.

Figura 11.51 – Baia de costaneira de eucalipto.

Figura 11.52 – Baias individuais, com separação de madeira e cocho de alvenaria, coberta. Piso de concreto.

Figura 11.53 – Baias individuais, com separação com cano de ferro, cocho de alvenaria, cobertas, piso de concreto.

Figura 11.54 – Baias individuais, com separação de madeira, cocho de madeira, descobertas, piso de terra batida.

Figura 11.55 – Baias individuais, com separação de madeira, cocho de madeira, cobertas, piso de terra batida.

978-85-7241-869-0

Figura 11.56 – Baias individuais, com separação de madeira, cocho de madeira, com meia cobertura (somente sobre o cocho), piso de concreto.

Figura 11.57 – Baias individuais podem ser feitas para poucos animais, como no exemplo, feita apenas para três animais criados a pasto. De madeira, coberta e com piso de concreto.

Figura 11.58 – Baias individuais, de ferro, cobertas, com piso de concreto.

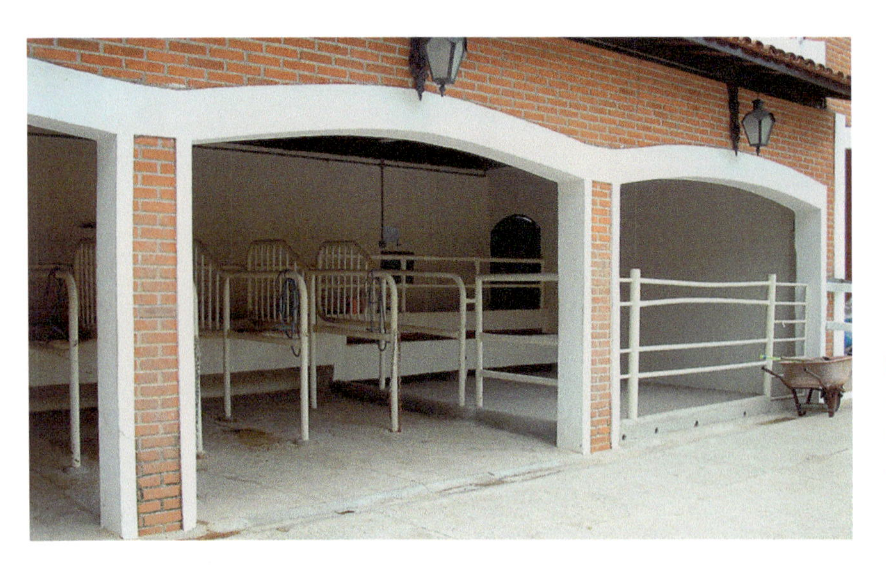

Figura 11.59 – Baias individuais, cobertas, com piso de concreto e *creep feeding* anexo com piso de areia para alimentar potros lactentes.

Figura 11.60 – (*A* e *B*) Alimentando vários animais ao mesmo tempo em piquete.

978-85-7241-869-0

Figura 11.61 – Baia ruim em centro hípico na região da Bretanha, na França. Há visualização e ventilação, mas o tamanho é inadequado e a cobertura muito baixa, podendo causar acidentes.

Figura 11.62 – Piso de concreto.

Com esse tipo de piso, deve-se periodicamente retirar toda a cama, lavá-lo e desinfetá-lo. Por isso, recomenda-se que esse tipo de piso tenha uma pequena queda com ralo em um dos cantos, que permita escoamento da água. Recomenda-se uma caiação anual para um melhor manejo sanitário.

Piso de Areia

A areia pode ser utilizada como piso (Fig. 11.63) ou como cama (descrito no tópico seguinte). Pode ser um ótimo piso para cavalo, devendo, entretanto, haver alguns cuidados com sua implantação. Obrigatoriamente, deve ser feita uma caixa de filtragem no centro da baia, que deverá ter uma ligeira queda dos cantos para o centro, permitindo um melhor escoamento da urina. Essa caixa de filtragem deve ser feita por profissional competente, que irá alternar camadas de pedra grossa, média, fina e eventualmente carvão vegetal, tudo recoberto por areia. Por cima dessa areia, irá uma camada de cama, mas podendo ser bem mais fina que sobre o piso de concreto, pois o próprio piso é macio e, com o filtro, auxilia na absorção e no escoamento da urina. Uma vez ao ano, ou semestralmente, dependendo das condições de manejo, é necessário substituir integralmente a areia do piso.

Piso de Terra

O piso de terra batida é feito simplesmente nivelando o terreno e construindo a baia ao redor (Fig. 11.64). É uma forma muito econômica de implantar uma baia, porém sua manutenção nem sempre é tão simples. É um piso duro, exigindo uma grande camada de cama para torná-lo confortável ao cavalo. É um piso pouco absorvente, retendo a urina, o que exige a limpeza frequente do chão da baia, que tende a formar buracos, ficando irregular (Fig. 11.65), ainda mais quando o cavalo urina demais, exigindo limpeza mais frequente. Com cavalos que têm o costume de escavar quando comem, começam a se formar grandes buracos ao redor do cocho de ração, dificultando ainda mais sua manutenção.

Figura 11.63 – Piso de areia.

Figura 11.64 – Piso de terra com cama na baia e piso de concreto no corredor, com cama espessa, cumprindo bem a função.

Figura 11.65 – Piso de terra na baia e no corredor. A limpeza frequente começa a tornar o piso irregular, exigindo mais cama.

Piso de Borracha

Pode ser utilizado como piso ou cama (descrito no tópico seguinte), sendo formado por placas de borracha antiderrapante, colocadas sobre uma superfície plana, geralmente concretada. Por ser antiderrapante, previne acidentes. É um piso duro, pouco absorvente, exigindo a colocação de cama por cima (Fig. 11.66). Em casos especiais, como hospitais veterinários (Fig. 11.67), é utilizado sem cobertura. Pode ainda pode ser utilizado em lavadouros ou embaixo de tronco de contenção (Fig. 11.68), evitando acidentes. Tem o grande inconveniente do custo, pois, além do piso de concreto, colocamos também as placas de borracha e sobre estas a cama.

978-85-7241-869-0

Cama

Item muito importante para fornecer maior conforto e higiene ao animal.

Dentro da baia, o cavalo irá passar a maior parte de seu tempo. Come, defeca, dorme e descansa nesse local. Dessa forma, devido aos hábitos higiênicos do cavalo, de sempre defecar e urinar no mesmo lugar, de não comer e deitar onde defeca e urina, para um melhor conforto físico e mental, deve-se, obrigatoriamente, manter a cama o mais limpo e confortável possível, pois, caso contrário, o cavalo acabará por deitar, comer e dormir onde defeca e urina, mas fará isso por falta de opção, ficando sujeito a um estresse desnecessário, por manejo inadequado.

A cama deve ser limpa diariamente, retirando-se as fezes e a parte da cama úmida pela urina, substituindo-a totalmente sempre que necessário, ao menos a cada 15 a 20 dias, dependendo do tipo de cama utilizada.

Torres e Jardim (1985) dão a seguinte definição para a cama dos equinos[1]:

> A cama é um substrato de material absorvente que se coloca sobre o piso para dar maior conforto. Realmente o animal pode descansar sobre ela tanto em pé como deitado. Uma boa cama deve ser macia, seca e plana e com boas propriedades absorventes, evitando o mau cheiro pela decomposição da urina e das fezes. Não deve ser úmida, se não concorrerá para o apodrecimento da ranilha e amolecimento dos cascos. A cama permite também nivelar melhor o chão, de maneira que o animal não se canse nem adquira aprumos viciosos.

Tipos de Cama

Há vários tipos de cama, e devemos escolher a que traz mais facilidade e conforto ao animal e que permita uma higienização adequada.

Maravalha

São raspas de madeira, sendo muito utilizadas. Absorvem bem a urina e são de fácil manejo quanto à limpeza. Nem sempre é possível encontrar maravalha à vontade, mas é uma das melhores camas para cavalo (Fig. 11.69). Algumas empresas já disponibilizam a maravalha em fardos (Fig. 11.70), o que facilita seu armazenamento e transporte.

Pó de Serra

É o resíduo da moagem da madeira. Absorve bem a umidade, mas deve-se tomar cuidado com cavalos sensíveis ao pó, para não causar alergias (Fig. 11.71).

Feno

É muito comum a utilização de feno de gramíneas, que não está apto à alimentação, como cama para as baias (Fig. 11.72). Normalmente, é utilizado feno que se molhou, o que provoca o aparecimento de fungos. Devemos sempre abrir esses fardos de feno ao sol, para diminuir o risco de alergias nos animais.

Capim

Algumas propriedades utilizam capim cortado em beira de estrada como cama (Fig. 11.73). Não há um inconveniente muito grande nesse tipo de cama e ainda pode servir como alimento para o animal, desde que se saiba a origem e que não venha com qualquer tipo de contaminação.

Palha de Arroz

Muito utilizada como cama (Fig. 11.74). Possui o grande inconveniente de alguns cavalos a comerem (Fig. 11.75), o que pode trazer distúrbios digestivos como cólicas. Entretanto, se o manejo for correto, em que o animal fica solto várias horas por dia e tem disponível volumoso de qualidade em quantidade suficiente para suas necessidades, dificilmente buscará ingerir uma fibra de baixa qualidade como a palha de arroz.

Palha de Café

Não é muito utilizada, mas também pode ser uma opção. O cavalo não a come como a palha de arroz, mas tem o inconveniente de reter a umidade por mais tempo (Fig. 11.76).

Bagaço de Cana

Muito boa, desde que seja bem seca, hidrolisada, pois, se o cavalo ingerir, também pode causar cólica. Está restrita a algumas regiões produtoras de cana-de-açúcar (Fig. 11.77).

Figura 11.66 – Cama de capim sobre piso de borracha. Opção de custo elevado, mas segura para o animal.

Figura 11.67 – Piso de borracha, sem cama, utilizado em hospital veterinário, em situações especiais.

Figura 11.68 – Piso de borracha sob tronco de contenção. Evita que o animal escorregue, prevenindo acidentes.

Figura 11.69 – Cama de maravalha.

Figura 11.72 – Cama de feno.

Figura 11.70 – Fardos de maravalha.

Figura 11.73 – Cama de capim picado.

Figura 11.71 – Cama de pó de serra.

Figura 11.74 – Cama de palha de arroz.

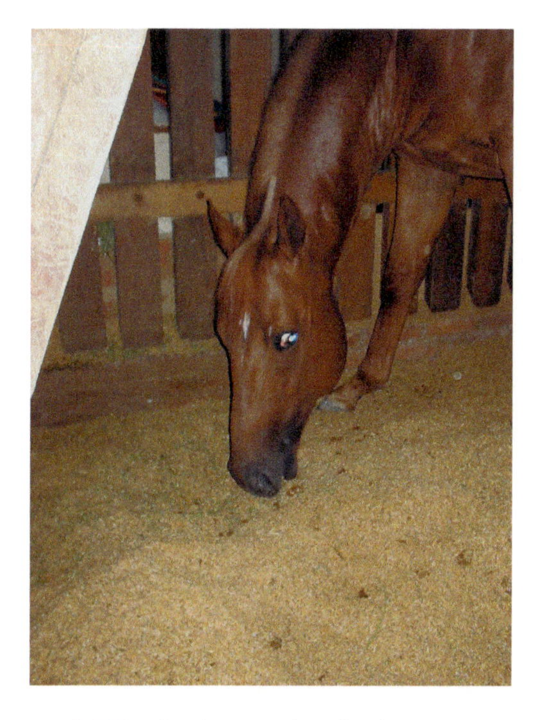

Figura 11.75 – Cavalo comendo palha de arroz, certamente para suprir deficiência de volumoso em sua alimentação.

Figura 11.77 – Cama de bagaço de cana hidrolisado.

Figura 11.76 – Cama de palha de café.

978-85-7241-869-0

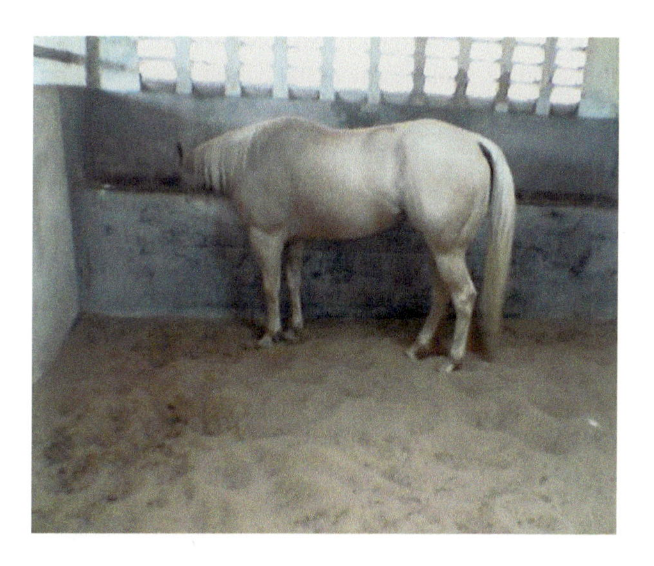

Figura 11.78 – Cama de areia.

Areia

Muito utilizada em algumas regiões. Pode ser usada diretamente como cama (Fig. 11.78) ou apenas como piso, com outro tipo de cama por cima (como citado anteriormente). Deve ser feita com uma excelente drenagem, pois, caso contrário, ficará muito úmida, causando desconforto ao animal. Deve ser feita a limpeza diária e uma troca integral da areia periodicamente.

Borracha

É um tipo diferente de cama (Fig. 11.79). São placas de borracha antiderrapante. Traz um inconveniente,

Figura 11.79 – Placa de borracha em duas cores.

pois não absorve a urina, deixando um cheiro desagradável de ureia no ambiente. Para se utilizar esse tipo de cama, devemos lavar diariamente a baia. Além disso, por ser muito mais dura que as outras camas, traz pouco conforto ao animal. Com o passar do tempo, o cavalo até chega a deitar nessa cama, mas vencido pelo cansaço e não em busca de relaxamento e conforto. Pode muito bem ser utilizada como piso (como citado anteriormente).

Destino da Cama Suja

Também é de fundamental importância um local adequado para o destino da cama suja, para que não haja problemas com moscas e de sanidade geral (Figs. 11.80, *A* e *B* a 11.82). São muito comuns as parcerias entre centros hípicos de áreas urbanas com prefeituras locais, que podem utilizar a cama como adubo de ótima qualidade. Em zonas rurais, pode ser utilizada para adubação de capineiras e pastagens em geral ou mesmo de hortifrutigranjeiros.

Figura 11.80 – (*A* e *B*) Esterqueiras abertas.

Figura 11.81 – Esterqueira aberta. Procura-se controlar contaminantes com fogo.

Figura 11.82 – Esterqueira protegida. Com base e parede de alvenaria.

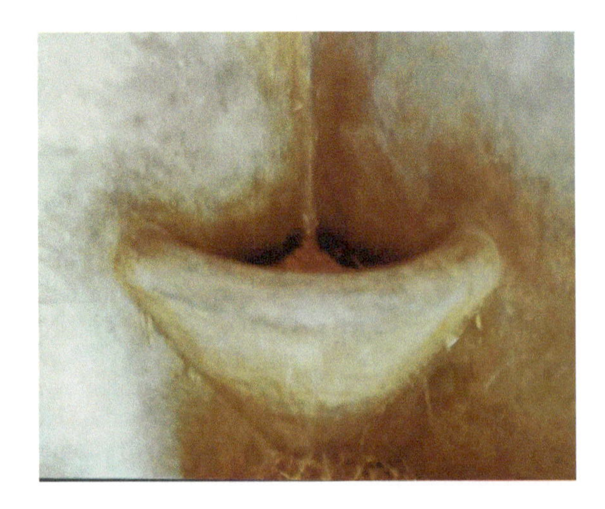

Figura 11.83 – Cocho de alvenaria revestido com cimento liso, o que facilita a limpeza, porém tem cantos vivos junto à parede, o que permite acúmulo de alimento. Utilizado para fornecimento de ração.

978-85-7241-869-0

Cocho para Alimentação

A função do cocho é conter o alimento em local limpo e seco. Dessa forma, o material de que é composto não importa muito, desde que cumpra essa função.

Pode ser de alvenaria (Figs. 11.83 e 11.84), plástico (Figs. 11.85 e 11.86), madeira (Fig. 11.87) ou fibra (Fig. 11.88).

Deve estar a uma altura baixa para facilitar que o cavalo se alimente (lembre-se que o cavalo pasteja no chão, então não deve levantar a cabeça para comer, mas sim abaixar), não deve ter cantos, para facilitar a limpeza e não acumular alimento.

Lembre-se sempre que, ao oferecer uma nova refeição (ração ou capim picado) para o cavalo, devemos retirar todo o vestígio de alimento que porventura possa haver no cocho.

Uma observação importante quanto à disposição do cocho quando dentro de uma baia é que deve estar preferencialmente do lado oposto ao da porta de entrada da baia, para que o tratador, ao entrar diariamente para tratar do animal, melhor o observe e verifique se está tudo em ordem com ele.

Muitos haras, na tentativa de agilizar e facilitar o trabalho do tratador, colocam o cocho ao lado da porta ou mesmo fazem uma gaveta que abra pelo lado de fora de forma que o tratador possa colocar a ração sem ter que entrar na baia. Lembre-se sempre que o animal encocheirado, condição não natural do cavalo, está diariamente mais sujeito a lesões de manejo e propenso a patologias como cólica. Dessa forma, a todo momento o tratador deve manter o máximo de contato, nem que seja visual com o animal, entrando na baia duas vezes ao dia, pelo menos, para colocar a ração. O tempo investido nesse trabalho é mínimo e compensa muito.

Figura 11.84 – Cocho de alvenaria rústico com cantos vivos junto à parede, o que permite o acúmulo de alimento. Utilizado para fornecimento de ração.

Figura 11.85 – Cocho de plástico, direto no chão. Possui o inconveniente de o animal poder bater a pata no cocho e derrubar o alimento. Pode ser utilizado tanto para capim como para ração.

Local para Feno

Pode ser uma manjedoura, de ferro (Figs. 11.89 a 11.91) ou madeira (Figs. 11.92 e 11.93), rede (Figs. 11.94 e 11.95, *A* e *B*) ou mesmo no chão (Fig. 11.96). Alguns evitam colocar diretamente no chão com medo do cavalo pisar em cima e não mais ingerir o feno; neste caso, podemos utilizar um anteparo de madeira (Fig. 11.97) que impede o cavalo de estragar o feno pisando em cima. O importante é que esteja a uma baixa altura, assim como no cocho para capim. Podemos também utilizar uma manjedoura para oferecer feno em um piquete com capim suficiente para alimentar os animais.

A grande importância da utilização de manjedoura para colocação de feno para o animal é que desta forma se evita o desperdício. O cavalo não come o alimento em que defecou ou urinou ou mesmo passou por cima durante certo tempo. Ao se deixar o feno no

Figura 11.86 – Cocho de plástico em suporte simples, de eucalipto. Impede que o animal vire o cocho, derrubando o alimento. Pode ser utilizado tanto para capim como para ração.

Figura 11.87 – Cocho de madeira com duas divisórias, uma para ração e outra para capim. Possui o inconveniente de cantos vivos, o que pode acumular alimentos.

Figura 11.88 – Cocho de fibra para uso em piquete ou baia, sem cantos vivos, facilitando a limpeza. O inconveniente é o custo.

chão, o animal o espalha, pisando por cima dele e possivelmente urinando e defecando.

Bebedouro

Sempre nos piquetes ou dentro de uma baia deve haver água disponível para o cavalo. Suas necessidades são bem variáveis, de 15 a 70L de água por dia, dependendo de uma série de fatores (ver Cap. 13).

Pode ser de alvenaria (Figs. 11.98 e 11.99), plástico (Figs. 11.100 e 11.101), fibra (Fig. 11.102), balde plástico (Fig. 11.103) ou mesmo uma banheira antiga (Fig. 11.104).

O ideal é que seja automático, com boia. Se for manual, devemos sempre estar atentos para que não falte água para o cavalo, cuidando de estar sempre enchendo esse tipo de cocho.

A limpeza desses cochos é fundamental para evitarmos problemas de acúmulo de sujeiras ou mesmo de ração, que podem trazer problemas ao animal. Devemos limpar periodicamente, pelo menos três vezes por semana, para que a água esteja sempre fresca e limpa.

Cocho para Sal Mineral

Um pequeno cocho de plástico (Fig. 11.105), fibra (Fig. 11.106) ou alvenaria (Figs. 11.107 e 11.108), para que se possa deixar disponível, o dia todo, sal mineral de boa qualidade, específico para equinos (as necessidades de minerais são diferentes entre bovinos e equinos; além disso, muitos minerais para bovinos possuem promotores de crescimento que são altamente tóxicos para os cavalos).

Figura 11.89 – Manjedoura em ferro. Muito comum em alguns haras, sendo feita acima do cocho de ração para se evitar o desperdício. O animal puxa o feno e parte cai no cocho, sendo aproveitado posteriormente. Entretanto, esse tipo de manjedoura é totalmente desaconselhável, pois pode causar alguns problemas ao animal. Pelo fato de, nesse caso, se alimentar com a cabeça voltada para cima, o cavalo pode aspirar pó que venha com o feno e que pode causar distúrbios respiratórios. Além disso, dessa maneira, o cavalo trabalha com a musculatura do pescoço de forma invertida do seu natural, quando se alimenta no chão, contraindo a musculatura do bordo superior e distendendo a musculatura do bordo inferior, o que pode causar dificuldades na equitação.

Figura 11.90 – Manjedoura em ferro para piquete. É muito alta, o que pode causar acidentes se um potro tentar passar por baixo, além de aumentar o desperdício, pois nem sempre o cavalo come o feno que cai debaixo dela.

Se o cocho for ao ar livre em piquete (Fig. 11.109), é fundamental que tenha uma cobertura por causa da chuva, para não desperdiçar o sal.

Instalações Anexas

As instalações anexas são estruturas onde os cavalos não vivem em todos os momentos, mas que dão suporte para uma melhor qualidade de vida, mantendo seu alimento de forma adequada, o material de manuseio íntegro e instalações que permitam um manuseio adequado do cavalo em segurança para o homem.

Depósitos

É de fundamental importância para o bem-estar e a saúde do cavalo ter na propriedade um local adequado para armazenar os alimentos e acessórios do cavalo.

Figura 11.91 – Manjedoura em ferro, móvel, podendo ser ajustada à altura da cerca e do cavalo, sem causar problemas adicionais.

Figura 11.92 – Manjedoura em madeira para piquete, próxima do chão, evitando desperdício.

978-85-7241-869-0

Figura 11.93 – Manjedoura em madeira para baia, a meia altura. Ainda fora da especificação ideal para cavalos.

Figura 11.94 – Rede para conter feno. Nesse caso, a rede deve ficar a meia altura para evitar que o cavalo bata a pata e se enrosque, causando acidentes.

978-85-7241-869-0

Figura 11.95 – (*A*) Rede para conter feno colocada em altura muito elevada, podendo ser observados os mesmos problemas descritos na Figura 11.89. (*B*) Rede para conter feno colocada muito próximo ao chão, o que facilita acidentes, pois o cavalo pode se enroscar na rede.

Depósito de Feno

Deve ser em local de fácil acesso, ventilado, protegido do sol direto e da chuva.

Pode-se otimizar as instalações fazendo-se um mezanino (Fig. 11.110) acima das baias para se armazenar o feno.

Se for um depósito ao nível do chão, devemos armazená-lo em cima de estrados, pelo menos a 20cm do solo. Pode ser armazenado no corredor das baias (Fig. 11.111) ou ainda com uma extensão destas, com cobertura e fechamento lateral em madeira (Fig. 11.112).

O feno até pode ser armazenado solto (Fig. 11.113), em propriedades que não possuem equipamento adequado para enfardar, mas isso ocupa mais espaço. Entretanto, esse é o único inconveniente de conservação.

Lembre-se que o feno bem armazenado pode durar seis meses, com muito pouca perda de suas qualidades nutritivas.

Depósito de Ração

Deve ser um local ventilado, com estrados a 20cm do solo, onde a ração deve ser empilhada ao menos a 10cm das paredes, protegido do sol direto e da chuva (Fig. 11.114). Muitos criadores têm o hábito de abrir vários sacos de ração e colocar em uma caixa de alvenaria

Figura 11.96 – Feno oferecido no chão. É uma das melhores formas de se dar feno ao cavalo, pois este come o mais próximo à sua natureza.

Figura 11.97 – Fenil de madeira em canto de baia: previne que o animal pise em cima do feno, diminuindo o desperdício.

Figura 11.98 – Cocho d'água em alvenaria para baia. A boia é única para todas as baias, ficando do lado externo destas.

Figura 11.99 – Cocho d'água em alvenaria para pastos e piquetes, com boia no centro.

Figura 11.100 – Cocho de plástico com boia para baia. Mantém a água sempre disponível para o animal.

Figura 11.101 – Cocho de plástico com boias em piquete. A vara de eucalipto impede que os cavalos o destruam.

Figura 11.102 – Cocho em fibra com boia. Pode ser utilizado tanto em piquete como em baia.

Figura 11.103 – Balde de água utilizado como cocho. Nesse caso, a vistoria deve ser de duas a três vezes ao dia, para se verificar a necessidade de repor água.

Figura 11.106 – Cocho de sal em fibra, para piquete, com proteção contra chuva.

Figura 11.104 – Cocho d'água feito de banheira, com boia. Deve-se tomar cuidado com os cantos, que são vivos e podem causar acidentes.

Figura 11.107 – Cocho de sal em alvenaria. Corte na parede.

Figura 11.105 – Cocho de sal em plástico, de canto, para baia.

Figura 11.108 – Cocho de sal em alvenaria, junto ao cocho de ração. Possui o inconveniente de o cavalo poder sujar o sal com a ração.

978-85-7241-869-0

Figura 11.109 – Cocho externo para sal, coberto.

Figura 11.110 – Depósito de feno em mezanino, acima das baias, em centro hípico na região da Bretanha, França. Cuidados especiais, no caso específico, devem ser tomados, pois a incidência de luz solar direta e a chuva diminuem a vida útil do feno, comprometendo sua qualidade e até mesmo a integridade dos cavalos, podendo predispor a cólicas.

Figura 11.111 – Depósito no corredor protegido do sol e da umidade.

Figura 11.112 – Depósito lateral às baias, protegido do sol e da umidade, armazenado sob estrados.

Figura 11.113 – Feno armazenado solto, mas protegido de luz solar direta e umidade e longe do chão, conservando as características nutritivas. Apenas necessita de mais espaço para armazenar que o feno em fardo.

Figura 11.114 – Depósito de ração, armazenada sobre estrados, a 20cm do solo e 10cm das paredes externas. No caso, não há forro, mas uma tela que impede a entrada de pássaros e roedores.

Figura 11.115 – Caixas para armazenamento de ração sem tampa. Isso pode comprometer a qualidade do produto. Se estocado fora do saco de ração, deve-se deixar a ração protegida da luz. Além disso, deve-se atentar para nunca deixar ração velha no fundo da caixa quando abrir uma nova.

Figura 11.116 – Depósito de cama limpa, no caso, um simples puxado ao lado das baias. Cuidado como excesso de umidade, para não se colocar cama molhada na baia dos cavalos.

Figura 11.117 – Selas e cabeçadas.

Figura 11.118 – Porta-mantas e baixeiros dispostos nele, que permitem a secagem individual, feitos de cano de policloreto de vinila.

978-85-7241-869-0

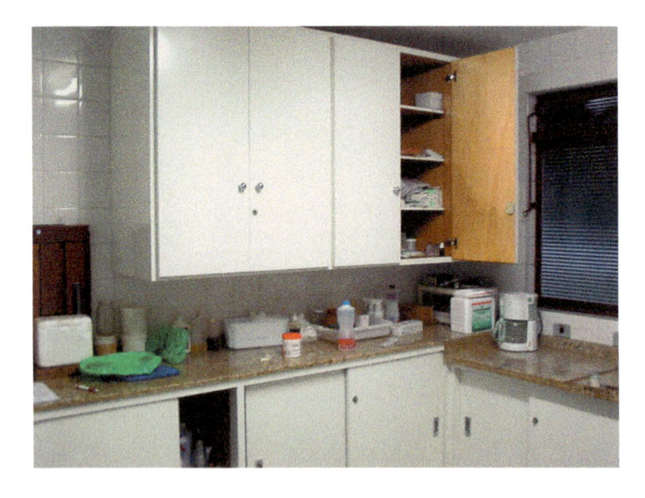

Figura 11.119 – Farmácia com instalações adequadas para armazenar os medicamentos.

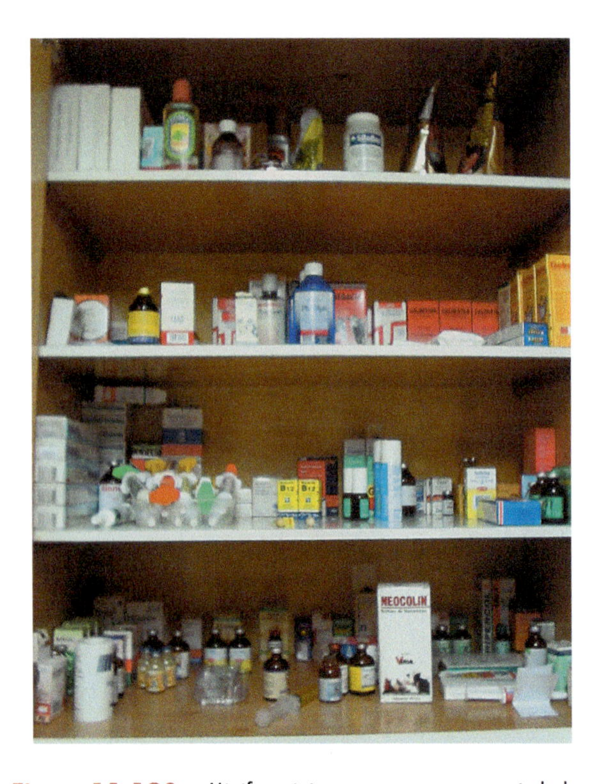

Figura 11.120 – Minifarmácia para pequenas propriedades.

(Fig. 11.115) ou mesmo em tambores de plástico. Isso não é muito recomendável, pois a exposição de produtos com vitaminas à luz e ao ambiente aberto pode comprometer a qualidade do produto.

Depósito de Cama

Um local adequado, ventilado e protegido, assim como os depósitos de feno e ração, é importante para armazenar e manter a cama a ser utilizada em condições ideais para utilização (Fig. 11.116).

Figura 11.121 – Tronco de contenção em ferro, aberto nas laterais.

Figura 11.122 – Tronco de contenção em ferro, fechado nas laterais.

Figura 11.123 – Tronco de contenção em madeira, simples e funcional.

Figura 11.124 – Área de manuseio, utilizada para ferrageamento. Foto: Marisa Iório.

Figura 11.125 – Área de manuseio, coberta, com piso de areia. É extensão das baias, o que facilita o manejo em dias de chuva e de sol intenso.

Figura 11.128 – Embarcadouro simples, mas melhor que barranco não específico para a função. Permite embarque e desembarque em caminhão com porta de correr ou rampa.

978-85-7241-869-0

Figura 11.126 – Área para manuseio externa, com piso de concreto, o que facilita a limpeza.

Figura 11.129 – Embarcadouro de rampa, próprio para caminhão com porta de correr.

Figura 11.127 – A área para banho deve ser concretada para evitar lama e manter os animais limpos. O banho é indispensável ao cavalo após exercícios em dias quentes.

Figura 11.130 – Embarcadouro apropriado para equinos permite embarque e desembarque em caminhão com porta de correr ou rampa.

Quarto de Acessórios

Os acessórios dos cavalos (selas, arreios, mantas e cabeçadas) devem ser bem armazenados para que não sejam deformados, para que estejam sempre limpos a fim de não machucar o animal no momento de sua utilização e prejudicar o desempenho (Figs. 11.117 e 11.118).

Farmácia

Uma pequena instalação (Figs. 11.119 e 11.120) para atendimento de primeiros socorros pode ser muito interessante de se manter em uma propriedade em que existam cavalos.

Quanto melhor for o manejo, quanto mais se adequar as instalações às necessidades do cavalo, quanto melhor for a equipe que trabalha com os animais, mais dispensável é a utilização e a manutenção de medicamentos dentro da propriedade. A prevenção ainda é o melhor remédio.

Os medicamentos indispensáveis para uma pequena farmácia são: líquido de Dakin, água oxigenada, iodo (5 e 10%), mata-bicheiras, pomada ou *spray* cicatrizante, pomada para torções ou lesões musculares, antibióticos, antitérmicos, antiespasmódicos (para cólicas), algodão, gaze, atadura de crepe, esparadrapo, agulhas descartáveis e seringas descartáveis.

Manejo do Cavalo

Para um manejo adequado, devem-se ter algumas instalações anexas que facilitem este manejo.

O tronco de contenção (Figs. 11.121 a 11.123) é fundamental para procedimentos como palpação retal para detecção de prenhez e cio, soroterapia, etc., e não apenas para conter animais bravios como muitos pensam. Pode ser sofisticado com canos de ferro e suporte para soro ou simplesmente feito de varas de madeira de boa qualidade.

Uma área com palanques e argolas para amarrar os cavalos para manuseio, casqueamento e rasqueamento (Figs. 11.124 a 11.126), além de área própria para banhos (Fig. 11.127) e um embarcadouro apropriado para prevenir acidentes (Figs. 11.128 a 11.130) são fundamentais para um bom manejo em qualquer local que deseje respeitar as condições mínimas dos cavalos.

REFERÊNCIA BIBLIOGRÁFICA

1. TORRES; JARDIM. *Criação do Cavalo e de Outros Eqüinos*. 3. ed. São Paulo: Livraria Nobel, 1985.

BIBLIOGRAFIA COMPLEMENTAR

TORRES; JARDIM. *Manual de Zootecnia*. Piracicaba: Agronômica Ceres, 1982.

Capítulo 12

Anatomia e Fisiologia do Aparelho Digestivo

Para entendermos melhor a nutrição do cavalo, devemos conhecer um pouco mais seu aparelho digestivo (Fig. 12.1) e o processo de digestão que ocorre no cavalo.

A digestão do cavalo pode ser dividida em pré-cecal (digestão enzimática) e pós-cecal (digestão microbiana).

Na digestão pré-cecal, há grande atuação de sucos digestivos produzidos pelo próprio cavalo com quebra do alimento em partículas nutritivas em um tamanho adequado à sua absorção, sendo rapidamente absorvidas.

Na digestão pós-cecal, há atuação de microrganismos, a flora microbiana, que habita o intestino grosso e é responsável pela digestão das fibras longas da alimentação natural do cavalo, disponibilizando os nutrientes para que o organismo do cavalo possa absorvê-los.

O início do processo ocorre já no momento de preensão do alimento pelo cavalo.

O cavalo seleciona o alimento por meio dos olhos, do olfato e dos lábios. Ao apreender o alimento com os dentes, estes trituram o alimento misturando-o com grande quantidade de saliva, 10 a 20L diários, que facilitam a deglutição e dão início ao processo de digestão. A saliva, além disso, é rica em sais, com sódio, potássio, bicarbonato e cloreto, que têm ação de retardamento da queda do pH estomacal, favorecendo a digestão dos alimentos. Por outro lado, alimentos muito triturados na hora do fornecimento, ou pouca quantidade de alimento ofertada ao animal, ou ainda por problemas dentários, todos estes são fatores que levam à redução da mastigação e, também, da produção de saliva, o que pode trazer complicações ao animal, como gastrites e úlceras gástricas, além de baixa umidade para o alimento, o que pode causar obstrução intestinal e impactação.

Nesse ponto, é importante ressaltar que a saúde dos dentes é fundamental para um bom início de digestão. Cabe aos dentes saudáveis triturarem o alimento e misturarem com a saliva, transformando um alimento grosseiro em partículas menores de fácil trânsito pelo aparelho digestivo, prevenindo distúrbios digestivos.

978-85-7241-869-0

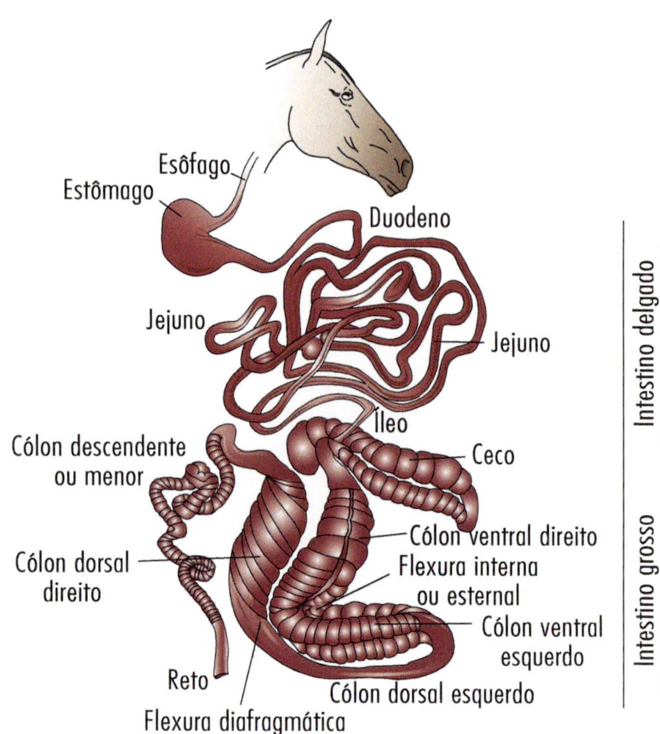

Figura 12.1 – Aparelho digestivo do cavalo. Adaptado de Lewis[1].

Em potros, devido à sua dentição incompleta e pouco desenvolvimento do intestino grosso, ocorre má digestibilidade das fibras até os três a quatro meses. É de fundamental importância ser rotina nos criatórios o exame da boca e dos dentes de todos os animais para poder prevenir problemas decorrentes de má dentição (ver Cap. 6).

A partir dessa idade, quando ocorre maior ingestão de alimentos mais sólidos e maior quantidade de fibras, há o desenvolvimento das porções finais do intestino grosso, estando então esses animais aptos à digestão normal dos cavalos. Em alguns casos, criadores tendem a antecipar essa maturação do aparelho digestivo do cavalo forçando a ingestão de alimentos mais fibrosos, através de sua livre disponibilização. Isso é possível, mas não achamos interessante, pois observamos o possível aparecimento de doenças no animal mais velho, aparentemente ligadas a essa precocidade forçada, especialmente do aparelho renal, quando potros foram desmamados antes dos 30 dias e ficaram com livre acesso a feno de alfafa e aveia.

Da boca, através do esôfago, o alimento chega ao estômago. Aqui a digestão é feita pelo ácido clorídrico (HCl), pela pepsina e pela bile, secretada continuamente no cavalo, em razão da ausência de vesícula biliar (responsável pelo armazenamento em outras espécies). O pH da região gástrica é ácido, variando de 5,4 na região fúndica a 2,6 na região pilórica. Essas variações são possíveis pela ação dos sais da saliva e da estratificação da ingesta. A mucosa estomacal fica constantemente suscetível à ação ácida do HCl, da pepsina e da bile. Quando o cavalo passa por períodos prolongados de jejum, a bile é encontrada em grandes quantidades no estômago vazio, propiciando o aparecimento de danos, como úlceras gástricas.

No ponto de junção do esôfago e do estômago, há um esfíncter chamado cárdia, que impede que o alimento que chega ao estômago do cavalo não retorne à boca; isto é, o cavalo não pode vomitar.

Isso se torna fundamental no manejo alimentar do cavalo, em que se deve limitar a oferta de concentrado (ração) para que não haja sobrecarga gástrica, pois, como o cavalo não pode vomitar, o excesso de alimento vai levar a quadros de cólicas, podendo ainda romper o estômago em casos graves.

O estômago do cavalo é relativamente pequeno em relação ao restante do aparelho digestivo (Fig. 12.2), o que o obriga a se alimentar por longos períodos (cerca de 13 a 18h por dia) em regime de pastagem. A capacidade estomacal é de apenas 9% do volume total, isto é, se o volume total do aparelho digestivo tiver capacidade para 130L (média para um cavalo de 500kg), o estômago terá capacidade para apenas 12L de alimento, incluindo sucos gástricos, gases e o próprio alimento. Essa "pequena" capacidade do estômago limita consideravelmente a ingestão de concentrados (rações) que não possuem as denominadas fibras longas, essenciais ao bom funcionamento do aparelho digestivo do cavalo.

As rações concentradas, devido às suas características, principalmente de fibras mais curtas, são digeridas principalmente no estômago e porções iniciais do intestino delgado, tendo menor aproveitamento nas porções finais do aparelho digestivo (ceco e cólon).

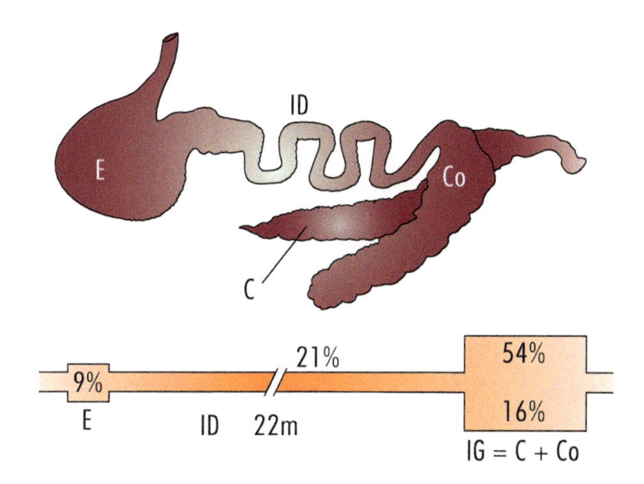

Figura 12.2 – Capacidade volumétrica do aparelho digestivo do cavalo. E = estômago: capacidade de 9% do volume total do aparelho digestivo; ID = intestino delgado: dividido em duodeno, jejuno e íleo, com capacidade de 21% do volume total e 22m de comprimento; C = ceco: porção do intestino grosso responsável pela digestão microbiana e com capacidade de 54% do volume total; Co = cólon: porção do intestino grosso com capacidade de 16% do volume total. Adaptado de Wolter[2].

O limite de ração na dieta é de 2,5kg por refeição (para um cavalo de 500kg), sendo o ideal ao redor de 1,5 a 2kg. Havendo necessidade de complementar a dieta com volume superior, devemos administrar em várias refeições ao dia (por exemplo: para 6kg diários são necessárias três a quatro refeições; havendo necessidade de maior volume de ração, devemos fracionar mais ainda ou procurar rações de melhor qualidade), para evitar quadros de cólicas, tão traumáticos para o animal.

Nesse local, o alimento permanece por cerca de 2 a 6h, dependendo do tipo de alimento.

As necessidades de fibras longas na alimentação do cavalo são especialmente para o bom trânsito do alimento através do aparelho digestivo. Fibras longas são aquelas provenientes de volumosos não triturados em pequenas porções, isto é, para uma boa digestão do cavalo, devemos administrar o alimento na forma mais natural possível. Além de estimularem o peristaltismo, as fibras são catiônicas, diminuindo o risco de acidose metabólica (Moore-Colyer, 1998, *apud* Frape)[3].

O efeito de lastro das fibras possui uma relação inversa à sua digestibilidade. As fibras indigestíveis estimulam o peristaltismo (movimento de alças intestinais), contribuindo fortemente para evitar indigestões e autointoxicações.

Do estômago, o alimento passa ao intestino delgado, dividido em três partes, duodeno, jejuno e íleo.

Nessa parte, o alimento passa com certa rapidez. Tem capacidade de volume relativamente pequena, de 21% do total do aparelho digestivo, porém com um longo comprimento, de até 22m.

É aqui que são absorvidos o cálcio, os aminoácidos, os açúcares, o amido, os ácidos graxos e as vitaminas lipossolúveis.

A principal característica da digestão nesse local é ser essencialmente enzimática, em que o alimento sofre ação das principais enzimas como amilase, protease e lípase, além da pepsina e do HCL no estômago. Apesar da característica predominante de digestão enzimática do estômago e do intestino delgado, existem bactérias na região fúndica do estômago e no jejuno e no íleo, principalmente lactobacilos e estreptococos, na ordem de 10^8 bactérias/g, valor muito inferior ao presente no ceco e no cólon, que atinge 5×10^9 bactérias/g de conteúdo. São bactérias que resistem à acidez da região e atuam na digestão de carboidratos de alta fermentescibilidade.

A seguir, o alimento chega à grande câmara de fermentação do cavalo, e a principal porção do aparelho digestivo, o intestino grosso, dividido em ceco, cólon e reto. É aqui onde ocorre a digestão microbiana.

Pela grande diversidade e especificidade dos microrganismos que aqui habitam, qualquer modificação na dieta do cavalo, pela constante introdução e retirada da oferta de alimento, interfere drasticamente na qualidade da digestão e de absorção dos nutrientes, podendo inclusive levar a quadros de cólicas se não se respeitar um período mínimo de 15 dias de adaptação ao se modificar o alimento oferecido, principalmente no que diz respeito aos concentrados e rações. A quantidade de microrganismos específicos pode mudar mais de 100 vezes durante 24h em animais que recebam duas refeições por dia, o que interfere na disponibilidade de nutrientes, especialmente proteína e amido.

Nessa parte, ocorre absorção de água e fósforo e formação de gases com absorção dos ácidos graxos voláteis e de alguns aminoácidos. Além disso, a flora intestinal aqui presente é responsável por sintetizar e disponibilizar as vitaminas do complexo B (B_1 – tiamina; B_2 – riboflavina; B_6 – piridoxina; B_{12} – cianocobalamina; PP – niacina; ácido pantotênico; H – biotina; ácido fólico) e a vitamina K.

No intestino grosso, o alimento permanece por 35 a 50h.

Os alimentos volumosos têm sua digestão essencialmente no ceco e no cólon. A quantidade e a qualidade das fibras na alimentação do cavalo são determinantes para o bom funcionamento desse órgão digestivo.

Capins muito novos, recém-rebrotados ou plantados normalmente provocam quadros de diarreias leves devido aos baixos teores de fibra em sua composição. Isso também ocorre com uma alimentação muito rica em concentrado (rações, milho, trigo, etc., superior a 50% da dieta total), em que as fezes ficam semelhantes às de vaca, pastosas, sem consistência firme, indicando baixo aproveitamento dos alimentos.

Por outro lado, volumosos muito secos também podem causar quadros de desconforto digestivo devido a uma aceleração exagerada do peristaltismo, em razão do elevadíssimo teor de fibras indigestíveis na dieta.

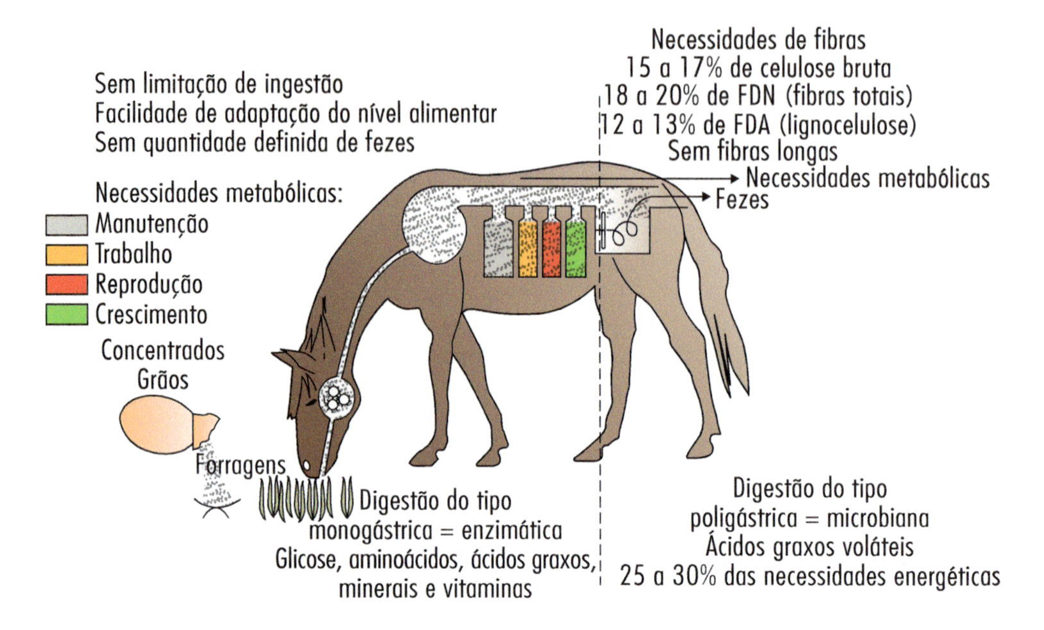

978-85-7241-869-0

Figura 12.3 – Esquema da digestão no cavalo. Adaptado de Wolter[3]. FDA = fibra detergente ácido; FDN = fibra detergente neutro.

Uma boa consistência de fezes, nem pastosas nem ressecadas, indica que o alimento ficou tempo suficiente no aparelho digestivo para ter seus nutrientes aproveitados ao máximo pelo animal.

É sempre conveniente ajustar os aportes alimentares em fibras quanto à sua taxa e natureza, para assegurar conjuntamente uma boa digestibilidade e uma excelente higiene digestiva.

As taxas são variáveis de acordo com a categoria em que se encontra o animal: reprodução, crescimento, trabalho ou manutenção.

As necessidades mínimas de fibra bruta são estimadas em 15 a 18% da dieta total.

Ao sair do ceco, com absorção de boa parte da água, ocorre formação das cíbalas, as fezes normais do cavalo que serão eliminadas no período correto da digestão.

Na Figura 12.3, podemos observar que o alimento que o animal ingere é primeiramente utilizado para suprir as necessidades de manutenção, a seguir do trabalho muscular, da reprodução e, por fim, do crescimento.

Devemos ter em mente essa sequência de utilização dos nutrientes quando oferecermos uma dieta para o cavalo e exigirmos dele uma *performance*, para que possamos realmente suprir suas necessidades.

REFERÊNCIAS BIBLIOGRÁFICAS

1. LEWIS, L. D. *Nutrição Clínica Eqüina*. São Paulo: Roca, 2000.
2. WOLTER, R. *Alimentation du Cheval*. Paris: Editions France Agricole, 1994.
3. FRAPE, D. *Nutrição e Alimentação dos Eqüinos*. 3. ed. São Paulo: Roca, 2007.

Capítulo 13

Grupos de Nutrientes

Quando se pensa em oferecer uma dieta para o cavalo, sempre devemos pensar em equilíbrio. Deve-se sempre pensar em oferecer a melhor dieta suprindo-se as necessidades, sem deficiências nem excessos.

Ao se calcular a necessidade nutricional do cavalo, chega-se a um valor que supre essa necessidade e é exatamente isso que devemos oferecer (com um mínimo de excedente).

Deve-se ressaltar que os excessos são muito prejudiciais ao bom desempenho do animal, contrário ao que muitos pensam, em que se calcula que se um é bom, dois é duas vezes melhor.

São cinco os principais grupos de nutrientes importantes na alimentação:

- Água.
- Energéticos.
- Proteicos.
- Vitamínicos.
- Minerais.

Esses nutrientes agem conjuntamente no organismo do animal, devendo sempre ser oferecidos de maneira equilibrada. Ao se ajustar um nutriente, devemos ficar atentos à eventual necessidade de outro. Por exemplo, ao se elevar os níveis de gordura da dieta, buscando mais energia, para ser absorvida é fundamental um aporte adequado de vitaminas do complexo B, que entram no metabolismo das gorduras.

Água

É o primeiro nutriente a ser citado por sua extrema importância e muitas vezes é negligenciada pelo proprietário ou criador de cavalos.

A necessidade hídrica do animal deve variar com a quantidade perdida pelo organismo do animal e também o tipo de alimento que o cavalo consumir (por exemplo, com feno, a exigência de água é maior).

Em éguas em lactação, essas exigências são maiores, podendo dobrar.

Nos casos de animais de esporte e trabalho, essas exigências podem passar de três a quatro vezes a necessidade de manutenção, dependendo do porte do animal, do clima, da intensidade do trabalho e da natureza da alimentação.

A deficiência no aporte de água para o animal pode ter efeitos graves.

Inicia-se por diminuição do consumo de alimentos secos (ração e feno) e, logo a seguir, ocorre perda da capacidade física com redução das atividades.

Podem ocorrer ainda quadros de cólicas e impactações intestinais.

Em locais mais quentes, privação de água por 72h reduz o peso corporal em até 15%, o que pode ser fatal.

De maneira geral, podemos dizer que as necessidades matemáticas do cavalo em relação à água são próximas das necessidades energéticas. Isto é, se um cavalo de 500kg de peso, em manutenção, necessita de 16,5Mcal de energia digestível, sua necessidade hídrica é de 16,5L de água. Para um cavalo de trabalho intenso, de 500kg, cuja necessidade energética é de 26,7Mcal, sua necessidade hídrica mínima é de 26,7L. Claro que esses valores são extremamente variáveis conforme as condições climáticas e geográficas, as individualidades, a raça, etc.

Nutrientes Energéticos

São os nutrientes que fornecem principalmente energia, por meio de lipídeos e carboidratos.

Lipídeos

Os lipídeos são compostos dos vegetais solúveis em éter e insolúveis em água. Fazem parte do extrato etéreo (daí a importância de se avaliar esse parâmetro quando se observar um alimento) e incluem as gorduras.

São compostos de carbono, hidrogênio e oxigênio, porém com proporção maior de carbono e hidrogênio que oxigênio, em relação aos glicídios.

As gorduras são consideradas alimentos energéticos por precisarem de pouca energia para serem digeridas, sobrando mais para o organismo utilizar.

São encontradas sob a forma de ácidos graxos saturados (por exemplo, acético, propiônico, butírico, etc.) e ácidos graxos insaturados (oleico, linoleico, linolênico, araquidônico, etc.).

Ácidos graxos essenciais são aqueles que o organismo não é capaz de produzir, devendo, assim como os aminoácidos essenciais, ser oferecidos na dieta (exemplos: linoleico, linolênico e araquidônico).

As funções dos lipídeos são: fornecimento de energia, reserva energética e absorção das vitaminas lipossolúveis (A, D, E e K).

Glicídios (Carboidratos)

São substâncias representadas pelos açúcares, amido e celulose e compostas de carbono, hidrogênio e oxigênio, com proporções de hidrogênio e oxigênio iguais às da molécula da água, daí o nome carboidrato.

Os alimentos glicídicos têm, principalmente, origem vegetal.

A maior parte da absorção dos carboidratos ocorre no intestino. Quando houver excesso de glicose no organismo, esta será armazenada sob a forma de glicogênio no fígado (reserva geral) e nos músculos (reserva local).

É uma energia de pronta disponibilidade e utilizada pelo animal no início do esforço.

As principais funções dos carboidratos são: energética, formação das gorduras de reserva (quando há quantidade suficiente de carboidratos, o organismo armazena os lipídeos), metabolismo das gorduras (quando há pouco carboidrato, o organismo utiliza as gorduras de reserva), economia de proteínas e desintoxicação do organismo (os carboidratos auxiliam na eliminação de dejetos).

978-85-7241-869-0

Nutrientes Proteicos

São os nutrientes que fornecem principalmente proteína.

As proteínas são compostos orgânicos constituídos por carbono, hidrogênio, oxigênio, nitrogênio e enxofre. Esses elementos unidos formam os diversos tipos de aminoácidos que irão se unir por meio de ligações peptídicas e compor as proteínas. Depois de ingeridas, as proteínas são quebradas, liberando os aminoácidos e produzindo amônia.

Todas as proteínas são constituídas por 20 aminoácidos. O que muda é a sequência e a quantidade de aminoácidos.

Existem dois tipos de aminoácidos: os essenciais e os não essenciais.

Os aminoácidos essenciais são aqueles que o organismo do animal não consegue sintetizar, sendo obtidos somente pela alimentação. São eles: lisina, metionina, triptofano, histidina, fenilalanina, leucina, isoleucina, treonina, valina e arginina. O simples fato de um aminoácido ser denominado essencial não significa que se deva buscar suplementar artificialmente todos os animais. Com o uso de dieta equilibrada, oriunda de matérias-primas nobres, em quantidades adequadas, o animal terá disponível toda a gama de aminoácidos necessários para o funcionamento de seu organismo.

Aminoácidos não essenciais são aqueles que o animal consegue disponibilizar ao organismo pela síntese dentro do organismo, desde que tenha os aminoácidos essenciais disponíveis. São eles: ácido aspártico, ácido glutâmico, alanina, arginina, cisteína, glicina, glutamina, histidina, prolina, serina, tirosina, taurina.

A arginina e a histidina podem, dependendo das circunstâncias, ser essenciais e não essenciais.

As proteínas têm como funções: catálise enzimática, transporte e armazenamento, suporte mecânico, proteção imunológica, formação e transmissão do impulso nervoso e controle de crescimento e diferenciação celular.

No Capítulo 17, sobre suplementos, discorreremos mais sobre os aminoácidos, as necessidades dos cavalos e suas funções individuais.

Vitaminas

São substâncias que apresentam propriedades comuns, como:

- Não produzem energia.
- Agem em pequenas quantidades.
- Não fazem parte da estrutura dos tecidos.
- São necessárias aos processos químicos do metabolismo, incluindo a absorção e a disponibilização de energia.
- Sua deficiência provoca doenças carenciais.

São divididas em dois grupos:

- Lipossolúveis: vitaminas A, D, E e K. Têm como características serem solúveis em lipídeos, sendo excretadas pelas fezes, armazenadas no fígado e tóxicas quando em excesso.
- Hidrossolúveis: complexo B e vitamina C. Têm como características serem solúveis em água, são excretadas pela urina, não são armazenadas, porém são sintetizadas pelos cavalos em condições normais (pela microflora do aparelho digestivo, que habita o ceco e o cólon), não são tóxicas, sendo o excesso excretado pela urina.

No Capítulo 17 discorreremos mais sobre as vitaminas, as necessidades dos cavalos e suas funções individuais.

Minerais

Os elementos minerais são essenciais para a utilização da energia e da proteína e para a biossíntese dos nutrientes essenciais.

São divididos, dependendo da quantidade diária necessária, em:

- Macrominerais: cálcio, fósforo, potássio, magnésio, sódio, cloro e enxofre, necessários em gramas diários.
- Microminerais: os principais são ferro, zinco, cobre, manganês, cobalto, iodo, selênio e cromo, necessários em miligramas diários.

No Capítulo 17 discorreremos mais sobre os minerais, as necessidades dos cavalos e suas funções individuais.

Capítulo 14

Energia e Proteína

Energia

Energia é a quantidade de calor produzida pela queima que eleva a temperatura de 1g de água em 1°C, sendo esse valor igual a uma caloria (cal).

Em nutrição, a caloria utilizada é a necessária para se elevar um quilograma de água, portanto é chamada de quilocaloria (kcal).

Na nutrição dos cavalos, utilizamos quilocaloria (kcal), megacaloria (Mcal, igual a 1.000kcal) ou nutrientes digestíveis totais (NDT).

Energia Digestível

É a medida de energia utilizada pelo padrão americano, estudada e avaliada pelo National Research Council (NRC), órgão de pesquisa dos Estados Unidos.

Essa energia é medida através da diferença de energia bruta menos a energia contida nas fezes. A energia bruta é a energia medida através da combustão dos alimentos.

energia digestível = energia bruta – energia das fezes

Cálculo de Energia Digestível

A energia digestível (ED) pode ser calculada a partir de diversas fórmulas, dependendo do tipo de alimento e conforme a análise do produto:

1. Segundo Fonnesback: o NRC de 1989 adotou o cálculo baseado nas equações a seguir, feitas com base no trabalho de Fonnesback de 1981:

- Para forragens secas, forragens frescas, pastagens:

Segundo a equação:

$$ED\ (Mcal/kg) = 4{,}22 - 0{,}11 \times (\%FDA) + 0{,}0332 \times (\%PB) + 0{,}00112 \times (FDA^2).$$

Em que:

ED = energia digestível.

FDA = fibra detergente ácido (quantidade de lignina e celulose).

PB = proteína bruta.

- Alimentos energéticos e suplementos proteicos:

Segundo a equação:

ED (Mcal/kg) = 4,07 – 0,055 × (%FDA).

Em que:

ED = energia digestível.
FDA = fibra detergente ácido (quantidade de lignina e celulose).

2. Segundo Pagan: em 1989, Pagan realizou 120 observações em dietas equestres e desenvolveu a equação:

ED (Mcal) = 2,118 + (12,18 × PB) – (9,37 × FDA) – (3,83 × FDN) + (47,18 × EE) + (20,35 × CHnE) – (26,3 × MM)

Em que:

CHnE = carboidratos não estruturais, obtidos através da fórmula:

CHnE = 100 – FDN – EE – MM – PB.
FDA = fibra detergente ácido (ver definição no Cap. 16).
FDN = fibra detergente neutro (ver definição no Cap. 16).
PB = proteína bruta.
EE = extrato etéreo.
MM = matéria mineral.

3. Segundo Pagan: em 1998, Pagan[1] *apud* NRC observou que, em matérias-primas com extrato etéreo acima de 5%, havia um diferencial nos valores de energia digestível quando aplicados com a fórmula de 1989, adicionando assim um percentual à fórmula, de maneira a corrigir esta distorção, ficando assim sua correção:

ED (Mcal) = 2,118 + (12,18 × PB) – (9,37 × FDA) – (3,83 × FDN) + (47,18 × EE) + (20,35 × CHnE) – (26,3 × MM) + (0,044 × EE)

Em que:

CHnE = carboidratos não estruturais, obtidos através da fórmula:

CHnE = 100 – FDN – EE – MM – PB.
FDA = fibra detergente ácido.
FDN = fibra detergente neutro.
PB = proteína bruta.
EE = extrato etéreo.
MM = matéria mineral.

4. Segundo Zeyner e Kienzle[1]: em 2002, Zeyner e Kienzle, ao avaliarem 170 dietas de equinos, desenvolveram outra equação para o cálculo da energia digestível de alimento, que continha de 5,7 a 28,7% de PB, de 4,2 a 34,7% de fibra bruta (FB), de 33,8 a 69,8% de extratos não nitrogenados (ENN) e de 1,6 a 7,9% de EE, com os valores obtidos em megajoules (MJ), sendo necessária a conversão para Mcal (1Mcal = 4,184MJ):

ED (MJ) = – 3,6 + (0,211 × PB) + (0,421 × EE) + (0,015 × FB) + (0,189 × ENN).

Em que:

ENN = extratos não nitrogenados, obtidos através da fórmula:

ENN = 100 – (U + EE + FB + PB + MM).
U = umidade.
EE = extrato etéreo.
FB = fibra bruta.
PB = proteína bruta.
MM = matéria mineral ou cinzas.

O resultado citado anteriormente deve ser dividido por 4,184, que é a equivalência de caloria e joule (1Mcal = 4,184MJ), obtendo-se então o valor em Mcal.

Energia Líquida

Outro conceito, oriundo de pesquisas realizadas na França pelo Institut National de la Recherche Agronomique (INRA), foi introduzido no meio equestre, a energia líquida, sendo o padrão europeu. Esse conceito leva em consideração as perdas energéticas que ocorrem no processo de digestão do alimento.

Até então, o conceito mais utilizado era referente à energia digestível (medida em kcal), que leva em consideração apenas as perdas energéticas através das fezes.

Existem outras perdas energéticas importantes que devem ser levadas em consideração (Figs. 14.1 e 14.2), para, aí sim, chegarmos àquela forma de energia realmente disponível para o cavalo, que é denominada *energia líquida*, medida em *UFC* (*unité fourragère cheval* – unidade forrageira cavalo).

Uma UFC é o equivalente em energia líquida contida em 1kg de cevada, ou 870g de matéria seca de cevada, ou ainda 1 UFC equivale a 2,2Mcal de energia líquida.

Cálculo de Energia Líquida

A energia deve ser calculada de forma diferente para cada tipo de alimento, pois leva em consideração o gasto de energia para o consumo de cada tipo de alimento.

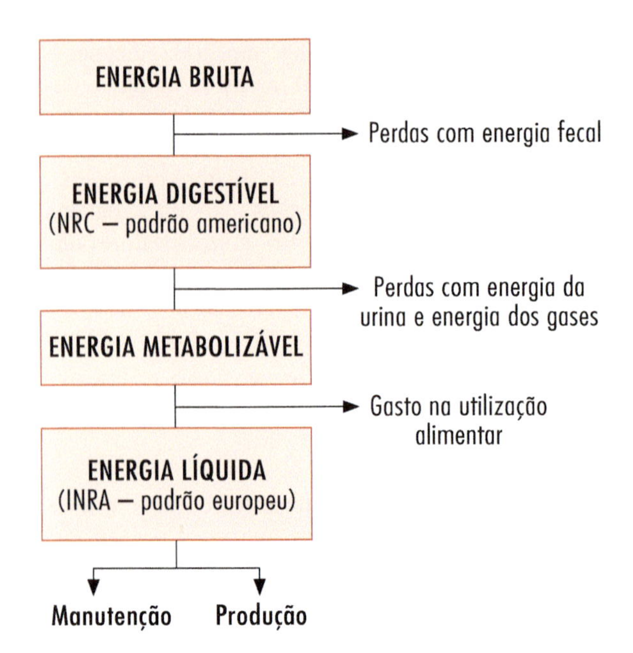

Figura 14.1 – Esquema representativo de energia líquida. INRA = Institute National de la Recherche Agronomique; NRC = National Research Council.

Volumosos

Referem-se às pastagens, às capineiras e aos fenos. Nos estudos feitos pelo INRA, de uma forma geral, a UFC das pastagens e capineiras está situada entre 0,16 e 0,17 na matéria bruta, dependendo da qualidade desta pastagem.

Para os diversos tipos de volumosos (gramíneas ou leguminosas), devemos utilizar fórmulas específicas para o cálculo de UFC.

O valor energético de cada volumoso deve ser calculado pela digestibilidade da matéria orgânica a partir dos seus teores de fibra bruta.

O cálculo de digestibilidade da matéria orgânica (DMO) para cada tipo de volumoso é feito segundo as fórmulas:

- Gramíneas: *DMO = 81,51 – (0,0792 × FB)*
- Leguminosas: *DMO = 90,52 – (0,0995 × FB)*
- Fenos em geral: *DMO = 78,33 – (0,0746 × FB)*

Em que:

FB = fibra bruta expressa na matéria seca (MS) em gramas.

Após o cálculo de DMO, procura-se, na Tabela 14.1, o valor que mais se aproxima do resultado e tem-se então o valor de energia líquida, em UFC:

Exemplos:

1. Feno de *coast-cross* (gramínea) com valores de fibra bruta de 32% na matéria seca.

FB = 32% = 320g de fibra bruta
DMO = 81,51 – (0,0792 × FB)
DMO = 81,51 – (0,0792 × 320)
DMO = 56,17

Observa-se na tabela que a UFC equivalente é de 0,45.

2. Feno de aveia (gramínea) com valores de fibra bruta de 27,5% na matéria seca.

FB = 27,5% = 275g de fibra bruta.
DMO = 81,51 – (0,0792 × FB)
DMO = 81,51 – (0,0792 × 275)
DMO = 59,73

Observa-se, na Tabela 14.1, que a UFC equivalente é de 0,48.

2. Feno de alfafa (leguminosa), com valores de análise de fibra bruta de 30%.

FB = 30% = 300g de fibra bruta
DMO = 90,52 – (0,0995 × FB)
DMO = 90,52 – (0,0995 × 30)
DMO = 60,67

Observa-se, na Tabela 14.1, que a UFC equivalente é de 0,54.

Concentrados

Para o cálculo de energia líquida das diversas matérias-primas, deve-se seguir a fórmula:

UFC = 132,6 – 0,1937 FBo – 0,0135 PBo

Em que:

UFC = unidade forrageira cavalo, por 100kg de matéria orgânica.
FBo = fibra bruta em relação à matéria orgânica.
PBo = proteína bruta em relação à matéria orgânica.

Por exemplo, grão com: umidade = 14%; fibra bruta = 18%; proteína bruta = 11%; matéria mineral = 9%.

Matéria seca (MS): MS = 100 – 14 = 86%
Matéria mineral (MM): MM = 9: 86 = 0,105 = 10,5%
Matéria orgânica (MO): MO = 100 – 10,5 = 89,5%

Proteína bruta (PB):

PB = 11: 86 = 0,128 = 12,8% da MS
PBo = 12,8: 89,5 = 0,143 = 14,3% da MO

Fibra bruta (FB):

FB = 18: 86 = 0,209 = 20,9% da MS
Fbo = 20,9: 89,5 = 0,234 = 23,4% da MO

978-85-7241-869-0

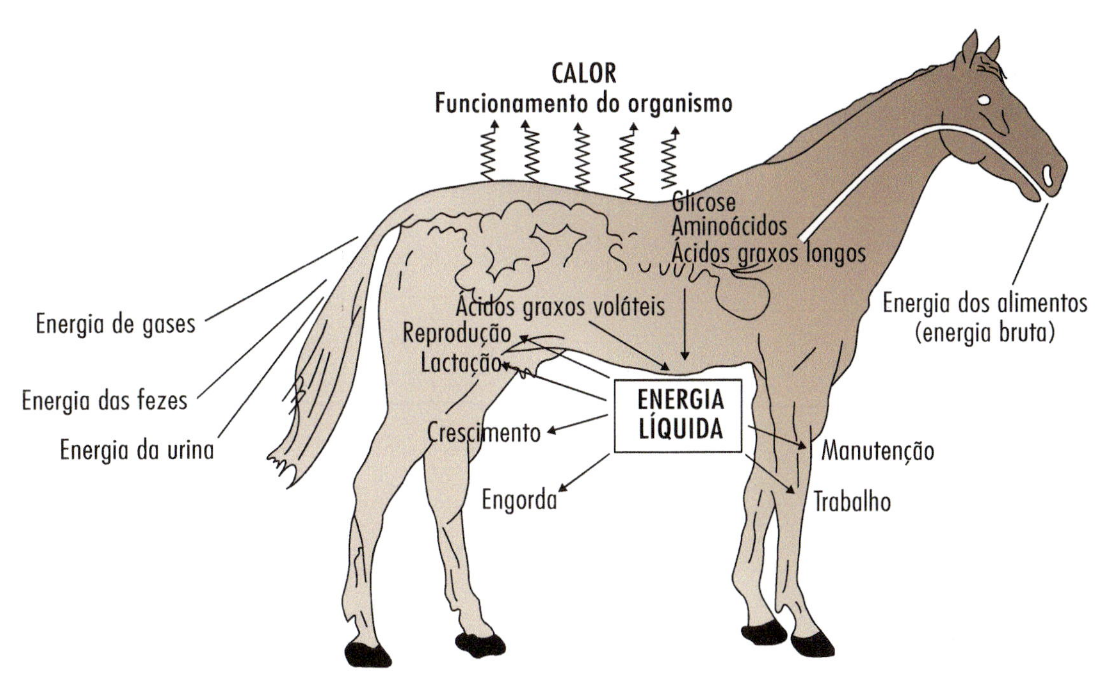

Figura 14.2 – Esquema representativo de energia líquida. Adaptado de Martin-Rosset[2].

UFC = 132,6 – (0,1937 × 23,4) – (0,0135 × 14,3)
UFC = 127,9 UFC por 100kg de MO
UFCo = 1,279 UFC por kg de MO
UFCms = (UFCo × MO) = 1,279 × 0,895 = 1,14 UFC por kg de MS
UFC = (UFCms × MS) = 1,14 × 0,86
UFC = 0,98 UFC por kg de produto bruto.

Esses valores e correspondências são exclusivos para as matérias-primas, como farelos e grãos (aveia, milho), e não para um produto feito de várias matérias-primas, como as rações concentradas.

Para produtos em cuja composição entrem diversas matérias-primas, como as rações comerciais ou não, essa conta deve ser feita para cada matéria-prima e multiplicada pelo percentual de sua inclusão na fórmula. Simplesmente buscar avaliar uma mistura de matérias-primas, como uma ração concentrada, com essa fórmula não fornecerá a UFC real, pois esta depende da individualidade das matérias-primas que a compõem.

Podemos resumir um intervalo da relação entre as várias medidas de energia da seguinte forma:

- Energia digestível corresponde a 60 a 70% da energia bruta.
- Energia metabolizável corresponde a 85 a 94% da energia digestível.
- Energia líquida corresponde a 58 a 70% da energia metabolizável.

Necessidades Energéticas

As necessidades energéticas para cada categoria animal serão dadas nos respectivos capítulos.

Excessos de Energia

Um dos maiores problemas observados na elaboração de dieta para cavalos e no manejo diário é quanto ao limite máximo de energia a ser ofertado.

O limite aceitável, sem causar prejuízos ao animal é de 30% além de suas necessidades, isto é, se um animal em manutenção de 500kg de peso necessita de 16,5Mcal de energia digestível diária, posso ofertar até 21,5Mcal que não trará transtornos metabólicos ao animal.

É um hábito comum encontrarmos cavalos denominados bonitos, com excesso de peso, além do nível saudável, o que pode comprometer a qualidade de vida dos animais. Infelizmente, essa é uma prática comum no Brasil, onde para um cavalo ser bonito, tem de ser gordo.

O excesso de peso que leva à obesidade é extremamente prejudicial ao equino, assim como a todas as espécies animais. Isso pode ser obtido através dos excessos de alimentos volumosos, de alimentos concentrados ou de suplementos.

O manejo moderno de cavalos reproduz um problema muito comum da alimentação humana: ao mesmo tempo em que mundo afora milhões de pessoas não têm o que comer, a epidemia de obesidade ameaça se tornar a doença mais difundida no Primeiro Mundo. De maneira seme-

Tabela 14.1 – Valores de referência de digestibilidade da matéria orgânica (DMO) e unidade forrageira cavalo (UFC)

Feno de gramíneas	
DMO	*UFC*
36	0,31
37/38	0,32
39/40	0,33
41/42	0,34
43	0,35
44	0,36
45	0,37
46	0,38
47	0,39
48/49	0,40
50/51	0,41
52	0,42
53	0,43
54/55	0,44
56/57	0,45
58	0,46
59	0,47
60	0,48
61	0,49
62	0,50
63	0,51
64	0,52
65	0,53
66	0,54
67	0,55
68	0,56
Feno de leguminosas	
Alfafa	
DMO	*UFC*
50	0,43
51	0,44
52	0,45
53	0,46
54	0,47
55	0,48
56	0,49
57	0,50
58	0,51
59	0,52
60	0,53
61	0,54
Outras leguminosas	
DMO	*UFC*
50	0,43
51	0,44
53	0,46
54	0,47
56	0,49
57	0,5
59	0,52
60	0,53
62	0,55
63	0,56
65	0,58
66	0,59

lhante, muitas pessoas dispostas a investir no trato de seus animais acabam alimentando-os de maneira excessiva ou desequilibrada, originando uma série de distúrbios desde crônicos até superagudos, sempre encabeçados pela nossa tão temida cólica e pelos excessos energéticos.

Especificamente por categoria, o que será discutido melhor nos respectivos capítulos, o trabalho muscular é condicionado ao consumo de energia e não de proteína. O nível de crescimento ótimo em potros é obtido através de um equilíbrio entre os nutrientes e não através da ingestão do máximo possível de alimento, que predispõe a doenças ortopédicas desenvolvimentares (DOD), descritas no Capítulo 24. Éguas e garanhões em reprodução obtêm seu melhor desempenho reprodutivo em escore corporal ótimo e não máximo, pois os excessos energéticos comprometem a fertilização.

De maneira geral, qualquer que seja a categoria a que pertença o cavalo, os excessos energéticos causados por excesso de alimento, principalmente de grãos na dieta, em que é superior a 50% da dieta total, o amido existente nestes grãos não é digerido totalmente nas porções iniciais do aparelho digestivo, indo parar no intestino grosso, onde sofrerá um processo de digestão microbiana. O que antes era enzimático, com ótimo aproveitamento pelo animal para suprir suas necessidades, passa agora a ter ação da microflora digestiva. Esses microrganismos realizam então a digestão do amido residual, com produção excessiva de ácidos graxos, que pode ter diversas consequências, tais como:

- Timpanismo por produção excessiva de gases.
- Diarreias (cavalos que ingerem excesso de óleo e energia possuem fezes mais amolecidas, o que leva à perda de nutrientes e água).
- O excesso de gordura saponifica o magnésio, tornando-o indisponível ao organismo, levando a problemas neurológicos e musculares.
- Queda do tônus digestivo, levando a contrações e possíveis cólicas.

978-85-7241-869-0

- Dilatação do ceco, pelo excesso de gases, levando a cólicas.
- Degenerações cardíaca, hepática e renal.
- Dismicrobismo, que é perturbação da flora intestinal, levando a desequilíbrios, com consequente diminuição na absorção dos nutrientes, quadros de hepatotoxemias, cólicas e laminites.

Dessa forma, é muito mais fácil, econômico, viável e saudável buscarmos o equilíbrio dietético, priorizando sempre a qualidade do alimento e não sua quantidade, adequando o alimento certo, na quantidade certa, às necessidades de cada animal.

Proteína

Da mesma forma que a energia, a proteína também é medida sob duas formas: bruta e líquida.

Proteína Bruta

É o valor estimado do teor de nitrogênio de um alimento, dividindo-se o percentual de N por 0,16.

Isso acarreta um problema, pois o nitrogênio não proteico é levado em consideração nesse cálculo. Também não leva em consideração as perdas de aminoácidos ocorridas no processo de digestão.

Proteína Líquida

As mesmas pesquisas realizadas para a obtenção da energia líquida (UFC) pelo INRA foram realizadas para obtenção de conceitos também em relação à proteína.

Considerando que ocorrem perdas de aminoácidos através da urina e das fezes, chegaremos ao valor da *proteína líquida*, medida em *MPDC* (matéria proteica digestível cavalo), que é aquela realmente disponível para o cavalo (igual à quantidade de aminoácidos absorvidos pelo animal) (Fig. 14.3).

Cálculo de Proteína Líquida

Para o cálculo de proteína líquida (MPDC), deve-se seguir a fórmula:

$MPDC = MPD \times 0,85$, em que: $MPD = (0,8533 \times PB \text{ em g}) - 4,94$

Sendo:

MPDC: matéria proteica digestível cavalo (equivalente à proteína líquida).

MPD: matéria proteica digestível.

PB: proteína bruta na matéria seca, em gramas.

Por exemplo, alimento com: umidade = 14%; proteína bruta = 11%.

Matéria seca (MS): MS = 100 – 14 = 86%.

Proteína bruta (PB): PB = 11: 86 = 0,128 = 12,8% da MS = 128g.

MPD = (0,8533 × 128) – 4,94 = 104,3g/kg MS.

MPDC = 104,3 × 0,85 = 88,64g/kg MS.

MPDC = 88,64 × 0,86 = 76,2g/kg de produto bruto.

Assim como para a energia líquida, os valores e as correspondências para a proteína líquida (MPDC) são exclusivos para as matérias-primas, como farelos, fenos, capins e grãos (aveia, milho), e não para um produto feito de várias matérias-primas, por exemplo, as rações concentradas.

Para o cálculo de MPDC das rações concentradas, é necessário saber a proporção em que essas matérias-primas entram na composição do produto final, fazer o cálculo matéria-prima a matéria-prima e calcular a proporcionalidade de cada uma.

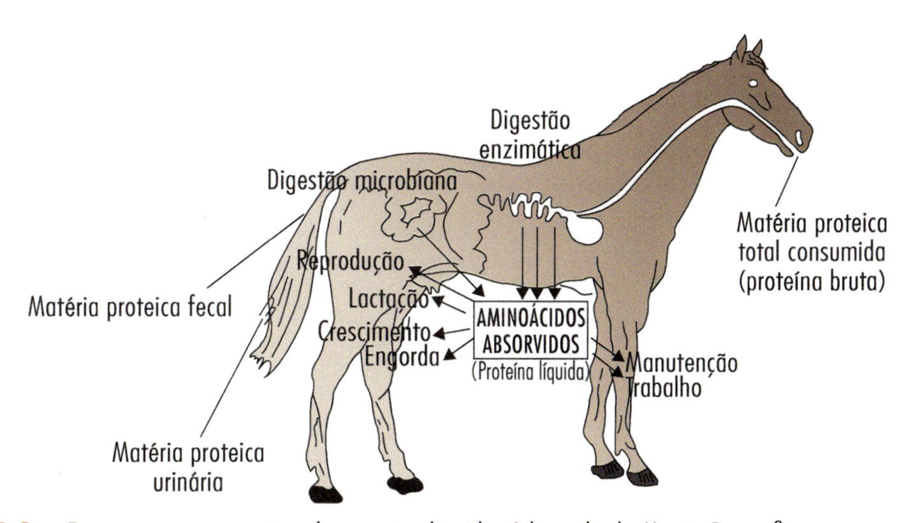

Figura 14.3 – Esquema representativo de proteína líquida. Adaptado de Martin-Rosset[2].

Necessidades Proteicas

As necessidades proteicas de cada categoria animal serão dadas nos respectivos capítulos.

Excessos de Proteína

Historicamente, criou-se o conceito de que animal bem tratado deve ter alimentação rica em proteína, em que o fornecimento de alfafa e rações com teores de proteína bruta próximos a 15% seria o ideal para a boa *performance* do equino.

Em uma análise técnica, considerando-se individualmente cada categoria animal (potros, éguas em reprodução, garanhões, animais de trabalho ou em manutenção), sabemos que existem diferenças nas necessidades proteicas de cada categoria.

O fornecimento de proteína é fundamental, devendo ocorrer de forma balanceada (sem deficiências nem excessos), de acordo com as exigências de cada animal.

Além da qualidade da proteína, outro fator a ser levado em consideração é sua quantidade. Todo animal deve ter um limite no teor de proteína em sua dieta. O limite aceitável, sem causar prejuízos ao animal é de 30%, além de suas necessidades, isto é, se um animal em manutenção de 500kg de peso necessita de 630g de proteína bruta diária, posso ofertar até 819g que não trará transtornos metabólicos ao animal.

O excesso de proteína na alimentação pode trazer problemas para o animal. Uma dieta balanceada deve considerar tudo o que se oferece ao animal, equilibrando o concentrado e o volumoso, além dos suplementos oferecidos ao animal.

Devemos limitar e mensurar corretamente os valores proteicos oferecidos a cada categoria animal.

Quando ocorre o processo de digestão do alimento, com a quebra da proteína para absorção dos aminoácidos, ocorre a formação de uma amina, composto tóxico para o organismo, naturalmente eliminado pelos rins em condições normais.

Quando ocorre excesso de proteína na alimentação, ocorre o excesso desse componente tóxico, que não se vai conseguir eliminar através da urina, indo para a circulação sanguínea. Isso pode ocasionar o desenvolvimento de flora patogênica pelo intestino grosso, o que causará:

- Enterotoxemia.
- Problemas hepáticos.
- Emagrecimento do animal.
- Problemas renais com urina abundante.
- Má recuperação após o esforço: mais facilmente observado em cavalos de esporte, com atividade física regular.
- Problemas de fertilidade em garanhões: queda na espermatogênese.
- Transpiração excessiva: em alguns animais, é facilmente observada através do suor "espumante", o que leva a uma perda excessiva de eletrólitos fundamentais para o animal.
- Dismicrobismo, com cólicas e timpanismo.

Da mesma forma como com a busca pelo equilíbrio energético, é muito mais fácil, econômico, viável e saudável buscarmos o equilíbrio dietético da proteína, priorizando sempre a qualidade do alimento, e não sua quantidade, adequando o alimento certo, na quantidade certa às necessidades de cada animal.

REFERÊNCIA BIBLIOGRÁFICA

1. NATIONAL RESEARCH COUNCIL (NRC). Nutrient Requirements of Horses. 6 ed. Washington, DC – USA – The National Academies Press, 2007.
2. MARTIN-ROSSET, W. *L'alimentation des Chevaux*. Paris: INRA, 1990.

978-85-7241-869-0

Capítulo 15

Alimentos

Existem várias definições para alimento:

Segundo Lémery *apud* Andriguetto[1], "tudo que é capaz de reparar a perda das partes sólidas ou fluidas do corpo animal merece o nome de alimento".

Segundo Claude Bernard *apud* Andriguetto[1], "o alimento é uma substância tomada de um meio exterior, necessária à manutenção dos fenômenos do organismo vivo e à reparação das perdas do mesmo no organismo"[1].

Segundo Dastre[1], "chama-se de alimento tudo o que leva ao organismo a matéria e a energia que lhe são necessárias".

Entretanto, segundo Andrigueto[1], essas definições parecem imperfeitas, pois levam a concluir a existência de substâncias que, se ofertadas individualmente ao animal, são capazes de manter a vida, o que seria o mesmo que admitir a existência de um alimento completo. Não existem, porém, alimentos naturais completos. Toda alimentação exige a associação de diversos alimentos para completar e equilibrar uma dieta.

Então podemos considerar como melhor a definição de Jacquot: "alimento é uma substância que, consumida por um indivíduo, é capaz de contribuir para assegurar o ciclo regular de sua vida e a sobrevivência da espécie à qual pertence".

Os animais ingerem alimentos para satisfazer suas necessidades nutricionais, sendo a ingestão condicionada a diversos fatores, principalmente necessidade energética no que se refere a nutrientes, mas fisiologicamente está condicionada pelo volume ingerido, sendo a capacidade do aparelho digestivo fator limitante para a quantidade de alimento a ser ingerida.

No que se refere aos alimentos, o que mais limita a ingestão é o teor de celulose: quanto maior o teor de celulose ou lignina, menor será a quantidade de nutrientes disponíveis para o animal.

Nutrientes de um Alimento

Torna-se fundamental ressaltar que o valor nutritivo de um nutriente não é uma característica imutável, mas depende da composição da dieta, isto é, dos outros alimentos que a compõem.

A importância de um nutriente não está apenas em sua quantidade, mas também em oferecê-lo na proporção correta em relação aos outros nutrientes para que tenha sua utilidade máxima.

O valor de uma substância denominada alimento está baseado em seu teor de nutrientes.

O teor de nutrientes de um alimento é determinado por análises laboratoriais, uma análise bromatológica, que determinará o valor do conteúdo de nutrientes, conforme:

- Umidade: todo alimento é constituído de duas porções básicas – água e matéria seca.
- Matéria seca (MS): submetendo-se o alimento a uma temperatura de 105°C até obtermos peso constante, teremos extraído toda a água e obteremos a matéria seca (MS), que é a parte realmente nutritiva do alimento. Todo alimento, quando considerado para efeito de cálculo em uma dieta, deve ser tomado em seu valor de MS. O teor de MS pode variar de 5 a 95% de um alimento.
- Matéria mineral (MM): submetendo-se a MS a uma temperatura de 650°C, observamos que uma parte se queima, restando uma parte de resíduos, que são as cinzas ou matéria mineral (MM). Nessa porção, estão contidos os elementos minerais (macro e micro) de um alimento.
- Matéria orgânica (MO): é a porção que se volatilizou com a queima da matéria seca. Então, temos que MS – MM = MO. Na matéria orgânica é que estão contidos proteína, glicídios, lipídeos e vitaminas.

A amostra de MS também pode ser submetida a outros processos, em que se determinam os valores dos nutrientes da MO:

- Extrato etéreo (EE): submetendo-se a MS a solventes orgânicos (éter) por um período de 6 a 18h, extraem-se os lipídeos totais ou a gordura do alimento.
- Fibra bruta (FB): em seguida, essa amostra é submetida a um processo de digestão por ácidos e bases, sendo os produtos resultantes a celulose e a lignina, que compõe a fibra bruta do alimento.
- Proteína bruta (PB): outra parte dessa amostra é submetida a uma digestão com ácido sulfúrico até a completa destruição da MO. O nitrogênio contido nessa porção se une ao ácido sulfúrico, resultando em sulfato de amônia, que libera amônia. Avaliando-se o teor de nitrogênio nessa porção, chega-se ao valor da PB do alimento.
- Extratos não nitrogenados (ENN): porção que sobra subtraindo-se 100 de (U + EE + FB + PB + MM) e que corresponde aos glicídios restantes do alimento.
- Minerais: a avaliação simples de minerais é feita apenas para cálcio e fósforo. Os outros elementos, macro e microminerais não são comumente avaliados pelo elevado custo laboratorial. De maneira geral, consideram-se próximos de zero os valores desses elementos para efeitos de equilibrar uma dieta ou mesmo formular uma ração.
- Vitaminas: não são comumente avaliadas pelo elevado custo e também pelas dificuldades de conservação das vitaminas durante o transporte e armazenamento. De forma geral, consideram-se os valores das vitaminas próximos de zero para efeito de equilibrar uma dieta para cavalos ou mesmo formular uma ração.

Classificação dos Alimentos

Segundo Andriguetto, os alimentos podem ser classificados em volumosos, concentrados, outros alimentos e aditivos[1].

Os alimentos volumosos (não concentrados) englobam todos os alimentos de baixo valor energético, principalmente em virtude de seu elevado teor em fibra bruta ou água. Todos os alimentos que possuem mais de 18% de fibra bruta são considerados volumosos. Podem ser:

- Forragens secas: fenos, palhas, cascas, etc.
- Forragens aquosas: silagem, pastagem, capineira.

A fibra do alimento limita seu valor energético, pois os monogástricos não possuem enzimas capazes de hidrolisá-las, funcionando a fibra apenas como auxiliar na formação do bolo fecal, permitindo seu trânsito pelo intestino (função esta vital para o bem-estar do animal).

Os alimentos concentrados são aqueles com alto valor em energia, graças a um elevado teor de amido e gorduras e baixo teor de fibras. Podem ser:

- Alimentos básicos: alimentos com menos de 16% de proteína bruta. Compreendem principalmente os grãos de cereais.
- Suplementos proteicos: alimentos com mais de 20% de proteína bruta. Podem ser de origem vegetal ou animal.

Os alimentos concentrados adaptam-se perfeitamente aos monogástricos como complementos de uma dieta equilibrada. Seus valores de nutrientes podem variar conforme tipo de solo, fertilização, condições climáticas, variedades, processamentos industriais, etc.

Outros alimentos incluem: vitamínicos, minerais, aminoácidos, leveduras, óleos, etc.

Os aditivos são substâncias utilizadas para melhorar a qualidade do produto, como corantes, palatabilizantes, aromatizantes, antifúngicos, antioxidantes, etc.

Tipos de Alimentos

A seguir, descreveremos sucintamente os diversos tipos de alimentos disponíveis para cavalos para formulação de uma dieta. Na Tabela 15.1 podemos observar os valores nutricionais destes produtos.

Alimentos Volumosos

Forragens Secas

Feno. É um processo a que podem ser submetidas as forrageiras, que procura preservar as qualidades nutritivas e facilitar o armazenamento. Deve ter colora-

978-85-7241-869-0

Tabela 15.1 – Valores nutricionais médios das matérias-primas (%)

	Volumosos							
MP	*MS*	*PB*	*FB*	*EE*	*MM*	*Ca*	*P*	*ED (Mcal)*
Alfafa (feno tipo A)	89	22	30	2,2	9,0	2,10	0,30	2,11
Alfafa (feno tipo B)	91	15	34	2,0	9,5	1,30	0,20	1,89
Alfafa (fresca)	25	23	28	2,6	11,3	1,80	0,30	2,21
Alfafa (peletizada)	93	20	26	3,0	11,7	1,90	0,50	2,33
Angola (pastagem)	26	13	31	1,7	11,3	0,58	0,28	2,57
Aveia (feno)	88	9	27	1,7	7,5	0,25	0,24	2,69
Azevém (pastagem)	23	22	23	3,3	9,5	0,69	0,29	2,83
Batatais (pastagem)	31	7,5	30	2,3	10,0	0,09	0,08	2,50
Cenoura	12	10	9,5	2,0	2,0	4,00	3,50	1,80
Coast-cross (feno tipo A)	86	11	32	2,3	8,5	0,50	0,30	1,78
Coast-cross (feno tipo B)	90	9	36	2,0	9,0	0,45	0,27	1,69
Coast-cross (pastagem)	30	11	35	1,5	10,0	0,51	0,32	2,53
Colonião novo (capineira)	19	12,6	31	3,7	14,6	0,89	0,37	2,36
Colonião maduro (capineira)	25	8	40	3,0	10,8	0,86	0,36	1,56
Estrela (pastagem)	24	11	25	1,9	10,4	0,30	0,50	2,50
Gordura (pastagem)	26	9	30	3,2	8,8	0,31	0,18	2,67
Jaraguá (pastagem)	28	12	50	2,8	16,8	0,99	0,32	1,85
Jiggs (feno tipo A)	88	12	30	2,5	8,3	0,52	0,32	2,60
Jiggs (feno tipo B)	90	9	35	2,1	8,9	0,67	0,32	2,4
Napier novo (capineira)	17	6,4	33	1,7	13,0	0,10	0,02	1,64
Napier maduro (capineira)	26	5,5	45	1,5	15,0	0,13	0,03	1,52
Pangola (pastagem)	24	10	25	1,7	8,4	0,29	0,25	2,97
Quicuio (pastagem)	19	8	27	1,7	11,2	0,28	0,33	2,59
Rhodes (pastagem)	25	9	33	2,4	8,3	0,32	0,28	2,64
Silagem (alfafa)	28	16,5	31	3,8	15,0	1,82	0,26	2,53
Silagem (aveia)	27	12,5	33	5,0	11,4	0,67	0,69	2,72
Silagem (cana)	25	4	39	2,7	22,0	0,09	0,06	2,59
Silagem (capim)	22	4,5	45	2,7	8,0	2,70	1,80	2,46
Silagem (milho)	34	9	24	2,8	5,2	2,40	2,10	2,83
Silagem (sorgo)	32	6,5	35	1,8	8,3	0,30	0,17	2,64
Soja perene (feno)	89	15	34	2,5	8,5	1,28	0,30	2,60
Tífton (pastagem)	30	11,5	36	1,5	9,3	0,40	0,22	2,61
	Concentrados							
MP	*MS*	*PB*	*FB*	*EE*	*MM*	*Ca*	*P*	*ED (Mcal)*
Algodão (casca)	90	4	44	0,5	4,0	0,00	0,00	1,40
Algodão (farelo 26%)	88	26	25	0,4	8,0	0,15	0,90	2,20
Algodão (farelo 38%)	88	38	16	0,5	6,5	0,15	0,90	2,70
Algodão (farelo 45%)	88	45	10	0,4	6,5	0,15	0,90	3,07
Algodão (torta)	88	23	23	6,0	6,0	0,25	–	2,57
Amendoim (farelo com casca)	90	32	23	1,5	8,0	0,15	0,60	2,42
Amendoim (farelo sem casca)	90	48	10	1,0	7,0	0,15	0,60	3,14

(*Continua*)

Tabela 15.1 – Valores nutricionais médios das matérias-primas (%) (*Continuação*)

	Concentrados							
MP	*MS*	*PB*	*FB*	*EE*	*MM*	*Ca*	*P*	*ED (Mcal)*
Arroz (farelo gordo)	89	11	13	12,0	12,0	0,25	1,00	3,51
Arroz (farelo magro)	88	15	12	1,0	12,0	0,10	1,20	2,76
Arroz (quirera)	88	8	1,0	1,7	1,5	0,40	0,17	3,32
Arroz (casca)	92	4	36	1,0	15,0	0,15	0,10	1,40
Aveia (grão integral)	88	12	12	3,0	12,0	0,06	0,35	2,92
Aveia (grão sem casca)	90	18	3,0	4,7	10,0	0,10	0,47	3,26
Aveia (casca)	92	4	36	1,0	15,0	1,50	1,00	1,39
Calcário (calcítico)	98	0	0	0,0	97,0	370	0,00	0,0
Calcário (dolomítico)	98	0	0	0,0	97,0	320	0,00	0,0
Cevada (grãos)	89	13	6	3,0	11,0	0,05	0,38	3,09
Fosfato bicálcico	98,5	0	0	0,0	98,5	240	180	0,0
Girassol (farelo 28%)	88	28	25	0,5	7,0	0,5	0,80	2,24
Girassol (farelo 36%)	88	36	25	0,5	7,0	0,5	0,80	2,28
Girassol (farelo 40%)	88	40	16	0,5	7,0	0,5	0,80	2,74
Leite em pó (integral)	94	24	0,2	0,0	6,0	0,95	0,76	3,61
Levedura (*Saccharomyces*)	92	33	1,5	0,05	5,5	0,35	0,50	3,53
Linhaça (farelo)	92	40	9	3,5	6,0	0,40	0,90	3,32
Linhaça (grão)	94	23	6,5	7,0	6,0	0,25	0,60	3,57
Linhaça (óleo)	100	0,0	0,0	99,0	0,0	0,0	0,0	9,00
Mandioca (farinha integral)	90	2	5	7,0	2,0	0,2	0,02	3,67
Mandioca (farinha raspa)	88	1,5	15	7,0	3,0	0,3	0,03	2,99
Melaço (líquido)	75	3	2,5	0,0	7,9	0,78	0,08	2,97
Melaço (pó)	95	3	6,2	0,0	25,0	0,78	0,08	2,84
Milheto (grão)	85	11	8	3,5	3,5	0,06	0,28	3,16
Milho (grão)	88	9	2,5	3,0	8,0	0,5	3,00	3,25
Milho (extrusado)	88	8	3,5	3,0	2,0	0,05	0,30	3,34
Milho (floculado)	86	7,5	3,5	3,0	2,0	0,05	0,30	3,31
Milho (farelo gérmen)	88	9	6,5	8,0	4,5	0,03	0,31	3,54
Milho (glúten farelo 21%)	88	21	9,0	2,0	9,0	0,05	0,30	2,90
Milho (glúten farelo 60%)	88	60	2,0	1,0	4,0	0,05	0,30	2,74
Milho (laminado)	87	8,0	3,5	3,0	2,0	0,05	0,30	3,32
Milho (Refinazil)	88	21	9,0	1,0	8,0	3,6	8,20	3,08
Milho (rolão)	81	7,2	32	2,0	8,0	0,2	2,50	2,37
Óleo vegetal	100	0	0	100	0	0	0,00	9,00
Soja (casquinha)	88	13	35	–	3,8	0,44	0,14	1,78
Soja (extrusada)	91	37,5	6,3	15,1	4,5	0,21	0,49	3,96
Soja (farelo 42%)	88	42	9	8,0	8,0	0,36	0,75	3,41
Soja (farelo 45%)	88	45	7	8,0	7,0	0,36	0,75	3,54
Soja (PTS)	91	52	3	0,3	6,5	0,34	0,75	3,51
Sorgo (grão)	89	10	3	2,0	9,0	0,07	0,38	3,16
Trigo (gérmen)	87	20	5	5,0	5,0	0,12	1,31	3,26
Trigo (farelo)	87	14	11	3,0	6,0	0,12	1,32	3,08
Trigo (triguilho)	87	12	6	1,0	4,0	0,12	1,32	3,06

Ca = cálcio; ED = energia digestível; EE = extrato etéreo; FB = fibra bruta; MM = matéria mineral; MP = matéria-prima; MS = matéria seca; P = fósforo; PB = proteína bruta; PTS = proteína texturizada de soja.

978-85-7241-869-0

978-85-7241-869-0

Figura 15.8 – Palha de capim.

Figura 15.10 – Pastagem de capim-elefante.

Figura 15.9 – Pastagem *coast-cross.*

Amendoim

O amendoim pode ser utilizado sob a forma de farelo de amendoim (Fig. 15.16), um subproduto da produção do óleo de amendoim. Possui valores nutricionais semelhantes ao farelo de linhaça e de algodão. Possui boa palatabilidade, mas se rancifica rapidamente se armazenado por longos períodos. Deve-se assegurar que não contenha aflatoxinas, abundantes em alguns farelos de amendoim, que podem ser fatais para monogástricos. Pode ser encontrado como farelo de amendoim com e sem casca, cujos valores nutricionais e qualidade variam.

Arroz

O arroz pode ser encontrado sob a forma de farelo de arroz gordo, farelo de arroz magro (ou desengordurado), quirera, casca ou óleo de arroz. O farelo de arroz integral (gordo ou cru, Fig. 15.17) consiste no pericarpo e/ou película que cobre o grão de arroz, estando presentes nesse farelo o gérmen e uma pequena quantidade

Figura 15.11 – Capineira de capim-elefante.

Figura 15.12 – Capineira de *coast-cross.*

Figura 15.13 – Silo de superfície, recém-aberto.

Figura 15.14 – Cavalo se alimentando de silagem.

de fragmentos de cascas, provenientes exclusivamente do processo normal de obtenção. Poderão ainda estar presentes, em pequena quantidade, quirera ou arroz quebrado (Fig. 15.18) e em certos casos, nos quais o polimento é mais acentuado, o próprio grão de arroz finamente moído. Farelo de arroz desengordurado é o subproduto obtido do processo de extração do óleo contido no farelo de arroz integral, por meio de solventes. É uma boa fonte energética. A casca de arroz, assim como a da aveia, pode ser utilizada como fonte de fibra na formulação de rações, tomando-se o cuidado para as cascas não ultrapassarem 5%, sob risco de prejudicar a qualidade final do produto.

O farelo de arroz gordo é uma matéria-prima muito procurada hoje em diversos países da Europa para compor a alimentação de equinos devido a algumas particularidades nutricionais que possui. É rico em gama-orizanol, um éster de ácido graxo que estimula uma série de ações no organismo animal, como anabolizante natural, antioxidante, efeito anti-inflamatório, etc. (ver Cap. 17). Está sendo muito recomendado como complemento na dieta de cavalos idosos e cavalos atletas, mas possui benefícios para todas as categorias de cavalos.

O óleo de arroz (Fig. 15.19) tem sua atividade potencializada e suas características físico-químicas preservadas se extraído por processo físico e não químico. É um óleo de aparência escura e viscosa. Seus principais componentes preservados por esse processo de extração são grandes quantidades de ácidos graxos ômegas-3, 6 e 9, grande percentual de gama-orizanol e vitamina E. O óleo de arroz refinado não conserva essas propriedades benéficas.

Aveia

Quando se destinar ao consumo animal, a aveia branca (*Avena sativa*) deverá ser isenta de fungos, micotoxinas, sementes tóxicas e resíduos de pesticidas. É um excelente alimento para equinos, podendo ser utilizada inte-

Figura 15.15 – Farelo de algodão.

Figura 15.16 – Farelo de amendoim sem casca.

978-85-7241-869-0

gral (grão com casca, Fig. 15.20) ou ainda o grão sem a casca (Fig. 15.21), com valores energéticos mais elevados, porém com menos fibra. Muitos criadores têm o hábito de utilizá-la achatada, o que facilita a absorção de nutrientes, pois o processo de achatamento quebra a casca, disponibilizando melhor os nutrientes. Pode ainda ser utilizada somente a casca de aveia, como fonte de fibras para formulação de rações, em que se deve ter o cuidado de não ultrapassar o limite aceitável de 5% para não prejudicar a qualidade do produto.

Outro hábito muito comum, que deve ser utilizado com critério, é o de molhar a aveia antes do fornecimento. Provavelmente, esse hábito surgiu para que a água amolecesse a casca da aveia, facilitando sua digestão. Entretanto, nunca se deve deixar alimento molhado por longo tempo no cocho à disposição do cavalo, sob risco de fermentação e aparecimento de fungos, com consequente quadro de cólicas e intoxicações.

Além disso, como qualquer concentrado, nunca deve compor mais de 50% da dieta total do cavalo, somado a todas as outras matérias-primas concentradas, sob riscos de cólicas, hábito esse ainda comum em muitos locais de criação e competição equestre.

Cevada

Alimento largamente utilizado no mundo todo. Seu grão (Figs. 15.22 e 15.23) é semelhante à aveia (só que menor) e, por possuir casca que o recobre, tem teor de fibras mais elevado que o milho. Se for de boa qualidade, é um ótimo cereal para equinos, mas é menos palatável que o milho e a aveia.

Girassol

O girassol pode ser encontrado sob a forma de farelo de semente de girassol, um subproduto da extração do óleo, utilizado como suplemento proteico. Sua proteína bruta pode variar de 23 a 59%, com fibras brutas variando entre 8 e 32%, dependendo das sementes terem sido descascadas ou não. Normalmente, no Brasil encontra-se pouco farelo de girassol com elevado teor proteico, sendo então um produto de baixo valor energético, média proteína, com baixos valores de lisina e alta fibra. Possui baixa palatabilidade, por isso não deve ser utilizado em demasia em uma mistura com outros grãos.

Leite em Pó

É praticamente o único ingrediente de origem animal que pode ser utilizado na alimentação de equinos (Fig. 15.24). É mais comumente adicionado a rações de potros em *creep-feeding* ou como componente de algum produto que atue como sucedâneo lácteo para potros lactentes órfãos. É um produto de preço elevado, o que inviabiliza sua utilização em larga escala, possuindo ótimos níveis proteicos e energéticos e grande palatabilidade.

Figura 15.17 – Farelo de arroz gordo.

Figura 15.18 – Quirera de arroz.

Figura 15.19 – Óleo de arroz.

Figura 15.20 – Grão de aveia integral.

Figura 15.21 – Aveia sem casca.

978-85-7241-869-0

Figura 15.22 – Cevada.

Figura 15.23 – Cevada moída.

Figura 15.24 – Leite em pó.

Linhaça

A linhaça é um alimento altamente energético e proteico e pode ser encontrada sob três formas:

- Semente (Fig. 15.25): é um grão pequeno, com casca rígida, muito utilizado como complementar na alimentação de equinos pelo seu efeito laxativo (ver Cap. 17).
- Farelo de linhaça (Fig. 15.26): é o subproduto resultante da moagem de sementes de linhaça (*Linum usitatissimum*) no processo industrial de extração de seu óleo.
- Óleo de linhaça (Fig. 15.27): quando extraído a frio, preserva as características de seus ácidos graxos ômegas-3 e 6, que possuem efeitos benéficos ao organismo (ver Cap. 17).

Figura 15.25 – Semente de linhaça.

Figura 15.26 – Farelo de linhaça.

Mandioca

A mandioca pode ser encontrada sob duas formas: farelo de mandioca integral e farelo de raspas de mandioca:

- O farelo de mandioca integral é obtido por meio de secagem e posterior moagem do tubérculo da mandioca.
- O farelo de raspa de mandioca é o produto obtido após a extração do amido da mandioca.

A mandioca e seus subprodutos se apresentam com proteína de baixa qualidade e quantidade.

Um controle de qualidade severo deverá ser instalado no sentido de prevenir produtos com ácido cianídrico ("mandioca brava"), que são extremamente tóxicos para os animais domésticos, inibindo a cadeia respiratória e levando o animal à morte.

Figura 15.27 – Óleo de linhaça.

Milho

Cereal mais utilizado mundialmente. Existem vários tipos de milho cujas cores variam entre branco, vermelho e amarelo. É um alimento com altos teores de energia, que provém basicamente do seu alto teor do carboidrato amido. Os teores de proteína do milho são baixos, variando ao redor de 10% de proteína bruta na matéria seca. A proteína do milho se apresenta pobre em alguns aminoácidos, notadamente em triptofano e lisina. Os teores de minerais e gorduras do milho são baixos. Cerca de $^3/_4$ do volume do grão seco do milho são constituídos por amido. Possui alta digestibilidade em razão de seu baixo teor em fibra bruta. É pobre em cálcio e medianamente rico em fósforo. O teor de gordura é variável, com alta presença de ácidos graxos poli-insaturados.

O grão do milho, destinado ao consumo animal, deve ser isento de fungos, micotoxinas, sementes tóxicas e resíduos de pesticidas.

Figura 15.28 – Grão de milho.

Figura 15.29 – Quirera de milho.

Figura 15.30 – Fubá de milho.

O milho pode ser fornecido sob várias formas de grãos, como:

- Grão integral (Fig. 15.28).
- Grão quebrado ou quirera (Fig. 15.29): é o grão de milho moído grosso.
- Grão triturado fino ou fubá (Fig. 15.30): é o grão de milho moído fino.
- Grão achatado (Fig. 15.31): este tipo de apresentação é erroneamente chamada de laminado. O milho achatado apenas passa por um rolo-prensa, que quebra a película e o grão de milho, disponibilizando um pouco melhor os nutrientes para o cavalo.
- Grão extrusado (Fig. 15.32): é o grão de milho que passa por processo industrial de extrusão, que disponibiliza melhor o amido para absorção.
- Grão floculado (Fig. 15.33): é o grão de milho que passa por processo industrial de floculação, sendo fatiado e passado por vapor, deixando-o semelhante aos flocos de milho de cereais matinais (*corn flakes*), o que disponibiliza melhor os nutrientes.

Ou sob as formas dos seguintes subprodutos:

- Farelo de milho: ou gérmen de milho integral. Obtido da moagem seca da mistura do gérmen, tegumentos e parte da porção amilácea da semente. Sua composição assemelha-se à da quirera e ao fubá.
- Milho desgerminado: resultado do processo industrial de desgerminação do milho integral, que consiste na remoção do gérmen e do tegumento.
- Farelos de glúten de milho 60 e 21: também chamado de farelo proteinoso ou Refinazil (Fig. 15.34). Apesar de apresentar elevado teor proteico, sua proteína é de baixa qualidade.
- Óleo de milho: é a extração do óleo do milho (Fig. 15.35). Utilizado como fonte energética.
- Rolão de milho: é a moagem do milho em grão, juntamente com o sabugo e a palha (Fig. 15.36). Tem teor mais baixo de energia e proteína, mas elevado de fibra.

Figura 15.31 – Milho achatado.

Figura 15.32 – Milho extrusado.

978-85-7241-869-0

Figura 15.33 – Milho floculado.

Figura 15.34 – Glúten de milho – Refinazil.

Soja

A soja é uma matéria-prima muito rica em proteína de boa qualidade, sendo a principal fonte deste nutriente em rações de qualidade para equinos. O grão de soja integral (Fig. 15.37) ou moído, sem tratamento, possui fatores biológicos que prejudicam sensivelmente o metabolismo animal, inibindo o crescimento, reduzindo a digestibilidade proteica, a disponibilidade de aminoácido, vitaminas e minerais e causando hipertrofia pancreática. Dessa forma, para ser utilizada de forma segura, a soja deve ser tostada antes de ser fornecida como alimento aos animais.

A soja pode ser utilizada de diversas formas na alimentação:

- Casca de soja (já citada anteriormente), utilizada como fonte de fibras.
- Farelo de soja (Fig. 15.38): é o subproduto resultante da moagem dos grãos de soja no processo industrial para extração do seu óleo para consumo humano. Possui valores de proteína variável de 44 a 48% e fibra bruta variável de 5 a 8%, conforme a inclusão de cascas ao produto.
- Proteína texturizada de soja (PTS; Fig. 15.39): obtida no processo de extrusão da farinha de soja desengordurada. Possui elevado teor proteico com proteína de elevado valor biológico, rica em aminoácidos biodisponíveis.
- Soja extrusada (Fig. 15.40): submete-se o farelo de soja a um processo industrial que disponibiliza melhor os nutrientes.
- Óleo de soja: muito utilizado como fonte de energia, pelo seu alto valor biológico e custo menor em relação aos outros óleos vegetais. É utilizado sob a forma de óleo de soja degomado ou purificado – o óleo que após sua extração teve extraídos os fosfolipídeos.

Figura 15.35 – Óleo de milho.

Figura 15.36 – Rolão de milho de boa qualidade.

Figura 15.37 – Grão de soja integral.

Figura 15.38 – Farelo de soja.

Sorgo

O grão de sorgo (*Sorghum* sp.; Fig. 15.41) destinado ao consumo animal deve ser isento de fungos, micotoxinas, sementes tóxicas e resíduos de pesticidas, contendo no máximo 1% de taninos, expressos em ácido tânico.

Os grãos do sorgo são nutricionalmente muito semelhantes aos do milho. São ricos em extratos não nitrogenados (ENN), principalmente amido (65 a 75%), sacarose, maltose, frutose e glicose (1 a 2%). O teor de lipídeos é de 3,6% (triglicerídeos principalmente).

Os teores proteicos variam de 8 a 18%, com variação nos teores de aminoácidos e limitações em lisina, metionina e treonina.

Possui numerosas variedades, como os sorgos graníferos, forrageiros, doces e vassoura. Todas as variedades são passíveis de uso em alimentação animal, porém os sorgos graníferos são os mais utilizados.

O sorgo apresenta como desvantagens de uso a baixa palatabilidade (devida principalmente ao nível de tanino da espécie) e a difícil manipulação para moagem (alta pulverulência), apesar de muitas espécies comercializadas hoje em dia já terem baixos teores de tanino.

Trigo

Pode ser utilizado de três formas:

- Farelo de trigo (Fig. 15.42): consiste em partículas finas de película do grão, do gérmen, das demais camadas internas, bem como de outros resíduos resultantes do processamento industrial normal de trigo para obtenção da farinha. Na formulação de rações para equinos, não é recomendável que constitua mais de 50% do total de alimentos. Proporciona 2,5 vezes mais energia que a aveia e é mais rico em energia que o milho. Possui valor proteico de cerca de 9 a 12%, mas não é de boa qualidade. Possui

Figura 15.39 – Proteína texturizada de soja.

Figura 15.40 – Soja extrusada moída.

978-85-7241-869-0

Figura 15.41 – Grãos de sorgo.

Figura 15.42 – Farelo de trigo.

relação cálcio:fósforo de cerca de 1:9, devendo ser administrado com muito critério.

- Farelo de gérmen de trigo (Fig. 15.43): gérmen e outras partículas obtidas após o processamento industrial do grão para obtenção da farinha de trigo.
- Triguilho: constituído de grãos quebrados, chochos, pequenos e outras impurezas. Possui teor proteico mais elevado que o do milho, em torno de 12%, com 3% de fibra bruta e 1% de gordura. Deve-se tomar cuidado com os contaminantes que possam vir junto com as impurezas.

Figura 15.43 – Farelo de gérmen de trigo.

Outros Ingredientes

Lecitina de Soja

É uma mistura de fosfatídeos obtidos no processo de degomagem do óleo bruto de soja, contendo lecitina, cefalina, fosfoinositol junto com glicerídeos de óleo de soja e traços de tocoferóis, glicosídeos e pigmentos. É um composto de fácil assimilação, com alto poder energético, sendo fonte natural de colina e fósforo e rico em ácidos graxos ômega-3. A lecitina facilita a mistura dos ingredientes da ração e melhora a peletização e o aspecto, reduzindo o custo do produto.

Levedura de Cana

É o subproduto da fermentação alcoólica obtida em usinas e destilarias de álcool de cana-de-açúcar do tipo recuperação, produzido por processo anaeróbico e posteriormente desidratado (Fig. 15.44). É composta da bactéria *Saccharomyces cerevisae*, sendo uma fonte interessante de prebiótico (ver Cap. 17), pois favorece a fermentação bacteriana, melhorando a produção de ácidos graxos voláteis. Possui ainda uma ampla variedade

Figura 15.44 – Levedura de cana.

Figura 15.45 – Levedura de cerveja.

de aminoácidos, sendo utilizada por muitas empresas como fonte de aminoácidos para rações e suplementos. Na Tabela 15.2, encontram-se os valores de nutrientes da levedura de cana.

Levedura de Cerveja

É o subproduto resultante da fermentação da cevada para produção de cerveja (Fig. 15.45). Possui elevado teor de vitaminas do complexo B. Pode ser uma boa opção para ser utilizada como prebiótico, pois favorece a fermentação bacteriana, melhorando a produção de ácidos graxos voláteis. Na Tabela 15.2, encontram-se os valores de nutrientes da levedura de cerveja.

Melaço de Cana

É o líquido xaroposo obtido como resíduo da extração de açúcar de cana (Fig. 15.46). Muito utilizado como palatabilizante ou mesmo aglutinante em rações comerciais, ou ainda para reduzir o pó em substituição a

Figura 15.46 – Melaço líquido.

Tabela 15.2 – Valores médios de nutrientes das leveduras por quilograma de produto

Nutriente	Leveduras de cana/cerveja
Matéria seca	93%
Proteína bruta	40%
Aminoácidos	
Ácido aspártico	4%
Ácido glutâmico	5,6%
Alanina	3%
Arginina	2%
Cisteína	0,2%
Fenilalanina	1,8%
Glicina	2,1%
Histidina	1%
Isoleucina	2,2%
Leucina	3,2%
Lisina	3,4%
Metionina	0,6%
Prolina	1,8%
Serina	2,4%
Tirosina	1,1%
Treonina	2,3%
Triptofano	0,4%
Valina	2,6%
Vitaminas	
B_1	72mg
B_2	29mg
B_6	10mg
B_{12}	1.000µg
Ácido fólico	14mg
Ácido pantotênico	21mg
Biotina	50mg
Colina	50mg
Niacina	36mg
Minerais	
Cálcio	0,13%
Fósforo	0,87%
Enxofre	0,03%
Magnésio	0,20%
Potássio	1,28%
Cobalto	0,20mg
Cobre	2mg
Cromo	0,20mg
Ferro	42,80mg
Manganês	2,80mg
Selênio	1mg
Sódio	900mg
Zinco	19,80mg

978-85-7241-869-0

Figura 15.47 – Óleo de soja.

Figura 15.49 – Óleo de linhaça.

outros ingredientes. Pode ser encontrado sob a forma de melaço líquido ou em pó. Em alimentos para equinos, inclusões acima de 4% na ração elevam o consumo de água, devido aos elevados níveis de potássio em sua composição (3%).

Óleos Vegetais

Podem ser de soja (Fig. 15.47), milho, canola, azeite de oliva (Fig. 15.48), linhaça (Fig. 15.49), arroz (Fig. 15.50), etc. É o produto obtido pela extração química, mecânica, ou associação de ambas, do óleo de sementes oleaginosas, que é posteriormente submetido à centrifugação. É uma excelente fonte complementar energética. Alguns óleos, como azeite de oliva, óleo de linhaça e óleo de arroz, possuem propriedades diferenciadas quando extraídos a frio ou por processos físicos específicos, que preservam nutrientes como ácidos graxos ômegas-3 e 6, que possuem efeitos benéficos ao organismo. Todos os óleos refinados possuem o mesmo valor nutritivo e todos os óleos, refinados ou não, possuem valor energético semelhante, ao redor de 9Mcal/kg de produto.

Cloreto de Sódio (Sal Comum)

Componente importante na formulação de rações para equinos, o sal comum (Fig. 15.51) é fonte de sódio e cloro. Inúmeros trabalhos comprovam a necessidade de disponibilizar esses nutrientes ao cavalo para melhor desempenho fisiológico. A deficiência de cloreto de sódio pode levar o animal a recusar o alimento, comprometendo o desempenho produtivo. Por outro lado, excessos de sódio na dieta elevam o consumo hídrico, podendo ainda causar diarreias e redução da *performance*. Na formulação de rações, recomenda-se limitar em 1,5 a 2% a inclusão de cloreto de sódio.

Calcário

O calcário é basicamente fonte de cálcio, sendo utilizado para equilibrar este ingrediente na dieta. Encontramos dois tipos básicos de calcário, disponíveis para alimentação animal:

- Calcário calcítico (Fig. 15.52): com teores mais elevados de cálcio, sendo fonte exclusiva deste mine-

Figura 15.48 – Azeite de oliva.

Figura 15.50 – Óleo de arroz.

Figura 15.51 – Cloreto de sódio (sal comum).

Figura 15.53 – Calcário dolomítico.

978-85-7241-869-0

ral, podendo ser encontrado em granulometria mais fina ou mais grosseira, com coloração branca a levemente acinzentada.

- Calcário dolomítico (Fig. 15.53): além do cálcio, em quantidade inferior ao calcário calcítico, possui até 3,5% de magnésio, tendo granulometria fina, de coloração creme a acinzentada.

Fosfato Bicálcico

Fonte de cálcio e fósforo utilizada para equilibrar e enriquecer uma formulação com esses minerais. Mais utilizado para fornecimento de fósforo e cálcio na formulação de sal mineral e outros suplementos. Pode ser encontrado em diversas granulometrias, mais fino e branco (Fig. 15.54), o que permite melhor homogeneização, ou mais grosseiro (Fig. 15.55) com coloração acinzentada.

Microingredientes

São compostos que entram com uma porção mínima para complementar e equilibrar a alimentação.

Podem ser:

- Aminoácidos sintéticos (DL-metionina; L-lisina): utilizados na formulação de rações e suplementos como forma de garantir um mínimo de aporte desses aminoácidos no produto final.
- Vitaminas: são adicionadas à formulação de uma ração, constituindo o *premix* ou núcleo desta ração ou sendo constituinte de um suplemento específico, como garantia mínima de enriquecimento de vitaminas no produto final. Podem ser:
  - Vitamina A: encontrada sob a forma de vitamina A-acetato, vitamina A-palmitato, provitamina A (betacaroteno).
  - Vitamina D: encontrada sob a forma de vitamina D_3 (colecalciferol); vitamina D_2 (ergocalciferol).
  - Vitamina E: encontrada sob a forma de acetato de DL-alfatocoferol; DL-alfatocoferol.
  - Vitamina K: encontrada sob a forma de vitamina K_1, vitamina K_3.
  - Vitamina C encontrada sob a forma de ácido ascórbico.

Figura 15.52 – Calcário calcítico.

Figura 15.54 – Fosfato bicálcico fino.

Figura 15.55 – Fosfato bicálcico mais grosseiro.

Figura 15.57 – Sulfato de cobalto.

- Vitamina B_1: encontrada sob a forma de cloridrato de tiamina.
- Vitamina B_2: encontrada sob a forma de fosfato de riboflavina.
- Vitamina B_6: encontrada sob a forma de cloridrato de piridoxina.
- Vitamina B_{12}: encontrada sob a forma de hidroxicobalamina.
- Niacina: encontrada sob a forma de nicotinamida (ácido nicotínico).
- Ácido pantotênico: encontrada sob a forma de pantotenato de cálcio, pantotenato de sódio.
- Biotina: encontrada sob a forma de D-biotina.
- Ácido fólico: encontrada sob a forma de folato de sódio/ácido fólico.
- Colina: encontrada sob a forma de cloreto de colina.

As vitaminas citadas anteriormente estão "diluídas" em veículos especiais, constituindo, portanto, formas de pré-misturas de um microingrediente. Algumas dessas vitaminas, como vitaminas A, D, E, ácido fólico e biotina, sofrem um processamento que lhes confere, além da diluição, uma proteção contra luz e umidade, por microencapsulamento, formando estruturas conhecidas como *beadlet*.

Existem ainda no mercado formas comerciais associando as vitaminas A e D ou A, D e E.

- Sais minerais (oligoelementos):
  - Cobre: encontrado sob a forma de sulfato cúprico ($CuSO_4$ anidro – Fig. 15.56) e ($CuSO_4.5H_2O$ pentaidratado); óxido cúprico (CuO); cloreto cuproso ($CuCl$); hidróxido cúprico [$Cu(OH)_2$]; carbonato cúprico [$CuCO_3.Cu(OH)_2$].
  - Ferro: encontrado sob a forma de sulfato ferroso ($FeSO_4.7H_2O$); sulfato ferroso mono-hidratado ($FeSO_4.H_2O$); carbonato ferroso ($FeCO_3$).
  - Cobalto: encontrado sob a forma de sulfato de cobalto ($CoSO_4.7H_2O$ – Fig. 15.57); sulfato de cobalto mono-hidratado ($CoSO_4.H_2O$).
  - Manganês: encontrado sob a forma de sulfato manganoso ($MnSO_4.4H_2O$ ou $MnSO_4.5H_2O$), sulfato manganoso mono-hidratado ($MnSO_4.H_2O$); óxido de manganês (MnO_3).
  - Iodo: encontrado sob a forma de iodeto cúprico (CuI_2); iodeto cálcico [$Ca(IO_3)2H_2O$].

Figura 15.56 – Sulfato cúprico.

Figura 15.58 – Óxido de zinco.

- Zinco: encontrado sob a forma de sulfato de zinco mono-hidratado ($ZnSO_4.H_2O$); carbonato de zinco ($ZnCO_3$); óxido de zinco (ZnO_3 – Fig. 15.58).
- Selênio: encontrado sob a forma de selenito de sódio (Na_2Se).

Aditivos

São substâncias adicionadas à ração ou ao suplemento, não prejudiciais aos animais, ao homem e ao meio ambiente. Devem ser utilizados levando-se em conta determinadas normas:

- Devem melhorar o desempenho de forma efetiva e econômica.
- Devem ser atuantes em pequenas doses.
- Não devem apresentar resistência cruzada com outros ingredientes da alimentação.
- Devem preservar a microflora digestiva natural.
- Devem ser atóxicos nas prescrições recomendadas.
- Não podem ser carcinogênicos ou mutagênicos.
- Não devem ter efeitos deletérios ao meio ambiente.

Classificação dos Aditivos

Os aditivos para equinos podem ser classificados em:

- Adsorventes: substâncias que têm como função ligar-se às micotoxinas e levá-las para fora do trato gastrointestinal, prevenindo uma intoxicação. Como exemplos, temos o caulim e a bentonita, que, além disso, podem atuar como aglutinante no processo de peletização. O efeito adsorvente da bentonita ainda não está efetivamente comprovado em equinos.
- Aglutinantes: substâncias que têm como função melhorar a capacidade de peletização de uma ração, melhorando a qualidade do *pellet* e do processamento industrial. Como exemplos, podemos citar o caulim e a bentonita.
- Antifúngicos: substâncias que têm como função impedir ou inibir o crescimento de fungos nas matérias-primas e nos produtos acabados, como rações e suplementos, evitando a formação de micotoxinas que podem levar o animal à morte. Como exemplo, podemos citar o ácido propiônico (dose de 250 a 3.000g/tonelada de alimento), violeta de genciana (dose de 8 a 22g/tonelada de alimento) e sulfato de cobre (dose de 100 a 250g/tonelada de alimento).
- Antioxidantes: substâncias que têm como função impedir ou retardar a oxidação de ácidos graxos poli-insaturados, presentes nas gorduras e óleos e que se rancificam com facilidade quando expostos à presença de radicais livres de oxigênio. Podem ser encontrados sob a forma artificial ou natural. Como exemplos de antioxidantes artificiais temos o BHT e o etoxiquim, largamente utilizados na indústria de alimentação animal. Como exemplos de antioxidantes de origem natural, encontramos a vitamina E (sob a forma de tocoferóis) e os flavonoides.
- Aromatizantes e palatabilizantes: aromatizantes são substâncias que buscam melhorar o aroma dos produtos; palatabilizantes são substâncias que buscam melhorar o sabor dos produtos, tornando-os mais atrativos ao consumo. Como exemplos de aromatizantes encontrados principalmente em suplementos para equinos temos os que imitam odores de maçã-verde, banana e baunilha; e de palatabilizantes temos o melaço, largamente utilizado na formulação de rações, devido à atratividade que o cavalo tem por doces.
- Corantes: apesar das limitações de observações de diferentes tonalidades de cores que o cavalo tem, esse é um aditivo cada vez mais utilizado para tornar o produto mais atraente para o ser humano, sendo utilizados principalmente nas misturas de rações multicomponentes para conferir cor diferenciada aos compostos extrusados. Não traz benefício nutritivo algum ao cavalo e ao produto, além da aparência diferenciada.
- Probióticos/prebióticos: substâncias que têm a função de potencializar a ação da flora intestinal natural do cavalo, melhorando a absorção de nutrientes. É discutido melhor no Capítulo 17.
- Nutracêuticos: podem ser definido como "qualquer substância considerada alimento ou parte de alimento que propicie benefícios médicos ou para a saúde, incluindo a prevenção e tratamento de doenças". Os micronutrientes adicionados a uma formulação visando a uma ação específica podem ser considerados nutracêuticos, desde que objetivem o benefício à saúde animal.

REFERÊNCIA BIBLIOGRÁFICA

1. ANDRIGUETTO, J. M. et al. *Nutrição Animal*. 4. ed. São Paulo: Nobel, 1986. v. 1-2.

Capítulo 16

Necessidades Básicas dos Cavalos

Para a alimentação adequada do cavalo, devemos respeitar sua natureza, suprindo suas necessidades básicas.

É fundamental ter em mente que o cavalo é um animal herbívoro, que se alimenta especialmente de vegetais (Figs. 16.1 a 16.3), normalmente chamados de volumosos, forrageira ou simplesmente, "verde".

Outro fator muito importante na alimentação diária do cavalo é respeitar o horário de oferecimento dos alimentos, que deve ser sempre constante, caso contrário predispõe a condições de estresse que pode ocasionar inclusive úlceras gástricas.

Além disso, a manutenção constante do mesmo tipo de alimento favorece um melhor desempenho em qualquer nível de criação ou esporte.

Isso quer dizer que devemos evitar oferecer um alimento eventualmente para que não ocorram problemas digestivos no cavalo, que é muito sensível a qualquer alteração brusca e eventual em sua dieta.

Fibras

Um mínimo de aporte alimentar de fibras é indispensável ao cavalo a fim de assegurar, ao mesmo tempo, uma perfeita higiene mental, uma fonte de lastro (ligada à porção indigestível que garante a limpeza digestiva) e um aporte energético.

Fibras podem ser definidas como o conjunto de compostos glicídicos não digestíveis por via enzimática. São compostas das substâncias pécticas, hemicelulose, celulose e lignina.

São dois os principais métodos de análise de fibra:

1. Método de Weende: determina a fibra bruta (FB) do alimento, composta de lignina e parte da celulose, e que considera esta como sendo a fibra para efeito de cálculo de dieta. É um método geralmente utilizado nas análises bromatológicas e obrigatório nos rótulos de produtos.
2. Método de van Söest: muito utilizado no meio nutricional por determinar melhor e mais especificamente os diferentes tipos de fibras dos alimentos. É constituído por:
   - Fibras totais (FT): compostas das substâncias pécticas, mucilagens, hemicelulose, celulose e lignina.
   - Fibra detergente neutro (FDN): constituída por hemicelulose, celulose e lignina.
   - Fibra detergente ácido (FDA): constituída por celulose e lignina.

Figura 16.1 – Capim picado.

Podemos ainda distinguir as porções solúveis e insolúveis.

Fibras Solúveis

É aproximadamente a diferença entre FT e FDN e é composta das substâncias pécticas (abundantes na polpa de beterraba e nas frutas cítricas), pelas gomas e mucilagens (grãos de linhaça) e por parte da hemicelulose (grãos, sementes e tortas). Possuem propriedades viscogênicas que aumentam a velocidade da digestão, interferindo na regulação metabólica da glicemia (glicose), da insulinemia (insulina), da lipemia (gordura) e da colesterolemia (colesterol). Além disso, possuem alta capacidade de fermentação, aumentando, dessa forma, a flatulência e a umidade das fezes.

As fibras solúveis, especialmente substâncias pécticas e hemicelulose, aliadas ao amido residual (aquele que não foi digerido no estômago e intestino delgado), vão ser transformadas no ceco, pela flora bacteriana, em ácidos graxos voláteis. Essa alta capacidade fermentescível das fibras solúveis garante um aporte energético de qualidade ao animal.

Um aporte equilibrado de ácidos graxos voláteis (AGV) além do fornecimento energético nutre a mucosa, favorece a motricidade digestiva, a reabsorção de água e a boa higiene digestiva, pois mantém o equilíbrio entre a microbiota natural benéfica e a microbiota patogênica, como salmonela, clostrídio e colibacilos.

Fibras Insolúveis

Constituídas principalmente por celulose e lignina, sendo determinada pela FDA. Um aporte mínimo de fibras insolúveis, de 12 a 13% da dieta total, é importante para a boa digestão e a boa formação das cíbalas (fezes dos equinos). Uma quantidade elevada de fibras insolúveis na dieta aumenta a motricidade digestiva,

Figura 16.2 – Pastagem.

978-85-7241-869-0

Figura 16.3 – Feno.

aumentando o volume de fezes e sua consistência, podendo ainda ocasionar cólicas.

Para se preservar o equilíbrio psicológico e neurovegetativo do cavalo, é fundamental a manutenção de um mínimo de aporte em fibras de cerca de 1% de seu peso vivo (5kg para um cavalo de 500kg) em matéria seca (6kg de feno de boa qualidade ou 17kg de capim fresco de boa qualidade).

Além de proporcionar ocupação por um período mais longo, o que diminui o tempo ocioso, aumenta o tempo de mastigação (em relação ao concentrado), melhorando a salivação, o que favorece o fluxo de alimento pelo tubo digestivo.

O chamado efeito de lastro é de fundamental importância por estimular o peristaltismo (movimento intestinal), evitando a estase (parada) e as cólicas, além de dismicrobismo (alteração da flora intestinal) e autointoxicações.

Qualidade das Fezes do Cavalo

A ação mecânica que possui um efeito benéfico ao animal, na boa formação das fezes, com cíbalas consistentes, nem úmidas em excesso, nem ressecadas, é obtida por meio das fibras insolúveis (Fig. 16.4, *A* e *B*). Estas proporcionam boa estimulação pancreática da amilase, aceleração do trânsito digestivo, boa formação do bolo fecal e umidificação ideal das fezes.

A consistência das fezes do cavalo, principal indicador da saúde digestível do animal, está diretamente ligada ao teor de fibra na alimentação.

Capins muito novos, recém-rebrotados ou plantados, normalmente provocam quadros de diarreias leves devido aos baixos teores de fibra em sua composição. O mesmo ocorre com uma alimentação muito rica em concentrado (rações, milho, trigo, etc., superior a 50% da dieta total), em que as fezes ficam semelhantes às de vaca, pastosas, sem consistência firme, indicando um baixo aproveitamento dos alimentos (Fig. 16.5).

Por outro lado, volumosos muito secos também podem causar quadros de desconforto digestivo (cólicas), devido a uma aceleração exagerada do peristaltismo, por causa do elevadíssimo teor de fibras indigestíveis na dieta, observadas nas fezes com excesso de fibras e ressecadas (Fig. 16.6).

Se as fezes recém-feitas estiverem enegrecidas, indicam excesso de proteína na dieta do cavalo. Se estiverem com muco, indicam distúrbio digestivo. Se estiverem com presença de vermes, indicam a necessidade de uso de vermífugo e, claro, revisão urgente do manejo sanitário do local.

Figura 16.4 – (*A* e *B*) Fezes normais. Verdes, úmidas, cíbalas bem feitas e consistentes, indicativas de boa saúde.

Figura 16.5 – Fezes pastosas, sem consistência, semelhante às fezes de vaca, indicativas de alimento de baixo teor de fibras (excesso de ração ou capim novo).

A boa consistência de fezes, nem pastosas nem ressecadas, indica que o alimento ficou tempo suficiente no aparelho digestivo para ter seus nutrientes aproveitados ao máximo pelo animal. Fezes de cavalos saudáveis contêm cerca de 60% de água.

Necessidades Alimentares em Fibras

É de fundamental importância ofertar ao cavalo uma quantidade de fibra que garanta a sua integridade física e psicológica.

Integridade física para suprir as necessidades mínimas do cavalo, que lhe garantam um aporte de nutrientes suficientes para desempenhar as funções a que se destinam.

Integridade psicológica, por garantir um tempo de ocupação mínimo, próximo ao que o animal tem quando em liberdade, entre 13 e 16h.

Figura 16.6 – Fezes soltas, sem formação de cíbalas, proporcionadas pelo excesso de fibras na dieta. Os excessos de fibras aumentam os movimentos peristálticos, elevando a velocidade de passagem dos alimentos, diminuindo a absorção de nutrientes e favorecendo o aparecimento de cólicas.

Tabela 16.1 – Necessidade em fibras do cavalo (%/dia)

	Ótimo	Mínimo	Máximo
FB	17	15	30
FDN	20	18	30
FDA	13	10	20

FB = fibra bruta; FDA = fibra detergente ácido; FDN = fibra detergente neutro.

Tabela 16.2 – Teores de fibras de alguns alimentos (%/kg de produto)

Alimento		FB	FDN	FDA	Lignina
Feno	Integral	31,2	NA	38	NA
	Moído	35	NA	NA	NA
	Triturado	33,7	NA	NA	NA
Forragem desidratada	Alfafa	20,8	37,1	30,7	7,2
	Milho	18,7	51,3	26,4	5,4
Cereais	Aveia inteira	12,9	33,6	15,6	1,3
	Milho (grão)	20	11,1	4,1	1,3
	Trigo (farelo)	9,7	35,8	12,1	3,2

FB = fibra bruta; FDA = fibra detergente ácido; FDN = fibra detergente neutro; NA = não avaliado.

Tabela 16.3 – Necessidades diárias de matéria seca/animal/dia (%)

Categoria animal		INRA	NRC
Manutenção		1,4 – 1,7	2,0
Gestação	1º ao 8º mês	1,2 – 1,7	2,0
	9º ao 10º mês	1,3 – 1,8	2,5
	11º mês	1,5 – 2,2	2,5
Lactação	1º mês	2,4 – 3,0	2,5
	2º ao 3º mês	2,0 – 3,0	2,5
	4º ao 6º mês	1,6 – 2,5	2,5
Crescimento	3º ao 12º mês	1,7 – 2,5	2,0 – 3,0
	13º ao 36º mês	1,6 – 2,2	1,7 – 2,5
Trabalho	Leve	1,9 – 2,3	2,0
	Médio	2,1 – 2,7	2,25
	Intenso	2,0 – 3,0	2,50
	Muito intenso	2,0 – 3,0	2,50
Garanhão em monta	Leve a média	1,7 – 2,1	2,0 – 2,25
	Média a intensa	2,0 – 2,5	2,25 – 2,50

INRA = Institute National de la Recherche Agronomique; NRC = National Research Council.
Adaptado de Wolter[1], NRC[2].

978-85-7241-869-0

As necessidades em fibras dos cavalos podem ser observadas nas Tabelas 16.1 e 16.2, observando-se alguns valores de fibras de alguns alimentos.

Matéria Seca

A matéria seca (MS) é determinada pelo total de alimento menos sua umidade (água), constituindo, dessa forma, todos os ingredientes para uma dieta, exceto a água.

Para se calcular as necessidades e ofertas de nutrientes ao cavalo, fazem-se estes cálculos utilizando-se a MS do alimento.

Um mínimo de MS deve ser ofertado para o cavalo e isto é variável conforme a categoria a que pertence, seu peso e algumas variações individuais, por isso a MS é dada em intervalos e não em número absoluto.

As categorias dos animais e suas necessidades em MS são dadas na Tabela 16.3, segundo o padrão europeu (INRA, Institute National de la Recherche Agronomique) e o americano (NRC, National Research Council).

As necessidades são calculadas em percentual do peso vivo do cavalo.

Exemplo: para um cavalo de 500kg de peso, suas necessidades em MS, pelo padrão INRA para um animal em manutenção, são de 7 a 8,5kg de MS por dia. Se esse mesmo animal estiver em trabalho médio, suas necessidades são de 10,5 a 13,5kg de MS por dia.

Na prática, devemos converter esse valor de MS em matéria natural, pois é assim que deveremos prescrever a dieta ao funcionário; isso é feito facilmente dividindo-se a quantidade do alimento prescrita pelo valor da matéria seca. Por exemplo, se um cavalo necessita de 7,0 a 8,5kg de MS por dia, e for alimentá-lo com feno com 15% de umidade (85% de MS), isso significa que o animal deverá ingerir 8,0 a 10kg de feno por dia. Se a alimentação for com capim fresco com 70% de umidade (30% de MS) o animal deverá ter disponível 23 a 28kg de capim fresco por dia. Essa quantidade recomendada deve ser a total, com todos os alimentos disponíveis (volumoso, concentrado e suplementos), por exemplo, pode-se recomendar, no caso, 2kg de ração (com 13% de MS) mais 6kg de feno (com 85% de MS) ou 17kg de capim fresco (com 30% de MS) para atender à mínima necessidade de um cavalo de 500kg.

Variações Individuais

São fatores que interferem na capacidade de absorção e aproveitamento dos nutrientes pelo animal e que devem ser levados em conta para a correta elaboração de uma dieta do cavalo.

- Raça: algumas raças de animais têm maior capacidade de aproveitamento dos nutrientes, como as raças de tração pesada, que, com uma menor quantidade de alimento por quilograma de peso, têm uma melhor *performance*, como citado anteriormente.
- Temperamento: animais mais nervosos têm maior desgaste, exigindo maior quantidade de nutrientes. Essa variação pode chegar a até 25% das necessidades de outros animais.
- Digestibilidade individual: mesmo dentro de uma mesma raça existem diferenças entre os indivíduos que interferem na capacidade de absorção. Essa variação pode chegar a até 20% das necessidades de outros animais.
- Clima: dependendo das condições climáticas, o desgaste do animal é diferente. Em climas quentes, há maior perda de suor e consequentemente de eletrólitos, que devem ser repostos. Por outro lado, em regiões de clima frio, há maior necessidade de energia, utilizada também para preservar a temperatura do animal.
- Baia ou pastagem: é importante também considerar se o animal está encocheirado ou em pastagem. A pasto, o animal tem livre acesso ao volumoso, o que pode diminuir a necessidade de complementação com concentrado.
- Estado geral: ao se elaborar uma dieta, é fundamental levar em consideração o estado geral do animal, pois, se o animal estiver abaixo de seu *status* corporal ótimo, é necessário que ganhe peso antes de se elaborar a dieta ideal para *performance*.

Dieta Básica dos Cavalos

A dieta básica dos equinos para suprir suas mínimas necessidades, qualquer que seja a categoria a que pertença, é de volumoso, água e sal mineral.

Volumoso: Feno, Capim Fresco de Qualidade ou Silagem

Feno

Feno é a forma desidratada da forrageira, isto é, a forrageira com apenas 10 a 20% de água. Pode ser feito de capim ou gramínea de qualidade (*coast-cross*, tífton, etc. – Fig. 16.7) ou de leguminosas de qualidade (alfafa, soja perene, etc. – Fig. 16.8) e deve ser fenado no ponto certo, nem muito seco, nem muito úmido.

Quando o capim é fenado além do ponto correto de corte, pode ficar muito fibroso, o que pode causar cólica nos cavalos.

Se for cortado no ponto certo e deixado secar em demasia, também fica muito fibroso, também podendo causar cólica nos animais.

Se for cortado no ponto certo, mas deixado secar pouco, sendo enfardado úmido, pode ocorrer o aparecimento de fungos que podem causar problemas nos animais.

Desde que feito da forma correta e bem armazenado, é um excelente alimento para os cavalos, podendo ser armazenado, em condições ideais, protegido do

Figura 16.7 – Feno de gramíneas.

Figura 16.8 – Feno de alfafa.

sol, da chuva e da umidade excessiva, em local ventilado, por mais de seis meses, com pouquíssima perda das qualidades nutritivas.

Capim

O capim pode ser fornecido sob a forma de pastagens (Figs. 16.9 e 16.10) ou suplementado no cocho.

As pastagens devem ser adequadas a equinos, com capim adaptado à região onde está localizado o haras ou a fazenda (conforme descrito no Cap. 11).

Quando oferecido no cocho picado, deve-se atentar para a qualidade desse capim. Os mais utilizados sob esta forma são os capins-elefantes (*napier*, colonião, etc. – Fig. 16.11), porém pode-se também utilizar o *coast-cross* ou tífton (Fig. 16.12), que, apesar de produzirem menos massa por área, possuem qualidade superior e manejo mais fácil.

O manejo das capineiras deve ser muito bem feito para que o aproveitamento pelo cavalo seja o melhor possível. É muito comum o corte dos capins-elefantes com altura superior a 2,5m (às vezes até 4m, Fig. 16.13). Quando é cortado, porém, com altura superior a 2,5m, ocorre perda considerável da qualidade, devido à baixa digestibilidade de seu talo, além de poder causar cólica. O ideal é cortá-lo entre 1,5 e 2,5m de altura. Se for cortado com altura inferior a 1,5m, há uma baixa quantidade de fibras, o que pode causar diarreia.

Além disso, o corte do capim deve ser diário, evitando-se deixá-lo ao sol, para não ocorrer perda da água tornando-o mais indigestível e menos palatável (Fig. 16.14), o que obriga o tratador, muitas vezes, a triturar bem este capim e polvilhá-lo com farelo de trigo para torná-lo mais atrativo. Lembre-se que o capim é o alimento natural do cavalo e, se um cavalo saudável não quer ingeri-lo, é porque o capim tem algum problema e ao o obrigarmos a comê-lo podemos estar facilitando as chances de uma cólica.

Na suplementação no cocho, se for de origem de capim-elefante, pode ser fornecido integral, isto é, a folha inteira, que estimula melhor a mastigação no equino e o cavalo aproveita somente as partes boas do capim, descartando o que lhe for prejudicial, ou ainda pode ser picado (Fig. 16.15), mas não triturado (picar é cortar em pedaços, triturar é reduzir a pó ou a partículas bem pequenas). O capim triturado obriga o cavalo a ingerir porções de baixa digestibilidade e baixa qualidade que são prejudiciais ao animal. Se o capim for de origem das Bermudas, como *coast-cross*, é só cortar na capineira e oferecer integral ao cavalo (Fig. 16.16).

Pode-se ainda utilizar a cana-de-açúcar como forrageira, porém demanda alguns cuidados especiais devido à sua alta capacidade de fermentação. Se for utilizada somente a ponta (folhas) da cana, não há inconvenientes, mas, se for utilizada a cana inteira, esta somente deve ser cortada e picada (Fig. 16.17) no momento do fornecimento e em quantidade suficiente para o cavalo ingerir na próxima hora e meia, caso contrário, o risco de cólica é muito grande.

Figura 16.9 – Pastagens boas para cavalos, com capim em abundância.

978-85-7241-869-0

Figura 16.10 – Pastagem ruim para cavalos. Nessa condição, a suplementação no cocho é fundamental.

Silagem

A silagem é um processo de preservação de forragem em que esta é cortada verde e colocada para armazenar bem compactada (Figs. 16.18 e 16.19), em um ambiente anaeróbico (sem oxigênio), o que acarreta um processo de fermentação que permite armazenar este volumoso por um período longo, mantendo-se as características nutricionais semelhantes ao alimento fresco. Pode ser de capim, alfafa, cana, sorgo ou milho. Ao contrário do que muitos pensam, uma silagem pode ser um ótimo alimento para o cavalo (Fig. 16.20). É claro que deve ser de ótima qualidade, quer seja de alfafa, milho ou mesmo de capim. Possui ótimos níveis energéticos, oferecendo ainda proteína, vitaminas e minerais (assim como outros volumosos). Alguns animais rejeitam a silagem em um primeiro momento, mas, assim que se acostumam com o sabor, passam a consumi-la sem maiores problemas. Devemos ter apenas cuidado no momento do fornecimento, pois a quantidade de silagem a ser oferecida ao animal deve ser proporcional ao que este vai ingerir nas próximas 2h, pois, após este tempo, adquire sabor e odor que o cavalo passa a rejeitar, não ficando própria para o consumo, o que dificulta seu manejo, pois devemos então fornecê-la várias vezes ao dia.

Água: Fresca, Limpa e Potável

Deve-se ter sempre à disposição do animal água fresca, jamais gelada, devido aos riscos de cólicas que esta pode ocasionar. Deve também estar sempre limpa, evitando-se as águas barrentas que podem causar distúrbios digestivos pelo acúmulo da terra dentro do aparelho digestivo do cavalo.

O consumo de água para um cavalo, com alimentação de forragem fresca, está em torno de 30 a 70mL/kg/dia, o que daria uma variação média de 15 a 35L diários para um cavalo de 500kg, dependendo das condições climáticas e ambientais e de variações individuais.

Pode-se ainda calcular a necessidade de água pelo animal por meio de sua necessidade energética, em que a necessidade hídrica é próxima à energética (esta medida em Mcal – megacalorias). Por exemplo, um animal em manutenção necessita de 3,3Mcal por 100kg; isto nos daria uma necessidade de 3,3L de água por 100kg, ou 16,5L de água por dia para um cavalo de 500kg de peso em manutenção.

Se fosse um animal de trabalho médio (fazenda, rodeio, salto, corrida de obstáculos), com necessidade energética na faixa de 4,95Mcal/100kg de peso, teríamos uma necessidade de água na faixa de 25L diários.

Claro que essas necessidades são variáveis, sempre dependendo das condições climáticas e individualidades de cada animal.

Complementação Mineral

O sal mineral (Fig. 16.21) também é de fundamental importância para suprir as necessidades básicas do cavalo, que são relativamente elevadas com relação aos minerais. Estes devem ser oferecidos de maneira equi-

Figura 16.11 — Capineira de *napier* de boa qualidade. Em bom ponto de corte, entre 1,50 e 2,50.

Figura 16.14 — *Napier* velho cortado e deixado ao sol, o que piora a qualidade de fibras e nutrientes, favorecendo quadros de cólicas.

978-85-7241-869-0

Figura 16.12 — Capineira de *coast-cross*.

Figura 16.15 — Capim-elefante picado (não triturado).

Figura 16.13 — Capineira velha de *napier*, de baixa digestibilidade.

Figura 16.16 — Capim *coast-cross* cortado.

librada, por meio de sal mineral específico para equinos, de empresas idôneas e à vontade, num cocho à parte, quer seja em baia ou piquete.

Quando em liberdade, na natureza, o cavalo tinha acesso a inúmeras fontes de oligoelementos e acesso a grande variedade de gramíneas. O confinamento excessivo, mesmo em pastagens formadas em geral por uma única espécie de gramínea, limita o acesso do cavalo à diversidade de microminerais, podendo causar deficiências desses elementos no organismo.

Muitos criadores e proprietários têm o hábito de fornecer sal branco separado do sal mineral para o cavalo optar por qual tem mais necessidade ou, ainda, sob pretexto de economia, misturar sal branco a um sal mineral

Figura 16.17 – Cana-de-açúcar picada no cocho. Somente deve ser cortada, picada e ofertada em quantidade suficiente para a próxima hora e meia, sob risco de fermentação e consequente cólica nos cavalos.

Figura 16.18 – Silo de superfície.

pronto para consumo. Isso não é interessante, pois as necessidades de cloreto de sódio são maiores que as de outros elementos minerais e a ingestão de sal mineral é regulada pela quantidade de cloreto de sódio em sua composição. Ao se administrar sal branco em cocho separado, ou misturar mais sal branco ao sal mineral pronto para uso, limita-se a ingestão de outros elementos minerais, pois o consumo de sal mineral será menor, devido à inclusão mais elevada do sal comum.

Além disso, o sal mineral deve ser específico para equinos por dois motivos:

1. Em primeiro lugar, pelas necessidades nutricionais dos equinos, bovinos, caprinos e ovinos serem diferentes entre si. Desta forma, se um sal mineral recomendado para uma espécie for ofertado para outra, estaremos administrando alguns elementos minerais em quantidades acima do recomendado e outros elementos minerais em quantidade abaixo, podendo ocasionar excesso ou deficiência desses minerais.

Figura 16.19 – Silagem de milho.

Figura 16.20 – Cavalo comendo silagem.

2. Muitos sais minerais de bovinos possuem promotores de crescimento que auxiliam essa espécie, porém são extremamente prejudicais aos equinos, podendo levá-los à morte.

Mais adiante, no Capítulo 17, iremos abordar melhor a necessidade mineral dos equinos.

Complementação Nutricional

Após termos suprido as mínimas necessidades para manutenção do cavalo, aí sim, conforme a atividade a que vamos submetê-lo, seja potro em crescimento, égua em reprodução ou cavalo de esporte e trabalho, devemos oferecer-lhe os complementos de uma alimentação, para que possamos atingir os níveis energéticos, proteicos vitamínicos e minerais suficientes para suprir estas novas necessidades, mas sempre respeitando sua natureza, valorizando o volumoso.

Há uma sabida preferência dos cavalos por alguns alimentos em especial, como água, doces, sais e alimentos energéticos (aveia, por exemplo). Caso eles possam ter a livre escolha, em geral, preferem estes alimentos, fato facilmente observado quando lhes oferecemos uma ração multicomponente; eles comem primeiro a aveia e depois o restante, alguns cavalos comem apenas a aveia. Alimentando-se desta forma, não estarão ingerindo uma dieta balanceada, sendo necessário induzi-los a comer o que possa lhes assegurar um melhor aporte de nutrientes, de forma mais balanceada. Ou seja, assim como ocorre com as crianças, eles não podem comer apenas o que querem, caso contrário não poderemos exigir uma *performance* diferenciada por simples deficiência nutricional que certamente acarretará problemas ao animal.

Ração (Complemento Corretor)

A ração ou concentrado, na verdade, deve ser chamado de complemento corretor, pois esta deve ser sua função: complementar e corrigir as necessidades do animal que o volumoso disponível não consegue suprir.

Deve ser equilibrada, oriunda de empresas idôneas ou fornecedor idôneo de matérias-primas, para se ter garantia da qualidade do produto final.

Existem vários tipos de apresentação de ração:

- Farelada (Fig. 16.22): a ração farelada é a mistura de vários ingredientes adequados para o cavalo, de forma equilibrada, e que não passa por qualquer processo industrial pós-mistura. Deve-se atentar para que essa ração seja oriunda de alimentos de qualidade e não com sobras de indústria, que tendem a formar um produto final de qualidade duvidosa (Fig. 16.23).
- Peletizada (Fig. 16.24): a ração peletizada é um farelo (mistura equilibrada de várias matérias-primas) que é passado por uma máquina, uma prensa, que,

Figura 16.21 – Sal mineral específico para equinos.

Figura 16.23 – Ração farelada de qualidade duvidosa, com presença de componentes não bem identificáveis.

Figura 16.22 – Ração farelada de qualidade. Observe a homogeneidade de seus componentes.

Figura 16.24 – Ração peletizada.

978-85-7241-869-0

Figura 16.25 – Ração laminada.

em temperatura elevada e sob vapor, passando ainda por uma matriz com diversos formatos e tamanhos, forma e corta o *pellet*, conforme a especificação desejada pelo fabricante. Esse processo torna o produto mais homogêneo, garantindo que cada *pellet* tenha os nutrientes necessários para o animal, conforme sua formulação.

- Laminada (Fig. 16.25): a ração tradicionalmente denominada laminada nada mais é que uma mistura de *pellet*, conforme descrito anteriormente adicionando-se aveia e milho, que, em geral, são achatados e não laminados, o que é outro processo industrial, e recebem dose extra de melaço para melhorar seu aspecto e palatabilidade. Produtos realmente laminados são raros no mercado, pois seu custo é elevado. Como exemplo de laminado, pode-se citar o milho, tipo *corn flake*, de cereais matinais para consumo humano, raramente encontrado no mercado como alimento para equinos. A ração laminada é apenas um conceito popular oriundo da década de 1970 e utilizado até hoje para designar produtos com alimentos por fora do *pellet*.
- Multicomponente (Fig. 16.26): ração introduzida no mercado na década de 1990, composta de forma equilibrada por vários alimentos além do *pellet*, como aveia, milho, soja, linhaça, partículas extrusadas, etc., dependendo das características visuais que o fabricante deseje imprimir ao seu produto, tudo recoberto com melaço, o que melhora a aparência e proporciona melhor palatabilidade ao alimento. Em geral, as partículas extrusadas têm coloração uniforme, escura, sendo necessário adicionar à sua fórmula um corante para cada tipo de partícula, de forma a atender às exigências do mercado, que aceita melhor o produto com várias cores, desnecessárias ao cavalo.
- Extrusada (Fig. 16.27): o processo de extrusão consiste num processo de cozimento em alta temperatura, pressão e umidade controlada. O processo de extrusão causa a gelatinização do amido, disponibilizando melhor os nutrientes para o animal, de forma que uma menor quantidade de alimento possa disponibilizar a mesma quantidade de nutrientes que um alimento não extrusado. O maior problema de produtos extrusados para cavalos é que se tem observado que estes alimentos não são muito apetecíveis para os equinos, tendo então que se utilizar um ótimo palatabilizante para que seja consumido. Tecnicamente, tende a ser um produto superior às outras apresentações, mas somente se for oriundo de matérias-primas nobres, afinal estas é que definem a qualidade final do produto. O processo de extrusão deixa o produto com coloração uniforme, sendo necessário, muitas vezes, utilizar corantes para atender a exigência do mercado e não dos cavalos, mas sem prejuízo nutricional para estes.

As rações industrializadas (peletizada, laminada, multicomponente ou extrusada) possuem três vanta-

Figura 16.26 – Ração multicomponente.

Figura 16.27 – Ração extrusada.

gens fundamentais sobre as fareladas, principalmente as misturadas na propriedade:

- Toda matéria-prima que chega à fábrica de ração, idônea, é classificada e analisada para se ter certeza da qualidade de seus nutrientes (umidade, proteína, minerais, etc.). Com base nessas análises, é possível garantir a qualidade e os níveis do produto final (com relação a proteínas, minerais, fibras, etc.). Como é muito difícil analisar a matéria-prima na propriedade, não há garantia de manutenção do padrão do produto final.
- As rações fareladas produzem muito pó, que, se inspirado pelo cavalo, pode causar problemas respiratórios. Além disso, esse pó pode causar obstrução do canal nasolacrimal (canal que liga a narina ao olho) levando à produção excessiva de secreções oculares.
- Para evitar esse pó, é muito comum molhar a ração antes do fornecimento ao animal. Ocorre que as rações fareladas, por serem mais leves que as outras apresentações, ocupam um volume maior, portanto, os cavalos demoram mais tempo para comer estas rações. Em temperaturas mais elevadas, pode ocorrer fermentação dessa ração molhada, levando a quadros de cólicas.

Figura 16.28 – Cavalo a pasto.

Quanto às apresentações de rações industrializadas, não devemos nos preocupar com a aparência do produto (peletizada, laminada, multicomponente ou extrusada), mas principalmente com os níveis de garantia deste produto.

Tecnicamente, um produto extrusado é superior a esse mesmo produto multicomponente e este ao mesmo produto laminado e este ao mesmo produto peletizado, desde que provenientes da mesma mistura de ingredientes.

Isso não quer dizer que qualquer produto extrusado é superior a outros, nem que toda ração laminada é superior às peletizadas, mas sim o que determina a superioridade de um produto em relação ao outro são os componentes que constituem esta ração.

O que mais importa na avaliação da qualidade de um produto são seus níveis de garantia, principalmente valores de qualidade de energia e proteína. A qualidade de sua energia também pode ser avaliada mediante o valor de seu extrato etéreo, que é o valor de gordura de uma ração, em que, se este valor for alto, as qualidades de energia também serão melhores, e pelo valor da Fibra Bruta, só que no sentido inverso, ou seja, quanto maiores os valores de fibra bruta de uma ração, potencialmente menor será a qualidade da energia, conforme descrito no início deste capítulo.

Além disso, nunca devemos esquecer de avaliar o enriquecimento de um produto, o que nos dá a disponibilidade de outros nutrientes como vitaminas e macro e microminerais, fundamentais para o bom funcionamento do organismo (para mais detalhes, ver Apêndice 1).

Existem rações peletizadas no mercado que possuem qualidade energética e proteica muito superior às laminadas e extrusadas.

Outro hábito muito comum entre criadores e proprietários de cavalos é oferecerem matérias-primas como aveia, milho e trigo, além da ração balanceada e equilibrada. Ocorre que essas matérias-primas são, em geral, muito ricas em fósforo (a relação Ca:P pode ser de 1:8, quando o ideal é 2:1), o que leva a um desequilíbrio na relação cálcio:fósforo sanguíneo, causando graves problemas, como a cara inchada (ver Cap. 24). Além disso, esse hábito pode elevar desnecessariamente os níveis proteicos e energéticos da dieta, trazendo prejuízos por excessos nutricionais.

Devemos estabelecer realmente quais as necessidades do cavalo para podermos supri-las de forma adequada e obtermos os melhores resultados de *performance* e também na saúde do animal. Para isso, devemos observar qual o tempo de digestão de cada tipo de alimento para podermos dividir e ocupar melhor o tempo de cada animal.

Suplementos Nutricionais

Os suplementos são alimentos adicionados à alimentação diária do cavalo que o auxiliam no desempenho.

Devem ser utilizados com muito critério e preferencialmente recomendados por um técnico especializado.

Os suplementos disponíveis atualmente podem ser divididos nas seguintes categorias: fatores pró-digestivos, probióticos, prebióticos, minerais, eletrólitos, vitaminas, ácidos graxos ômegas-3 e 6, aminoácidos, suplementos energéticos e suplementos proteicos e serão discutidos no Capítulo 17.

978-85-7241-869-0

Figura 15.4 – Feno em *pellets* (peletizado).

Figura 15.5 – Casca de arroz.

de ar e submetida à fermentação. Normalmente é feita de milho, capim-elefante, cana ou mesmo alfafa. Quando bem feita e armazenada nas condições ideais, pode ser administrada ao cavalo sem problemas adicionais. Deve-se proceder ao fornecimento gradativo para que os animais se habituem a esse novo alimento e pode ser a única forma de volumoso, sem problemas, desde que observadas algumas condições. Além de ser de ótima qualidade, a silagem deve ser fornecida ao cavalo várias vezes ao dia, sob risco de perda de sua qualidade e apetecibilidade. A silagem é armazenada sob condições de fermentação anaeróbica, o que favorece sua palatabilidade. Ao se abrir o silo e deixá-lo em contato com o ar (Fig. 15.13), passa por um processo de fermentação aeróbica que diminui sua qualidade, fazendo com que o cavalo recuse o alimento. Portanto, deve-se fornecer no cocho a quantidade suficiente que o animal deverá ingerir nos próximos 90min (Fig. 15.14). Se necessário, após esse período de tempo, pode-se fornecer mais ao animal, até atingir a quantidade suficiente para suprir suas necessidades.

Alimentos Concentrados

Algodão

Encontrado sob a forma de farelo (Fig. 15.15). O farelo é o subproduto resultante da moagem do caroço de algodão no processo industrial para extração de seu óleo para consumo humano e a ele permite-se a adição de cascas de algodão, desde que não se ultrapasse o nível máximo estipulado para a fibra bruta. O elevado teor de gossipol, que inibe a absorção de ferro em monogástricos e pode se ligar à lisina diminuindo o valor proteico da ração, limita seu uso.

Figura 15.6 – Casca de soja peletizada.

Figura 15.7 – Palhada de milho.

ção esverdeada, nem muito seco, nem muito úmido, ser macio, cheiroso e livre de fungos ou pó. Pode ser feito por meio de secagem natural, ao sol, ou artificial, em secadores especiais. O feno pode ser de gramíneas (tífton, *coast-cross*, *rhodes*, etc.) ou de leguminosas (alfafa é a mais comum), sendo o de leguminosas, de forma geral, com teor proteico mais elevado. Um feno bem feito pode ser armazenado por seis meses e até um ano; sob condições ideais (longe do sol, com ventilação adequada e sem umidade), mantém suas características nutricionais de forma bem aceitável. Pode ser armazenado solto (Fig. 15.1), em fardos (Fig. 15.2), em cubos (Fig. 15.3) ou em *pellets* (Fig. 15.4).

Cascas. Compreendem as cascas de cereais, como arroz, aveia e soja (Figs. 15.5 e 15.6). Não é muito recomendável por ser uma fibra de baixa qualidade, mesmo como enchimento. Algumas rações podem conter uma pequena quantidade de cascas para elevar seu teor em fibra, mas não deve ultrapassar 5 a 7% sob risco de cólica, dependendo do tipo de casca.

Palhas. Normalmente são as palhas de cereais (Fig. 15.7) ou capim mais seco (Fig. 15.8), utilizadas quase exclusivamente como "enchimento", para satisfazer as necessidades de volume da digestão. Possuem teor nutritivo insuficiente para satisfazer as necessidades do animal. Em condições normais, podem fazer parte da dieta, sem excessos. O excesso de palhas na alimentação pode levar a uma dificuldade de digestão devido à baixa digestibilidade e propiciar o aparecimento de cólicas.

Forragens Aquosas

Pastagem. É a forrageira *in natura*, que o animal vai consumir diretamente do solo. Deve ser bem adaptada à região onde se está implantando o criatório e ser disponibilizada em área suficiente para que o cavalo possa retirar toda a quantidade que necessita. Normalmente, é formada por gramíneas do tipo *coast-cross* (Fig. 15.9), tífton, *jiggs*, *rhodes*, tanzânia ou outro capim-elefante (Fig. 15.10), que pode ou não ser consorciada com uma leguminosa do tipo soja perene. Uma boa pastagem deve ser tratada como cultura, isto é, deve-se procurar analisar anualmente o solo onde se encontra e proceder às regras de uma boa adubação e descanso de solo sempre que necessário.

Capineira. Também é uma forrageira *in natura*, mas o animal não se alimenta diretamente sobre ela. O capim, normalmente um capim-elefante, *napier* ou colonião (Fig. 15.11), ou mesmo *coast-cross* (Fig. 15.12), é plantado e cortado somente no momento do fornecimento. Também deve ser tratada como cultura, com análise de solo e correção sempre que necessário.

Silagem. É um processo de armazenamento feito com forrageira com alto teor de umidade, na ausência

Figura 15.1 – Feno solto.

Figura 15.2 – Feno em fardos.

Figura 15.3 – Feno em cubos.

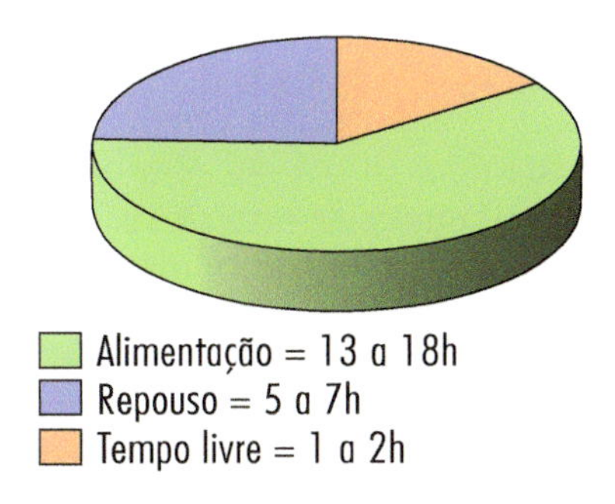

Figura 16.29 – Divisão do tempo diário do cavalo que se alimenta de pastagem. Adaptado de Wolter[1].

Duração da Ingestão Alimentar

A Pasto

Um cavalo solto a pasto (Fig. 16.28) se alimenta 13 a 18h por dia. Dessa forma, ocorre grande fracionamento da preensão alimentar e muita repartição das refeições ao longo do dia. O dia fica dividido em 14 a 18h para alimentação, 1 a 2h para ociosidade e 5 a 7h para repouso (Fig. 16.29).

Em uma alimentação a pasto, ou com valorização do volumoso, ocorre:

- Boa mastigação.
- Forte salivação com bom estímulo da motricidade digestiva.
- Excelente tranquilização.

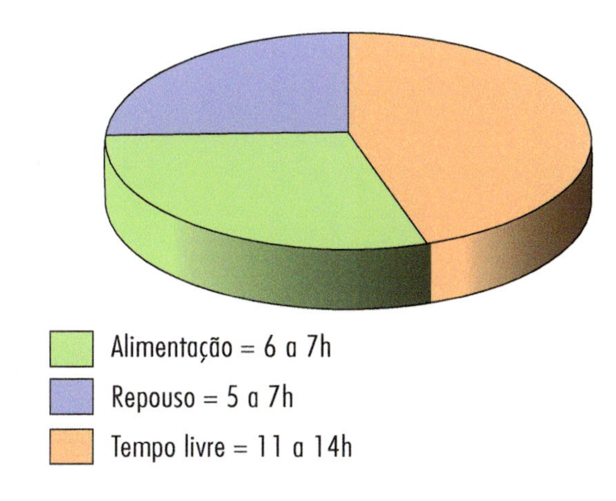

Figura 16.31 – Divisão do tempo diário do cavalo que se alimenta de feno. Adaptado de Wolter[1].

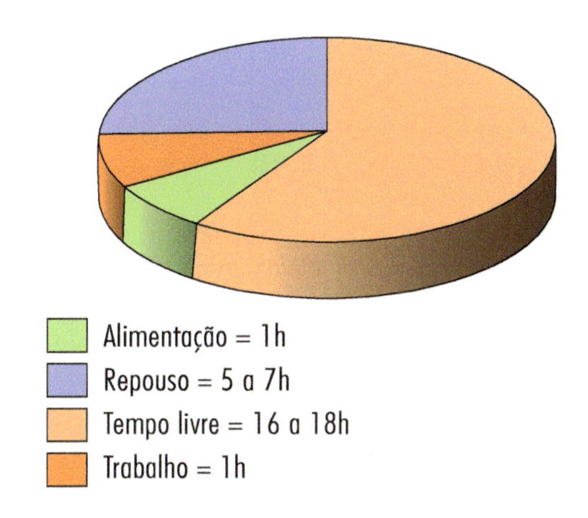

Figura 16.32 – Divisão do tempo diário do cavalo com excesso de ração. Adaptado de Wolter[1].

Figura 16.30 – Cavalo se alimentando de feno.

Figura 16.33 – Excesso de ração traz mais prejuízos que benefícios, quer sejam físicos ou mentais.

Somente com Feno

Um cavalo que se alimenta somente com feno (Fig. 16.30) gasta de 6 a 7h por dia para ingestão de 9 a 10kg de feno (40min/kg de matéria seca). Mantendo-se as 5 a 7h para repouso, aumenta o tempo ocioso para 11 a 14h (Fig. 16.31).

Somente com Ração

O animal gasta uma 1h por dia para ingestão de 6 a 7kg de ração (10min/kg de matéria seca). Pressupõe-se um período de trabalho de 1h diária e com 5 a 7h de repouso; o período ocioso fica próximo de 15 a 17h (Fig. 16.32).

Ao se utilizar mais o concentrado (ração – Fig. 16.33) em detrimento do volumoso, há risco de:

- Distúrbios digestivos (má digestão, cólicas, etc.)
- Problemas de comportamento (pica, melancolia, depressão).

Prevenção necessária:

- Limitar a 2 a 3kg/refeição e aumentar a duração da refeição.
- Multiplicar e repartir as refeições.
- Fornecer boa forragem.
- Distrair o cavalo.

REFERÊNCIAS BIBLIOGRÁFICAS

1. WOLTER, R. *Alimentation du Cheval*. Paris: Editions France Agricole, 1994.
2. NATIONAL RESEARCH COUNCIL (NRC). *Nutrient Requirements of Horses*. 6. ed. Washington, DC – USA – The National Academies Press, 2007.

Capítulo 17

Suplementos Nutricionais

Nesta categoria de alimentos, é fundamental ter em mente dois conceitos básicos de nutrição:

- Se não se conhece ou se não houver uma boa razão para acreditar que o animal exige determinado nutriente ou substância cuja eficácia ainda não foi cientificamente comprovada, não deve ser administrado ao animal.
- Acima de tudo, não prejudique.

Os suplementos são alimentos adicionados à alimentação diária do cavalo, que o auxiliam no desempenho.

Devem ser utilizados com muito critério e preferencialmente recomendados por um técnico especializado.

É importante ressaltar que a utilização adequada dos suplementos nutricionais pode melhorar a *performance* de um animal sem causar *doping*, pois são substâncias naturais, que, aliadas a treinamento e manejo corretos, estimulam o organismo do animal até o limite máximo de seu potencial genético.

Os suplementos disponíveis atualmente podem ser divididos nas seguintes categorias: fatores pró-digestivos, probióticos, prebióticos, minerais, eletrólitos, vitaminas, ácidos graxos ômega-3 e ômega-6, aminoácidos, suplementos energéticos, suplementos proteicos.

Fatores Pró-digestivos

São fatores que facilitam a digestão dos alimentos pelos animais. Podem ser:

- Processos industriais (como trituração, peletização, extrusão): quanto mais industrializada a matéria-prima, sua tendência é ter seus nutrientes mais bem absorvidos.
- Higiene alimentar: preocupação com os dentes do animal ou quaisquer outros problemas bucais que possam interferir no processo de mastigação e digestão dos alimentos (ver Cap. 6).
- Pequenas refeições: quanto menos alimento oferecermos ao cavalo em um maior número de refeições, melhor será o aproveitamento dos nutrientes pelo animal. Por exemplo, se vamos alimentar o cavalo com 5kg de ração, teremos um aproveitamento maior dos nutrientes se oferecermos em três ou quatro refeições do que em duas refeições. O mesmo raciocínio é válido para o volumoso. Há grandes diferenças na ocupação do dia do cavalo conforme o alimento que fornecemos. Quanto mais ocupado o cavalo fica se alimentando, melhor poderá ser seu desempenho.

Probióticos

São microrganismos vivos que, introduzidos na dieta alimentar, melhoram a *performance* zootécnica dos animais. Por meio dessas substâncias, é possível facilitar a absorção de nutrientes pelo animal e promover um manejo adequado.

O cavalo é um animal monogástrico, com estômago pouco volumoso e intestino bem desenvolvido. O intestino delgado possui a função de digestão enzimática e os alimentos permanecem lá por 1 a 2h e as enzimas produzidas pelo pâncreas iniciam sua ação. No intestino grosso, onde os alimentos permanecem por 24 a 48h, a digestão dos alimentos ocorre graças à ação da população microbiana.

A perfeita atividade da flora intestinal permite uma boa utilização digestiva dos alimentos, pois a flora tem um efeito de barreira ecológica à instalação de germes, particularmente os patogênicos, que podem trazer graves prejuízos ao animal. A boa higiene digestiva do animal dependerá também do equilíbrio da flora intestinal.

As causas que levam à perturbação da flora intestinal são de diversas origens. Estresse por transporte ou competição, período pós-operatório, distribuição irregular de refeições, erros alimentares na escolha de produtos com excessos proteicos e/ou desequilibrados em celulose, em períodos normais da vida das éguas como gestação e lactação, etc.

As consequências do desequilíbrio na flora intestinal, também denominado dismicrobismo, levam a uma queda acentuada da eficácia da dieta diária, com um estado geral não adequado à *performance* esportiva e à reprodução.

Todos esses fatores predispõem o cavalo aos desequilíbrios de sua flora intestinal. O dismicrobismo pode causar patologias digestivas que podem levar o animal à morte (ver Cap. 24).

A mais conhecida dessas patologias é a síndrome cólica, uma das maiores causas de mortalidade dos cavalos.

Além da síndrome cólica, o dismicrobismo predispõe o cavalo a quadros de laminite (aguamento), patologia extremamente grave e que pode ser prevenida com um manejo adequado.

O probiótico atua contra os desequilíbrios da flora intestinal. Graças à sua ação biorreguladora, permite encobrir os desequilíbrios, preservando assim suas funções essenciais de maneira geral e a saúde do cavalo.

Mas, para que um probiótico possa ter ação efetiva e ser chamado de probiótico, deve possuir características particulares:

- Ser cultura viva (pode ser bactéria ou levedura).
- Ser ofertado em alta concentração, mínimo de 1.000.000 UFC (unidades formadoras de colônia) por quilograma de alimento ingerido pelo cavalo.
- Ser oferecido em aporte contínuo (ininterruptamente).
- Ser resistente às enzimas digestivas e ao pH do estômago.
- Ser competitivo em relação aos germes digestivos.

Em geral, os probióticos para equinos mais comuns podem ser oriundos de bactérias vivas, como *Lactobacillus acidophillus*, *Streptococcus faecium* e *Bacillus subtilis* ou leveduras vivas, como *Saccharomyces cerevisae* e *Aspergillus oryza*.

O que se procura quando se administra um probiótico ao animal é melhorar a eficácia alimentar com o aumento da atividade enzimática e elevando a digestibilidade das fibras.

Além disso, espera-se uma melhora no estado de saúde do animal, pois há elevação das defesas imunitárias com diminuição da ação dos germes patogênicos.

Os cavalos apresentam uma melhora do estado geral (aspecto do pelo, qualidade dos cascos, etc.) e, sobretudo, uma queda significativa dos problemas digestivos.

Prevenindo e estabilizando os desequilíbrios da flora microbiana do organismo, o probiótico reforça as defesas imunitárias naturais, otimiza o aproveitamento da alimentação e reduz os problemas da digestão, limitando os efeitos das transições alimentares ou do estresse.

Em éguas reprodutoras, um aporte regular de alimento suplementado com probiótico garante uma melhor lactação. As dietas diárias são mais bem valorizadas e as éguas não perdem peso de modo excessivo após o parto e apresentam uma melhor qualidade leiteira com aumento dos níveis dos elementos nutritivos e minerais do leite. A produção leiteira melhora qualitativa e quantitativamente, o que permite ao criador obter potros mais bem criados, mais robustos e resistentes.

É importante ressaltar que a maioria dos probióticos presentes no mercado não é termorresistente, isto é, não resiste a temperaturas elevadas, morrendo nos processos industriais de fabricação de ração. Para que um probiótico possa ser utilizado na ração comercial, deve ser, obrigatoriamente, termorresistente, para manter-se vivo após a industrialização do produto.

Da mesma forma, suplementos com probióticos, para terem suas características preservadas, devem ser acondicionados em recipientes que mantenham a integridade das bactérias e leveduras e ser armazenados de forma apropriada.

Prebióticos

São substâncias alimentares não digeríveis pelo organismo animal que têm como função fortalecer a flora intestinal saprófita (benéfica), natural ou não do animal, tornando-a mais capacitada para aproveitar os nutrientes oferecidos pelos alimentos.

Como exemplos, temos o manano-oligossacarídeo (MOS – parede celular de bactéria), o fruto-oligossacarídeo (FOS – açúcares não convencionais, não metabolizados pelo organismo humano e não calóricos, considerados prebióticos, uma vez que promovem seletivamente o crescimento de probióticos ou da microbiota natural) ou mesmo algumas leveduras de cana e cervejaria que forneçam carboidratos que as bactérias da microbiota digestiva tenham a capacidade de fermentar.

O uso concomitante de probiótico e prebiótico tende a potencializar a eficácia de ambos. Produtos que contenham probiótico e prebiótico são denominados simbióticos.

Minerais

Além do sal mineral, específico para equinos, que deve ser oferecido sob qualquer circunstância ao animal, o cavalo pode ter a necessidade de alguns elementos minerais, conforme as circunstâncias.

Temos que tomar alguns cuidados ao oferecermos uma suplementação mineral ao animal, pois temos que oferecê-la em equilíbrio, jamais um único elemento mineral.

O fornecimento de minerais ao cavalo deve ser feito de forma equilibrada, sempre pensando no conjunto dos elementos minerais necessários ao bom funcionamento do organismo.

A atuação dos elementos minerais, de forma geral, depende do equilíbrio existente entre todos os elementos minerais disponíveis no organismo (Fig. 17.1).

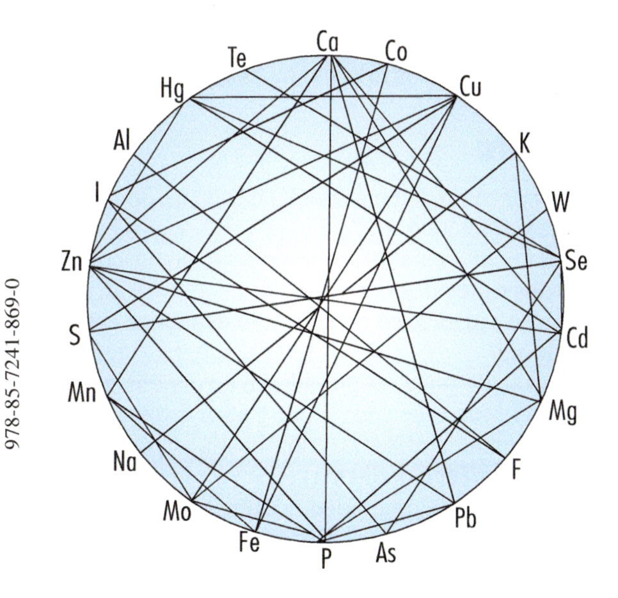

Figura 17.1 – A Roda de Dyer nos mostra o equilíbrio entre os elementos minerais. O funcionamento do organismo está estreitamente relacionado ao delicado equilíbrio que existe entre os elementos minerais do organismo, em que o excesso ou a deficiência de um elemento pode causar desequilíbrios entre os elementos diretamente ligados a ele, conforme nos mostra a figura.

978-85-7241-869-0

O fornecimento de um único elemento mineral, em um animal saudável, que não tenha necessidade extra deste elemento, pode causar distúrbios no animal, com o aparecimento de doenças facilmente prevenidas em uma alimentação equilibrada.

Pode ocorrer a chamada carência induzida, em que o excesso de um elemento mineral pode causar a deficiência de outros elementos minerais, mesmo que estes outros elementos estejam disponíveis em quantidades adequadas na dieta.

Por exemplo, uma dieta rica em ferro, além das necessidades diárias do cavalo, pode causar carência induzida de zinco e cobre e o animal passa a apresentar sintomas de deficiências de zinco e cobre.

O excesso de selênio na dieta pode causar carência induzida de enxofre, que entra na constituição de aminoácidos sulfurados, responsável pela formação de camadas córneas no cavalo, levando ao crescimento de um casco frágil e predispondo a claudicações.

Esses excessos devem ocorrer por um período relativamente prolongado, mas são variáveis conforme o elemento mineral, o animal e a dieta como um todo.

As necessidades de cada elemento são diferentes conforme a categoria e a atividade do cavalo, sendo descritas nos respectivos capítulos.

Funções dos Elementos Minerais

Cálcio e Fósforo

A suplementação adequada de cálcio (Ca) e fósforo (P) é importante para se obter uma perfeita integridade do esqueleto e um bom desenvolvimento ósseo, sólido e resistente às trações musculares.

Funções do cálcio:

- Noventa e nove por cento estão presentes nos ossos e dentes.
- Ligado à coagulação sanguínea.
- Constituição das membranas celulares.
- Secreção glandular.
- Regulação da temperatura.
- Regulação de atividades enzimáticas.
- Funções mitocondriais e neuromusculares.

Funções do fósforo:

- Oitenta por cento estão presentes nos ossos e dentes.
- Ligado ao metabolismo energético.
- Atua em várias funções celulares.

Tão importante quanto suprir as necessidades do cavalo em cálcio e fósforo, é manter uma relação ideal entre estes dois minerais, próxima de 2:1 (duas partes de cálcio para uma parte de fósforo).

As necessidades diárias são expressas em gramas por dia.

O fornecimento de alimentos ricos em fósforo ou pobres em cálcio leva a um desequilíbrio desta relação, ocasionando distúrbios como a osteodistrofia fibrosa, mais conhecida como cara inchada (ver Capítulo 24); é facilmente prevenida com uma alimentação equilibrada.

A deficiência de cálcio diminui a densidade óssea, causando claudicações, fraturas, perda de peso e as chamadas doenças ortopédicas desenvolvimentares (DOD), mais bem descritas no Capítulo 24.

O excesso de cálcio, além de também predispor às DOD, prejudica a absorção de zinco e cobre (carência induzida) e eleva a densidade óssea, tornando os ossos mais quebradiços, sujeitos a fraturas. As necessidades de cálcio no cavalo são elevadas, porém os níveis da dieta não devem ultrapassar cinco vezes as necessidades, sob risco de intoxicação por excesso. A tolerância máxima de concentração de cálcio na dieta é de 2%.

A deficiência de fósforo, assim como de cálcio, diminui a densidade óssea, causando claudicações, fraturas, perda de peso e as DOD.

O excesso de fósforo, que impede a fixação do cálcio, além da osteodistrofia fibrosa, pode levar a deficiência de magnésio (carência induzida), desmineralização óssea, formação de esqueleto frágil, com claudicações, deformações, trincas e fraturas. Assim como ocorre com o cálcio, as necessidades de fósforo são elevadas, porém os níveis da dieta não devem ultrapassar cinco vezes as necessidades, sob risco de intoxicação por excesso.

Cloreto de Sódio

As necessidades diárias de cloreto de sódio (NaCl) em manutenção são facilmente cobertas pelas rações comuns do mercado, mas em situações especiais, em que há exigências diferenciadas, sobretudo em clima quente, uma suplementação extra se torna imprescindível para impedir o aparecimento de sinais de fadiga e queda de resistência.

Funções:

- Ligado à regulação dos fluidos corporais.
- Manutenção do equilíbrio ácido-básico.
- Condução do impulso elétrico em nervos e músculos.
- Geração do potencial de membrana.

As necessidades diárias são expressas em gramas por dia:

- Manutenção: 25 a 30g/animal/dia.
- Potros: 15 a 40g/animal/dia.
- Gestação: 25 a 45g/animal/dia.
- Lactação: 30 a 45g/animal/dia.
- Garanhões: 30 a 45g/animal/dia.
- Trabalho: 20 a 40 (até 70)g/animal/dia.

A deficiência de sódio diminui a sudorese e o desempenho do animal, diminui o consumo alimentar e hídrico, levando a perda de peso, fraqueza, desidratação, pica e constipação.

O excesso de sódio, que pode ocorrer por falta de água ou mistura na ração acima de 2%, pode levar a quadros de cólica, diarreia, poliúria, fraqueza, cambaleios, paralisia do posterior e decúbito.

Magnésio

O magnésio (Mg) é chamado de sedativo do sistema nervoso, tanto central (como o cálcio) como periférico (oposto ao cálcio).

Suas necessidades são aumentadas com dietas hiperproteicas e hiperenergéticas e são expressas em gramas por dia.

Em animais nervosos ou irritados, ou submetidos a estresse contínuo, um tratamento, por período definido, com um suplemento rico em magnésio, tem um efeito benéfico para o animal. A dose recomendada é de 8 a 10g diários, além da dieta habitual, por um prazo de 20 dias, podendo-se repetir após 15 dias, se necessário. Funções:

- Relacionado à excitabilidade neuromuscular.
- Calmante do sistema nervoso central.
- Ativador de várias enzimas.
- Relacionado ao metabolismo de lipídeos, glicídios, proteínas, sistemas ósseo, cardiovascular e neuromuscular.

Não foram relatados problemas decorrentes de excessos de magnésio na dieta diária.

A deficiência de magnésio pode causar excitabilidade neuromuscular (nervosismo, tremores musculares, ataxia, colapso), aumento da frequência respiratória, intensa sudorese, convulsão e morte.

Potássio

Setenta por cento do potássio (K) é encontrado na musculatura esquelética.

Fundamental para o funcionamento da musculatura e de todos os tecidos corporais.

As necessidades em potássio são expressas em gramas por dia.

Seu excesso pode ser prejudicial ao organismo, elevando o consumo de água. Pode causar fadiga muscular e problemas cardíacos e complicar a assimilação do magnésio (carência induzida).

Sua deficiência, que pode ocorrer por sudorese intensa, diarreia intensa e persistente, ou atividade física prolongada, pode levar a fadiga, fraqueza muscular, letargia, intolerância a exercícios e redução do consumo hídrico e alimentar.

Ferro

O ferro (Fe) é um constituinte fundamental de diversas enzimas e moléculas e está diretamente envolvido no transporte de oxigênio, junto à hemoglobina.

978-85-7241-869-0

De maneira geral, os alimentos disponíveis para cavalos, volumosos e concentrados, possuem quantidades adequadas de ferro, não sendo necessária uma preocupação extra com sua suplementação.

Em animais de alto desempenho, aumentam as exigências de ferro. Mas, como também se eleva o consumo de alimento pelo animal, suas necessidades são supridas de forma regular.

As necessidades são expressas em miligramas (mg) por dia ou partes por milhão (ppm) por dia.

Erroneamente, muitos proprietários de cavalo tendem a realizar uma suplementação extra de ferro às vésperas de competições equestres em uma tentativa de elevar o aporte de oxigênio na musculatura. Entretanto, em animais com dieta equilibrada, isso não ocorre. O excesso de ferro, além de não elevar o desempenho esportivo, pode prejudicar a absorção de zinco e cobre (carência induzida).

O ferro é um fator antianêmico, sendo sua carência muito rara, ocorrendo apenas em casos de anemia ferropriva ou hemorragias intensas.

O excesso de ferro, além de prejudicar a absorção de zinco e cobre, comprometendo a produção óssea, acelera a utilização de vitamina E, causando lesões musculares, miosite e cãibras e comprometendo a imunidade. Em casos de intoxicações graves, há degeneração hepática. O limite máximo de tolerância do equino ao ferro é de nove vezes a necessidade, porém, como todos os alimentos para equinos, volumosos, rações, sal mineral, suplementos, etc. são ricos em ferro, esses limites podem ser facilmente alcançados se não forem bem observados.

Cobre

O cobre (Cu) é um fator antianêmico, participa do desenvolvimento ósseo, da prevenção de osteocondrose e da elaboração de camadas córneas (cascos e pelos).

As necessidades são expressas em miligramas (mg) por dia ou partes por milhão (ppm) por dia.

Sua deficiência em potros desmamados até os 12 meses de idade predispõe às DOD. Em éguas idosas, prenhes, pode levar à ruptura da artéria uterina no pré-parto. Em qualquer idade, pode predispor à anemia.

O excesso de cobre causa anemia hemolítica subaguda e icterícia, lesões hepáticas e renais, letargia e morte. O equino é bastante tolerante ao excesso de cobre, que deve ultrapassar 25 vezes a dose recomendada.

Zinco

O zinco (Zn) está ligado à ossificação, ao metabolismo das proteínas e carboidratos, à integridade dos tegumentos (pele e camadas córneas, juntamente com cobre, vitamina A e biotina) e à imunidade.

As necessidades são expressas em miligramas (mg) por dia ou partes por milhão (ppm) por dia.

Sua deficiência tem como consequência imediata a diminuição do consumo alimentar, com consequente queda de desempenho e diminuição do crescimento em potros. Se a deficiência for grave, predispõe às DOD, em potros e pode-se observar paraqueratose, alopecia, letargia e diarreia em outros animais.

O excesso de zinco, acima de seis vezes as necessidades diárias, diminui o crescimento, causa rigidez, claudicação e anemia. Além disso, prejudica a absorção de cobre (carência induzida) predispondo às DOD.

Cobalto

O cobalto (Co) faz parte da composição da vitamina B_{12} (cianocobalamina), que é sintetizada pela microflora digestiva no ceco, sendo fundamental para sua síntese.

As necessidades são expressas em miligramas (mg) por dia ou partes por milhão (ppm) por dia.

A deficiência de cobalto leva à deficiência de vitamina B_{12}.

Ainda não estão bem determinadas as exigências mínimas de cobalto na dieta dos equinos, sendo extrapoladas das exigências dos bovinos, assim como os níveis de excessos, que ultrapassam 60 vezes as necessidades mínimas.

Manganês

O manganês (Mn) é indispensável à fertilidade e ao desenvolvimento ósseo, assim como para a síntese de sulfato de condroitina e está envolvido no metabolismo dos carboidratos e lipídeos. Além disso, o manganês diminui os danos causados pelos radicais livres, por ser um removedor de peróxidos.

As necessidades são expressas em miligramas (mg) por dia ou partes por milhão (ppm) por dia.

A deficiência de manganês pode causar anormalidades em recém-nascidos, problemas no desenvolvimento ósseo e possivelmente na fertilidade de éguas e garanhões.

Os excessos de manganês não foram descritos na espécie equina, entretanto, como seu excesso em ruminantes causa carência induzida de cálcio, fósforo e ferro, recomenda-se limitar seu uso a no máximo 18 vezes a necessidade.

Selênio

O selênio (Se) é um antioxidante do organismo, atua juntamente com a vitamina E, protegendo as células, mais particularmente:

- Eritrócitos: reduz o risco de hemólise.
- Capilares: previne micro-hemorragias e edemas.
- Músculos: contribui para evitar a degeneração muscular.

As necessidades são expressas em miligramas (mg) por dia ou partes por milhão (ppm) por dia.

A deficiência de selênio, diretamente ligada à deficiência de vitamina E e suas ações, pode causar miopatias com degradação da musculatura lisa, cardíaca e esquelética (por exemplo, doença do músculo branco em potros), mieloencefalopatia degenerativa, distúrbios reprodutivos, principalmente espermatogênese e ovariogênese, inflamações do tecido adiposo (esteatite) em potros, diminuição da imunidade, diminuição do crescimento, inquietação, rigidez muscular, dificuldade de amamentação, dispneia, edema pulmonar, elevação das frequências cardíaca e respiratória.

O excesso de selênio é igualmente prejudicial e facilmente obtido em uma dieta desequilibrada, com fornecimento de suplementos nem sempre necessários. O limite tóxico é alcançado com 14 vezes a necessidade, mas, como esta é muito pequena, 0,03mg/kg de peso, este limite pode facilmente ser alcançado se não se tomar cuidado. Além disso, como sua absorção é potencializada em 100 vezes pela vitamina E, deve-se atentar para os níveis ofertados desta vitamina para não ocorrerem problemas. Nesse caso, podemos observar perda de peso, inquietação, anemia, pelos ásperos, alopecia caudal e na crina, fezes fluidas, dores nos membros, crescimento anormal do casco e formação de anéis de crescimento ou rachaduras intensas nos cascos. Nesse último caso, como citado, pela carência induzida de enxofre, que entra na formação de queratina, responsável pela integridade dos cascos.

Iodo

O iodo (I) está ligado à síntese de tri-iodotironina (T3) e tiroxina (T4) (hormônios tireoidianos), à reprodução e à ossificação.

As necessidades são expressas em miligramas (mg) por dia ou partes por milhão (ppm) por dia.

Tanto a deficiência como o excesso de iodo na dieta podem levar ao hipotireoidismo e à hipertrofia da tireoide, conhecida como bócio.

Podemos observar pelame opaco, alopecia, espessamento cutâneo, diminuição do crescimento, problemas de calcificação óssea, letargia, inapetência, intolerância ao frio e hipotermia. Em recém-nascidos, pode-se observar natimortalidade e aparecimento de DOD em potros mais velhos.

O índice de intoxicação é relativamente alto, 14 vezes a necessidade, mas, como ocorre com o selênio, é facilmente obtido em uma dieta desequilibrada, com fornecimento de suplementos nem sempre necessários.

Minerais Quelatos

Para serem absorvidos, os minerais devem estar unidos a um aminoácido. A esse complexo mineral-aminoácido, chamamos de mineral orgânico ou mineral aminoácido quelato.

Existem diferentes tipos de minerais orgânicos:

- Mineral aminoácido quelato: é a melhor forma de se absorver o mineral. É quando uma molécula de mineral se une a dois aminoácidos específicos, o que facilita sua absorção.
- Mineral aminoácido complexo: quando uma molécula de mineral se une a um aminoácido, que pode ser específico ou inespecífico.
- Mineral proteinato: quando uma molécula de mineral se une a um complexo de aminoácidos.

A diferença está no peso molecular, nas constantes de estabilidade das ligações, nos aminoácidos utilizados e na capacidade de absorção (quanto menor e mais específico o complexo, melhor a absorção).

Por exemplo, o ferro quelato é cerca de 90% absorvido e o ferro inorgânico apenas 10%. A quantidade de disponibilidade de outros elementos quelatos é extremamente variável conforme o processo industrial com que é feito.

A vantagem dos minerais quelatos é a maior biodisponibilidade sem interferir na absorção de outros nutrientes, sem causar efeitos colaterais nem *doping*.

Além disso, como sua absorção é muito superior à dos minerais inorgânicos, permite-nos oferecer ao animal uma quantidade menor de suplemento para ter suas necessidades atendidas.

Entretanto, devemos ter muito cuidado com os suplementos ditos ricos em minerais quelatos. Primeiro, por ser muito caro quelar um elemento mineral de forma estável e facilmente absorvível pelo animal. Segundo, por não ser possível quelar todos os elementos minerais em um suplemento. Desta forma, poucos elementos minerais estão realmente disponíveis no mercado para equinos. Os minerais quelatos mais comuns são zinco, cobre, selênio, manganês, ferro, fósforo, magnésio, boro e molibdênio.

O grande problema ainda encontrado com relação aos minerais quelatos é que nem todo mineral quelato é efetivamente absorvido. Por exemplo, existe uma substância presente em algumas gramíneas, chamada oxalato, que quela o cálcio, mas de forma a torná-lo inabsorvível para o organismo. Além disso, muitos processos industriais para fabricação do mineral quelato não garantem a disponibilidade do quelato ao organismo, apenas no produto, pois se a molécula não for estável no aparelho digestivo, irá se romper e não trazer benefício algum ao animal.

Eletrólitos

Como definição simples, eletrólitos são os minerais perdidos pelo suor: sódio (Na), cloro (Cl), potássio (K), magnésio (Mg) e cálcio (Ca).

A reposição após o esforço físico melhora o desempenho do animal, pois leva este ao estado de repouso mais rapidamente.

Os equinos perdem muito suor em seu dia a dia, pois possuem 1.200 glândulas sudoríparas por centímetro quadrado, dispostas por todo o seu corpo.

O suor das glândulas merócrinas, presentes nas regiões com pelo, é composto de 95% de água e 5% de elementos minerais. Considerando-se que um equino pode perder mais de 10L de suor durante uma competição de enduro, nesse caso perde 500g de minerais pelo suor, que devem ser repostos o mais breve possível para o bom funcionamento do organismo.

O condicionamento físico e a dieta equilibrada diária são condições fundamentais para o bom desempenho esportivo e a adição de substâncias como eletrólitos pode favorecer esse bom desempenho.

Os eletrólitos podem ser oferecidos:

- Após exercícios físicos.
- Em temperaturas elevadas.
- Durante competições.
- Durante os treinamentos.

Em suma, em qualquer situação em que há perdas de suor pelo animal.

Os eletrólitos podem ser oferecidos nas seguintes formas:

- Pó, dissolvido em água.
- Pasta.
- Líquido.
- Extrusado.

Uma condição fundamental para se oferecer eletrólitos ao animal é ter *sempre* disponibilidade de água. Esta é fundamental para que os minerais sejam absorvidos.

Alguns cuidados importantes devem ser tomados quando da suplementação eletrolítica do cavalo.

Em primeiro lugar, essa reposição só é realmente eficaz se for necessária para o animal, isto é, somente precisamos oferecer eletrólitos a cavalos submetidos a esforços intensos ou de grande duração, em que ocorram perdas eletrolíticas. Oferecer eletrólito como preventivo antes de uma competição, além de não ter validade fisiológica, pode comprometer o desempenho do animal, pois, se este não tiver acesso à água após a administração, não irá absorver adequadamente os minerais e deverá disponibilizar água de seu organismo para sua absorção.

978-85-7241-869-0

As reposições devem ser feitas após o esforço ou durante, se for permitido (como numa prova de enduro), mas é de fundamental importância que o animal tenha livre acesso à água após o fornecimento dos eletrólitos, pois sua absorção eficaz somente ocorrerá na presença de água. Caso não seja possível fornecer água ao animal, ou se este não beber água durante uma competição, é preferível evitar o fornecimento do suplemento eletrolítico, sob risco de aumentar o grau de desidratação.

Vitaminas

Com a forragem verde, de alta qualidade, que o cavalo obtém na pastagem, provavelmente não temos que nos preocupar com a adição de qualquer teor extra de vitaminas A, D e E para animais em manutenção. No entanto, se o animal é mantido numa baia e alimentado com feno, provavelmente precisará de uma suplementação de vitaminas.

A maioria das vitaminas lipossolúveis (A, D, E e K) é fornecida em níveis suficientes pelos alimentos normalmente dados ao animal ou produzida em quantidades adequadas no sistema digestivo.

Sob condições de estresse intenso, como corridas, provas ou exposições, o animal poderá não conseguir as quantidades necessárias de vitaminas pela alimentação normal. Para animais nervosos e hiperativos, anêmicos, enfermos, em tratamentos pós-cirúrgicos, etc., em todos esses casos recomenda-se uma suplementação de vitaminas. Ou ainda, em situações de terapia oral de drogas antimicrobianas por tempo prolongado, em que pode haver destruição da flora intestinal natural responsável pela produção de algumas vitaminas, estas devem ser administradas.

Alguns cuidados devem ser tomados quando se utilizam produtos com vitaminas, pois sua disponibilidade é afetada por luz solar, trituração dos alimentos, temperaturas elevadas e umidade.

As necessidades diárias de cada vitamina, conforme a categoria animal são dadas nos respectivos capítulos.

Funções das Vitaminas

Vitamina A

As principais funções da vitamina A estão ligadas a visão, especialmente noturna, proteção dos epitélios, como anti-infecciosa, crescimento ósseo e muscular e reprodução.

As principais fontes de vitamina A são forragens verdes, alfafa e cenoura, por meio do betacaroteno presente nessas plantas.

Por muito tempo acreditou-se que a única função do betacaroteno fosse como fonte de vitamina A. Pesquisas mais recentes concluíram que o betacaroteno tem ação específica nos ovários, como antioxidante, atuando na formação do corpo lúteo, no controle da ovulação e na nidação embrionária, devendo também ser disponibilizado para os animais. Como a fonte de ambos é a mesma, oriunda de matérias-primas nobres, basta o fornecimento desses alimentos para suprir suas necessidades. Caso isso não seja possível, ambos devem ser disponibilizados para o cavalo.

Um bom indicativo do valor de vitamina A nas forragens pré-secadas, como o feno, é sua coloração. Quanto mais verde for a coloração do feno, mais preservada está a pró-vitamina A, sendo fonte desta vitamina. Portanto, em fenos muito secos, ou armazenados por longos períodos, há deficiência de vitamina A para o equino, devendo ser suplementado.

A vitamina A é expressa em unidades internacionais (UI) para ser mensurada nos alimentos e na oferta aos animais.

Os principais sintomas de deficiência de vitamina A são lacrimejamento excessivo e cegueira noturna. Ocorre diminuição do consumo alimentar, redução do crescimento, anemia, aumento das doenças respiratórias, diarreia, queda na taxa de concepção, fraqueza, elevação da queratinização cutânea e até convulsões.

Os excessos de vitamina A, já relatados em dietas com disponibilidade acima de 400UI/kg de peso vivo, ou cinco vezes a necessidade diária, podem causar diminuição do consumo alimentar, diminuição do crescimento, alopecia, anemia, depressão, fraqueza, ataxia e aumento do tempo de coagulação sanguínea. Entretanto, alguns estudos dizem que níveis seguros são obtidos em até 100 vezes a necessidade diária, porém, sem vantagem alguma.

Vitamina D

As principais funções da vitamina D estão ligadas à absorção intestinal do cálcio e consequente mineralização óssea.

A vitamina D é expressa em UI para ser mensurada nos alimentos e na oferta aos animais.

As necessidades de vitamina D nos equinos estão relacionadas a animais que não tenham acesso à luz solar, pois os raios ultravioleta convertem o 7-desidrocolesterol, que é sintetizado pelo organismo, em colecalciferol ou vitamina D_3 na pele e em ergosterol ou vitamina D_2 nas folhas mortas de plantas, mesmo em dias nublados, o que não ocorre se a insolação for através de vidro, que bloqueia esses raios.

Feno armazenado por longos períodos também perde a vitamina D, fato que não afeta as necessidades do animal se tomar sol diariamente.

A deficiência de vitamina D, quando ocorrer, está relacionada a casos de raquitismo em jovens e osteomalacia em adultos, porém não foram descritos casos naturais destas patologias em equinos, pois, para ocorrerem, os animais devem ficar longos períodos de meses sem acesso à luz solar.

Os excessos de vitamina D são mais comuns, inclusive sendo o caso mais corrente de toxicose vitamínica, resultante de fornecimento de vitamina D em grandes quantidades na alimentação por meio de rações e suplementos, sendo o excesso cumulativo, podendo ocorrer após 60 dias de fornecimento de quantidades dez vezes acima da recomendada.

Os sintomas de excesso de vitamina D observados são elevações da absorção e da deposição de cálcio em tecidos moles, como endocárdio, parede de vasos celulares grandes, rins, mucosa gástrica, glândulas salivares e no diafragma. Ocorre queda do desempenho e intolerância ao exercício, hiperfosfatemia, sensibilidade nos tendões flexores e ligamentos suspensores, diminuição do apetite com perda de peso e diminuição da taxa de crescimento.

Vitamina E

A principal forma encontrada de vitamina E nos alimentos e ativa no organismo animal é o D-alfatocoferol.

As principais funções da vitamina E estão ligadas ao selênio, sendo um antioxidante, levando à proteção dos músculos e gorduras de reserva. Está ligada a crescimento e funcionamento do testículo, espermatogênese e ovulogênese. Além disso, está envolvida no sistema imune, na respiração celular, na síntese de ácido desoxirribonucleico (DNA, *deoxyribonucleic acid*), é cofator da vitamina C, diminui os sintomas de deficiência de zinco, potencializa absorção e armazenamento da vitamina A. Dessa forma, o excesso de vitamina A na dieta eleva a necessidade de vitamina E, enquanto sua deficiência leva a um menor armazenamento de vitamina A.

Devido à relação entre as vitaminas lipossolúveis A, D e E, recomenda-se em suplementos comerciais a proporção de 1.000UI de vitamina A, 150UI de vitamina D e 5UI de vitamina E para absorção máxima de cada vitamina.

A vitamina E pode ser expressa em miligramas (mg) por dia, partes por milhão (ppm) por dia ou UI, sendo os valores equivalentes entre si.

Como está diretamente ligada ao selênio, seu excesso e sua deficiência são semelhantes aos descritos para o selênio.

O excesso de vitamina E não foi bem descrito em equinos, mas, como pode interferir na utilização das vitaminas A, D e K, recomenda-se não ultrapassar 20 vezes a necessidade recomendada para equinos.

Vitamina K

Está diretamente ligada a fatores anti-hemorrágicos, sendo um cofator fundamental para a ativação da coagulação sanguínea. Pode ser encontrada sob as formas de K_1 e K_2, naturais, e K_3, sintética.

De maneira geral, a flora intestinal do cavalo sintetiza as quantidades diárias necessárias, não se precisando da suplementação extra de vitamina K em animais saudáveis, exceto como preventivo em casos de hemorragia intensa.

A vitamina K é expressa em miligramas (mg) por dia. Sua deficiência pode ocorrer em casos de hemorragia intensa, grave desequilíbrio da flora intestinal, em animais idosos ou no caso de intoxicações por dicumarol e derivados, presente em raticidas e algumas drogas utilizadas no tratamento da doença do navicular, como a varfarina, que tem seu efeito potencializado em administração concomitante com fenilbutazona.

Os efeitos da deficiência de vitamina K são diminuição do tempo de coagulação, aumento de sangramento pós-cirúrgico, epistaxe, hematomas subcutâneos, hemorragias articulares, sangramento renal e gastrointestinal e, eventualmente, hemorragia interna.

A intoxicação por vitamina K_3 pode ocorrer em doses de 8,8mg/kg de peso vivo, observando-se depressão, cólica renal, micção dolorosa, hematúria e anorexia, levando à morte.

Vitamina C ou Ácido Ascórbico

O ácido ascórbico é sintetizado no fígado dos animais a partir da glicose. Apesar de ser essencial para o organismo, não é necessária uma suplementação extra dessa

978-85-7241-869-0

vitamina, pois o equino, em condições normais, produz toda a quantidade necessária ao seu organismo.

É um antioxidante, protege lipídeos, proteínas e membranas dos efeitos tóxicos dos radicais livres, regulariza a síntese óssea, auxilia na utilização do ácido fólico, da vitamina B_{12} e de outras vitaminas do complexo B, do colesterol e da glicose, potencializa a absorção do ferro, é um estimulante imunológico, é necessária para a síntese de noradrenalina, carnitina, tirosina e esteroides, atua na hidroxilação de triptofano, lisina e prolina.

A vitamina C é expressa em gramas (g) por dia.

Algumas situações são descritas como de interesse para suplementação com vitamina C, como animais idosos, em situações de estresse, durante o tempo frio intenso, em potros com crescimento rápido, em animais de competição intensa ou em dietas pobres em energia dietética que não disponibilizariam glicose para a síntese de vitamina C em quantidades adequadas para o cavalo. Nesses casos, doses diárias de 20g para um animal de 500kg de peso podem ser interessantes, entretanto, os efeitos benéficos dessa administração não estão cientificamente comprovados.

A deficiência de vitamina C pode causar retardo na cicatrização, ossos quebradiços, hemorragia e artrite, prejudicar a formação óssea e a dentição, provocar fadiga profunda, letargia e morte. Não foram relatados efeitos tóxicos do uso de vitamina C na dieta dos equinos, em doses de até 30 vezes a citada.

Vitaminas do Complexo B

As vitaminas do complexo B, de maneira geral, não têm necessidade de suplementação extra, exceto em casos de estresse intenso e animais idosos.

Esse grupo de vitaminas é sintetizado pela microflora digestiva do cavalo em quantidades suficientes para suprir suas necessidades básicas.

Entretanto, animais com distúrbios que causem um relativo desequilíbrio na flora intestinal podem ter necessidades de suplementação. Quaisquer situações de estresse, como competição, treinamento intenso, inconstância de manejo, ou ainda antibioticoterapia prolongada, parasitismo intenso ou mesmo a idade, podem gerar essas necessidades.

Os sintomas de deficiência e excesso das vitaminas do complexo B não são bem descritos nos equinos, mas o são em várias outras espécies, sendo a maioria dos citados referência do que ocorre principalmente em ruminantes.

As vitaminas do complexo B são descritas a seguir:

- Vitamina B_1 ou tiamina: suas funções principais estão ligadas ao metabolismo dos glicídios, síntese de ácidos graxos e transmissão do impulso nervoso. Suas necessidades são expressas em miligramas (mg) por dia ou partes por milhão (ppm) por dia. Sua deficiência causa anorexia, ataxia, tremores musculares, rigidez e hipotermia periférica transitória. Não foram descritos efeitos adversos por intoxicação com até 80 vezes a dose recomendada.
- Vitamina B_2 ou riboflavina: tem como funções principais síntese de hormônios da adrenal, metabolismo geral dos glicídios, aminoácidos e ácidos graxos. Suas necessidades são expressas em miligramas (mg) por dia ou partes por milhão (ppm) por dia. Sua deficiência causa queda no aproveitamento alimentar e na taxa de crescimento, pelo áspero e seco, atrofia dos folículos pilosos e das glândulas sebáceas, dermatite, fraqueza muscular de membros posteriores, anemia, diarreia, anestro, morte embrionária precoce, hipoplasia testicular, esteatose hepática e problemas oculares como lacrimejamento excessivo, fotofobia e conjuntivite catarral. Não foram observados problemas por excesso de riboflavina em doses de até 20 vezes os níveis recomendados.
- Vitamina B_6 ou piridoxina: suas funções estão ligadas ao metabolismo dos aminoácidos, utilização do glicogênio, metabolismo dos lipídeos e do ácido gama-aminobutírico (GABA) e na síntese de adrenalina e noradrenalina. Suas necessidades são expressas em miligramas (mg) por dia ou partes por milhão (ppm) por dia. Os sinais de deficiência podem ser redução da taxa de crescimento, fraqueza muscular, alopecia, dermatite descamativa, anemia hipocrômica microcítica e redução da imunidade. Intoxicações podem ser observadas em doses acima de 50 vezes a recomendada, sendo observadas anorexia, incoordenação, ataxia e convulsão.
- Vitamina B_{12} ou cianocobalamina: suas principais funções são metabolismo dos carboidratos, ligadas a vários aminoácidos, como síntese de metionina, síntese de timidina, necessária para a síntese de DNA e entrada de folato nas células. Suas necessidades são expressas em microgramas (µg) por dia ou partes por bilhão (ppb) por dia. Sua deficiência pode causar anemia e neuropatias, com incoordenação posterior, insuficiência reprodutiva, perda de apetite, queda na taxa de crescimento, pelo áspero e dermatite. Seus excessos são bem tolerados pelo equino em até 100 vezes a dose recomendada.
- Niacina, nicotinamida, ácido nicotínico ou vitamina PP: suas funções estão ligadas ao metabolismo dos lipídeos, glicídios e proteínas e na respiração mitocondrial. Suas necessidades são expressas em miligramas (mg) por dia ou partes por milhão (ppm) por dia. Sua deficiência pode causar perda de apetite, redução de crescimento, fraqueza muscular, pelame áspero, vômito e diarreia, dermatite descamativa, anemia, paralisia posterior, irritabilidade e emaciação. Os efeitos da intoxicação podem ser vasodilatação, prurido, náuseas, vômitos, lesões cutâneas e intoxicação hepática; o equino tolera 100 vezes a dose recomendada.
- Ácido pantotênico: já foi chamado de vitamina B_3. Suas principais funções estão ligadas à absorção de energia, ao metabolismo dos carboidratos, lipídeos

e proteínas e à transmissão do impulso nervoso, através da formação da acetilcolina. Suas necessidades são expressas em miligramas (mg) por dia ou partes por milhão (ppm) por dia. As deficiências observadas são retardo no crescimento, dermatite, pelame áspero, neurite, úlceras gastrointestinais, com vômitos e diarreia, mau desempenho reprodutivo e do sistema imune. Não foram observados efeitos tóxicos em doses de até 100 vezes a recomendada.

- Ácido fólico ou folacina: suas principais funções estão ligadas ao metabolismo dos monocarbonados, à síntese das proteínas e do DNA. Suas necessidades são expressas em miligramas (mg) por dia ou partes por milhão (ppm) por dia. As deficiências de ácido fólico são prejuízos na síntese de DNA, na formação celular como da medula óssea e linfócitos, leucopenia, aumento do volume corpuscular médio de eritrócitos, anemia macrocítica, diminuição da taxa de crescimento e diarreia. Não foram observados efeitos tóxicos em doses de até 100 vezes a recomendada.
- Biotina ou vitamina H: é uma vitamina sulfurada, encontrada em muitos tecidos vegetais e animais. Está ligada à síntese de diversas proteínas e à fixação de gás carbônico (CO_2). *É utilizada pelo organismo no metabolismo de gorduras, carboidratos e proteínas.* Melhora a velocidade de crescimento dos cascos juntamente com aminoácidos sulfurados, como metionina e cisteína, e com zinco e cobre. Suas necessidades são expressas em miligramas (mg) por dia ou partes por milhão (ppm) por dia. A deficiência de biotina diminui a taxa de crescimento, causa dermatose não pruriginosa descamativa, fraqueza, depressão, queda do desempenho reprodutivo, diarreia, anorexia, perda de peso, cascos moles e anemia. Não se descreveram sintomas por excessos de biotina nos equinos. No caso de patologias do casco, em que foram observados efeitos benéficos da suplementação com biotina, esta deve ser feita em uma dosagem mínima de 20mg por dia, por um período de cinco a sete meses, sendo necessário o crescimento completo do casco para interromper o tratamento, sob risco de não se observar os efeitos favoráveis deste tratamento.
- Colina: sintetizada no fígado. Suas principais funções são transmissão do impulso nervoso, como componente da acetilcolina, formação da metionina e da creatina, como componente da betaína, e na formação das membranas celulares, como componente da lecitina. Suas necessidades são expressas em miligramas (mg) por dia ou partes por milhão (ppm) por dia. As deficiências de colina podem ser observadas com o desenvolvimento de um fígado gorduroso, podendo causar cirrose hepática, atrofia do timo, diminuição da taxa de crescimento, queda na taxa de reprodução e lesões renais hemorrágicas. O excesso, que pode ocorrer com apenas três vezes a dose recomendada, pode levar a uma anemia hipercrômica e diminuição da taxa de crescimento.

Aminoácidos

Em uma dieta equilibrada, composta de volumoso de boa qualidade e ração específica para o animal, com valores qualitativos e quantitativos adequados de proteína, em geral não é necessária a suplementação extra de aminoácidos, exceto em casos em que haja uma exigência extremamente elevada, como é o caso de cavalos em atividade intensa e animais idosos e, ainda assim, de alguns aminoácidos específicos.

Os aminoácidos são divididos em dois grupos: aminoácidos essenciais e aminoácidos não essenciais.

Aminoácidos essenciais são aqueles que o organismo do animal não consegue sintetizar, sendo obtido somente pela alimentação; são eles: lisina, metionina, triptofano, histidina, fenilalanina, leucina, isoleucina, treonina, valina e arginina.

Aminoácidos não essenciais são aqueles que o animal consegue disponibilizar ao organismo pela síntese dentro do organismo, desde que tenha os aminoácidos essenciais disponíveis. São eles: aspártico, ácido glutâmico, alanina, arginina, cisteína, glicina, glutamina, histidina, prolina, serina, tirosina, taurina.

A quantidade de aminoácidos que um animal necessita, específica e isoladamente falando de cada aminoácido, foi determinada apenas com relação à lisina, não sendo, portanto, factível utilizar determinado suplemento de aminoácidos e afirmar que estamos suprindo as necessidades do animal por desconhecer quais as necessidades quantitativas para o animal.

A base química de todos os aminoácidos é a mesma, R-CH(NH_2)-COOH, alterando-se apenas o radical R, com maior ou menor complexidade.

Ácido Aspártico ou Aspartato

O ácido aspártico é um aminoácido não essencial, portanto não necessário de constar na dieta, cuja fórmula é HCOO-CH_2-CH(NH_2)-COOH.

Símbolo: ASP. Abreviação: D.

O ácido aspártico é o ácido correspondente ao aminoácido asparagina.

Atua como neurotransmissor no cérebro e no ciclo da ureia. Há indicações que levam a crer que o ácido aspártico auxilie na proteção à fadiga.

Ácido Glutâmico ou Glutamato

O ácido glutâmico é um aminoácido não essencial, portanto não necessário de constar na dieta, e sua fórmula é HCOO-CH_2-CH_2-CH(NH_2)-COOH.

Símbolo: GLU. Abreviação: E.

Atua dentro do sistema nervoso central, sendo denominado o combustível cerebral.

978-85-7241-869-0

Alanina

É um aminoácido não essencial, portanto não necessário de constar na dieta, e sua fórmula é CH_3-$CH(NH_2)$-COOH.

Símbolo: ALA. Abreviação: A.

Uma das principais funções da alanina é ligar-se a íons como cobre, zinco, cobalto e outros, formando compostos quelatos que facilitam a absorção e o transporte destes íons para órgãos que tenham necessidade.

Arginina

É um aminoácido que, dependendo das circunstâncias, pode ser considerado essencial e em determinadas circunstâncias não essencial. É essencial nas fases do crescimento e em recuperações de patologias.

Sua fórmula é HN=$C(NH_2)$-NH-CH_2-CH_2-CH_2-$CH(NH_2)$-COOH.

Símbolo: ARG. Abreviação: R.

As principais funções da arginina estão ligadas à divisão celular, à cicatrização de feridas, na remoção de amônia do corpo, no sistema imunitário e na produção de hormônios.

Cisteína

É um aminoácido não essencial, portanto não necessário de constar na dieta, pois pode ser sintetizado no organismo pela metionina. Sua fórmula é SH-CH_2-$CH(NH_2)$-COOH.

Símbolo: CYS ou CIS. Abreviação: C.

É um aminoácido sulfurado, essencial para a formação da queratina, entrando na composição da parede do casco e dos pelos. É muito utilizada como aromatizante.

Fenilalanina

É um aminoácido essencial, portanto necessário de constar na dieta, e sua fórmula é C_6H_5-CH_2-$CH(NH_2)$-COOH.

Símbolo: PHE ou FEN. Abreviação: F.

Tem atuação no sistema nervoso central, agindo como antidepressivo e anti-inflamatório.

Glicina

É um aminoácido não essencial, portanto não necessário de constar na dieta, sendo sintetizado a partir da serina. Sua fórmula é H-$CH(NH_2)$-COOH.

Símbolo: GLY ou GLI. Abreviação: G.

Atua como precursor de diversas reações químicas, como neurotransmissor, e como componente estrutural do colágeno.

Glutamina

É um aminoácido não essencial, portanto não necessário de constar na dieta, e sua fórmula é NH_2-CO-CH_2-CH_2-$CH(NH_2)$-COOH.

Símbolo: GLU. Abreviação: E.

A glutamina participa de vários processos metabólicos no organismo. É encontrada em altas concentrações no músculo esquelético e no plasma.

O músculo esquelético é um grande produtor de glutamina e libera grandes quantidades deste aminoácido para a circulação, principalmente em situações de infecções e cirurgias.

Previne a perda muscular em momentos de estresse oxidativo, tendo um efeito anticatabólico, favorece a síntese proteica aumentando a massa muscular magra, potencializa o sistema imunológico, é um importante combustível cerebral, atua na cicatrização de feridas, auxilia na recuperação pós-traumática.

A glutamina pode converter-se em glicose sem que apareçam modificações nos níveis de insulina plasmática e contribui para a recuperação de glicogênio muscular após o treinamento.

Histidina

Assim como a arginina, é um aminoácido que, dependendo das circunstâncias, pode ser considerado essencial e em determinadas circunstâncias não essencial. É essencial nas fases do crescimento e em recuperações de patologias.

Sua fórmula é H-$(C_3H_2N_2)$-CH_2-$CH(NH_2)$-COOH.

Símbolo: HIS. Abreviação: H.

Encontrada na hemoglobina tendo atuação na vasodilatação, em anemias e em úlceras gástricas.Tem ação no desenvolvimento animal.

Isoleucina

É um aminoácido essencial, portanto necessário de constar na dieta, e sua fórmula é CH_3-CH_2-$CH(CH_3)$-$CH(NH_2)$-COOH. É um aminoácido de cadeia ramificada.

Símbolo: ILE. Abreviação: I.

A isoleucina atua na formação do trifosfato de adenosina (ATP, *adenosine triphosphate*), é um componente da proteína muscular, inibe o catabolismo proteico, estimula a síntese proteica e proporciona aumento de peso.

Leucina

É um aminoácido essencial, portanto é necessário constar na dieta, e sua fórmula é $CH_3(CH_2)_3$-CH_2-$CH(NH_2)$-COOH. É um aminoácido de cadeia ramificada.

Símbolo: LEU. Abreviação: L.

A leucina atua na formação de ATP, estimula a síntese proteica e a manutenção e a produção da massa muscular, especialmente em idosos.

Lisina

É um aminoácido essencial para o organismo, cuja fórmula é NH_2-CH_2-CH_2-CH_2-CH_2-$CH(NH_2)$-COOH.

Símbolo: LYS ou LIS. Abreviação: K.

Está ligada a crescimento, trabalho muscular, cicatrização de feridas, produção de hormônios, enzimas e anticorpos.

Para um animal em manutenção, basta uma boa forragem e alimentação equilibrada para que suas necessidades sejam supridas.

Para potros em crescimento e animais de esporte e trabalho, é importante sua suplementação, que pode ser obtida com uma boa ração concentrada e volumosos de qualidade, não sendo necessária uma adição extra desse aminoácido na dieta, exceto em casos comprovados de sua deficiência, como com o uso de forragens e rações de má qualidade.

Sua administração além do requerido pelo animal deve ser feita com muito critério, pois a lisina, quando em excesso, pode provocar carência induzida de outros aminoácidos. O excesso de lisina diminui a atividade da glicina-amidino-transferase, limitando a formação de creatina e aumentando a excreção de arginina, elevando as necessidades destes aminoácidos.

Metionina

É um aminoácido essencial para o organismo e sua fórmula é CH_3-S-CH_2-CH_2-$CH(NH_2)$-COOH.

É um aminoácido sulfurado, essencial para a formação da queratina, entrando na composição da parede do casco e dos pelos. Tem importante atuação hepática, funcionando como desintoxicante contra alguns tipos de envenenamentos. Atua na formação da colina.

Prolina

É um aminoácido não essencial, portanto não necessário de constar na dieta, e sua fórmula é $C_{10}H_{17}NO_4$-COOH.

Símbolo: PRO. Abreviação: P.

Atua como constituinte do colágeno, adaptando-se às necessidades dos tecidos específicos do animais.

Serina

É um aminoácido não essencial, portanto não necessário de constar na dieta, e sua fórmula é OH-CH_2-$CH(NH_2)$-COOH.

Símbolo: SER. Abreviação: S.

Atua como constituinte do colágeno e no transporte de vitaminas e minerais do fígado para a circulação sanguínea.

Taurina

É um aminoácido não essencial, portanto não necessário de constar na dieta, um dos mais abundantes do organismo e sua fórmula é OH-CH_2-$CH(NH_2)$-COOH.

É sintetizado no fígado e no cérebro a partir da metionina e da cisteína, juntamente com a vitamina B_6.

A taurina age como transmissor metabólico, fortalece as contrações cardíacas, possui efeito desintoxicador, atua como emulsionante dos lipídeos, intensifica os efeitos da insulina, sendo responsável por um melhor funcionamento do metabolismo de glicose e aminoácidos, podendo auxiliar o anabolismo, e tem papel importante nos ácidos da bile.

Tirosina

É um aminoácido não essencial, portanto não necessário de constar na dieta, e sua fórmula é OH-C_6H_4-CH_2-$CH(NH_2)$-COOH.

Símbolo: TYR ou TIR. Abreviação: Y.

É um precursor das catecolaminas, atua como antidepressivo, na circulação sanguínea e nas funções cardiorrespiratórias, regulando a pressão do animal.

Treonina

É um aminoácido essencial, portanto necessário de constar na dieta, e sua fórmula é OH-$CH(CH_3)$-$CH(NH_2)$-COOH.

Símbolo: THR ou THE. Abreviação: T.

Atua no sistema imunológico, aumentando a resistência a doenças, em processos cicatriciais, entra na constituição de tendões, ligamentos e músculos, estimulando a síntese proteica e a queima de gorduras. Tem ação na redução da uremia e na liberação de hormônio do crescimento (GH, *growth hormone*), o que permite ganho de peso precocemente.

Triptofano

É um aminoácido essencial, portanto necessário de constar na dieta, e sua fórmula é $C_{16}H_{20}N_2O_4$-COOH.

Símbolo: TRO ou TRI. Abreviação: W.

Atua no sistema nervoso central, liberando serotonina, equilibrando a atividade cerebral e o sono. Também tem forte atuação nas intoxicações alimentares.

Valina

É um aminoácido essencial, portanto necessário de constar na dieta, e sua fórmula é CH_3-$CH(CH_3)$-$CH(NH_2)$-COOH.

Símbolo: VAL. Abreviação: V.

Atua no catabolismo, inibindo-o, corrige o equilíbrio do nitrogênio, atua no desenvolvimento do GH, permitindo ganho de massa muscular e aumento do peso.

978-85-7241-869-0

Complexos Aminoácidos

Carnitina

É derivada da lisina e da metionina. Tendo quantidades adequadas desses aminoácidos na dieta, oriundas de uma dieta equilibrada com alimentos de qualidade, o equino terá disponível toda a carnitina necessária para seu desempenho atlético, sendo dispensável sua administração extra.

Está presente em grande quantidade nas células musculares transportando energia para dentro da mitocôndria, disponibilizando-a para o trabalho muscular.

Atua naturalmente melhorando o desempenho atlético nos diversos esportes, promovendo melhor aproveitamento energético. Entretanto, não há estudos que comprovem sua eficiência na melhora do desempenho atlético quando adicionada à dieta, exceto em animais com deficiência desse aminoácido ou de seus precursores.

Alguns estudos comprovam a melhora da qualidade do sêmen de garanhões suplementados com L-carnitina, tanto na quantidade de espermatozoides como na qualidade do sêmen.

Creatina

É derivada de glicina, arginina e metionina. Tendo quantidades adequadas desses aminoácidos na dieta, oriundas de uma dieta equilibrada com alimentos de qualidade, o equino terá disponível toda creatina necessária para seu desempenho atlético, sendo dispensável sua administração extra.

A creatina atua dentro da mitocôndria, no ciclo de Krebs, na transformação de ATP em difosfato de adenosina (ADP, *adenosine diphosphate*) com liberação de energia.

O aumento da concentração de creatina no músculo esquelético resulta em um incremento de energia, síntese proteica e massa muscular. O aumento de massa muscular está diretamente ligado à entrada de água intracelular que a creatina promove. Ao se suplementar um animal com quantidades extras de creatina, eleva-se essa entrada de líquido intracelular, nas células musculares, que aumentam de tamanho, dando a impressão de aumento de massa muscular. Mas, ao se interromper o fornecimento de creatina, não há retenção desses líquidos intracelulares, ocorrendo redução visível da massa muscular.

Entretanto, as necessidades de suplementação com creatina não estão muito bem especificadas, nem se sua suplementação melhora o desempenho esportivo de todos os equinos, mas experiências práticas demonstram que alguns animais respondem positivamente a uma suplementação diária, nos períodos de treinamento mais intenso, especialmente aqueles com restrição qualitativa de nutrientes, o que restringe a formação fisiológica da creatina. Dessa forma, deve ser suficiente equilibrar a dieta com nutrientes de origem garantida para se ter o mesmo efeito.

Aminoácidos de Cadeia Ramificada

Compostos de leucina, valina e isoleucina. O músculo esquelético tem a capacidade de oxidar vários aminoácidos, porém os aminoácidos de cadeia ramificada (BCAA, *branched-chain amino acids*) são os aminoácidos preferivelmente e mais rapidamente oxidados. É atribuída a esses aminoácidos a capacidade de atrasar a fadiga central; aumentar o desempenho mental; favorecer o anabolismo muscular; "frear" ou diminuir o catabolismo; aumentar a função imune pela manutenção das concentrações plasmáticas de glutamina; favorecer a neoglicogênese (formação de glicose por aminoácidos – ciclo alanina-glicose) e pode, ainda, funcionar tamponando o ácido láctico pela formação de alanina, resultando em atraso na fadiga local.

Existem algumas suposições quanto aos efeitos da suplementação de BCAA:

- Os BCAA competiriam com o triptofano na passagem pela barreira sangue-cérebro, podendo, dessa forma, atenuar a fadiga central.
- A suplementação por BCAA evitaria que se usasse a reserva muscular de aminoácidos, diminuindo o catabolismo e ajudando, assim, na hipertrofia muscular.

Uma suplementação correta com BCAA durante os exercícios prolongados pode otimizar o desempenho e prevenir o desgaste e a diminuição de proteínas musculares. Além disso, pode retardar a fadiga mental que aparece nos estágios finais de tais atividades, quando os níveis de BCAA no sangue diminuem.

A suplementação com BCAA pode ser interessante quando oferecida dentro de 30min da conclusão do trabalho duro, porque permite que o tecido muscular se recupere melhor, retornando ao estado de repouso mais rapidamente.

Entretanto, doses indiscriminadas de BCAA podem ocasionar prejuízos ao estômago e aos intestinos, interferir na absorção de outros aminoácidos pelo organismo e produzir amônia.

Não foram bem definidas quais as doses ideais desse complexo aminoácido para o equino.

Ácidos Graxos Ômega-3 e Ômega-6

As gorduras são compostas pela combinação de ácidos graxos e glicerol. Os ácidos graxos são divididos em dois importantes grupos: ômega-3 (ácido alfa-linolênico, ácido eicosapentaenoico e ácido docosaexaenoico) e ômega-6 (ácido linoleico e ácido araquidônico) e também são chamados de ácidos graxos essenciais (AGE), pois o cavalo não consegue sintetizá-los, necessitando de uma suplementação alimentar adequada.

Os desequilíbrios dos AGE podem resultar em processos inflamatórios causados pela liberação de prostaglandinas e leucotrienos.

Os fatores que incorporam o ômega-6 causam uma reação inflamatória extremamente agressiva, resultando em irritação da pele, prurido cutâneo intenso, opacidade e perda de pelos, dores musculares e articulares e desequilíbrios circulatórios.

Já os fatores que incorporam o ômega-3, inibem a formação dos fatores resultantes do ômega-6. Portanto, o equilíbrio nutricional entre os fatores ômega-3 e 6 combate os efeitos danosos de grande parte dos processos inflamatórios e alérgicos.

Para uma boa ação dos AGE é necessário que estejam em equilíbrio no organismo.

Como os AGE do grupo ômega-6 são mais facilmente encontrados nos alimentos, ocorre um desequilíbrio muito grande por deficiência de AGE do grupo ômega-3, que deve ser então suplementado.

Esse equilíbrio pode ser restabelecido oferecendo-se ao animal uma boa fonte de ômega-3, como a linhaça e seus derivados, que podem ser fornecidos adicionados à alimentação na forma de semente, farinha ou óleo (prensado a frio), azeite de oliva ou ainda alguns subprodutos do arroz, como farelo de arroz gordo ou óleo de arroz (extraído por método físico).

Os ácidos graxos do grupo ômega-6 são encontrados em grandes quantidades na maioria dos alimentos, como, soja, milho, girassol, canola e gordura animal, não havendo problemas em sua suplementação.

Já os ácidos graxos do grupo ômega-3 não são encontrados em grandes quantidades nos alimentos normalmente utilizados na alimentação dos cavalos, sendo encontrados apenas em algumas sementes como linhaça, arroz, azeite e óleos de peixes marinhos de águas frias.

As vantagens do equilíbrio entre ômega-3 e 6 podem ser descritas como abrandamento de reações inflamatórias e alérgicas indesejáveis, melhorando a resposta imunológica.

Para potros em crescimento, funciona como auxiliar no desenvolvimento neurológico.

Para éguas em gestação, auxilia no desenvolvimento fetal e na lactação, aumentando a quantidade do leite.

Observamos ainda o restabelecimento do brilho e da cor da pelagem, bem como a saúde da pele.

Em cavalos de esporte e trabalho, aumenta a energia disponível, levando a uma recuperação muscular mais rápida após exercícios.

Promove ainda a prevenção de distúrbios circulatórios e cardiovasculares, além de ser excelente auxiliar no tratamento de laminites, artrites e artroses e miopatias.

Como disponibilidade ao cavalo, procura-se trabalhar mais com a linhaça ou o arroz.

Linhaça

Pode ser oferecida ao cavalo sob três formas:

- Grãos: mais comumente oferecida como laxativo, para prevenir cólicas. Se o animal tem uma dieta equilibrada, com quantidade e qualidade adequadas de volumoso, é totalmente dispensável a oferta da linhaça em grãos. O problema é que a linhaça em grãos é oferecida úmida, o que leva a um risco de intoxicação por cianeto, gás liberado com o umedecimento dos grãos de linhaça. Além disso, a quantidade de linhaça a ser ofertada para se ter quantia razoável de ômega-3 é tão grande (1 a 1,5kg diário) que trará mais prejuízo que vantagens. O uso de linhaça como preventivo de cólicas não se justifica, pois, se 95% das cólicas são causadas por erros de manejo, somente seria justificado seu uso caso houvesse erros no manejo e erros de manejo não se justificam.
- Farinha: ótima forma de oferecer ômega-3 ao cavalo, tanto como fonte de ácido graxo como para se levar a energia disponível. Pode-se oferecer de 100 a 300g diários, sempre se iniciando a introdução gradativa na dieta. Em casos de debilidade grave, porém, pode-se chegar a até 700g diários. Atenção especial deve ser dada ao equilíbrio da dieta, pois a linhaça, como visto anteriormente no Capítulo 15, além de fornecer energia, é grande fonte proteica e pode causar excesso de proteína na dieta se seus valores não forem levados em consideração.
- Óleo: outra forma de oferecer ômega-3 pode ser por meio do óleo de linhaça prensado a frio, pois o refinado perde as qualidades nutritivas. Pode-se oferecer de 100 a 500mL diários, tomando-se os cuidados adequados de adaptação gradativa e suplementação de vitaminas, corresponsáveis pela absorção da energia alimentar.

Arroz

Pode ser oferecido ao cavalo de duas formas:

- Farelo de arroz gordo: possui ótimas quantidades de ômega-3 e 6 e é rico em gama-orizanol (descrito a seguir). É altamente palatável, podendo ser utilizado em misturas de rações e até mesmo adicionado à dieta diária, desde que levados em consideração seus valores nutricionais para se equilibrar a dieta corretamente, pois fornece, além dos ácidos graxos, proteína e minerais. É um subproduto do arroz muito utilizado atualmente na Europa, principalmente em cavalos idosos e de alto desempenho como suplemento.
- Óleo de arroz: possui ótimas quantidades de ômega-3 e 6 e é rico em gama-orizanol (descrito a seguir). É altamente palatável, podendo ser utilizado em misturas de rações e até mesmo adicionado à dieta diária, muitos inconvenientes, pois é fonte apenas de energia.

Gama-orizanol

É uma mistura de substâncias que contém ésteres do ácido ferúlico e álcoois como o cicloartenol e o 2,4-metileno cicloartanol e tem uma série de ações benéficas para a saúde do organismo.

O gama-orizanol é um antioxidante natural que previne o risco de desenvolvimento de doenças coronarianas.

Em muitos trabalhos científicos, foram observados diversos efeitos desse composto presente no arroz e no óleo de arroz extraído fisicamente.

Entre os benefícios observados em seres humanos, mas que podem aparentemente ser extrapolados para os equinos, temos função anabolizante com aumento de massa corporal; melhora no crescimento com aumento da massa muscular magra; aumento da resistência física, melhora da recuperação após exercício e redução na gordura corporal; atividade antioxidante por neutralizar a ação dos radicais livres tóxicos ao organismo; aumento da produção de insulina, proporcionando melhor aproveitamento dos carboidratos pelo organismo; efeito anti-inflamatório e imunoestimulante com melhora do estado físico; e melhoria da circulação capilar com melhora nos aspectos de pelo e pelagem.

978-85-7241-869-0

O gama-orizanol é encontrado em subprodutos do arroz processados corretamente, para preservar suas características e disponibilizar seus nutrientes.

Suplementos Energéticos

São os suplementos que têm por função elevar o nível de energia fornecida ao animal.

Os nutrientes energéticos podem ser divididos em duas categorias:

- Carboidratos (glicídios): açúcares, amido, celulose, lignina.
- Lipídeos: gorduras e óleos.

Uma oferta elevada de volumoso (carboidratos), de forma a disponibilizar celulose ao animal, pode não alcançar os níveis energéticos necessários para o animal exercer a atividade dele exigida.

Podemos alcançar os níveis energéticos com a utilização de óleos vegetais, qualquer que seja a atividade esportiva do animal, de curta ou longa duração.

Em termos de energia, não há diferenças entre os tipos de óleo vegetal, como soja, milho, canola, girassol, linhaça, etc. Portanto, utilizar tanto um quanto outro como fonte de energia dependerá dos custos envolvidos.

Exceção feita à linhaça e ao arroz, como já descrito anteriormente, que têm como vantagem o fornecimento de ácidos graxos ômega 3.

Os óleos podem ser adicionados em até 15% da mistura de grãos, sem efeito adverso, desde que introduzidos gradativamente e observadas as reais necessidades do animal quanto a um nível tão elevado de energia.

Lembrando sempre de se fazer uma suplementação adequada de vitaminas e aminoácidos, se necessário, que, de uma forma ou de outra, auxiliam na absorção da energia.

Existem no mercado outros tipos de suplementos energéticos disponíveis, que devem ser avaliados com critério, avaliando-se os valores de proteína (para não haver excessos), vitaminas e minerais, observando se não haverá excessos na dieta do animal.

A energia oferecida deve ser adequada às necessidades do animal, devendo-se sempre priorizar a qualidade do alimento, e não a quantidade, para não encontramos os efeitos indesejáveis descritos no Capítulo 14.

Suplementos Proteicos

São os suplementos ou alimentos que têm como função ofertar maior quantidade ou qualidade de proteína ao cavalo. Em uma dieta equilibrada, composta de volumoso e concentrado de qualidade e nas quantidades adequadas às necessidades do animal, não há necessidade de se utilizar um suplemento proteico.

Este deve ser utilizado apenas em dietas pobres em proteína e para aqueles cavalos que tenham necessidade de sua suplementação.

Deve ser usado com muito critério, pois os excessos proteicos são extremamente prejudiciais ao animal, como descritos no Capítulo 14.

Esses problemas são facilmente prevenidos com uma dieta equilibrada, procurando-se oferecer ao animal a quantidade adequada de proteína, sem deficiências nem excessos.

Capítulo 18

Manejo e Alimentação de Animais em Manutenção

Manejo

Animal em manutenção (Fig. 18.1) é aquele que não possui atividade específica alguma, além de viver e, eventualmente, passear.

Esse animal não está em crescimento, nem em reprodução, nem tem uma atividade física regular e constante, portanto suas necessidades são exclusivas para se manter.

Seu manejo é relativamente simples, devendo-se seguir os princípios básicos do manejo equino descrito no Capítulo 3 e na introdução à Parte 2 do livro.

Devem-se respeitar as regras de boa convivência do animal com o meio ambiente e com outros animais. Os equinos devem ser soltos o máximo de tempo possível, sendo ideal que vivam em plena liberdade, com volumoso de qualidade, água fresca e limpa e sal mineral específico para equinos à vontade, além, é claro, de um bom manejo sanitário, com controle adequado de endo e ectoparasitas (ver Apêndice 3).

Alimentação

As necessidades são mínimas, podendo ser supridas simplesmente com um bom aporte de volumoso de qualidade, água fresca e limpa e sal mineral específico à vontade.

A ração, se for oferecida, deverá ter no máximo 12% de proteína bruta, para que a proteína não seja oferecida em excesso, e com energia baixa (extrato etéreo na faixa de 1,5 a 3%). Entretanto, lembre-se que a quantidade de proteína e energia de uma dieta está diretamente relacionada à dieta total. Se o volumoso for de péssima qualidade, a ração deverá ser de qualidade superior para se atingir as necessidades do animal.

Necessidades em Matéria Seca

A necessidade em matéria seca (MS) é apresentada na Tabela 18.1, em percentual do peso vivo, segundo

Figura 18.1 – Animal a pasto, em manutenção.

preconizado pelo Institute National de la Recherche Agronomique (INRA) e pelo National Research Council (NRC).

Exemplos:

- Equino de 500kg de peso vivo: 7 a 8,5kg de MS (INRA) ou 10kg de MS (NRC).
- Equino de 750kg de peso vivo: 8,3 a 10,5kg de MS (INRA) ou 15kg de MS (NRC).

Dessa forma, ao se implementar uma pastagem para cavalos, deve-se calcular, conforme o tipo de gramínea utilizada, sua produtividade anual em MS, a lotação esperada de animais para se ter a área necessária para um cavalo por ano. Claro que isso se reflete em uma área bem manejada, que não dispensa adubação e rotação correta dos piquetes. Conforme a utilidade a ser dada aos animais, quer sejam para reprodução, crescimento ou trabalho, as necessidades em matéria seca variam, alterando-se assim a quantidade de volumoso que deverá estar disponível para o animal.

Tabela 18.1 – Necessidades diárias de matéria seca para equinos em manutenção, em kg

Peso (kg)	INRA (%)	NRC (%)
< 650	1,4 – 1,7	2
> 650	1,1 – 1,4	2

INRA = Institute National de la Recherche Agronomique; NRC = National Research Council.
Adaptado de Wolter[1].

Necessidades Energéticas

Energia Digestível

A quantidade de energia digestível pode ser calculada segundo a fórmula expressa no Quadro 18.1, em megacalorias (Mcal) por dia:

Exemplos:

- Animal de 500kg: EDm = 1,4 + (0,03 × 500) = 16,4Mcal.
- Animal de 700kg: EDm = 1,82 + (0,0383 × 700) – [0,000015 × $(700)^2$] = 21,28Mcal.

Para animais com mais de 600kg, o metabolismo é mais lento, sendo necessário menos nutrientes para suprir suas necessidades.

Energia Líquida

A quantidade de energia líquida é dada segundo a Tabela 18.2, em unidade forrageira cavalo (UFC) por dia.

Quadro 18.1 – Necessidades diárias de energia digestível para equinos em manutenção, em Mcal

Energia digestível diária:
- Animais até 600kg: EDm = 1,4 + 0,03 × PV
- Animais acima de 600kg: EDm = 1,82 + (0,0383 × PV) – (0,000015 × PV^2)

EDm = energia digestível para animais em manutenção
PV = peso vivo do animal em kg

Adaptado de NRC[2].

978-85-7241-869-0

Tabela 18.2 – Necessidades diárias de energia líquida para equinos em manutenção, em UFC

Peso (kg)	UFC
200	2,1
450	3,9
500	4,2
600	4,8
800	5,7

UFC = unidade forrageira cavalo.
Adaptado de Wolter[1].

Quadro 18.2 – Necessidades diárias de proteína bruta para equinos em manutenção, em gramas

Proteína bruta (PB) diária:
- PB = 1,26 × PV

PV= peso vivo do animal, em kg

Adaptado de NRC[2].

Tabela 18.3 – Necessidades diárias de proteína líquida (MPDC) para equinos em manutenção, em gramas

Peso (kg)	MPDC (g)
200	252
450	275
500	295
600	340
800	420

MPDC = matéria proteica digestível cavalo.
Adaptado de Wolter[1].

Necessidades Proteicas

Proteína Bruta

Pode ser dada segundo a fórmula observada no Quadro 18.2, em gramas por dia.

Exemplos:

- Animal de 500kg: PB = 1,26 × 500 = 630g de proteína bruta por dia.
- Animal de 700kg: PB = 1,26 × 700 = 882g de proteína bruta por dia.

Proteína Líquida

A quantidade de proteína líquida é dada segundo a Tabela 18.3, em gramas por dia, conforme o peso do animal.

Necessidades Minerais

Dadas segundo a Tabela 18.4, por quilograma de peso vivo, segundo preconizado pelo INRA e pelo NRC.

Tabela 18.4 – Necessidades diárias de minerais para equinos em manutenção, por kg de peso vivo

Nutriente	INRA	NRC
Relação Ca:P (ideal)	1,75:1	1,43:1
Cálcio (g)	0,0525	0,0400
Fósforo (g)	0,0300	0,0280
Magnésio (g)	0,0150	0,0150
Sódio (g)	0,0480	0,0200
Potássio (g)	0,0450	0,0500
Enxofre (g)	0,0260	0,0300
Cobalto (mg)	0,0023	0,0010
Cobre (mg)	0,3750	0,2000
Iodo (mg)	0,0030	0,0070
Ferro (mg)	1,5000	0,8000
Manganês (mg)	0,7500	0,8000
Selênio (mg)	0,0030	0,0020
Zinco (mg)	1,1250	0,8000

Ca:P = cálcio:fósforo; INRA = Institute National de la Recherche Agronomique; NRC = National Research Council.
Adaptado de Wolter[1] e NRC[2].

Tabela 18.5 – Necessidades diárias de vitaminas para equinos em manutenção, por kg de peso vivo

Nutriente	INRA	NRC
Vitamina A (UI)	80	30
Vitamina D (UI)	12	7
Vitamina E (mg)	0,200	1,00
Vitamina B_1 (mg)	0,048	0,06
Vitamina B_2 (mg)	0,080	0,04
Vitamina B_6 (mg)	0,024	nd
Vitamina B_{12} (µg)	0,240	nd
Ácido fólico (mg)	0,024	nd
Ácido pantotênico (mg)	0,096	nd
Colina (mg)	1,200	nd
Niacina (mg)	0,240	nd

INRA = Institute National de la Recherche Agronomique; nd = não determinada; NRC = National Research Council.
Adaptado de Wolter[1] e NRC[2].

Necessidades Vitamínicas

Dada segundo a Tabela 18.5, por quilograma de peso vivo, segundo preconizado pelo INRA e pelo NRC.

Segundo o NRC, para algumas vitaminas, designadas como "não determinadas" (nd) na Tabela 18.5, não há necessidade de suplementação extra.

REFERÊNCIAS BIBLIOGRÁFICAS

1. WOLTER, R. *Alimentation du Cheval*. Paris: Editions France Agricole, 1994.
2. NATIONAL RESEARCH COUNCIL (NRC). *Nutrient Requirements of Horses*. 6. ed. Washington: The National Academies Press, 2007.

978-85-7241-869-0

Capítulo 19

Manejo e Alimentação de Garanhões

Manejo

Diferentemente da égua, que é poliéstrica estacional, ciclando várias vezes em determinado período do ano, o garanhão (Fig. 19.1), nas regiões mais quentes do Brasil, pode se reproduzir o ano todo. Mas como a égua possui uma estação de monta definida, na primavera-verão, é nesta época que os garanhões são utilizados efetivamente como reprodutores.

Muitos consideram o garanhão reprodutor o animal mais importante do plantel.

Em termos genéticos, sua importância se equipara à das éguas, afinal responde por 50% das características genéticas do potro e as éguas pelos outros 50%. Portanto, para se ter uma boa descendência, são importantes machos e fêmeas de boa qualidade.

Além disso, as fêmeas, por carregarem o potro dentro de si e depois do parto serem responsáveis pela sua criação e alimentação, possuem uma maior responsabilidade na qualidade do plantel.

O problema de um bom manejo de garanhões dentro de um haras reside no fato de, na espécie equina mais que em qualquer outra, o macho disputar seu território e domínio até a morte ou desistência de seu oponente. Portanto, os machos devem ser separados no período inicial da puberdade, sob risco de acidentes mais graves. Esse aparte deve ser feito ao menos do lote de machos e fêmeas, pois muitos criadores formam um lote de potros machos e os criam juntos até a idade de três ou quatro anos, sem muitos problemas, desde que, é claro, não os exponha à presença de uma fêmea, principalmente se esta estiver no cio.

Exatamente por essa disputa territorial e sua insociabilidade com outros reprodutores, um garanhão que não será utilizado na reprodução deve ser castrado, pois facilita seu convívio com outros de sua espécie e facilita seu manejo.

Caso o garanhão tenha qualidades reprodutivas que valham a pena serem transmitidas a descendentes, então poderemos utilizá-lo em um plantel de éguas de qualidade.

Figura 19.1 – Garanhão.

Qualidades de um Garanhão Reprodutor

Ao se colocar um animal em reprodução (Fig. 19.2) devemos ser criteriosos se queremos e buscamos um melhoramento do plantel.

Alguns critérios devem ser utilizados para essa seleção:

- Boa *performance* em pista: quer seja um animal de esporte ou de conformação, este é o primeiro critério para se avaliar um reprodutor. Um animal que tenha sido um campeão possivelmente transmitirá esta característica a seus descendentes. Mas atenção: em genética fala-se sempre em possivelmente, provavelmente, pois não há garantia alguma de que a combinação de 50% de genes de um campeão com outra égua, mesmo que esta seja campeã, produzirá um campeão.
- Bom *pedigree*: o *pedigree* destaca a ascendência de um animal e reforça as chances de que possa transmitir genes de qualidade a seus descendentes.
- Boa saúde: condição primordial para se ter um reprodutor ativo. Um grande campeão sem saúde pode não se mostrar um bom reprodutor.
- Caráter e temperamento: são critérios fundamentais para um bom manejo e uma criação mais saudável. Animais nervosos e de temperamento irritado dificultam o manejo, podendo transmitir esta característica a seus filhos, sendo um problema constante na lida diária.
- Boa libido: condição fundamental para um reprodutor. A pior coisa no manejo de um garanhão são aqueles animais que demoram até 1h para cobrir uma égua. Um bom garanhão leva menos de 15min entre sair da baia ou piquete e retornar após a monta.
- Boa fertilidade: quanto menos saltos forem necessários para se emprenhar uma égua, melhor o manejo.
- Boa transmissibilidade: esta característica é condição fundamental para se sacramentar um garanhão como reprodutor, afinal, de nada adianta um animal com todas as características antes descritas se não as transmitir aos seus descendentes.

Instalação

A instalação para um reprodutor deve ser simples, preferencialmente um piquete de 300 a 600m com cerca adequada (elétrica ou de madeira, ou ambas) e baia dentro do piquete (Fig. 19.3) com as portas sempre abertas para que o animal entre e saia quando bem desejar ou, ao menos, com uma cobertura para servir de abrigo em tempo de chuva ou sol excessivo.

Caso não seja possível uma baia dentro do piquete, pode-se ter uma baia em local apropriado e um piquete solário para que o animal possa ser solto diariamente, por um período mínimo de 4h, quando não o dia todo.

A baia deve ter proporções mínimas de 4 × 4, bem ventilada e com cama apropriada e limpeza diária para o conforto e bem-estar do animal.

Muitos recomendam que a cerca seja ladeada por uma cerca viva para evitar que o animal fique nervoso ao visualizar o movimento de outros animais. Muito pelo contrário, o ideal é que o garanhão se habitue à presença de outros animais, pois isso, além de deixá-lo mais amistoso socialmente, faz com que aprenda a respeitar e conviver com outros cavalos sem agredi-los.

Figura 19.2 – Reprodutor Percheron importado, de ótima qualidade.

Reprodução

Pode-se iniciar a reprodução ao redor dos 30 a 36 meses de idade (Fig. 19.4).

Potros muito novos, apesar de serem férteis, podem ser acometidos por um desgaste desnecessário se colocados na reprodução muito cedo.

O início sempre deve ser gradual, com uma égua semanal (uma ou duas coberturas), podendo passar na estação de monta seguinte a duas éguas semanais, ou três a quatro coberturas por semana, em dias alternados e, eventualmente, pode-se cobrir em dias seguidos, mas sempre seguido de período de descanso.

Figura 19.3 – Baia para garanhão dentro do piquete, com cerca de madeira. Proporciona proteção contra sol e chuva, boa ventilação e conforto ao animal.

978-85-7241-869-0

A partir do terceiro ano, entra-se em uma rotina de cobertura mais intensa, podendo-se fazer seis coberturas semanais, sendo uma ao dia, ou oito coberturas em quatro dias da semana (duas ao dia, em dias alternados).

A primeira cobertura de um potro inexperiente deve ser feita por profissional com grande experiência, que deve levar o potro calmamente próximo da égua, que deve estar devidamente contida e preparada para a cobertura, e conduzir a cobertura conversando com o potro de forma que este se habitue e se prepare adequadamente para o ato.

Nunca se deve deixar o potro brincar com a égua em demasia, nem efetuar a monta sem estar com o membro em ereção. Da mesma forma, nunca se deve bater, machucar ou traumatizar o potro novo nesse ato, pois estes erros podem causar distúrbios reprodutivos, nos quais o animal pode demorar até uma hora e meia para efetuar a monta.

Uma monta normal e natural não deve demorar mais que 10min, contando-se o tempo de namoro, ato e desmonte do animal.

Garanhões que têm o vício de demorar e ficar brincando em demasia no momento da cobertura complicam o manejo reprodutivo diário do haras, além de causarem um desgaste desnecessário a si próprios e à égua. Também garanhões muito afoitos podem causar acidentes, sendo necessário acalmar o animal antes da cobertura.

Figura 19.4 – Início da reprodução em potro de 32 meses de idade com égua mais velha e experiente.

Caso esteja lidando com um animal assim, o vício é facilmente eliminado com um pouco de paciência e cuidado. Leve o garanhão para a égua devidamente pronta para a monta. Aproxime-o dela. Se o garanhão chegar abruptamente, afaste-o da égua. Se montar sem o membro estar em ereção, impeça-o. Deixe que monte somente quando pronto para o ato e delicadamente. Se quiser brincar demais, impeça-o. Em todos os casos, coloque-o de volta na baia ou piquete por 10 a 15min. Repita a operação até que perceba que, se não montar da forma correta, não vai montar. Em geral, o garanhão monta na segunda ou terceira vez. Raramente repete o vício por mais de dois dias e no futuro já virá pronto para a cobertura. Claro que para isso deve ter um cabresto de boa qualidade, que suporte a alta tração e não machuque o animal, traumatizando-o e complicando ainda mais o manejo. Argolões e qualquer tipo de embocadura são expressamente proibidos, sob risco de sensibilizar a boca do animal, dificultando a equitação.

Deve-se ter um cuidado especial com o momento da penetração, quando pode ser necessário direcionar o pênis para a vagina, principalmente em potros novos, sob risco de penetração anal e dilaceração do períneo, o que pode levar à morte da égua.

O ato ejaculatório é observado através de movimentos rítmicos da cauda do animal, após a penetração. Após a ejaculação, o cavalo desmonta da égua e muitas vezes observa-se conteúdo de ejaculado saindo. Esse conteúdo, em uma monta bem feita, nada mais é que uma gelatina das porções finais do ejaculado, o que não quer dizer que o animal tenha ejaculado fora da vagina da égua.

Um cuidado especial deve ser dado à higiene do pênis do garanhão. No início de cada estação de monta, deve-se proceder à higienização do pênis e do prepúcio, lavando-os com água abundante e sabão neutro para retirada de todo esmegma, a crosta que se acumula no pênis. Isso pode ser feito somente no início de cada estação de monta, não sendo necessária qualquer outra forma de lavagem ou desinfecção do pênis com qualquer tipo de solução, como feito antigamente logo após cada cobertura.

Um garanhão produz em média 300 milhões de espermatozoides por mililitro de sêmen e uma ejaculação tem em média 80mL de sêmen com 24 bilhões de espermatozoides.

Trabalho

Exercitar diariamente o garanhão (Fig. 19.5) pode ser muito favorável, tanto para a libido como para despertar o apetite.

Consiste em um trabalho leve, alternando-se seis períodos de 3min ao trote com intervalos de 2min ao passo, totalizando 32min de trabalho (inicia-se ao passo e finaliza-se ao passo).

Qualquer trabalho acima disso pode desgastar em demasia o animal. Por outro lado, deve fazer ao menos alguma atividade física, como a proposta, além da reprodução, pois facilita o manejo e melhora o desempenho reprodutivo.

Lembre-se que soltar o animal em piquete não é trabalhar, e não deve ser computado como exercício físico.

Alimentação

A dieta diária dos garanhões reprodutores prioriza o equilíbrio alimentar, prevenindo os excessos.

As necessidades do animal variam de 1,4% em manutenção a 2,3% em estação de monta intensa, de matéria seca em relação a seu peso, com as quantidades de energia e proteína adequadas, além do sal mineral específico e água fresca e limpa à vontade.

Devem ser evitados excessos com relação ao feno de alfafa, que predispõe o animal a excessos proteicos, e à aveia, que em excesso desequilibra a ração e favorece a produção de sêmen de baixa fertilidade.

Fora do período de monta, uma dieta de manutenção é suficiente, com o fornecimento de capim ou feno de qualidade, suplementação mineral e, eventualmente, pode ser necessário o fornecimento de concentrado para manter um estado corporal satisfatório.

No período de monta, uma suplementação extra com concentrado é importante para complementar as necessidades energéticas, dependendo da frequência de monta e do estado corporal do animal.

A complementação proteica é, em média, semelhante à de animais em trabalho médio.

Uma preocupação constante deve ser a qualidade dessas proteínas oferecidas, por meio de alimentos com teores adequados de lisina e metionina, além de se manter um equilíbrio alimentar adequado, com a suplementação extra de vitaminas e minerais, sempre que necessário.

Necessidade em Matéria Seca

As necessidades em matéria seca de garanhões variam conforme o nível de atividade reprodutiva e são apresentadas na Tabela 19.1, em percentual do peso vivo, segundo preconizado pelo Institute National de la Recherche Agronomique (INRA) e pelo National Research Council (NRC).

Necessidades Energéticas

As necessidades do garanhão reprodutor em manutenção são as mesmas para qualquer animal nesta condição.

Figura 19.5 – O exercício diário é benéfico ao garanhão, estimulando o apetite e aumentando a libido.

978-85-7241-869-0

As necessidades energéticas do garanhão em período de monta são superestimadas pelos criadores, para os quais um estado corporal um pouco acima do normal é sinal de força, vitalidade e beleza. Entretanto, a obesidade compromete a longevidade do reprodutor, pois o excesso de peso fatiga as articulações, favorece a artrose e dificulta o salto, além de tornar um animal já agitado mais nervoso para se manejar.

Em período de estação de monta, a função reprodutora é relativamente pouco exigente em energia, sendo 15% acima da manutenção em animais em monta leve, em valores de energia digestível, 25% em animais em monta média e 35% acima da manutenção, semelhante a um animal em trabalho leve, mas é necessário um excelente equilíbrio alimentar.

Podemos considerar em monta leve animais que realizam um a dois saltos por semana, monta média de três a cinco saltos por semana e monta intensa acima de cinco saltos por semana.

O excesso de peso afeta a fertilidade. Ocorre diminuição do nível hormonal e da libido por fixação dos hormônios sexuais ao tecido adiposo. Por outro lado, o emagrecimento afeta certos garanhões muito nervosos, que perdem o apetite. É necessário oferecer alimentação concentrada e variar o regime alimentar para se manter um bom estado corporal, vigoroso e com boa qualidade de sêmen.

Energia Digestível

A quantidade de energia digestível deverá ser calculada segundo as fórmulas expressas no Quadro 19.1, em megacalorias (Mcal) por dia:

Exemplos:

1. Para garanhão em monta de 500kg de peso vivo:
   - $EDm = 1,4 + 0,03 \times PV$:
   - Leve: $ED = [1,4 + (0,03 \times 500)] \times 1,15 = 18,86$Mcal/dia.
   - Média: $ED = [1,4 + (0,03 \times 500)] \times 1,25 = 20,50$Mcal/dia.
   - Intensa: $ED = [1,4 + (0,03 \times 500)] \times 1,35 = 22,14$Mcal/dia.

Tabela 19.1 – Necessidades diárias de matéria seca, em kg

Categoria animal		Peso (kg)	INRA (%)	NRC (%)
Manutenção		< 650	1,4 – 1,7	2,0
		> 650	1,1 – 1,4	
Garanhão em monta	Leve a média	< 650	1,7 – 2,1	2,0 – 2,25
		> 650	1,5 – 1,9	
	Média a intensa	< 650	2,0 – 2,5	2,25 – 2,5
		> 650	1,7 – 2,1	

INRA = Institute National de la Recherche Agronomique; NRC = National Research Council.
Adaptado de Wolter[1] e NRC[2].

Quadro 19.1 – Necessidades diárias de energia digestível para garanhões, em Mcal

Energia digestível diária:
- Monta leve: ED = EDm × 1,15
- Monta média: ED = EDm × 1,25
- Monta intensa: ED = EDm × 1,35

Em que:
- EDm = energia digestível de manutenção
  - Animais até 600kg: EDm = 1,4 + 0,03 × PV
  - Animais acima de 600kg: EDm = 1,82 + (0,0383 + PV) – (0,000015 + PV^2)

Adaptado de NRC[2].

2. Para garanhão em monta de 700kg de peso vivo:
   - EDm = 1,82 + (0,0383 × PV) – (0,000015 × PV^2).
   - Leve: ED = {1,82 + (0,0383 × 700) – [0,000015 × $(700)^2$]} × 1,15 = 24,47Mcal/dia.
   - Média: ED = {1,82 + (0,0383 × 700) – [0,000015 × $(700)^2$]} × 1,25 = 26,60Mcal/dia.
   - Intensa: ED = {1,82 + (0,0383 × 700) – [0,000015 × $(700)^2$]} × 1,35 = 28,73Mcal/dia.

Energia Líquida

As necessidades em energia líquida estão na Tabela 19.2, em unidades forrageira cavalo (UFC) por dia.

Necessidades Proteicas

As necessidades proteicas são ligeiramente superiores às de manutenção, em 20%, independentemente da atividade reprodutiva, segundo o NRC (2007), e um pouco maiores, segundo o INRA (1990), para ativar a produção das glândulas sexuais. Mas os excessos são prejudiciais, pois elevam a reabsorção intestinal de aminas, podendo contribuir para alterar o vigor e a sobrevida dos espermatozoides.

Proteína Bruta

Pode ser dada segundo a fórmula observada no Quadro 19.2, em gramas por dia.

Quadro 19.2 – Necessidades diárias de proteína bruta para garanhões, em gramas

Proteína bruta (PB) diária:
- PB = (1,26 × PV) × 1,20

PV = peso vivo do animal, em kg

Adaptado de NRC[2].

Exemplos:

- Animal de 500kg: PB = (1,26 × 500) × 1,20 = 756g de proteína bruta por dia.
- Animal de 700kg: PB = (1,26 × 700) × 1,20 = 1.058g de proteína bruta por dia.

Proteína Líquida

As necessidades em proteína líquida estão na Tabela 19.3, em gramas por dia.

Necessidade Minerais

Uma complementação mineral é necessária para evitar carências de fósforo, zinco, manganês, cobre, iodo e selênio, que são importantes para a fertilidade e que, normalmente, podem ser deficientes nas forragens.

As necessidades em minerais estão na Tabela 19.4, segundo preconizado pelo INRA e pelo NRC, por quilograma de peso vivo.

Necessidades Vitamínicas

A suplementação vitamínica consiste, em primeiro lugar, em vitamina A, que garante a integridade do epitélio germinal.

A vitamina E é importante para a fertilidade pela proteção antioxidante dos ácidos graxos essenciais e da vitamina A.

O restante do complexo vitamínico é essencial para o bom equilíbrio do organismo do garanhão.

Tabela 19.2 – Necessidades diárias de energia líquida para garanhões, em UFC

Peso	200kg	450kg	500kg	600kg	800kg
			Manutenção		
UFC	2,1	3,9	4,2	4,8	5,7
			Monta leve		
UFC	3,3	5,4	6,6	6,9	7,1 – 8
			Monta média		
UFC	3,7	6,5	7,3	7,5	7,3 – 8,6
			Monta intensa		
UFC	4	7,2	8,0	8,3	7,7 – 9,2

UFC = unidade forrageira cavalo.
Adaptado de Wolter[1].

Tabela 19.3 – Necessidades diárias de proteína líquida para garanhões, em gramas

Peso	200kg	450kg	500kg	600kg	800kg
			Manutenção		
MPDC	252g	275g	295g	340g	420g
			Monta leve		
MPDC	275g	447g	480g	500g	500 – 570g
			Monta média		
MPDC	296g	512g	550g	570g	530 – 630g
			Monta intensa		
MPDC	314g	578g	620g	640g	590 – 690g

Adaptado de Wolter[1].

Tabela 19.4 – Necessidades diárias de minerais para garanhões, por kg de peso vivo

Nutriente	Monta leve		Monta média		Monta intensa	
	INRA	*NRC*	*INRA*	*NRC*	*INRA*	*NRC*
Relação Ca:P (ideal)	1,70:1	1,66:1	1,75:1	1,66:1	1,75:1	1,66:1
Cálcio (g)	0,0648	0,060	0,0788	0,060	0,0840	0,060
Fósforo (g)	0,0379	0,036	0,0450	0,036	0,0480	0,036
Magnésio (g)	0,0185	1,000	0,0225	1,000	0,0240	1,000
Sódio (g)	0,0480	0,028	0,0480	0,028	0,0480	0,028
Potássio (g)	0,0555	0,057	0,0675	0,057	0,0720	0,057
Enxofre (g)	0,0260	0,030	0,0260	0,030	0,2600	0,030
Cobalto (mg)	0,0028	0,001	0,0034	0,001	0,0036	0,001
Cobre (mg)	0,4625	0,200	0,5625	0,200	0,6000	0,200
Iodo (mg)	0,0037	0,007	0,0045	0,007	0,0048	0,007
Ferro (mg)	1,8500	0,800	2,2500	0,800	2,4000	0,800
Manganês (mg)	0,9250	0,800	1,1250	0,800	1,2000	0,800
Selênio (mg)	0,0037	0,002	0,0045	0,002	0,0048	0,002
Zinco (mg)	1,3875	0,800	1,6875	0,800	1,8000	0,800

INRA = Institute National de la Recherche Agronomique; NRC = National Research Council.
Adaptado de Wolter[1] e NRC[2].

Tabela 19.5 – Necessidades diárias de vitaminas para garanhões, por kg de peso vivo

Nutriente	Monta leve		Monta média		Monta intensa	
	INRA	*NRC*	*INRA*	*NRC*	*INRA*	*NRC*
Vitamina A (UI)	110	45	120	45	130	45
Vitamina D (UI)	15	7	16	7	17	7
Vitamina E (mg)	0,290	1,60	0,300	1,60	0,310	1,60
Vitamina B_1 (mg)	0,070	0,06	0,072	0,06	0,074	0,06
Vitamina B_2 (mg)	0,110	0,04	0,120	0,04	0,130	0,04
Vitamina B_6 (mg)	0,035	nd	0,036	nd	0,037	nd
Vitamina B_{12} (μg)	0,350	nd	0,360	nd	0,370	nd
Ácido fólico (mg)	0,035	nd	0,036	nd	0,037	nd
Ácido pantotênico (mg)	0,140	nd	0,144	nd	0,148	nd
Colina (mg)	1,700	nd	1,800	nd	1,900	nd
Niacina (mg)	0,350	nd	0,360	nd	0,370	nd

INRA = Institute National de la Recherche Agronomique; nd = não determinada; NRC = National Research Council.
Adaptado de Wolter[1] e NRC[2].

978-85-7241-869-0

As necessidades de vitaminas estão na Tabela 19.5, por quilograma de peso vivo, segundo preconizado pelo INRA e pelo NRC.

Segundo o NRC, para algumas vitaminas, designadas como "não determinadas" (nd) na Tabela 19.5, não há necessidade de suplementação extra.

REFERÊNCIAS BIBLIOGRÁFICAS

1. WOLTER, R. *Alimentation du Cheval*. Paris: Editions France Agricole, 1994.
2. NATIONAL RESEARCH COUNCIL (NRC). *Nutrient Requirements of Horses*. 6. ed. Washington: The National Academies Press, 2007.

Capítulo 20

Manejo e Alimentação de Éguas em Reprodução

Manejo

Éguas em reprodução (Fig. 20.1) são aquelas que já estão em estágio de crescimento adequado para receberem e desenvolverem adequadamente um potro em seu ventre. Isso se dá por volta dos três anos de idade, na maioria dos casos.

A partir dessa idade, estando o animal apto e em condições físicas, pode ser colocado em reprodução e aí teremos o manejo descrito a seguir.

Um bom manejo reprodutivo começa com a apresentação de animais em bom estado de saúde e em condições de *status* corporal adequado para o regime reprodutivo.

Uma alimentação equilibrada da égua durante os três últimos meses de gestação é fundamental para que possa transcorrer um parto normalmente. Uma égua com excesso de peso terá dificuldade durante o trabalho de parto e uma égua mal alimentada não terá contrações adequadas. A má nutrição da égua no terço final da gestação refletirá no peso do potro ao nascer e na qualidade do colostro e do leite, podendo prejudicar o tamanho do cavalo adulto. Muitos defeitos de aprumo podem se originar na vida intrauterina.

Ciclo Estral

A égua é denominada poliéstrica estacional, ciclando diversas vezes durante o período estacional reprodutivo, pois é um animal com ciclo estral estacional, em que aceita o macho somente em um determinado período do ano e sob determinadas circunstâncias climáticas. A égua cicla regularmente no período da primavera-verão (setembro a fevereiro no hemisfério sul e março a agosto no hemisfério norte), entrando em anestro estacional no outono-inverno. Isso ocorre de forma bem determinada em regiões com estações do ano bem definidas (abaixo do trópico de capricórnio no hemisfério sul e acima do trópico de câncer no hemisfério norte, aproximadamente). Entre as linhas dos trópicos e quanto mais se aproxima da linha do Equador, onde as estações do ano não são bem definidas, com condições de temperaturas elevadas, sol em grande parte do dia e alimentação adequada, a égua pode ciclar, e em geral cicla, durante a maior parte do ano, sem maiores problemas para o desenvolvimento reprodutivo e do potro.

O ciclo estral da égua segue um período de 21 dias (variando de 18 a 25 dias), repetidos ciclicamente durante a estação de monta. Compreende um período de 14 dias (variando de 10 a 18 dias) de quiescência (não aceitação do macho) (metaestro, diestro e proestro) e sete dias (variando de quatro a dez) de cio (estro), após o que a égua entra novamente em período de quiescência e assim sucessivamente, até que termine o período de monta ou a égua entre em estado gestacional.

A ovulação ocorre, em geral, 24 a 48h antes do término do cio.

O ciclo estral é profundamente afetado pela luminosidade que estimula o eixo hipotálamo-hipófise-ovários a produzir uma série de hormônios que têm ação direta na reprodução.

O hipotálamo libera o hormônio liberador de gonadotrofina (GnRH, *gonadotropin-releasing hormone*), que estimula a hipófise a produzir, primeiramente, o hormônio folículo-estimulante (FSH, *follicle-stimulating hormone*), que atua nos ovários, estimulando a produção e a maturação de folículos, que deverão ser fecundados. Esses folículos, quando maduros, por estímulo de outro hormônio produzido na hipófise, o hormônio luteinizante (LH, *luteinizing hormone*), liberam o óvulo para ser fecundado (ovulação).

Paralelamente, o GnRH estimula os ovários a produzirem estrógenos, que são os hormônios responsáveis pelo preparo estrutural e psicológico do animal para a concepção. Os estrógenos atuam no útero, preparando-o para receber o sêmen e para a concepção. Além disso, são os hormônios responsáveis pelos sinais exteriores do cio, como corrimento vaginal, aceitação do macho pela fêmea, abertura do colo do útero, etc.

Após a ovulação, há formação do corpo lúteo nos ovários, que produzem progesterona, hormônio responsável pelo período de não cio (metaestro, diestro e proestro).

Se a égua não emprenhar, o corpo lúteo regride após 14 dias, dando início a um novo período de cio.

Se a égua emprenhar, o corpo lúteo persiste até o quarto ou quinto mês, produzindo progesterona. A partir desta data, a progesterona passa a ser produzida pela placenta, até o momento do parto.

Uma atenção especial deve ser dada à égua no período entre o quarto e o quinto mês gestacional, pois essa espécie produz, nesta fase, o hormônio ECG (*equine chorionic gonadotrophin* – gonadotrofina coriônica equina), antigamente denominada (PMSG, *pregnant mare serum gonadotropin* – gonadotrofina sérica da égua prenhe), que pode, em alguns animais, produzir sinais exteriores de cio, mesmo que o animal esteja prenhe. Uma cobertura feita nessa fase pode induzir ao aborto.

Divisão em Lotes

Para um melhor manejo reprodutivo e nutricional, podem-se dividir as éguas em vários lotes, a saber:

- Éguas vazias e cobertas até o segundo mês de gestação sem potro ao pé.
- Éguas vazias e cobertas até o segundo mês de gestação com potro ao pé.
- Éguas prenhes do segundo ao oitavo mês de gestação, sem potro ao pé.
- Éguas prenhes com potro ao pé.
- Éguas prenhes do nono ao décimo primeiro mês de gestação.

Figura 20.1 – Éguas em reprodução.

978-85-7241-869-0

Éguas Vazias e Cobertas até o Segundo Mês de Gestação sem Potro ao Pé

Aqui se incluem desde éguas virgens até éguas mais velhas que estejam vazias e não estejam com potro ao pé.

Essa categoria, além das exigências nutricionais diferenciadas das outras categorias, semelhantes às de animais em manutenção, exige manejo constante, mediante rufiação diária, ou ao menos em dias alternados, para detecção mais precisa do cio e consequente cobertura pelo garanhão.

Éguas Vazias e Cobertas até o Segundo Mês de Gestação com Potro ao Pé

Nessa categoria estão as éguas com um diferencial nutricional, por serem lactentes e que exigem também rufiação frequente para detecção do cio e melhor continuidade reprodutiva. Podem também ser mantidas nos mesmos piquetes das éguas prenhes com potro ao pé, desde que seja feito o manejo adequado.

Éguas Prenhes do Segundo ao Oitavo Mês de Gestação sem Potro em Pé

Esses animais têm necessidades nutricionais semelhantes às de um animal em manutenção, isto é, apenas volumoso de qualidade à vontade, água fresca e limpa e sal mineral são suficientes, não sendo necessário qualquer outro suplemento (desde que o volumoso seja suficiente). Por estarem com prenhez confirmada, não precisam de rufiação constante, apenas um acompanhamento para detectar se houve morte embrionária precoce (reabsorção embrionária) ou mesmo um aborto.

Éguas Prenhes com Potro ao Pé

Aqui se alojam as éguas com potro ao pé, acima de 60 dias de gestação, quando já se confirmou a prenhez, não mais sendo necessária a rufiação e, sendo lactentes, necessitam de uma alimentação diferenciada.

Claro que esses animais, tomando-se os devidos cuidados no manejo, podem ser mantidos no mesmo lote de éguas vazias com potro ao pé.

Éguas Prenhes do Nono ao Décimo Primeiro Mês de Gestação

Nessa fase, o terço final da gestação, pelas exigências nutricionais diferenciadas (discutidas no tópico de alimentação), deve-se formar um lote à parte para um suporte nutricional diferenciado e adequado.

A observação constante é imprescindível, especialmente das éguas no último mês gestacional, para poder levá-las a um piquete maternidade, onde poderão parir sem serem incomodadas por outros animais.

Rufiação

Para um melhor aproveitamento reprodutivo das éguas, deve-se ter disponível um rufião, que pode ser um animal de qualidade inferior vasectomizado ou um garanhão inferior mesmo sem alteração alguma, ou ainda o próprio reprodutor do haras, desde que tomados os devidos cuidados para que este não se machuque na rufiação. Muitos haras também utilizam garanhões pôneis, por sua baixa estatura, que dificulta a cópula com éguas de tamanho maior.

A rufiação é um processo fundamental para o bom desempenho reprodutivo de um rebanho. É por meio desse procedimento que se detectam os sinais exteriores de cio e aceitação do macho pela fêmea, propiciando a concepção.

Para se evitar acidentes com a égua e o garanhão no momento da rufiação, é adequada uma instalação simples, mas funcional, onde se possa proceder à rufiação de forma adequada. Um corredor de tábuas, de estatura mediana, em que se coloca a égua, de forma que o cavalo possa cheirá-la, mas não cobri-la, é interessante e ajuda a prevenir acidentes, ou mesmo uma simples, mas resistente cerca de madeira pode ser utilizada. Esse tipo de rufiação pode ser feito com os dois animais, um em cada piquete, conduzidos pelo cabresto (Fig. 20.2) ou soltos, em geral mais utilizado para rufiar lote de éguas, e as que estiverem no cio se aproximam da cerca do garanhão (Fig. 20.3). Nesse último caso, se a égua mais velha estiver no cio, pode inibir a aproximação de outras éguas, não se tornando uma metodologia muito eficaz.

O rufião ou o garanhão é conduzido de forma segura, por um funcionário competente, até o local de rufiação e passa a estimular a égua a demonstrar o cio. Caso esta não esteja no cio, demonstra sua insatisfação com a presença do garanhão com um relincho agudo e curto, que pode ser repetido, e com um coice. Para isso serve a proteção de tábuas, de forma que o coice não acerte o garanhão ou o rufião e possa machucá-lo; ou mesmo para que o garanhão não revide o coice da égua e não possa machucá-la.

Caso não haja possibilidade de uma instalação como essa, procede-se à rufiação, mesmo em terreno aberto, com cuidado para não machucar nem o garanhão nem a égua (Fig. 20.4).

Outra forma, também simples, é manter um palanque bem firme em local apropriado, mantendo o garanhão firmemente preso a ele (Fig. 20.5), e aproximar a égua para observar os sinais de cio. Essa forma, po-

978-85-7241-869-0

Figura 20.2 – Rufiação através de cerca de madeira, conduzida com cabresto longo.

rém, apesar de poder ser utilizada, somente o deve ser com garanhões tranquilos, que não estirem e respeitem o cabresto. Tem a facilidade de apenas um funcionário poder rufiar os animais, facilitando o manejo.

Caso a égua esteja no cio, este é demonstrado por alguns sinais em geral bem visíveis (Fig. 20.6) como:

- A égua urina em presença do garanhão.
- Expõe repetidamente o clitóris, ato vulgarmente denominado de "piscar", levantando a cauda e expondo a genitália.
- Muitas éguas também apresentam corrimento viscoso e transparente.

Algumas éguas não demonstram o cio mesmo sendo frequentemente bem rufiadas, algumas por medo do garanhão ou rufião, outras por estarem com potro ao pé, outras por motivos nem sempre bem determinados. Nesses casos, a palpação retal feita por profissional competente é fundamental para determinar o estágio do ciclo reprodutivo em que a égua se encontra para poder precisar e determinar o momento da cobertura.

Figura 20.3 – Rufiação através de cerca de madeira, em lote de éguas soltas, com garanhão solto.

Figura 20.4 – Rufiação em campo aberto.

Coberturas

Feita a detecção do cio, deve-se proceder à cobertura da égua. A monta pode ser feita conduzida à mão ou a campo.

Monta à Mão

Nesse caso, a égua é levada a um local adequado e preparada e, a seguir, o garanhão é conduzido no cabresto para a monta.

Devem-se tomar todos os cuidados para que nem o garanhão nem a égua se machuquem nesse procedimento.

Em geral, a monta se faz em local aberto, adequado (Fig. 20.7), com chão firme para evitar que os animais escorreguem. Deve-se evitar a presença de aglomeração de outros equinos nas proximidades.

A égua deve ser preparada para a cobertura utilizando-se uma faixa ou atadura na cauda para evitar que os fios da crina da cauda machuquem o pênis do garanhão (Fig. 20.8). Pode-se ainda utilizar o "pé de ami-

Figura 20.5 – Rufiação em palanque.

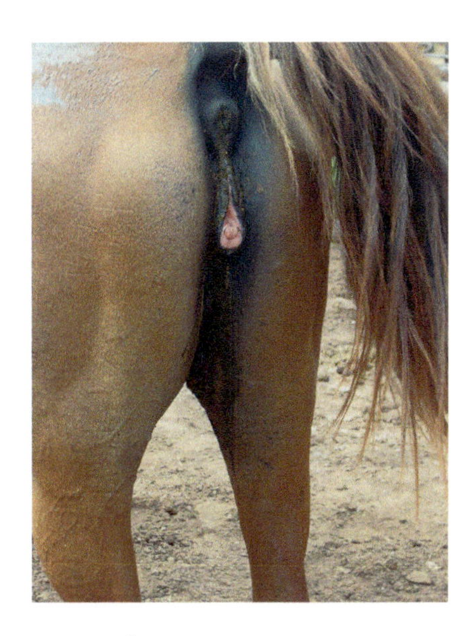

Figura 20.6 – Égua em postura típica de cio: cauda levantada, exposição clitoriana ("piscando") e urinação com frequência em presença do garanhão.

go" ou peias (Fig. 20.9), um tipo de trava que se coloca nas patas da égua, ficando atada a uma corda no pescoço, evitando assim que escoiceie o garanhão, machucando-o, e que este revide, machucando-a.

Muitos criadores ainda utilizam o cachimbo ou pito para conter melhor a égua (Fig. 20.10). Isso somente se faz necessário se a égua for muito brava, mesmo estando em cio claro e em época de aceitação do macho, mas seu uso não deve ser rotina.

Cuidados especiais devem ser tomados no caso de cobertura de éguas com potro ao pé. Manter o potro fechado em local distante pode causar acidentes a ele e deixar a égua nervosa, dificultando a monta. O ideal é permitir que o potro acompanhe a mãe, mas deve ser mantido fora do alcance do garanhão, preferencialmente contido por pessoa capacitada, aos olhos da mãe.

Uma prática comum, e totalmente desnecessária e sem fundamento, é jogar água, molhar a égua ou caminhar rapidamente com ela após a cobertura para impedir que urine. A ideia inicial é que, inibindo a égua de urinar, evita-se a expulsão do sêmen. Isso é totalmente desnecessário, pois a ejaculação do garanhão é intrauterina, além da uretra feminina, que se posiciona no assoalho da vagina, portanto, quando a égua urina, em nada interfere na qualidade da concepção.

Monta a Campo

É a maneira mais natural de se proceder à monta. Respeitam-se as origens de liberdade do cavalo. Muito utilizada em grandes propriedades no Centro-Oeste brasileiro. Entretanto, correm-se riscos, pois é o garanhão mesmo que faz a rufiação, detectando o cio e cobrindo as éguas no momento e quantas vezes quiser. É arriscada para animais de alto valor financeiro, pois o animal está constantemente sujeito a acidentes até se adaptar a esse tipo de manejo.

Figura 20.7 – Monta em local adequado, aberto, com piso firme.

978-85-7241-869-0

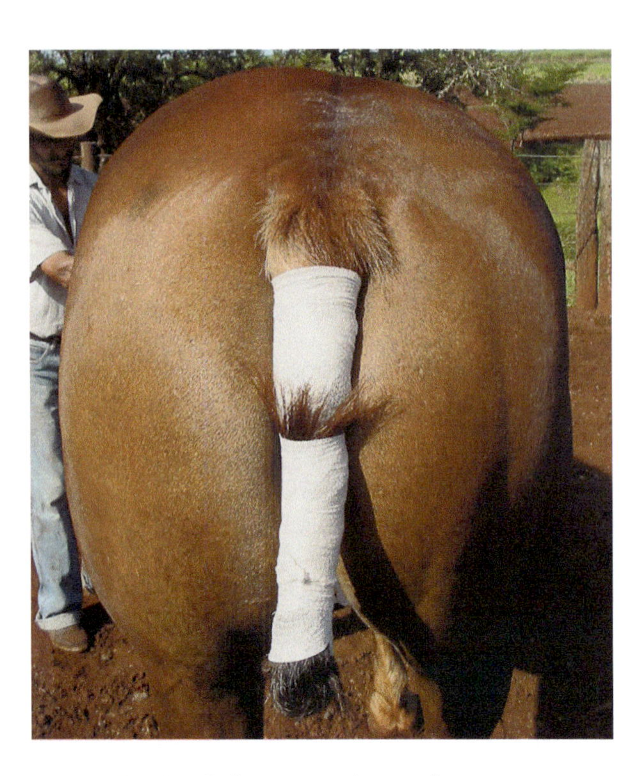

Figura 20.8 – Enfaixar a cauda evita lesões no pênis.

O garanhão fica livre com as éguas em uma pastagem grande o suficiente para suportar a quantidade determinada. Em geral, coloca-se um garanhão para cada 20 a 40 fêmeas e, obviamente, somente um macho por lote, para que não haja disputas territoriais.

Outro grande inconveniente desse tipo de monta é que não há controle algum sobre a data de concepção e consequentemente sobre a data prevista de parto, dificultando o manejo das fêmeas.

Também há certo risco para os potros das éguas com potro ao pé, pois o garanhão pode vir a machucá-los no momento da rufiação ou da monta.

Gestação

Grande parte dos diagnósticos de prenhez é feito, inicialmente, pelo não retorno da égua ao cio, o que deveria ocorrer de 14 a 18 dias do término do cio, sendo este fato apenas indicativo de uma possível prenhez, visto que muitas éguas, por motivos diversos, podem não apresentar os sinais de cio, especialmente se com potros ao pé.

O diagnóstico de gestação pode ser feito a partir do décimo ou décimo segundo dia da concepção por meio da ultrassonografia (Figs. 20.11 e 20.12).

Como o ultrassom é um equipamento caro e pouco disponível para a maioria do mercado equestre brasileiro, em geral se faz o diagnóstico com a palpação retal (Fig. 20.13). Esse procedimento deve ser feito por profissional capacitado e treinado para a prática.

Pode ser feito a partir dos 19 a 20 dias da concepção, quando se pode observar uma tensão uterina, indicativa de prenhez. Uma confirmação deve ser feita aos 29 a 30 dias, quando já se observa a formação de uma vesícula embrionária. A confirmação definitiva se dá por volta dos 45 a 60 dias da cobertura.

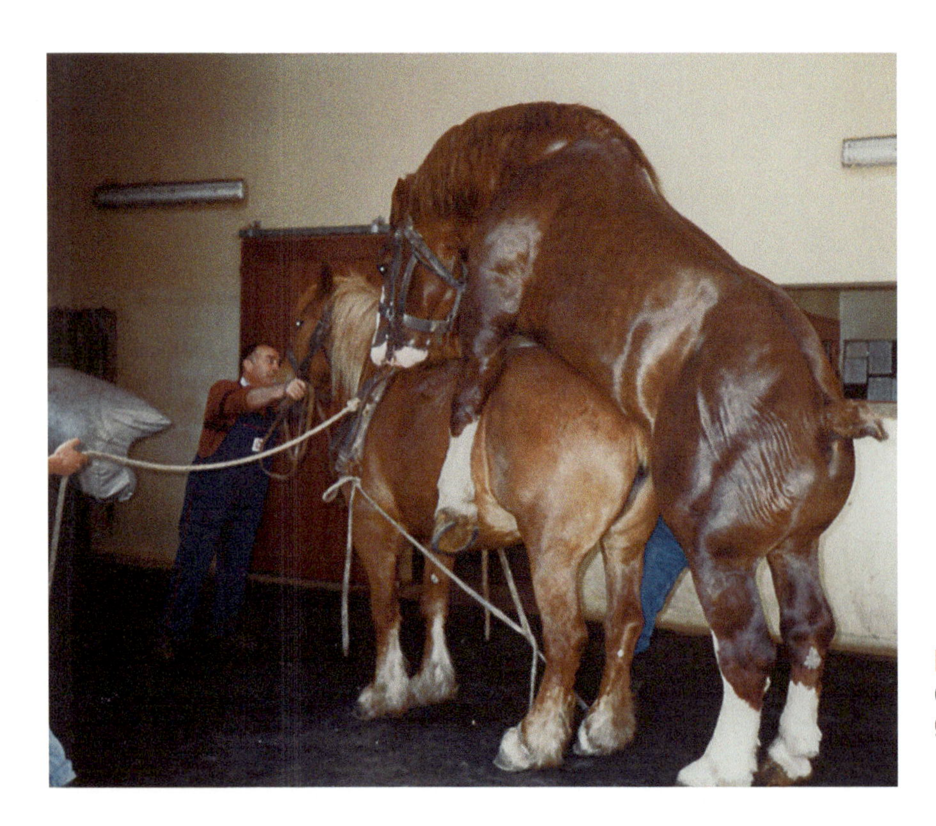

Figura 20.9 – Monta utilizando peias, que conferem maior segurança ao garanhão e à égua.

978-85-7241-869-0

Figura 20.10 – Uso de cachimbo nos lábios da égua, somente se estritamente necessário.

A reconfirmação aos dois meses deve ser feita, pois há risco de morte embrionária precoce (também chamada de reabsorção embrionária) até essa fase.

Após a confirmação definitiva aos 60 dias, deve-se manter o animal em piquete de éguas prenhes, com manejo nutricional adequado (premissa obviamente válida para todas as categorias), podendo até ser utilizada como animal de sela e trabalho, sem exageros, até o oitavo ou nono mês de gestação, quando então passará ao regime nutricional e de manejo de éguas no terço final da gestação.

Pré-parto

O parto ocorre naturalmente após 11 meses de gestação, cerca de 330 dias, com pequenas variações de mais ou menos 15 dias.

Os cuidados no pré-parto podem ser fundamentais para o sucesso e a criação de um potro saudável.

A manutenção da égua em regime alimentar especial no terço final da gestação e em piquete adequado, com água, sal mineral e forragem de qualidade em abundância são medidas simples e adequadas.

Um manejo adequado nessa fase também inclui a não mudança de ambiente da égua nos 45 a 60 dias que antecedem o parto.

Essa mudança não recomendada é, ressalte-se, uma mudança drástica e não simplesmente de piquete na mesma propriedade. Se ocorrer essa mudança nos momentos que antecedem o parto, a égua não terá tempo de produzir anticorpos específicos do ambiente novo em que se encontrará e seu colostro, que é a proteção inicial do potro, não terá estes anticorpos, portanto, o

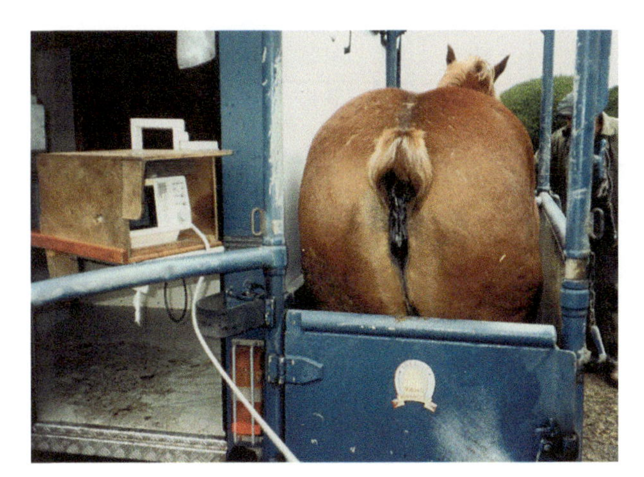

Figura 20.11 – Diagnóstico de gestação com ultrassom.

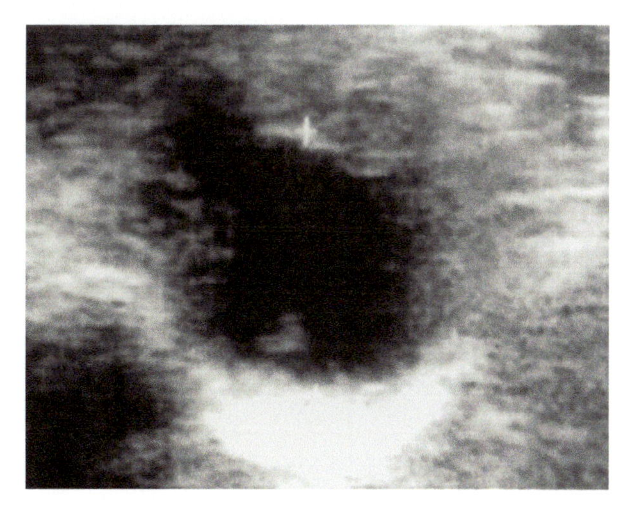

Figura 20.12 – Visão de uma vesícula de gestação com 21 dias (30mm de diâmetro).

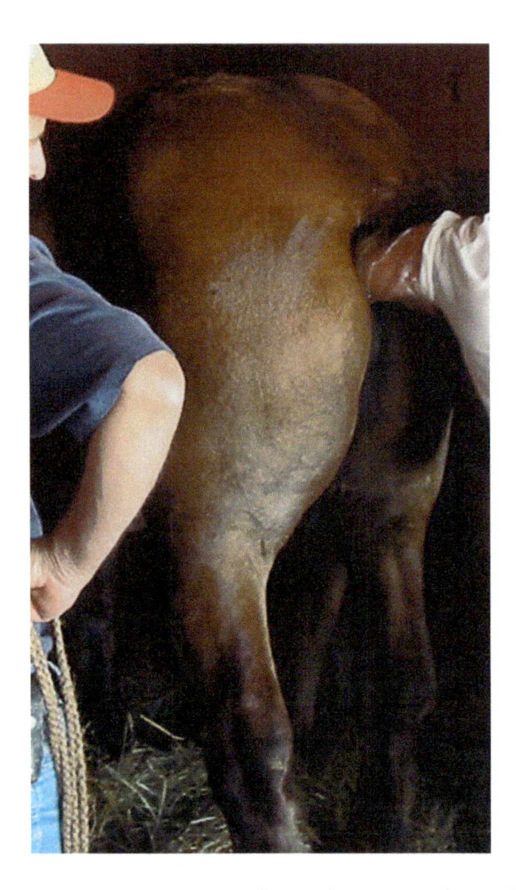

Figura 20.13 – Toque retal para diagnóstico de prenhez.

potro não terá resistência inicial ao novo ambiente, estando sujeito a infecções.

Em um manejo adequado de matrizes, sabe-se a data prevista do parto, mantendo-se uma observação intensa da égua cujo parto se aproxima. Próximo ao parto, sete a dez dias antes, leva-se a égua para um piquete maternidade.

O piquete maternidade é um piquete pequeno, suficiente para suportar a égua ou algumas éguas, por poucos dias, com cerca adequada e a topografia mais plana possível, sem acidentes geográficos que possam colocar em risco a vida que está por vir, e em local próximo do tratador, onde fica mais fácil a assistência, caso esta seja necessária.

No piquete maternidade a égua fica de 15 a 20 dias, sendo 7 a 10 dias no pré-parto até os 10 dias de vida do potro, quando já estará apto a acompanhar a mãe e os demais potros no dia a dia.

A imensa maioria dos partos ocorre no período noturno, muito provavelmente como herança genética dos tempos em que o cavalo era um animal selvagem e sempre predado. Seus predadores tinham hábitos diurnos e o parto à noite permitia que o potro, ao raiar do dia, já estivesse em pé e apto a acompanhar o rebanho em uma eventual fuga, caso isso fosse necessário.

Observam-se os sinais característicos de proximidade do parto, como o mojo, quando o úbere se prepara para a produção leiteira. Éguas primíparas em geral

Figura 20.14 – Abdômen grande e distendido.

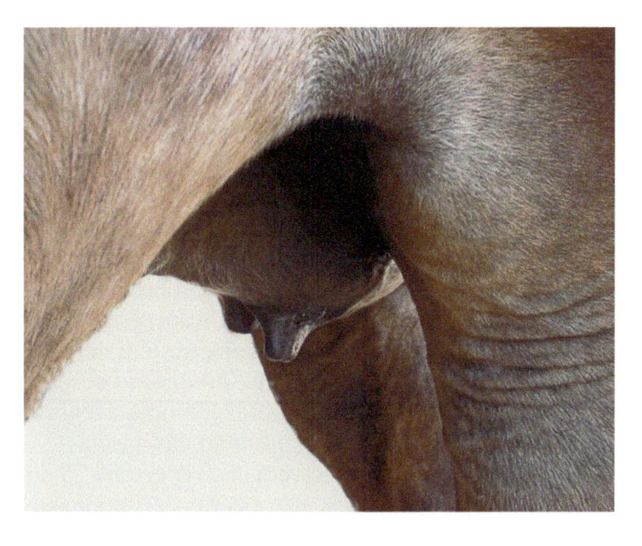

Figura 20.15 – Ingurgitamento de glândula mamária.

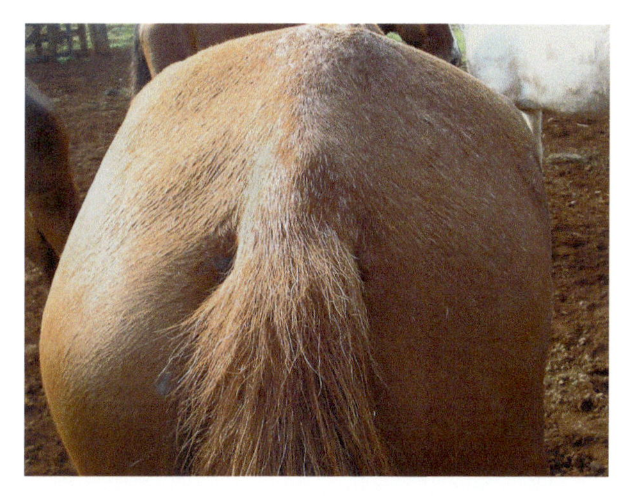

Figura 20.17 – Relaxamento dos músculos e ligamentos da garupa.

têm um mojo 30 dias antes do parto, retornando a glândula mamária ao estado normal até momentos antes do parto (algumas horas a alguns dias), quando se observa o mojo definitivo.

Os sinais a serem observados são:

- Abdômen grande e distendido (Fig. 20.14).
- Presença de secreção cerosa nos tetos.
- Ingurgitamento das glândulas mamárias (Fig. 20.15).
- Aumento do tamanho dos lábios vulvares e relaxamento da vulva (Fig. 20.16).

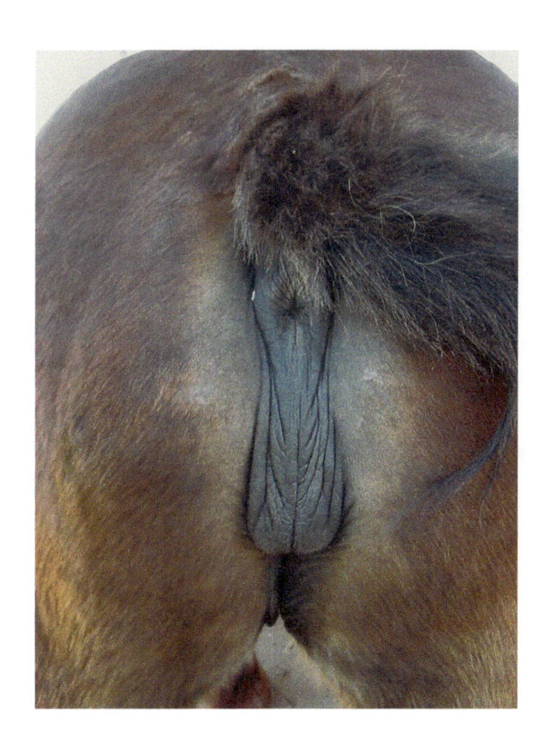

Figura 20.16 – Aumento de tamanho e relaxamento dos lábios vulvares.

- Alterações no comportamento.
- Égua levanta a cauda e olha repetidamente para o flanco.
- Perda de apetite.
- Mudanças na postura e no andamento.
- Relaxamento dos músculos e ligamentos da garupa (Fig. 20.17).

Parto

Deve-se deixar a égua o mais natural possível para o parto, evitando intervir, exceto em casos excepcionais, quando ocorrer parto distócico. Essa intervenção somente deve ser feita por um veterinário, profissional capacitado para a prática, pois pode colocar em risco a vida da égua e do potro. Deve-se ressaltar que essa necessidade de assistência, na maioria das raças, é difícil de ocorrer. Em 29 anos de criação de cavalos, primeiramente com os da raça Quarto-de-milha por cinco anos, a seguir com cavalos da raça Mangalarga por 12 anos e, por fim, da raça Bretão nos últimos 12 anos, tive apenas um parto no qual a intervenção foi necessária.

Um parto normal demora cerca de 30 a 60min, mas a égua pode demorar várias horas inquieta até que o momento realmente chegue.

Primeiro ocorre o rompimento da bolsa (Fig. 20.18) e a seguir a expulsão do potro através da cavidade pélvica (Fig. 20.19).

Em um parto normal, o potro deve apresentar primeiramente as patas dianteiras, com os cascos para baixo e a cabeça entre elas. Sob outras apresentações (apenas uma mão, um ou dois cascos com a sola para cima, focinho antes dos cascos, etc.), um veterinário competente deve ser chamado para o caso de uma intervenção ser necessária.

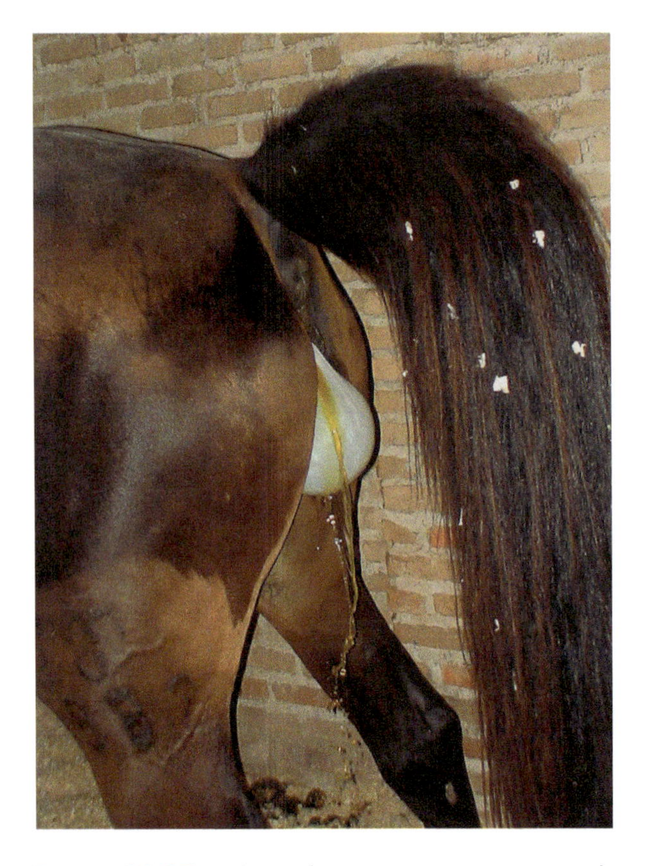

Figura 20.18 – Início do parto com apresentação da bolsa placentária.

Após a expulsão do potro, ocorre o rompimento do cordão umbilical de forma natural.

Em seguida, a égua limpa o potro (Fig. 20.20), mantendo-o aquecido e estimulando as funções vitais, além de manter o estreito contato necessário entre mãe e filho. Deve-se evitar ao máximo a intervenção nesse momento e até as primeiras 8h no pós-parto, privilegiando a égua para limpar e estimular o potro para uma perfeita integração entre mãe e filho. Eventualmente, se não houver uma desobstrução perfeita das vias nasais do potro para permitir que respire normalmente, pode-se proceder a um auxílio que vai desde a limpeza das vias aéreas superiores até uma eventual infusão de ar pelas narinas (soprando nas narinas).

A expulsão da placenta deverá ocorrer em até 2h do parto (Fig. 20.21). Se isso não ocorrer, é importante buscar o auxílio de um profissional capacitado. Jamais tente puxar a placenta retida, sob pena de causar hemorragia e consequente morte da égua. Caso haja retenção de placenta, a égua deve ser tratada adequadamente para se evitar riscos de infecção uterina (metrites).

A placenta ou secundina tem a aparência de um saco rosado, de consistência bastante firme, e reproduz os contornos internos do útero (Fig. 20.22). Se possível, deve-se examiná-la para verificar se foi completamente expulsa ou se algum pedaço permaneceu no útero.

Após a eliminação da placenta, a égua elimina uma formação amarronzada, presente livremente nos líqui-

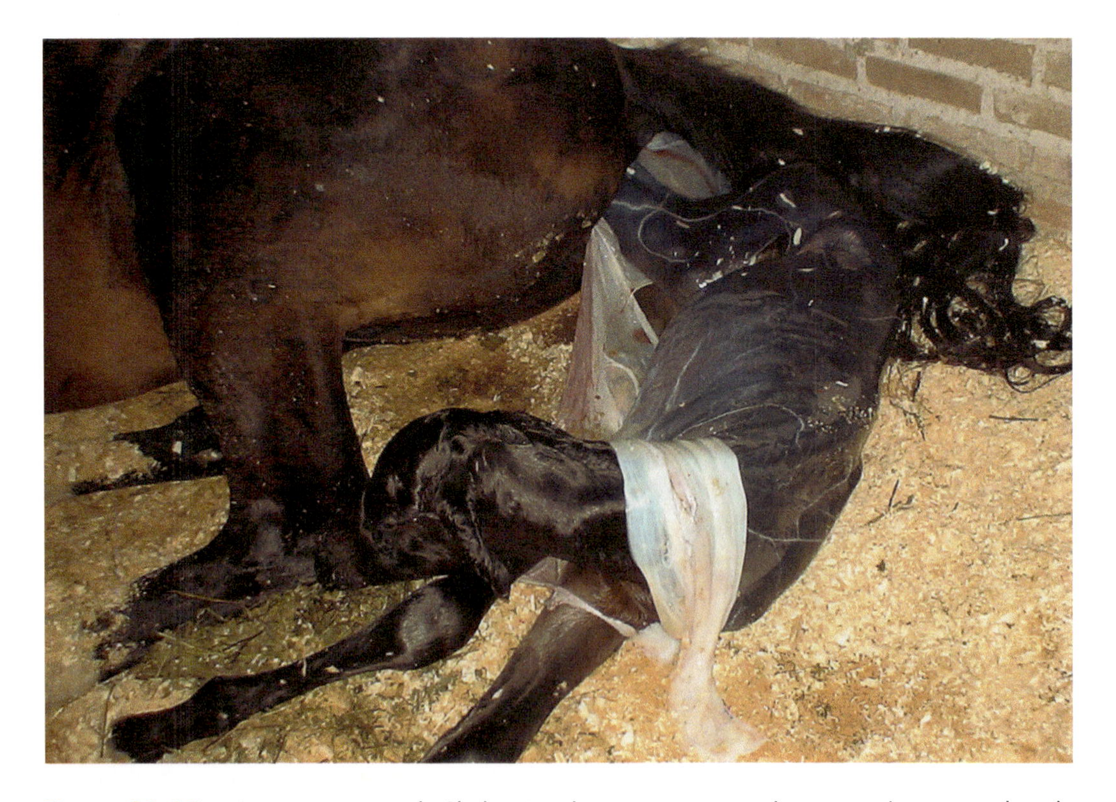

Figura 20.19 – Após um máximo de 2h do início do parto, o potro já deve ter saído por completo do útero da mãe.

978-85-7241-869-0

Figura 20.20 – Após o parto, a égua limpa o potro. Foto: Paula da Silva.

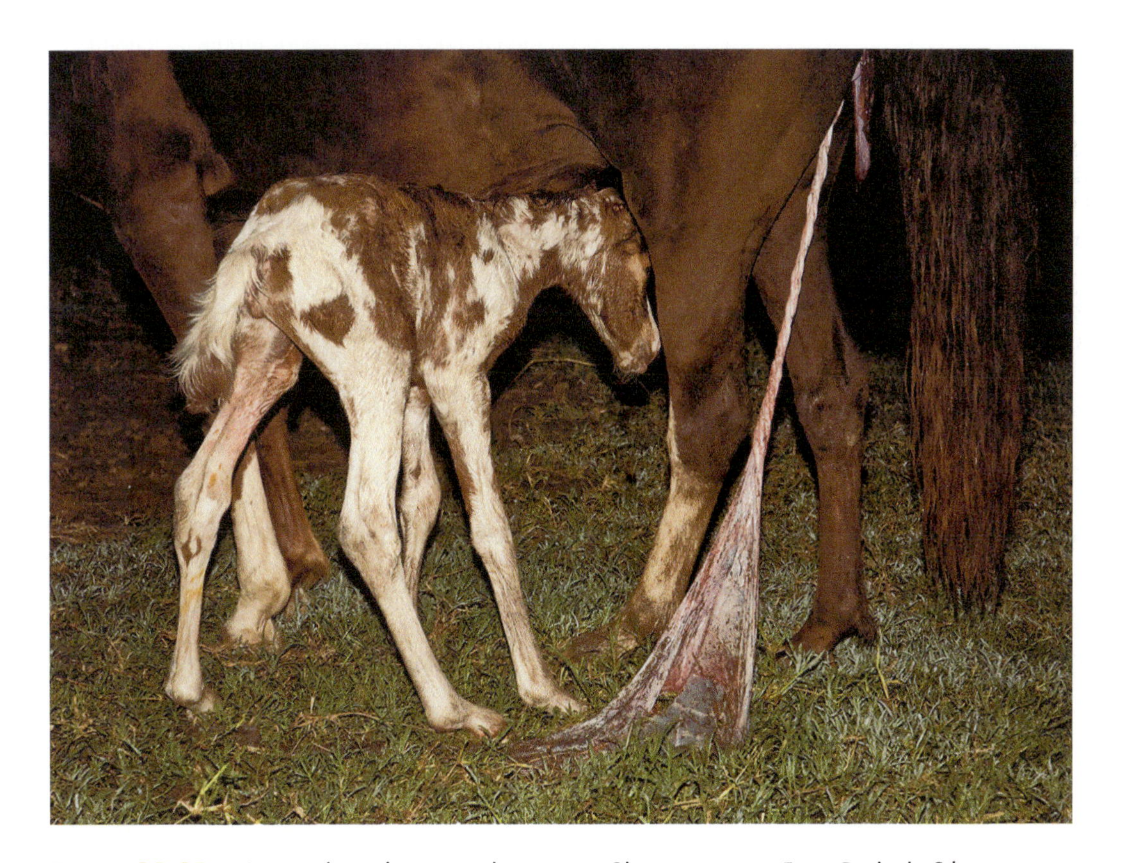

Figura 20.21 – A égua deve eliminar a placenta até 2h após o parto. Foto: Paula da Silva.

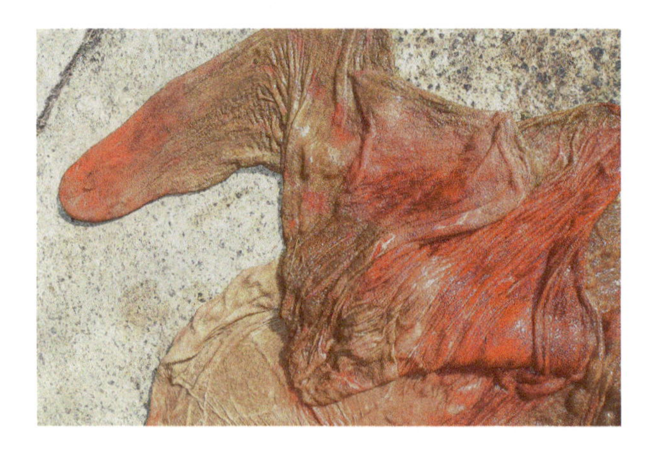

Figura 20.22 – Aspecto geral de uma placenta eliminada inteira após o parto.

dos eliminados. Essa formação, denominada hipomane (Fig. 20.23), tem uma constituição semelhante ao fígado, com forma irregular, amorfa e consistência pastosa, com tamanho aproximado de 10 a 15cm de comprimento, 8 a 10cm de largura e 3 a 4cm de espessura. Não se conhece a função do hipômane e sua presença e seu significado são um mistério.

Pós-parto

O período pós-parto se caracteriza pela involução uterina, reparação e regressão do trato reprodutivo ao seu estado normal.

Em geral, esse período dura até o segundo cio pós-parto, ao redor do vigésimo sétimo ao trigésimo segundo dia.

A maioria das éguas apresenta um cio cinco a dez dias após o parto, o chamado cio do potro, fértil na maioria das éguas, e que pode ser utilizado para uma nova cobertura sem prejuízos para o futuro potro ou para a mãe.

Figura 20.23 – Hipomane.

Um cuidado especial deve ser tomado com as éguas primíparas, que podem ter cócegas ou grande sensibilidade no úbere, impedindo o potro de mamar. O úbere pode inchar demais, dificultando ao potro pegar o teto, impedindo-o de mamar. Nesses casos, deve-se dessensibilizar essas éguas para que percam as cócegas, utilizando-se, por exemplo, uma solução com salmoura, massagens com água morna, duchas, etc., desta forma permitindo ao potro mamar sem maiores dificuldades.

O potro com sua mãe devem ser mantidos no piquete maternidade até os sete a dez dias após o nascimento. Após esse período, já podem ser transferidos para o piquete de éguas com potro ao pé.

A partir daqui, o manejo é seguido em comum para todas as éguas com potro ao pé.

Desmame

Atenção especial deve ser dada no manejo das éguas no momento do desmame (mais bem descrito no Cap. 21).

A égua, ao ser separada de seu potro, continua a produzir leite por alguns dias.

Para amenizar possíveis casos de mamites (inflamação do úbere), devemos programar o desmame para diminuir gradativamente a produção leiteira. Deve-se cortar o fornecimento de concentrado 15 dias antes do desmame e diminuir o volumoso para 1% do peso vivo do animal na semana anterior, mantendo-se estas proporções ao menos até 15 dias após o desmame. Uma menor qualidade nutricional induz a uma menor produção leiteira.

Não se deve proceder à ordenha do animal, pois um dos principais estímulos para a descida do leite é mecânico e a ordenha estimula mais a produção de leite.

Caso a égua tenha um aumento da glândula mamária a ponto de incomodar, podem-se fazer compressas com água morna e fria ou mesmo ducha no local, uma a duas vezes ao dia, por dois a três dias, o que já deve ser suficiente.

Alimentação

A má nutrição é um dos maiores responsáveis pela infertilidade da égua, sendo comum aos criadores subestimarem sua importância.

As éguas reprodutoras possuem quatro ciclos nutricionais bem distintos, sendo dois durante a gestação (Fig. 20.24) e dois durante a lactação (Fig. 20.25).

Quando ocorre déficit na alimentação, podem surgir problemas na ovulação, como cio não fértil, na nidação, na gestação e na viabilidade do feto.

Se o déficit nutricional for por um período prolongado ou muito intenso, podem ocorrem abortos, que predispõem a complicações infecciosas que comprometem a fertilidade, nascimento de prematuros ou de potros fracos, pouco resistentes, que ficam sujeitos a natimortalidade.

978-85-7241-869-0

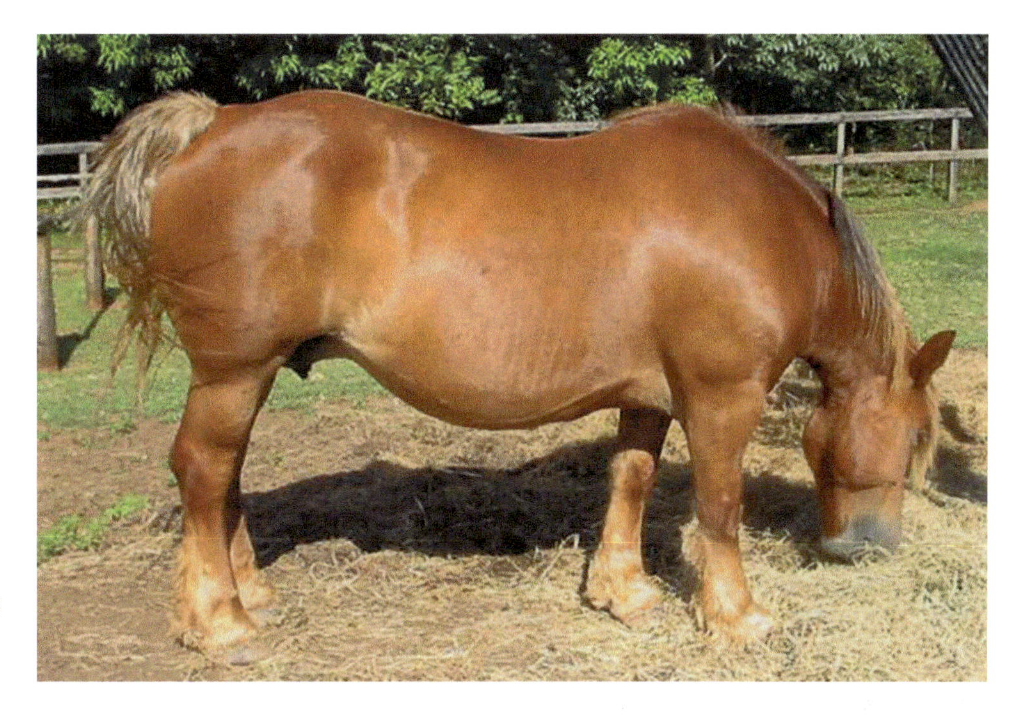

Figura 20.24 – Égua em gestação.

Um ajuste na alimentação da égua em reprodução se faz necessário para evitar o aparecimento de problemas como redução das chances de fecundação, retardo do ciclo normal nos anos subsequentes e baixo número de potros nascidos no decorrer da vida reprodutiva da égua.

Para prevenir a infertilidade de origem nutricional, a dificuldade está na detecção do erro na dieta, em que devemos adequar os aportes energéticos, proteicos, minerais e vitamínicos conforme as necessidades do animal.

No período de gestação, a égua deverá ganhar 13 a 18% de peso, claro que desde que esteja, já no início da gestação, em seu estado corporal ótimo. Esse ganho é dividido em 3 a 5% na primeira fase (até o oitavo mês de gestação) e 10 a 13% na fase final (terço final da gestação).

A égua possui necessidades pouco superiores à manutenção no início da gestação e no final da lactação, necessidades especialmente proteicas no final da gestação e necessidades muito acentuadas, especialmente energéticas, no início da lactação. O fornecimento de minerais e vitaminas por todo o período de gestação/lactação é fundamental para o bom crescimento do esqueleto do potro.

Deficiências proteicas na lactação levarão a uma queda na produção leiteira com consequente diminuição no crescimento e desenvolvimento do potro. As deficiências, assim como os excessos energéticos, também trazem as mesmas consequências.

De qualquer modo, é importante ressaltar que tais necessidades, sempre acompanhadas de um aporte mineral e vitamínico adequado, somente podem ser conseguidas com uma complementação de concentrados, pois a capacidade de ingestão de volumoso que a égua possui não supre de maneira adequada as necessidades nessas fases de vida reprodutiva.

Se, no período final da gestação, o animal estiver em um estado ótimo, proporcionará melhor maturidade do feto, maior qualidade do colostro, aumento da produção leiteira e da atividade ovariana, favorecendo uma nova gestação. Por outro lado, se, no terço final da gestação, houver ganho de peso em excesso, proporcionará, no momento do parto, uma perda excessiva de

Figura 20.25 – Égua em lactação.

peso, dificuldade no parto, ocasionando o nascimento de um potro frágil e queda na produção leiteira, com consequente prejuízo reprodutivo subsequente.

Alimentação da Égua em Gestação

Primeira Fase de Gestação (Primeiro ao Oitavo Mês)

Após a fecundação, a égua deve manter seu peso ou engordar se estiver muito magra.

As necessidades da mãe são ligeiramente superiores às de manutenção, sendo necessário de 1,4 a 1,7% de matéria seca em relação ao peso do animal.

Nessa fase, ocorre um crescimento de cerca de 30% do tamanho do feto. Isto é, um potro que deverá nascer com 50kg de peso irá crescer neste período somente 15kg, representando muito pouco em termos nutricionais para a mãe.

Um volumoso de ótima qualidade, água fresca e limpa à vontade, mineralização adequada e um mínimo de concentrado de qualidade são suficientes para suprir suas necessidades nessa fase.

Segunda Fase de Gestação (Nono ao Décimo Primeiro Mês)

Nessa fase ocorre um aumento muito grande das necessidades nutricionais da égua. Há um crescimento de 70% do tamanho do feto nesse período.

Aquele potro que no período anterior cresceu somente 15kg em oito meses, crescerá neste período de três meses cerca de 35kg, exigindo muito de sua mãe.

A alimentação fetal é prioritária em relação à mãe, inversamente ao que ocorre no início da gestação. Está sendo definido todo o "futuro potencial" do potro, isto é, todo o potencial genético de crescimento do potro.

Nessa fase, também, a égua deve adquirir uma reserva corporal, para que no início da lactação não ocorra perda excessiva de peso, devido às elevadas necessidades energéticas desta fase.

Devemos ter cuidados com os excessos alimentares que podem acarretar problemas graves, devido ao excesso de gordura da mãe e do feto, como dificuldades no parto e diversas complicações associadas, como retenção de placenta e metrite, e o nascimento de um potro frágil que sofreu durante o parto por anóxia.

Um bom estado corporal da égua no momento do parto é uma garantia do nascimento de um potro saudável e com ótimo desenvolvimento pós-natal.

Uma complementação concentrada adequada no final da gestação possui vantagens para compensar a queda de apetite momentos antes do parto, permitindo manter o bom estado corporal, estimular o desenvolvimento fetal, assegurando o nascimento de um potro saudável e maduro, ativar a produção de imunoglobulinas para a produção de um colostro de excelente qualidade, que promova ótima proteção anti-infecciosa para o potro, e promover alta produção leiteira favorável ao crescimento inicial do potro.

A quantidade de proteína do concentrado, dependendo do volumoso utilizado, é de 15% e a energia, mediana, sendo o extrato etéreo variável de 2 a 4%. Lembre-se que quanto maior o valor do extrato etéreo, melhor será a qualidade da energia e menor poderá ser a quantidade de ração oferecida.

Necessidades em Matéria Seca

A necessidade em matéria seca pode ser observada na Tabela 20.1, em percentual do peso vivo, segundo preconizado pelo Institute National de la Recherche Agronomique (INRA) e pelo National Research Council (NRC).

Exemplos:

- Égua de 500kg, no sétimo mês de gestação: MS = 7 a 8,5kg/dia (INRA) ou 10kg/dia (NRC).
- Égua de 450kg, no nono mês de gestação: MS = 6,7 a 7,7kg/dia (INRA) ou 9kg/dia (NRC).
- Égua de 550kg, no décimo primeiro mês de gestação: MS = 8,8 a 11kg/dia (INRA) ou 13,8kg/dia (NRC).

Necessidades Energéticas

Energia Digestível

A necessidade de energia digestível pode ser calculada segundo as fórmulas do Quadro 20.1, conforme o estágio gestacional, medidas em megacalorias (Mcal) por dia, em que EDm é a energia digestível de manutenção.

Exemplo:

- Égua de 450kg em período gestacional (o peso vivo deve se referir ao peso no momento da elaboração do cálculo):
  - < quinto mês: ED = 1,4 (0,03 × 450) = 14,9Mcal/dia.
  - Sexto ao sétimo mês: ED = 14,9 × 1,05 = 15,65Mcal/dia.
  - Oitavo mês: ED = 14,9 × 1,10 = 16,39Mcal/dia.
  - Nono ao décimo mês: ED = 14,9 × 1,15 = 17,14Mcal/dia.
  - Décimo primeiro mês: ED = 14,9 × 1,28 = 19,07Mcal/dia.

Energia Líquida

A quantidade de energia líquida é dada segundo a Tabela 20.2, em unidade forrageira cavalo (UFC) por dia.

978-85-7241-869-0

Tabela 20.1 – Necessidades diárias de matéria seca para éguas em gestação, em kg

Gestação	Peso (kg)	INRA (%)	NRC (%)
1º ao 8º mês	< 650	1,4 – 1,7	2
	> 650	1,3 – 1,6	
9º ao 10º mês	< 650	1,5 – 1,7	2,5
	> 650	1,7 – 2,0	
11º mês	< 650	1,6 – 2,0	
	> 650	1,8 – 2,1	

INRA = Institute National de la Recherche Agronomique; NRC = National Research Council.
Adaptado de Wolter[1].

Necessidades Proteicas

Proteína Bruta

Pode ser dada segundo as fórmulas observadas no Quadro 20.2, em gramas por dia, conforme o estado gestacional.

Exemplo:

Égua de 450kg em período gestacional (o peso vivo deve se referir ao peso no momento da elaboração do cálculo):

- Quinto mês: PB = 1,26 × 450 = 567g/dia.
- Décimo mês: PB = (1,26 × 450)/0,76 = 746g/dia.

Proteína Líquida

A quantidade de proteína líquida é dada segundo a Tabela 20.3, em gramas por dia, conforme o peso do animal.

Necessidades Minerais

Dadas segundo a Tabela 20.4, por quilograma de peso vivo, segundo preconizado pelo INRA e pelo NRC.

Necessidades Vitamínicas

Dadas segundo a Tabela 20.5, por quilograma de peso vivo, segundo preconizado pelo INRA e pelo NRC.

Segundo o NRC, para algumas vitaminas, designadas como "não determinadas" (nd) na Tabela 20.5, não há necessidade de suplementação extra.

Quadro 20.1 – Necessidades diárias de energia digestível para éguas em gestação, em Mcal

- < 5º mês: ED = EDm
- 6º ao 7º mês: ED = EDm × 1,05
- 8º mês: ED = EDm × 1,10
- 9º ao 10º mês: ED = EDm × 1,15
- 11º mês: ED = EDm × 1,28

Em que:

- EDm = energia digestível de manutenção
  – Animais até 600kg: EDm = 1,4 + 0,03 × PV
  – Animais acima de 600kg: EDm = 1,82 + (0,0383 × PV) – (0,000015 × PV²)

EDm = energia digestível de manutenção.
Adaptado de NRC[2].

Tabela 20.2 – Necessidades diárias de energia líquida para éguas em gestação, em UFC

		Peso				
		200kg	*450kg*	*500kg*	*600kg*	*800kg*
UFC	1º ao 8º mês	2,1	3,9	4,2	4,8	5,7
UFC	9º mês	2,5	4,6	5,0	5,7	6,2
UFC	10º mês	2,8	5,2	5,7	6,6	7,2
UFC	11º mês	2,9	5,3	5,8	6,7	7,4

UFC = unidade forrageira cavalo.
Adaptado de Wolter[1].

Alimentação de Éguas em Lactação

Início da Lactação (Primeiro ao Terceiro Mês)

Os aportes alimentares para a égua em início de lactação são muito mais elevados que no período de gestação.

Em relação a seu peso, essa categoria tem uma necessidade de 2,3 a 3% de matéria seca.

Um bom equilíbrio alimentar, que ofereça ao animal as quantidades e qualidades necessárias de nutrientes, deve ser adequado ao estado físico do animal e à sua produção leiteira e propiciar a manutenção de um peso corporal próximo do ótimo, que favoreça a fertilidade do animal.

Nessa fase, são utilizadas as reservas corporais da gestação, porém estas reservas são pequenas, suficientes apenas para que o animal não emagreça acentuadamente, desde que receba nutrientes em quantidade e qualidade adequadas; caso contrário, o aparecimento de carências certamente ocorrerá, com consequências nefastas para o potro e para o futuro reprodutivo da égua.

As exigências energéticas estão muito aumentadas, pois a égua é uma excelente produtora leiteira. As éguas de raças médias (Mangalarga, Quarto-de-milha, Campolina, etc.) produzem em média 15 a 17L de leite por dia, podendo chegar a picos de 20 a 22L, e as raças de tração pesada (Bretão, Percheron) chegam a 25L diários, podendo ter picos de 30 a 32L.

A suplementação com concentrados se faz necessária, pois, além de tudo, a égua pode estar prenhe nessa fase.

Quadro 20.2 – Necessidades diárias de proteína bruta para éguas em gestação, em gramas

Proteína bruta (PB) diária média:

- Até o 8º mês de gestação: PB = 1,26 × PV
- 9º ao 11º mês de gestação: $PB = \frac{(1,26 \times PV)}{0,79}$

PV = peso vivo do animal, em kg

Adaptado de NRC[2].

Tabela 20.3 – Necessidades diárias de proteína líquida (MPDC) para éguas em gestação, em gramas

		Peso				
		200kg	*450kg*	*500kg*	*600kg*	*800kg*
MPDC	1º ao 8º mês	252g	275g	295g	340g	420g
MPDC	9º mês	307g	315g	340g	395g	495g
MPDC	10º mês	313g	425g	460g	535g	685g
MPDC	11º mês	332g	445g	485g	565g	725g

MPDC = matéria proteica digestível cavalo.
Adaptado de Wolter[1].

Portanto, a égua tem tripla função: manutenção, lactação e nova gestação.

A quantidade de proteína do concentrado deve ser de 15% de proteína bruta e a energia deve ser mediana a alta, com extrato etéreo de 3 a 4%.

Nessa fase, o potro é nutrido basicamente pelo leite, apesar de ingerir volumoso e até ração, daí a importância de uma boa produção leiteira pela égua. Quanto mais leite a égua produzir, melhor será o crescimento e o desenvolvimento do potro.

Final da Lactação (Quarto ao Sexto Mês)

As necessidades da égua caem drasticamente, pouco acima das necessidades de manutenção. Nesse período, a produção leiteira reduz-se quase que à metade do início da lactação e o potro já está se alimentando de capim ou feno, que suprem parte de suas necessidades.

Com suplementação adequada de concentrado e volumoso, esse potro já pode ser desmamado sem prejuízo para seu crescimento e desenvolvimento, deixando a égua livre para manter-se e finalizar uma nova gestação (que já deve estar ao redor de quatro a cinco meses).

O desmame do potro pode ser feito a partir dos quatro meses de idade sem prejuízo para seu crescimento e desenvolvimento, desde que seja bem alimentado. O critério ideal para definir o momento da desmama deve ser o tamanho do potro. Se o potro tiver que dobrar acentuadamente os membros anteriores para mamar, é sinal de que pode ser desmamado. Se não for desmamado nesse momento, podem ocorrer desvios nos aprumos desse potro.

O desmame precoce traz algumas vantagens para a égua, como menor exigência de nutrientes (pode-se reduzir e até cortar a ração), permitindo que se prepare por mais tempo para o próximo potro.

Necessidades em Matéria Seca

A necessidade em matéria seca pode ser observada na Tabela 20.6, em percentual do peso vivo, segundo preconizado pelo INRA e pelo NRC.

Exemplos:

- Égua de 500kg, no primeiro mês de lactação: MS = 12 a 15kg/dia (INRA) ou 12,5kg/dia (NRC).
- Égua de 450kg, no terceiro mês de lactação: MS = 9 a 13,5kg/dia (INRA) ou 11,2kg/dia (NRC).
- Égua de 550kg, no quinto mês de lactação: MS = 8,8 a 13,8kg/dia (INRA) ou 13,8kg/dia (NRC).

Necessidades Energéticas

Energia Digestível

A necessidade de energia digestível pode ser calculada segundo as fórmulas da Tabela 20.7, conforme o estágio de lactação, medidas em Mcal por dia, em que EDm é a energia digestível de manutenção.

Exemplos:

- Égua em lactação de 500kg de peso vivo:
  - Primeiro mês: ED = 16,4 + [(0,03 × 500 × 0,792)] × 1,12 = 31,67Mcal/dia.
  - Terceiro mês: ED = 16,4 + [(0,03 × 500 × 0,792)] × 1,08 = 30,54Mcal/dia.
  - Quinto mês: ED = 16,4 + [(0,03 × 500 × 0,792)] × 0,99 = 28,28Mcal/dia.

  Égua em lactação de 700kg de peso vivo:

  - Primeiro mês: ED = 21,28 + [(0,03 × 700 × 0,792)] × 1,2 = 37,39Mcal/dia.
  - Terceiro mês: ED = 21,28 + [(0,03 × 700 × 0,792)] × 1,15 = 35,83Mcal/dia.
  - Quinto mês: ED = 21,28 + [(0,03 × 700 × 0,792)] × 1,05 = 32,72Mcal/dia.

Energia Líquida

A quantidade de energia líquida é dada segundo a Tabela 20.8, em UFC por dia.

Necessidades Proteicas

Proteína Bruta

Pode ser dada segundo as fórmulas observada na Tabela 20.9, em gramas por dia, conforme a fase de lactação e a produção leiteira (PL) esperada:

Tabela 20.4 – Necessidades diárias de minerais para éguas em gestação, por kg de peso vivo

Nutriente	INRA			NRC		
	1º ao 8º mês	*9º ao 10º mês*	*11º mês*	*1º ao 6º mês*	*7º ao 8º mês*	*9º ao 11º mês*
Relação Ca:P (ideal)	1,60:1	1,46:1	1,43:1	1,43:1	1,40:1	1,37:1
Cálcio (g)	0,0620	0,0760	0,0900	0,0400	0,0560	0,0720
Fósforo (g)	0,0388	0,0520	0,0630	0,0280	0,0400	0,0526
Magnésio (g)	0,0155	0,0160	0,0180	0,0150	0,0152	0,0154
Sódio (g)	0,0480	0,0480	0,0480	0,0200	0,0200	0,0220
Potássio (g)	0,0465	0,0480	0,0540	0,0500	0,0500	0,0518
Enxofre (g)	0,0260	0,0260	0,0260	0,0300	0,0300	0,0300
Cobalto (mg)	0,0023	0,0024	0,0027	0,0010	0,0010	0,0010
Cobre (mg)	0,3875	0,4000	0,4500	0,2000	0,2000	0,2500
Iodo (mg)	0,0031	0,0032	0,0036	0,0070	0,0070	0,0080
Ferro (mg)	1,5500	1,6000	1,8000	0,8000	0,8000	1,0000
Manganês (mg)	0,7750	0,8000	0,9000	0,8000	0,8000	0,8000
Selênio (mg)	0,0031	0,0032	0,0036	0,0020	0,0020	0,0020
Zinco (mg)	1,1625	1,2000	1,3500	0,8000	0,8000	0,8000

INRA = Institute National de la Recherche Agronomique; NRC = National Research Council.
Adaptado de Wolter[1] e NRC[2].

Tabela 20.5 – Necessidades diárias de vitaminas para éguas em gestação, por kg de peso vivo

Nutriente	INRA	NRC
Vitamina A (UI)	80	60
Vitamina D (UI)	12	6,60
Vitamina E (mg)	0,200	1,60
Vitamina B_1 (mg)	0,048	0,06
Vitamina B_2 (mg)	0,080	0,04
Vitamina B_6 (mg)	0,024	nd
Vitamina B_{12} (µg)	0,240	nd
Ácido fólico (mg)	0,024	nd
Ácido pantotênico (mg)	0,096	nd
Colina (mg)	1,200	nd
Niacina (mg)	0,240	nd

INRA = Institute National de la Recherche Agronomique; nd = não determinada; NRC = National Research Council.
Adaptado de Wolter[1] e NRC[2].

978-85-7241-869-0

Exemplos:

- Égua em lactação de 500kg de peso vivo:
  - Primeiro mês: PB = (500 × 1,44) + (16 × 50) = 1.520g de PB/dia.
  - Terceiro mês: PB = (500 × 1,44) + (15 × 50) = 1.470g de PB/dia.

Tabela 20.6 – Necessidades diárias de matéria seca para éguas em lactação, em kg

Lactação	Peso (kg)	INRA (%)	NRC (%)
1º mês	< 650	2,4 – 3,0	
	> 650	2,4 – 2,9	
2º ao 3º mês	< 650	2,0 – 3,0	2,5
	> 650	2,5 – 2,7	
4º ao 6º mês	< 650	1,6 – 2,5	
	> 650	2,1 – 2,5	

INRA = Institute National de la Recherche Agronomique; NRC = National Research Council.
Adaptado de Wolter[1] e NRC[2].

  - Quinto mês: PB = (500 × 1,44) + (12 × 50) = 1.320g de PB/dia.
- Égua em lactação de 700kg de peso vivo:
  - Primeiro mês: PB = (700 × 1,44) + (29 × 50) = 2.458g de PB/dia.
  - Terceiro mês: PB = (700 × 1,44) + (27 × 50) = 2.358g de PB/dia.
  - Quinto mês: PB = (700 × 1,44) + (22 × 50) = 2.108g de PB/dia.

Proteína Líquida

A quantidade de proteína líquida é dada segundo a Tabela 20.10, em gramas por dia, conforme o peso do animal.

Tabela 20.7 – Necessidades diárias de energia digestível para éguas em lactação, em Mcal

Lactação	Peso (kg)	Energia digestível
1º mês	< 650	[ED = EDm + (0,03 × PV × 0,792)] × 1,12
	> 650	[ED = EDm + (0,03 × PV × 0,792]) × 1,20
2º ao 3º mês	< 650	[ED = EDm + (0,03 × PV × 0,792)] × 1,08
	> 650	[ED = EDm + (0,03 × PV × 0,792)] × 1,15
4º ao 6º mês	< 650	[ED = EDm + (0,02 × PV × 0,792)]
	> 650	[ED = EDm + (0,02 × PV × 0,792]) × 1,05

EDm = energia digestível de manutenção; PV = peso vivo do animal, em kg.
Adaptado de NRC[2].

Tabela 20.9 – Necessidades diárias de proteína bruta para éguas em lactação, em gramas

Lactação	Peso (kg)	PB	Produção leiteira (PL) esperada
1º mês	< 650	PB = (PV × 1,44) + (PL × 50)	16
	> 650	PB = (PV × 1,44) + (PL × 50)	29
2º ao 3º mês	< 650	PB = (PV × 1,44) + (PL × 50)	15
	> 650	PB = (PV × 1,44) + (PL × 50)	27
4º ao 6º mês	< 650	PB = (PV × 1,44) + (PL × 50)	12
	> 650	PB = (PV × 1,44) + (PL × 50)	22

PB = proteína bruta; PV = peso vivo do animal, em kg.
Adaptado de NRC[2].

Necessidades Minerais

Dadas segundo a Tabela 20.11, por quilograma de peso vivo, segundo preconizado pelo INRA e pelo NRC.

Necessidades Vitamínicas

Dadas segundo a Tabela 20.12, por quilograma de peso vivo, segundo preconizado pelo INRA e pelo NRC.

Segundo o NRC, para algumas vitaminas, designadas como "não determinadas" (nd) na Tabela 20.12, não há necessidade de suplementação extra.

Alimentação de Éguas Doadoras e Receptoras de Embrião

Uma observação importante no manejo de éguas em reprodução é quanto ao manejo de receptoras (Fig. 20.26) e doadoras (Fig. 20.27) de embrião.

Uma das principais causas de infertilidade das éguas reprodutoras está ligada aos desequilíbrios nutricionais. Cerca de 80% dos problemas de infertilidade, de uma forma ou de outra, podem ser atribuídos a uma alimentação desequilibrada.

Doadora de embrião é aquela égua de altíssimo valor zootécnico e altíssimo valor financeiro, da qual deverão ser retirados embriões e estes implantados na receptora.

Receptora de embriões é aquela égua de baixo valor zootécnico e baixo valor financeiro, na qual deverão ser implantados embriões oriundos da doadora.

Como se pode observar por essa definição, a égua doadora, desde que não exerça atividade física de atleta, é um animal que, nutricionalmente falando, não possui necessidades nutricionais além daquelas de um animal em manutenção, isto é, água fresca e limpa, sal mineral específico e volumoso em quantidades de 1,4 a 1,7% de matéria seca em relação ao peso são mais que suficientes para manter esse animal com saúde.

Por outro lado, aquela égua, que, apesar de custar pouco, leva em seu ventre um embrião valiosíssimo, tem necessidades que, como pudemos observar, devem ser supridas com o fornecimento de concentrados e suplementos específicos, para que o embrião possa se desenvolver bem e nascer um potro saudável.

Uma alimentação equilibrada permite a uma égua receptora estar com *status* corporal ótimo, nem obesa, nem magra em demasia, de forma que seu ciclo estral seja bem definido, com boa formação de corpo lúteo, que lhe permitirá manter uma gestação com bom desenvolvimento embrionário e fetal. Mas, antes de tudo, uma boa alimentação de receptoras no período que antecede a concepção lhes permitirá entrar no cio regularmente e mesmo responder a uma terapia hormonal de forma eficaz, fator preponderante em uma transferência de embrião.

Tabela 20.8 – Necessidades diárias de energia líquida para éguas em lactação, em UFC

		Peso				
		200kg	*450kg*	*500kg*	*600kg*	*800kg*
UFC	1º mês	5,3	9,8	11,0	12,6	14,6
UFC	2º e 3º meses	4,6	8,4	9,2	10,7	12,3
UFC	4º ao 6º mês	3,7	6,9	7,5	8,7	9,9

UFC = unidade forrageira cavalo.
Adaptado de Wolter[1].

978-85-7241-869-0

Tabela 20.10 – Necessidades diárias de proteína líquida (MPDC) para éguas em lactação, em gramas

		Peso				
		200kg	*450kg*	*500kg*	*600kg*	*800kg*
MPDC	1º mês	731g	865g	950g	1.125g	1.470g
MPDC	2º e 3º meses	585g	700g	770g	910g	1.180g
MPDC	4º ao 6º mês	449g	605g	660g	780g	1.005g

MPDC = matéria proteica digestível cavalo.
Adaptado de Wolter[1].

Tabela 20.11 – Necessidades diárias de minerais para éguas em lactação, por kg de peso vivo

Nutriente	INRA		NRC		
	1º ao 3º mês	*3º ao 6º mês*	*1º ao 2º mês*	*3º mês*	*4º ao 6º mês*
Relação Ca:P (ideal)	1,10:1	1,22:1	1,54:1	1,55:1	1,6:1
Cálcio (g)	0,1220	0,0780	0,1182	0,1118	0,0790
Fósforo (g)	0,1110	0,0640	0,0766	0,0720	0,0494
Magnésio (g)	0,0200	0,0185	0,0224	0,0218	0,0204
Sódio (g)	0,0480	0,0480	0,0256	0,0250	0,0234
Potássio (g)	0,0795	0,0555	0,0956	0,0918	0,0696
Enxofre (g)	0,0260	0,0260	0,0376	0,0376	0,0376
Cobalto (mg)	0,0040	0,0028	0,0012	0,0012	0,0012
Cobre (mg)	0,6625	0,4625	0,2500	0,2500	0,2500
Iodo (mg)	0,0053	0,0037	0,0088	0,0088	0,0088
Ferro (mg)	2,6500	1,8500	1,2500	1,2500	1,2500
Manganês (mg)	1,3250	0,9250	1,0000	1,0000	1,0000
Selênio (mg)	0,0053	0,0037	0,0025	0,0025	0,0025
Zinco (mg)	1,9875	1,3875	1,0000	1,0000	1,0000

INRA = Institute National de la Recherche Agronomique; NRC = National Research Council.
Adaptado de Wolter[1] e NRC[2].

A regulagem do sistema hormonal e o bom funcionamento do sistema reprodutivo de uma égua receptora (assim como de todos os sistemas do organismo) dependem fundamentalmente de um equilíbrio nutricional proporcionado a esta égua durante toda sua vida reprodutiva.

O fornecimento de quantidade adequada e equilibrada de proteína, energia, vitaminas e minerais, mesmo para um animal em manutenção, é fundamental para que a égua tenha um bom desempenho reprodutivo.

As necessidades de uma égua reprodutora vazia e até o oitavo mês de gestação são semelhantes às de um animal em manutenção, isto é, energia baixa, de 16,4Mcal por dia (animal de 500kg de peso), proteína bruta de 630g por dia, mas de excelente qualidade com boa quantidade de aminoácidos disponíveis e quantidades mínimas, mas suficientes, de vitaminas e minerais, estes mais do que essenciais ao bom funcionamento hormonal e fisiológico de qualquer organismo. Isso é facilmente obtido com uma pastagem de boa qualidade e

Tabela 20.12 – Necessidades diárias de vitaminas para éguas em lactação, por kg de peso vivo

Nutriente	INRA	NRC
Vitamina A (UI)	100	60
Vitamina D (UI)	16	6,6
Vitamina E (mg)	0,200	2,000
Vitamina B_1 (mg)	0,072	0,075
Vitamina B_2 (mg)	0,120	0,050
Vitamina B_6 (mg)	0,036	nd
Vitamina B_{12} (μg)	0,240	nd
Ácido fólico (mg)	0,036	nd
Ácido pantotênico (mg)	0,144	nd
Colina (mg)	1,800	nd
Niacina (mg)	0,360	nd

INRA = Institute National de la Recherche Agronomique; nd = não determinada; NRC = National Research Council.
Adaptado de Wolter[1] NRC[2].

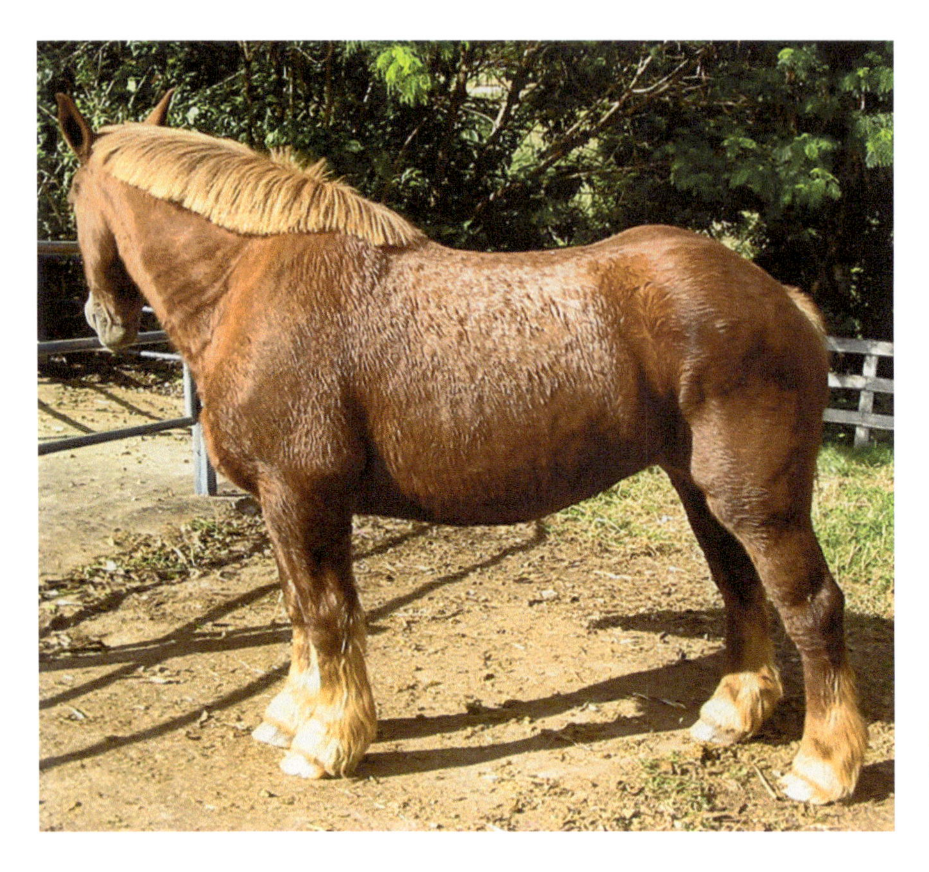

Figura 20.26 – Receptora de embrião.

uma boa suplementação com sal mineral específico para equinos e, eventualmente, uma suplementação com ração de boa qualidade.

Na prática, porém, não é isso o que observamos. Como é necessária uma quantidade muito elevada de éguas para um programa de transferência de embriões e para facilitar o manejo, estas devem ficar próximas do local em que será efetuado o processo; em geral, os proprietários mantêm estas éguas em uma pastagem de baixa qualidade, superlotada, muitas vezes com quantidades de alimento aquém das necessidades mínimas do plantel. E, para piorar, "suplementam" com um farelinho de trigo e eventualmente misturado a um rolão de milho ou quirera, ou ainda com ração de baixíssima qualidade,

Figura 20.27 – Doadora de embrião.

978-85-7241-869-0

para baratear os custos. Isso acarreta um grave desequilíbrio nutricional que certamente prejudicará todo o processo de transferência de embriões.

Temos então a chamada "economia burra", em que economizamos por um lado e gastamos muito mais por outro, afinal serão necessárias mais coletas e transferências para o sucesso de um embrião transplantado.

O grande erro que se comete é pensar que esses animais, por serem éguas de descarte de outros plantéis e serem de baixo valor zootécnico, não devem ser bem tratados. Enquanto a égua doadora, grande campeã da raça, de alto valor financeiro e zootécnico recebe ração de primeiríssima qualidade em grande quantidade, capim e feno do melhor, além de diversos suplementos, a receptora recebe o que há de pior na propriedade, ficando com os piores pastos e a pior suplementação.

A realidade deveria ser justamente o contrário. Uma égua doadora, se não está em campanha esportiva, tem necessidades muito menores do que a receptora, afinal de contas, deve simplesmente estar em estado nutricional de manutenção o tempo todo, apenas para gerar o embrião, com uma alimentação simples e equilibrada.

Quando falamos de alimentar uma égua em reprodução, jamais devemos pensar no animal em si, sua qualidade e potencial genético, sua campanha e seu desempenho em pista, mas sim em quais são suas reais necessidades nutricionais.

As necessidades diferenciais de uma égua reprodutora são totalmente voltadas para o produto que carregará em seu ventre, afinal de contas, para ela, o mínimo para manutenção é suficiente. Mas, a partir do momento em que ela carrega um potro em seu ventre, este possui necessidades específicas que devem ser adicionadas à alimentação da égua para que o potro possa se desenvolver corretamente, necessidades estas que devem ser supridas por toda a gestação até o desmame do potro.

Um dos maiores riscos do sucesso da transferência de embrião está na alimentação de éguas receptoras, muito negligenciada pela grande maioria dos plantéis brasileiros.

REFERÊNCIAS BIBLIOGRÁFICAS

1. WOLTER, R. *Alimentation du Cheval*. Paris: Editions France Agricole, 1994.
2. NATIONAL RESEARCH COUNCIL (NRC). *Nutrient Requirements of Horses*. 6. ed. Washington: The National Academies Press, 2007.

Foto: Paula da Silva.

Capítulo 21

Manejo e Alimentação de Potros em Crescimento

Manejo

É considerado potro um equino desde seu nascimento, passando pela fase lactente (Fig. 21.1), sobreano (Fig. 21.2) até a idade de 36 meses, quando estará apto a exercer atividade física e reprodutiva compatível com seu desenvolvimento musculoesquelético.

Nascimento

O nascimento do potro é um evento que pode ser natural ou traumático, dependendo das condições da mãe e do meio ambiente.

Como já citado no Capítulo 20, no momento do parto a égua deve manter um escore corporal adequado, nem magra, nem com gordura em excesso.

Um animal magro demais provavelmente produzirá um potro frágil. Uma égua com excesso de peso terá dificuldade no parto, devido a um estreitamento do canal pélvico pela gordura, o que deverá causar uma dificuldade no parto, provocando anóxia no recém-nascido, que obviamente prejudica o novo ser que tenta vir ao mundo. Além disso, uma égua com excesso de peso, assim como a magra demais, tem uma produção leiteira prejudicada, sendo a primeira por acúmulo de gordura em sua glândula mamária e a segunda por deficiência nutricional para produzir leite.

O parto pode ser assistido, mas sem interferência humana, exceto em caso de necessidade, por dificuldade da égua em parir sozinha.

Para o potro, a manipulação é extremamente prejudicial, seja no momento do parto, ou nas horas seguintes.

Existem linhas de pensamento que buscam fazer o denominado *imprinting* no potro nos primeiros momentos de vida, antes mesmo de a égua manipulá-lo, visando a uma maior aproximação e estreitando a relação entre homem e cavalo com esse potro que acaba de nascer. Essas linhas de pensamento falam em uma chamada “janela” na cabeça do potro, que ocorre nos

978-85-7241-869-0

Figura 21.1 – Potros lactentes.

primeiros 20min pós-parto, e que, se houver uma aproximação intensa com o potro neste momento, haverá uma "impressão" muito forte de sua imagem e de sua pessoa no potro e isso se perpetua por toda sua vida, facilitando o manejo e a doma quando for mais velho.

Apesar disso realmente acontecer, o benefício para o potro é questionável. O potro realmente cria um relacionamento diferenciado com o ser humano quando isso ocorre. Mas fica a dúvida se isso é benéfico do ponto de vista comportamental para o equino.

Já se observaram éguas que se tornaram indiferentes ao potro quando houve excesso de manipulação de seu filho nos momentos imediatos pós-parto, especialmente éguas primíparas. Como o potro é totalmente dependente de sua mãe até os três a quatro meses de idade para se alimentar, se defender e aprender como se portar diante do mundo, se houver indiferença por parte dela, o potro poderá não ter seu desenvolvimento equestre bem definido.

Para uma boa qualidade de vida do cavalo e do relacionamento entre homem e cavalo, devemos sempre nos lembrar que cavalo sempre será um cavalo, independentemente de como o tratarmos. Terá ainda seus 400 ou 500kg de peso, deverá se alimentar de volumoso, etc. O problema é que, se não tratarmos um potro como cavalo, e sim como um cão que fica mais tempo em casa ou no colo, o que poderá ocorrer quando se tornar adulto? Esse animal aprendeu que pode brincar empurrando-o, comer em sua mão, beliscar suas costas, tudo bem agradável com um animal de 50 ou 60kg, mas complicado com um animal de 400 ou 500kg.

O primeiro contato do homem com o potro pode e deve ser feito após as 6 a 8h iniciais da vida do potro, quando já estará em pé, deverá ter mamado, estará seguindo sua mãe por onde ela for, mas estará ainda

Figura 21.2 – Potro de sobreano.

978-85-7241-869-0

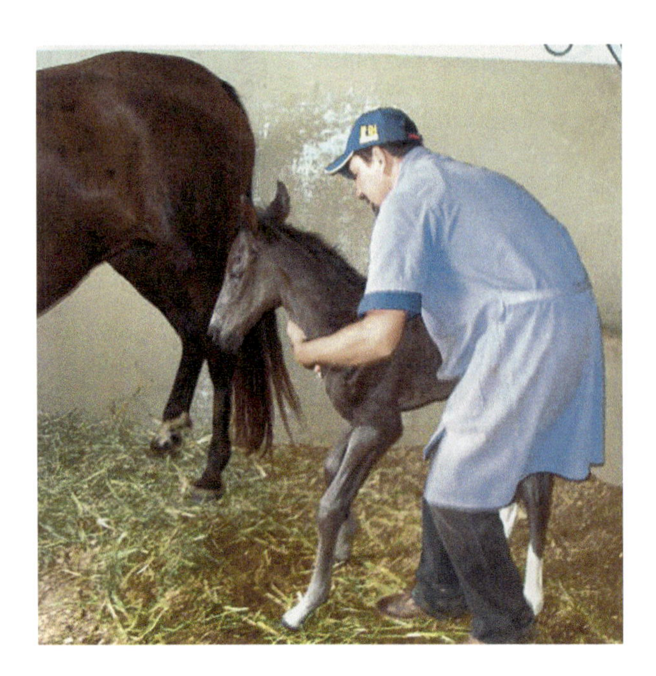

Figura 21.3 – Contato inicial com potro pós-parto.

curioso sobre o mundo, mantendo-se aberto a novos relacionamentos, inclusive com o homem, que poderá se aproximar e criar um relacionamento estável e duradouro entre homem e cavalo, benéfico para ambas as espécies (Figs. 21.3 e 21.4).

Cuidados Iniciais Pós-parto

Na primeira fase do potro, que vai do nascimento até 18h no pós-parto, alguns cuidados iniciais são fundamentais para a sobrevivência do potro.

Como já dito, o potro deve ser limpo pela égua e tentar levantar sozinho, o que faz nos primeiros minutos após o nascimento.

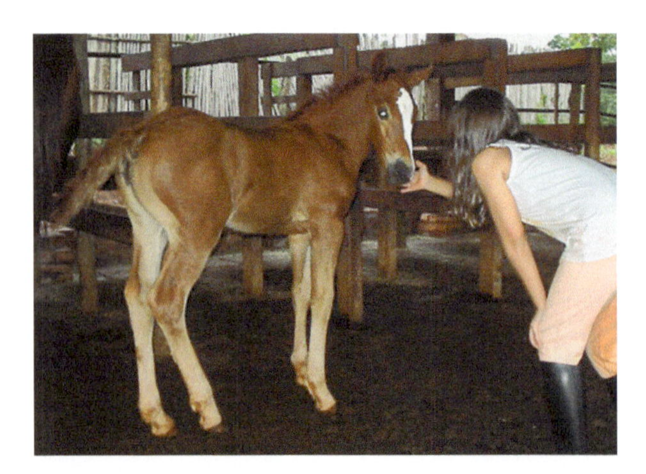

Figura 21.4 – Potros novos são sempre curiosos e abertos a "novos relacionamentos".

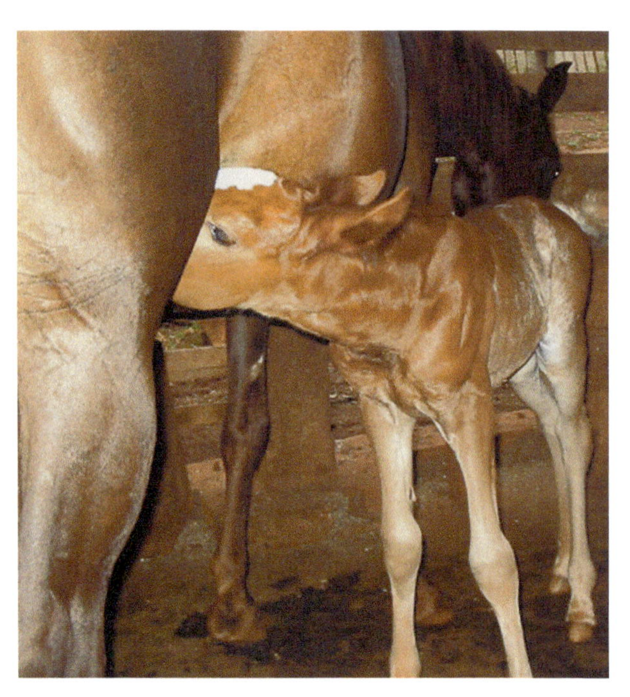

Figura 21.5 – Potro mamando.

Como a maioria dos partos se dá durante a noite, ao amanhecer o potro já deverá estar de pé e mamando o primeiro leite (Figs. 21.5 e 21.6), chamado colostro e de fundamental importância para sua sobrevivência.

Após alguns minutos do parto, o potro já estará em pé (Tabela 21.1) e tentando mamar. Deve-se observar, a distância, se está conseguindo pegar o teto da égua e mamar o colostro. Observamos muitas vezes o trata-

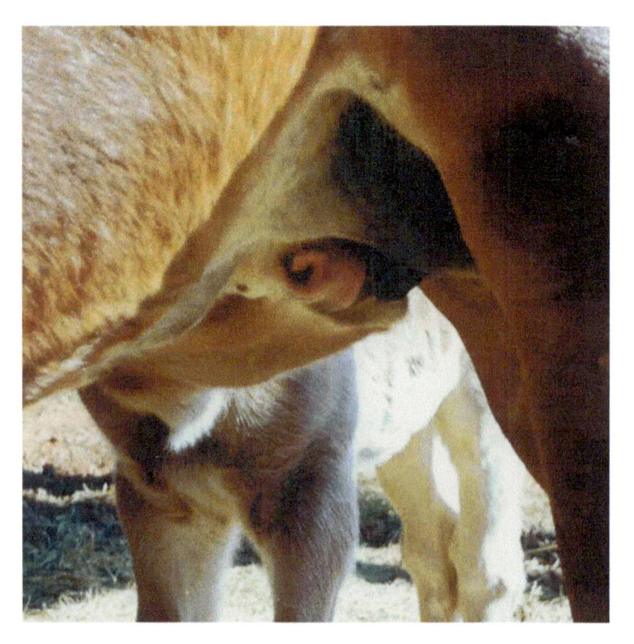

Figura 21.6 – Deve-se observar atentamente se o potro está conseguindo mamar.

Tabela 21.1 – **Principais atividades do potro nos momentos que seguem ao parto**

Evento	Tempo
Levanta e balança a cabeça	30" a 3' pós-parto
Senta (rola da posição lateral sobre o esterno)	1' a 10' pós-parto
Cordão umbilical se rompe	3' a 13' pós-parto
Suga dedos colocados na boca	2' a 20' pós-parto
Reação a reflexo luminoso pupilar	10' pós-parto
Movimenta orelhas e cabeça seguindo sons	10' a 40' pós-parto
Fica em pé	15' a 180' pós-parto
Caminha bem	3' a 9' após ficar em pé
Procura cuidados, aborda e segue a égua	10' a 20' após ficar em pé
Mama na égua e evacua mecônio	1 a 2h pós-parto ou 30' a 90' após ficar em pé
Defecação contínua	1 vez em 10h, até 3 a 5 vezes ao dia
Deita-se	30' a 90' após mamada
Dorme sobre o lado	80' a 100' após mamada
Espreguiça-se, trota, galopa e se limpa	4h pós-parto
Urina pela primeira vez	3 a 15h pós-parto

Fonte: Lewis, 2000[1].

dor, na ânsia de auxiliar o potro, ou mesmo de cumprir outras obrigações e deixar a observação do recém-nascido de lado, tentar induzir o potro à mamada colocando o dedo para que o potro o pegue e direcionando-o para o úbere. Isso pode se tornar um problema, pois se o potro sugar o dedo e não sair leite, como é esperado, poderá diminuir o reflexo de sucção natural e instintivo com que nasce, complicando a forma natural com que deve sobreviver e aprender a buscar seu alimento.

A placenta da égua é impermeável aos anticorpos, portanto, o potro nasce sem proteção alguma contra as infecções presentes no meio ambiente. O colostro é um leite riquíssimo em anticorpos e o aparelho digestivo do potro, até 18h após o nascimento, é permeável à absorção destes anticorpos.

Após a décima oitava hora do nascimento, diminui consideravelmente essa permeabilidade do aparelho digestivo do potro, além de o leite materno também perder suas qualidades imunológicas.

Nos casos de óbito da mãe no momento do parto, deve-se ter disponível para administração imediata um colostro de outra égua, que pode ser congelado e reaquecido no momento do fornecimento. Caso não se tenha disponível na propriedade esse colostro, deve-se procurar em algum outro haras que possua um banco de colostro para a proteção imediata do potro, sob risco de morte para este.

A desinfecção do coto umbilical deve ser feita diariamente por três a cinco dias com uma solução de iodo a 10%. A melhor maneira de se fazer a desinfecção do coto umbilical é com o potro em pé e não deitado como muitos tratadores fazem. Com o potro em pé, que deve ser contido de forma adequada, coloca-se a solução de iodo em um frasco e mergulha-se o coto dentro (Fig. 21.7). A desinfecção com o potro deitado permite que o iodo escorra para a pele e cause lesões desnecessárias e traumáticas para o animal.

A contenção do potro deve ser feita delicadamente, abraçando-o pela frente, no peito e pela garupa, de forma a impedir que se desloque para a frente e para trás (Fig. 21.8). Nunca, em hipótese alguma, contenha-o pelas orelhas e pelo rabo, brutalmente. Isso causará um trauma no animal, que poderá tornar seu manejo difícil em qualquer época. Em geral, é nessa época de contenção de potros que o animal adquire o vício de se recusar a permitir o manejo de suas orelhas.

Se iniciarmos o manejo do potro bem cedo, a partir das 6 a 8h pós-nascimento, o manuseio será fácil e o potro responderá positivamente.

Nesse manuseio devemos incluir passar a mão por todas as partes de seu corpo, cabeça, orelhas, boca, cernelha, patas, genitais, cauda, etc., para que se habitue e não traga problemas quando mais velho. É comum alguns potros não gostarem de serem tocados em algu-

Figura 21.7 – Desinfecção do coto umbilical. Foto: Paula da Silva.

Figura 21.8 – Contenção adequada de potro, qualquer que seja a idade.

mas partes, principalmente orelhas e genitália. Alguns tratadores forçam e provocam o animal até ele ceder. Deve-se evitar a provocação. O contato físico deve ser agradável para o animal, somente desta forma ele vai ceder e permitir o manejo por toda a vida.

Outro cuidado fundamental é observar se o potro defecou 2 a 3h após o nascimento para eliminação do mecônio (matéria fecal fetal). Caso não ocorra, deve-se auxiliar o animal com a administração de fluidos lubrificantes por via retal (enemas), realizada por profissional capacitado.

O potro e sua mãe devem ser mantidos no piquete maternidade até sete a dez dias após o nascimento. Depois desse período, já podem ser transferidos para o piquete de éguas com potro ao pé (Fig. 21.9). É importante para o potro permanecer com outros de sua espécie, mesmo que fique órfão, pois faz parte de sua socialização e conhecimento do mundo o aprendizado do que, quando e como fazer para sobreviver como cavalo.

A partir daí, os cuidados limitam-se à observação constante para ver se o potro está bem. Observar se o animal não apresenta ectoparasitas e proceder a uma vermifugação periódica (ver Apêndice 3) e correções dos aprumos através de casqueamento corretivo, feito por profissional competente.

No manejo de potros não há necessidade de pessoas tão habilitadas e treinadas como no trabalho de adestramento. O que realmente importa é podermos contar com pessoas habilidosas que realmente gostam desses animais. Geralmente, uma boa orientação, aliada a um pouco de jeito e muito carinho, é o suficiente para qualquer encarregado desta função.

Apesar de sua força bruta, o cavalo é extremamente sensível. Animais submetidos a forte estresse e confinamento exagerado alteram seu metabolismo e comportamento e terminam por comprometer seu crescimento e produção.

Figura 21.9 – Égua com potro ao pé pode ir para o piquete próprio para éguas, a partir de dez dias após o nascimento.

Práticas de manejo antinaturais promovem uma constante descarga de adrenalina no sangue, causada por pancadas, chicotadas, batidas de porta, baldes, gritos e barulhos estranhos, aumentam o batimento cardíaco e diminuem o fluxo sanguíneo nos intestinos, podendo levar ao surgimento de úlceras e cólicas.

Por essa razão, o encarregado do manuseio do potro deve ter um temperamento calmo e sereno. Suas atitudes devem ser delicadas, mas decididas ao mesmo tempo.

O tratador deve ser, antes de tudo, um amigo do potro. Deve chamá-lo pelo nome, acariciá-lo e escová-lo periodicamente. A colocação de um cabresto pode ser iniciada a partir dos dois meses de idade e o ato de colocar e retirar o cabresto, cada vez que se manuseia o potro auxilia no processo de doma.

Desmame

Dependendo do conceito que você deseja para a vida de seu animal, o desmame pode ser feito de duas formas:

1. Comercialmente, a partir do quarto mês de vida do potro até o sexto mês.
2. Biologicamente, entre o quinto e o nono mês de vida do potro.

A decisão da época certa se dará pelo desenvolvimento e crescimento do potro ao pé da mãe.

Comercialmente, caso o potro esteja muito bem desenvolvido e tenha que abrir demais as mãos ou dobrar os joelhos para mamar, pode-se, a partir do quarto mês de vida, proceder à separação do potro da mãe, desde que o potro já esteja habituado a uma alimentação adequada e equilibrada com concentrados e esta seja mantida com níveis adequados. Dessa forma, não ocorrerão prejuízos ao seu crescimento e desenvolvimento.

Biologicamente, em uma conduta adotada por muitos anos pelos criadores até a década de 1970 e abandonada desde então, o desmame pode ser feito após a erupção dos dentes incisivos dos cantos. A erupção dos cantos ocorre entre o quinto e o nono mês de vida do animal, dependendo de determinadas condições individuais. Coincidente à erupção destes dentes, ocorre maturação do aparelho digestivo do potro, que fica perfeitamente adaptado à absorção dos alimentos mais grosseiros, rico em fibras. Nessa mesma fase, ocorre a consolidação das articulações dos membros dos potros. Essa consolidação é que vai determinar se haverá problemas de aprumos nos potros quando mais velhos. Dessa forma, segundo a visão biológica da evolução dos cavalos, mesmo que o potro seja desmamado aos oito ou nove meses, como suas articulações ainda não estão consolidadas, os problemas de aprumos não deverão ocorrer. Deve-se, porém, ficar atento, pois em alguns animais isso ocorre aos cinco meses de idade e em outros, até os nove meses de idade.

O desmame do potro deve ser sempre gradativo, e não brusco e violento que pode causar traumas físicos e psíquicos ao animal.

978-85-7241-869-0

Podemos fazer o desmame separando o potro da mãe por períodos de uma a duas horas por dia, até chegar a períodos cada vez mais longos e, ao final de 15 a 20 dias, pode ocorrer uma separação definitiva.

Outra forma não traumática de desmame é retirar a égua do lote de éguas com potro ao pé, permanecendo o potro em local já conhecido e com animais que também conheça. O potro pode tentar até mamar em outra égua, mas esta, em geral, não permitirá e já no segundo dia ele não mais tentará. A tendência é que as outras éguas não o machuquem, mas isso deve ser observado atentamente para se evitar acidentes.

A partir daí, a alimentação se dará pela administração de volumosos e concentrados e suplementos de vitaminas e minerais, se necessários, que complementem adequadamente as necessidades de crescimento e desenvolvimento do potro.

Instalações e Manejo

O acesso a volumosos e concentrados independe de o animal ser criado a campo ou confinado.

A construção de instalações sofisticadas fica a critério do criador. Bastam algumas cocheiras simples para abrigar animais doentes ou recém-nascidos em dias de chuva. O que não pode faltar são cochos e árvores para sombra nos pastos e piquetes.

Recomenda-se deixar os potros em liberdade na maior parte do tempo. As correrias e brincadeiras são extremamente saudáveis e desenvolvem melhor a musculatura. Os potros adquirem maior resistência às doenças, principalmente respiratórias.

Quando ao pé da mãe, pode-se ter uma instalação tipo *creep-feeding* (Figs. 21.10 e 21.11), em que o potro terá acesso à alimentação concentrada diferenciada e que impede o acesso da égua a ela. O *creep-feeding* nada mais é que um cercado dentro do piquete onde estão as éguas com potro ao pé, com uma régua de madeira ou vara que impede o acesso da mãe ao cocho central, no qual se coloca a ração específica para potro lactentes. Esse cocho pode ou não ser coberto, porém, caso seja descoberto, em dias de chuva fica difícil o fornecimento de ração a estes potros.

Pode-se ainda fazer o *creep-feeding* junto à unidade de serviço que tenha as baias individuais em que se alimentarão as éguas, de forma que os potros, juntos, recebam a ração diferenciada da mãe, enquanto esta é alimentada no cocho (Fig. 21.12).

Caso não seja possível um *creep-feeding*, a égua poderá receber sua ração em uma baia um pouco maior (Fig. 21.13), em que o potro terá o acesso inicial ao concentrado comendo juntamente com a mãe. Atenção especial deve ser dada nesse caso, pois algumas éguas não permitem que nem mesmo seus potros dividam o cocho com elas.

Após o desmame, o fornecimento de ração pode ser feito no pasto mesmo, em unidades de serviço com baias

978-85-7241-869-0

Figura 21.10 – *Creep-feeding* simples, sem cobertura, feito com varas de eucalipto.

individuais que servem exclusivamente para o fornecimento de ração a pasto, como descrito no Capítulo 11.

No período que vai de 12 até 30 a 36 meses, o manejo do potro deve ser diário, com a administração de um volumoso de qualidade, abundante, com uma complementação de suas necessidades com o fornecimento de concentrados adequados à categoria e com o acesso livre à água fresca e limpa e ao sal mineral.

Trabalho

Não se recomendam doses de trabalho físico diário ou mesmo semanal para potros antes dos 18 meses, pois os riscos de lesão por esforço repetitivo são grandes, podendo inutilizar o animal.

Até essa idade, deve-se, sim, manusear o potro e mesmo ensiná-lo a andar no cabresto, mas com exercícios

Figura 21.11 – *Creep-feeding* feito de canos de ferro, com cobertura.

Figura 21.12 – *Creep-feeding* junto a baias individuais para tratar éguas e potros.

que não devem ultrapassar 15min diários e no máximo três vezes por semana, de forma que se torna agradável ao animal.

A partir dos 18 meses de idade, pode ser realizado um trabalho constante, iniciando-se com 10 a 15min por vez, até 45 a 60min. Isso é muito benéfico para o desenvolvimento e fortalecimento da musculatura e dos tendões do animal, podendo ser iniciado logo após o desmame. O aumento deverá ser gradativo, na faixa de 1min semanal, ou 5min a cada mês, de forma que o animal não perceba o aumento com desgaste físico ou mental.

A partir dos 30 a 36 meses, o potro já deixou para trás aquelas características da infância e já é tratado como animal adulto, podendo ser iniciada a doma, na qual o animal é montado e adestrado por um período mínimo de seis meses, para que possa exercer a atividade para qual foi destinado (trabalho, esporte, lazer, ou criação).

Figura 21.13 – Fornecimento de ração para as éguas com potro em cocho grande, com acesso para o potro.

Lotes de Potros

Os potros podem ser mantidos juntos, independentemente do sexo, até os 12 a 18 meses de idade, em piquete amplo o suficiente para que possam correr (Fig. 21.14), brincar (Fig. 21.15) e crescer saudáveis. A presença de um animal mais velho no lote de desmame, quer seja uma égua velha ou um macho castrado dócil, favorece muito o aprendizado destes potros, pois eles terão uma referência equestre em suas vidas. Não há necessidade de encocheirar os potros. Na verdade, o confinamento excessivo de potros pode comprometer seu desenvolvimento, principalmente no que concerne aos aprumos.

A partir dessa idade, os animais devem ser separados por sexo, para não ocorrer riscos de se ter uma prenhez não desejada. A separação ainda deve ser feita em piquetes, podendo os machos ser mantidos juntos até um período mais tardio, 24 a 36 meses, mas sempre se tomando o cuidado e com uma observação constante para que não ocorram disputas por território que possam causar acidentes indesejáveis.

A manutenção de um macho mais velho e castrado junto ao lote de potros machos tem um efeito benéfico no futuro destes potros, que aprendem uma melhor convivência, tornando-se machos adultos reprodutores mais fáceis de serem trabalhados montados ou mesmo na reprodução.

Alimentação

Existem variações em função de raça, indivíduo e sexo, com relação ao desenvolvimento de potros, mas qualquer que seja a raça, sempre há uma grande capacidade potencial de desenvolvimento.

A alimentação do potro, na realidade, inicia-se já na barriga da mãe, desde o terço final da gestação, continuando através da égua até o desmame.

A partir do desmame, devemos ter uma alimentação diferenciada exclusiva para o potro, pois sua velocidade de crescimento, inicialmente, é muito elevada. Nas raças leves (Mangalarga, Quarto-de-milha, Hipismo, Puro-sangue Inglês, etc.), o peso ao nascimento representa 9 a 10% do peso da égua e é dobrado em pouco mais de um mês (mais precisamente em 35 dias).

Durante o primeiro mês, o ganho de peso médio ótimo é ao redor 1.500g/dia, podendo atingir 1.800g/dia nos indivíduos muito grandes. O ganho de peso está entre 1.200 e 1.300g/dia no segundo mês e ao redor de 750g/dia aos seis meses, havendo variações conforme a raça.

Ao nascer, o potro já apresenta uma altura considerável. Possui cerca de 60 a 70% da altura de cernelha de um animal adulto, alcançando 95% de sua altura máxima aos 24 meses e crescimento final máximo aos 60 meses, com pequenas diferenças entre os sexos, sendo a fêmea mais tardia, havendo pequenas variações conforme a raça.

A criação de um potro visa produzir um animal muito bem desenvolvido, sobretudo em termos de estrutura óssea e muscular, sem acúmulo de gorduras de reserva. Procuramos um crescimento ótimo e não máximo como em um animal de abate.

Toda carência ou desequilíbrio da dieta acarreta um atraso ou mesmo uma situação irreversível no desenvolvimento do animal.

Para os diferentes tecidos, o desenvolvimento máximo obtido em função da idade é, inicialmente, do sistema nervoso e depois, sucessivamente, do tecido ósseo, muscular e de gorduras de reserva.

Esse desenvolvimento está relacionado ao potencial genético máximo, em função de raça, origem, indiví-

Figura 21.14 – Potro em liberdade, para correr e se exercitar, o que promove crescimento e desenvolvimento saudáveis. Foto: Paula da Silva.

978-85-7241-869-0

Figura 21.15 – A companhia de outros potros permite a eles manterem uma convivência saudável para a espécie. Foto: Ney Messi.

duo e sua idade, e aos limites impostos pela disponibilidade e pelo equilíbrio dos nutrientes indispensáveis.

Em potros de éguas em regime hipoproteico durante a lactação, observa-se menor desenvolvimento cerebral, confirmado por dificuldades de aprendizagem durante a doma e o adestramento.

O tecido ósseo é o seguinte a ser afetado. Em criatórios com má nutrição dos potros, observa-se uma alta incidência de problemas ósseos, mesmo naquelas com linhagens acima da média.

A carência proteica para o potro diminui o desenvolvimento muscular e ósseo.

Uma carência energética afeta primeiramente as gorduras de reserva, depois os músculos da paleta e da garupa, podendo o esqueleto ter um desenvolvimento normal (Wolter, 1994)[2].

Se a deficiência nutricional for pequena e transitória, provoca baixo crescimento. Quando a dieta é normalizada, pode ocorrer uma recuperação rápida e um pouco perto do ideal, fenômeno conhecido como "ganho compensatório". O que se observará nesse período é um "retardo do crescimento". Se a deficiência for por um curto período, pode ocorrer a recuperação quase total graças ao desenvolvimento compensatório, que ocorre com a correção rápida do regime alimentar.

Caso a deficiência seja grave e por um período prolongado, o crescimento do animal estará definitivamente comprometido, propiciando um animal que pode até ter uma boa formação muscular quando o nível da dieta for restabelecido, mas será um animal de porte inferior ao seu potencial genético.

Convém então adaptar a alimentação quantitativa e qualitativamente ao potencial genético de crescimento e desenvolvimento de cada indivíduo.

Os excessos, principalmente energéticos, também podem ser extremamente prejudiciais, pois predispõem o animal a doenças ortopédicas desenvolvimentares (ver Cap. 24), que podem comprometer a função futura do animal.

O acesso ilimitado do potro a leguminosas de boa qualidade, como alfafa, e consumo excessivo de grãos elevam consideravelmente a energia nutricional, também predispondo a essas doenças ortopédicas desenvolvimentares.

Uma taxa de crescimento rápido não aumenta o tamanho do animal adulto, mas o predispõe a esses problemas ortopédicos. Deve-se objetivar o crescimento ótimo e não o crescimento máximo.

Nos desequilíbrios minerais causados por superalimentação, o potro corre o risco de alterar um esqueleto bem desenvolvido e sólido. Isso fica evidente na alimentação com aveia (ou outro grão, como milho ou farelo de trigo) em complemento exclusivo com as forragens usuais, em que não deve haver o melhor desenvolvimento atlético do potro, mesmo que este tenha um excelente crescimento ponderal.

Os excessos alimentares não contribuem para aumentar o desenvolvimento dos tecidos magros (como músculos), pois estes são limitados pela genética e pela idade.

Como todo equino, a restrição de concentrado se deve ao fato de o cavalo ser herbívoro. Devemos sempre valorizar o volumoso, preferencialmente de origem de gramíneas, quer sejam frescas ou sob a forma de feno, devendo compor, no caso de potros, no mínimo 0,5% do peso vivo do animal.

Já o concentrado deve suprir as necessidades do potro, sem deficiências nem excessos, em quantidades adequadas, de modo que possam fornecer os nutrientes necessários ao melhor desenvolvimento do potro.

Lembre-se sempre de dividir a ração em pelo menos duas refeições diárias e o volumoso intercalado com essas refeições.

Sal mineral específico para equinos e água fresca e limpa sempre devem ser mantidos em livre acesso ao animal. Suplementos vitamínicos, minerais, aminoácidos, etc. somente devem ser fornecidos se identificada a real necessidade do potro.

Um bom crescimento e desenvolvimento do potro podem ser observados através do acompanhamento de seu peso e altura e até mesmo visualmente (Figs. 21.16 a 21.21).

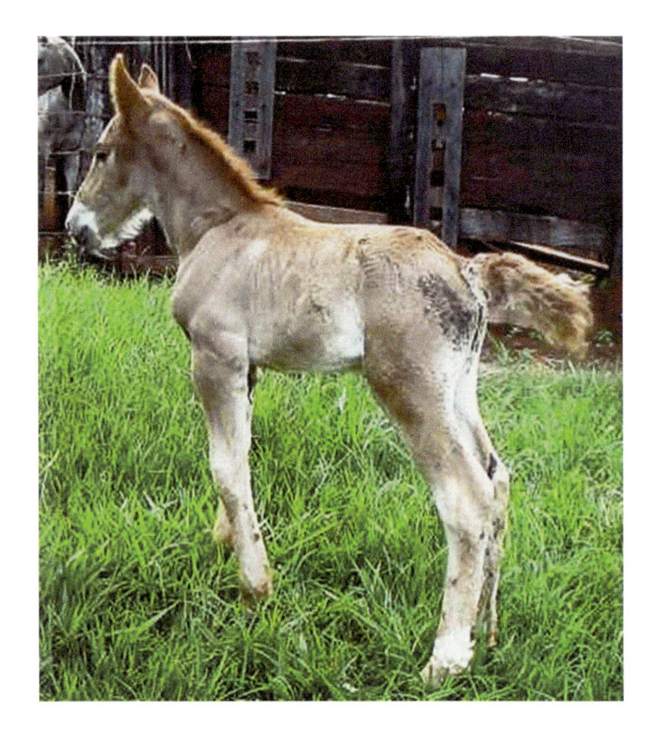

Figura 21.16 – Sultan aos dois dias de idade.

Figura 21.17 – Sultan aos 40 dias de idade.

Necessidades em Matéria Seca

A necessidade em matéria seca (MS) é apresentada na Tabela 21.2, em percentual do peso vivo, segundo preconizado pelo Institute National de la Recherche Agronomique (INRA) e pelo National Research Council (NRC).

Exemplos:

- Potro de 11 meses de idade, com 250kg de peso: 4,3 a 6,2kg de MS (INRA) ou 5 a 7,5kg de MS (NRC).
- Potro de 18 meses de idade, com 320kg de peso: 5,1 a 7kg de MS (INRA) ou 5,5 a 8kg de MS (NRC).

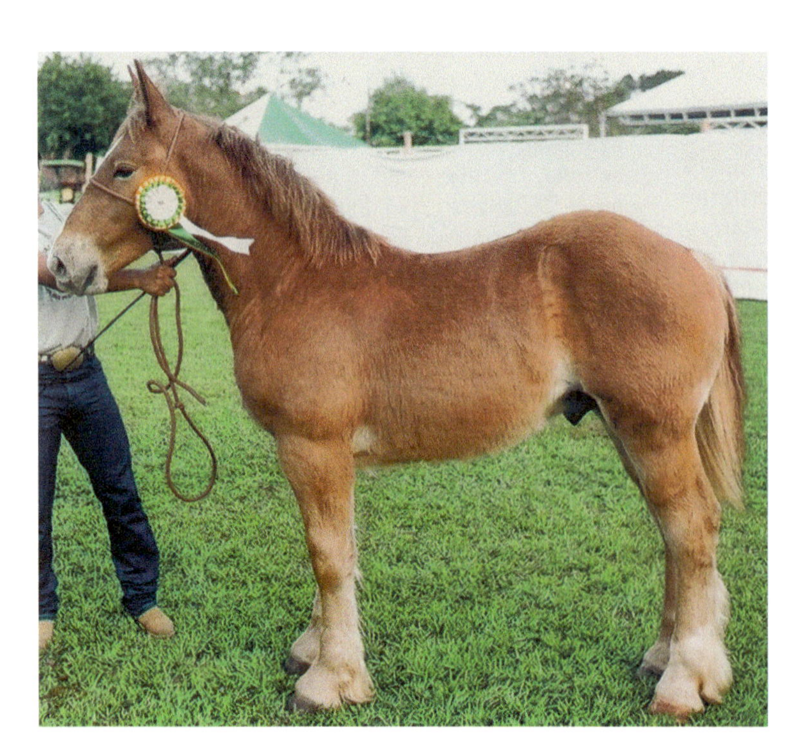

Figura 21.18 – Sultan aos oito meses de idade.

Figura 21.19 – Sultan aos 20 meses de idade.

Necessidades Energéticas

Energia Digestível

A necessidade energética de um potro em crescimento está diretamente relacionada ao ganho médio diário (GMD) esperado em quilogramas, à idade do potro em meses (M) e ao seu peso atual (PV, peso vivo) em quilogramas, podendo ser calculada segundo a fórmula expressa no Quadro 21.1, em Mcal por dia:

Exemplo:

Potro de 12 meses de idade, com peso vivo de 257kg, ganho médio diário esperado de 360g:

$ED = [1{,}4 + (0{,}03 \times 257)] + \{[4{,}81 + (1{,}17 \times 12) - (0{,}023 \times 12^2)] \times 0{,}36\}$
$ED = 14{,}7 Mcal/dia$

Figura 21.20 – Sultan aos 30 meses de idade.

978-85-7241-869-0

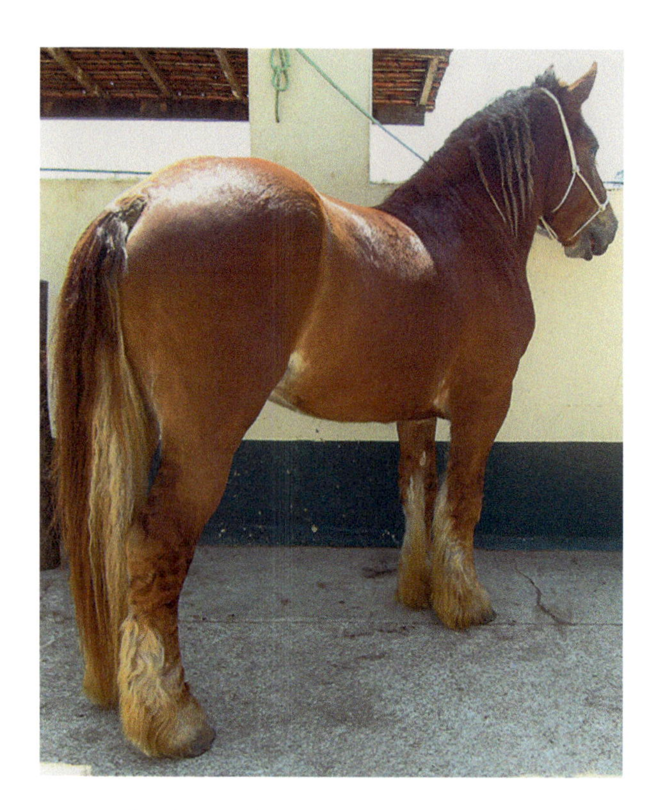

Figura 21.21 – Sultan aos 42 meses de idade.

Podemos observar os valores da versão de 2007 do NRC comparada com a versão de 1989, na Tabela 21.3, em Mcal/dia.

Energia Líquida

A quantidade de energia líquida é dada segundo a Tabela 21.4, sendo PM o peso médio, GMD o ganho médio diário e UFC (unidade forrageira cavalo) a quantidade de energia líquida. Considerando o crescimento ótimo de cada potro, espera-se um adulto com peso conforme indicado.

Necessidades Proteicas

Proteína Bruta

Pode ser dada segundo a fórmula observada no Quadro 21.2, em gramas por dia.

Tabela 21.2 – Necessidades diárias de matéria seca para potros em crescimento, em kg

Idade	INRA (%)	NRC (%)
3º ao 12º mês	1,7 – 2,5	2 – 3
13º ao 36º mês	1,6 – 2,2	1,7 – 2,5

INRA = Institute National de la Recherche Agronomique; NRC = National Research Council.
Adaptado de Wolter[2] e NRC[3].

Quadro 21.1 – Necessidades diárias de energia digestível para potros em crescimento, em Mcal

Energia digestível para potros em crescimento:
- $ED\ (Mcal/dia) = (1,4 + 0,03 \times PV) + (4,81 + 1,17 \times M - 0,023 \times M^2) \times GMD$

ED = energia digestível; GMD = ganho médio diário em kg; M = idade em meses; PV = peso vivo, em kg.
A equação estima as necessidades de ED para potros em crescimento, segundo o National Research Council (NRC, 1989). Novos estudos em grupos de animais estimam que esses valores estejam supervalorizados, entretanto nenhuma nova equação para avaliação de equinos individualmente foi proposta até o presente momento. Entretanto, na Tabela 21.3, temos a estimativa do NRC 2007 das necessidades de energia digestível conforme esses estudos, para um peso esperado de adulto, conforme a idade, peso atual ideal e ganho médio diário e a comparação com o NRC de 1989.
Adaptado de NRC[3].

Tabela 21.3 – Valores diários de energia digestível para potros em crescimento, em Mcal

Peso esperado quando adulto (kg)	Idade (meses)	Peso médio (kg)	GMD (kg)	ED (2006)	ED (1989)
200	4	67	0,34	5,3	6,5
	6	86	0,29	6,2	7,2
	12	128	0,18	7,5	8,0
	18	155	0,11	7,7	8,1
	24	172	0,07	7,5	8,0
400	4	135	0,67	10,6	11,6
	6	173	0,58	12,4	13,0
	12	257	0,36	15,0	14,7
	18	310	0,23	15,4	15,0
	24	343	0,14	15,0	14,4
500	4	168	0,84	13,3	14,1
	6	216	0,72	15,5	15,8
	12	321	0,45	18,8	18,0
	18	387	0,29	19,2	18,4
	24	429	0,18	18,7	17,8
600	4	202	1,01	15,9	16,7
	6	259	0,87	18,6	18,7
	12	385	0,54	22,5	21,3
	18	465	0,34	23,1	21,6
	24	515	0,22	22,4	21,2
900	4	303	1,52	23,9	24,4
	6	389	1,3,0	28,0	27,4
	12	578	0,82	33,8	31,5
	18	697	0,51	34,6	31,7
	24	773	0,32	33,7	30,9

ED = energia digestível; GMD = ganho médio diário.
Adaptado NRC[3].

Tabela 21.4 – Necessidades diárias de energia líquida para potros em crescimento

Idade (meses)	PM (kg)	GMD (g)	UFC
	Adulto de 450kg		
8 – 12	300	750	5,1
20 – 24	430	450	6,3
32 – 36	440	200	5,9
	Adulto de 500kg		
8 – 12	320	800	5,5
20 – 24	470	500	6,8
32 – 36	490	250	6,5
	Adulto de 550kg		
8 – 12	340	850	5,8
20 – 24	500	550	7,3
32 – 36	530	300	7,0
	Adulto de 600kg		
8 – 12	360	900	6,2
20 – 24	530	600	7,8
32 – 36	580	350	7,6
	Adulto de 700kg		
8 – 12	410	700	5,6
20 – 24	600	600	7,0
32 – 36	640	100	6,0
	Adulto de 800kg		
8 – 12	460	800	6,5
20 – 24	680	650	7,7
32 – 36	730	100	6,8

GMD = ganho médio diário; PM = peso médio; UFC = unidade forrageira cavalo.
Adaptado de Wolter[2].

Exemplo:

- Potro de seis meses, 216kg de PV e 720g de GMD:
  - PB = (216 × 1,44) + [(720 × 0,20)/0,50]/0,79 = 676g de PB/dia
- Potro de 12 meses, 321kg de PV e 450g de GMD:
  - PB = (321 × 1,44) + [(450 × 0,20)/0,30]/0,79 = 842g de PB/dia

Proteína Líquida

Dada segundo a Tabela 21.5, sendo PM o peso médio, GMD o ganho médio diário e MPDC a quantidade de proteína líquida, considerando o crescimento ótimo de cada potro.

Quadro 21.2 – Necessidades diárias de proteína bruta (PB) para potros em crescimento, em gramas

PB (g/dia) = (PV × 1,44) + [(GMD × 0,20)/E]/0,79

- Sendo:
  - PV = peso vivo em kg
  - GMD = ganho médio diário em gramas
  - E = eficiência de uso da proteína dietética, que pode ser estimada em:
    - 50% (0,50) para potros de 4 a 6 meses de idade
    - 45% (0,45) para potros de 7 a 8 meses de idade
    - 40% (0,40) para potros de 9 a 10 meses de idade
    - 35% (0,35) para potros de 11 meses de idade
    - 30% (0,30) para potros acima de 12 meses de idade

PV = peso vivo em kg.
Adaptado de NRC[3].

Tabela 21.5 – Necessidades diárias de proteína líquida para potros em crescimento, em gramas

Idade (meses)	PM (kg)	GMD (g)	MPDC (g)
	Adulto de 450kg		
8 – 12	300	750	560
20 – 24	430	450	380
32 – 36	440	200	300
	Adulto de 500kg		
8 – 12	320	800	590
20 – 24	470	500	420
32 – 36	490	250	330
	Adulto de 550kg		
8 – 12	340	850	630
20 – 24	500	550	450
32 – 36	530	300	360
	Adulto de 600kg		
8 – 12	360	900	660
20 – 24	530	600	480
32 – 36	580	350	390
	Adulto de 700kg		
8 – 12	410	700	590
20 – 24	600	600	570
32 – 36	640	100	380
	Adulto de 800kg		
8 – 12	460	800	660
20 – 24	680	650	600
32 – 36	730	100	410

GMD = ganho médio diário; MPDC = matéria proteica digestível cavalo; PM = peso médio.
Adaptado de Wolter[2].

Tabela 21.6 – Necessidades diárias de minerais para potros em crescimento por kg de peso vivo e em relação ao consumo de matéria seca (MS), segundo o INRA

Nutriente	INRA		
	Até 12 meses	*12 a 24 meses*	*Consumo em relação à MS*
Relação Ca:P (ideal)	1,80:1	1,80:1	1,80:1
Cálcio (g)	0,1805	0,0839	0,35 – 0,45%
Fósforo (g)	0,1019	0,0466	0,20 – 0,25%
Magnésio (g)	0,0374	0,3030	0,15%
Sódio (g)	15 – 40g de NaCl/dia		
Potássio (g)	0,0690	0,0585	0,60%
Enxofre (g)	0,0260	0,0260	
Cobalto (mg)	0,0035	0,0029	0,15mg/kg de MS
Cobre (mg)	0,5750	0,4875	25mg/kg de MS
Iodo (mg)	0,0046	0,0039	0,2mg/kg de MS
Ferro (mg)	2,3000	1,9500	100mg/kg de MS
Manganês (mg)	1,1500	0,9750	50mg/kg de MS
Selênio (mg)	0,0046	0,0039	0,2mg/kg de MS
Zinco (mg)	1,7250	1,4625	75mg/kg de MS

Ca:P = cálcio:fósforo; INRA = Institute National de la Recherche Agronomique.
Adaptado de Wolter[2].

Tabela 21.7 – Necessidades diárias de minerais para potros em crescimento por kg de peso vivo, conforme a idade, segundo o NRC

Nutriente	NRC				
	4 meses	*4 a 6 meses*	*6 a 12 meses*	*12 a 18 meses*	*18 a 24 meses*
Relação Ca:P (ideal)	1,80:1	1,80:1	1,80:1	1,80:1	1,80:1
Cálcio (g)	0,2327	0,1787	0,1174	0,0956	0,0855
Fósforo (g)	0,1292	0,0995	0,0651	0,0532	0,0475
Magnésio (g)	0,0214	0,0190	0,0168	0,0160	0,0156
Sódio (g)	0,0250	0,0278	0,0215	0,0207	0,0205
Potássio (g)	0,0648	0,0602	0,0542	0,0522	0,0513
Enxofre (g)	0,0375	0,0375	0,0374	0,0375	0,0375
Cobalto (mg)	0,0012	0,0014	0,0012	0,0013	0,0012
Cobre (mg)	0,2506	0,2500	0,2502	0,2504	0,2501
Iodo (mg)	0,0089	0,0088	0,0087	0,0088	0,0088
Ferro (mg)	1,2536	1,2495	1,2501	1,2517	1,2506
Manganês (mg)	1,0029	0,9995	1,0006	1,0013	1,0005
Selênio (mg)	0,0025	0,0025	0,0025	0,0025	0,0025
Zinco (mg)	1,0029	0,9995	1,0006	1,0013	1,0005

Ca:P = cálcio:fósforo; NRC = National Research Council.
Adaptado de NRC[3].

Tabela 21.8 – Necessidades diárias de vitaminas para potros em crescimento por kg de peso vivo, segundo o INRA

Nutriente	INRA	
	4 a 20 meses	*20 a 36 meses*
Vitamina A (UI)	70	87
Vitamina D (UI)	8,5	15,00
Vitamina E (mg)	0,140	0,20
Vitamina B_1 (mg)	0,034	0,06
Vitamina B_2 (mg)	0,057	0,10
Vitamina B_6 (mg)	0,017	0,03
Vitamina B_{12} (μg)	0,170	0,30
Ácido fólico (mg)	0,017	0,03
Ácido pantotênico (mg)	0,048	0,12
Colina (mg)	0,600	1,50
Niacina (mg)	0,120	0,30

INRA = Institute National de la Recherche Agronomique.
Adaptado de Wolter[2].

Tabela 21.9 – Necessidades diárias de vitaminas para potros em crescimento por kg de peso vivo, segundo o NRC

Nutriente	NRC				
	4 meses	*4 a 6 meses*	*6 a 12 meses*	*12 a 18 meses*	*18 a 24 meses*
Vitamina A (UI)	45	45	45	45	45
Vitamina D (UI)	22,3	22,2	17,4	15,9	13,7
Vitamina E (mg)	2	2	2	2	2
Vitamina B_1 (mg)	0,075	0,096	0,075	0,075	0,075
Vitamina B_2 (mg)	0,050	0,050	0,050	0,050	0,050
Vitamina B_6 (mg)	nd	nd	nd	nd	nd
Vitamina B_{12} (μg)	nd	nd	nd	nd	nd
Ácido fólico (mg)	nd	nd	nd	nd	nd
Ácido pantotênico (mg)	nd	nd	nd	nd	nd
Colina (mg)	nd	nd	nd	nd	nd
Niacina (mg)	nd	nd	nd	nd	nd

nd = não determinada; NRC = National Research Council.
Adaptado de NRC[3].

978-85-7241-869-0

Figura 21.22 – Potro órfão com ama de leite.

Necessidades Minerais

Dadas segundo a Tabela 21.6, por quilograma de peso vivo, segundo preconizado pelo INRA, e a Tabela 21.7, pelo NRC.

Necessidades Vitamínicas

Dadas segundo a Tabela 21.8, por quilograma de peso vivo, segundo preconizado pelo INRA, e a Tabela 21.9, pelo NRC.

Segundo o NRC, para algumas vitaminas, designadas como "não determinadas" (nd) na Tabela 21.9, não há necessidade de suplementação extra.

Potros Órfãos

Para os potros que perdem sua mãe ainda na fase de amamentação, devemos ter alguns cuidados especiais.

Primeiramente, garantir que o potro bebeu o colostro. Caso isso não tenha ocorrido, deve-se recorrer a um banco de colostro, pois, caso contrário, o potro não terá imunidade às infecções.

Há a possibilidade de utilizar amas de leite (Fig. 21.22), éguas recém-paridas que podem adotar esse potro órfão. Geralmente aceitam bem o potro. Devemos fazer com que este cheire como a égua, ao menos no início da "apresentação". Podemos recobrir o potro com fezes, urina, leite, suor ou mesmo fluidos placentários da égua adotiva. A maioria aceita o potro em 24h.

Caso não seja possível a utilização de uma ama de leite, podem-se utilizar sucedâneos do leite de égua utilizando-se leite de vaca ou cabra, diluindo-se duas partes de leite para uma parte de água e adicionando dextrose. O leite de vaca tem um valor mais elevado de gordura e menor teor de proteína, daí a necessidade de se fazer essa mistura. Esse leite pode ser oferecido em mamadeira ou em balde (Fig. 21.23); a maioria dos potros aceita bem o balde, facilitando muito o manejo.

Deve-se oferecer uma quantidade próxima daquela que a mãe estaria ofertando, 18 a 20L para potros de raças leves e 23 a 28L para potros de raças pesadas, iniciando com 14L ao nascimento e adicionando 1L por semana até a quantidade necessária, de 20% do peso do potro em leite.

Nas duas primeiras semanas, oferecer a cada 4h, dia e noite, e após este período pode-se dividir o total pelo período diurno compreendido entre as 6 horas da manhã e 10 horas da noite, a cada 2 horas, até os cinco ou seis meses, quando o animal será desmamado.

Figura 21.23 – Potro órfão com sucedâneo de leite no balde.

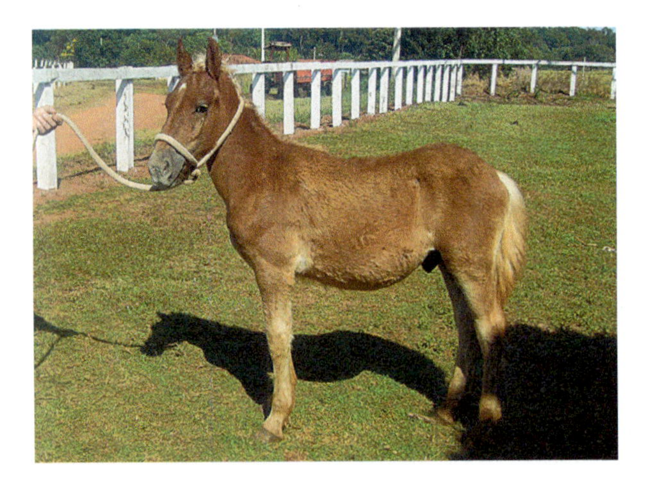

Figura 21.24 – Potro órfão aos 15 dias de idade que não recebeu leite de forma adequada. É um Bretão puro de origem (PO), na fotografia com cinco meses de idade.

Lembre-se de sempre deixar volumoso e concentrado disponíveis ao animal para que possa se adaptar gradualmente a alimentos sólidos.

O não fornecimento de alimentação adequada ao potro órfão em qualquer momento nos 12 primeiros meses de vida compromete, em geral em definitivo, seu crescimento e desenvolvimento (Figs. 21.24 e 21.25).

Por outro lado, uma alimentação consistente, à base de leite de qualidade e na quantidade adequada, permitirá ao potro um ótimo desenvolvimento e crescimento (Fig. 21.25). o que se refletirá em um adulto de qualidade (Fig. 21.26).

Figura 21.25 – Potro órfão aos 15 dias de vida. que recebeu leite de soja de forma adequada, até 31L por dia, tendo sido desmamado aos 4,5 meses de idade. É um Bretão puro de origem (PO), na fotografia com três meses de idade.

REFERÊNCIAS BIBLIOGRÁFICAS

1. LEWIS, L. D. Alimentação e Cuidados do Cavalo, São Paulo: Roca, 1985.
2. WOLTER, R. *Alimentation du Cheval*. Paris: Editions France Agricole, 1994.
3. NATIONAL RESEARCH COUNCIL (NRC). *Nutrient Requirements of Horses*. 6. ed. Washington: The National Academies Press, 2007.

978-85-7241-869-0

Figura 21.26 – Uma alimentação adequada em potros órfãos produz um adulto de ótima qualidade. Essa potranca é a mesma da Figura 21.25, aqui com 26 meses de idade.

Capítulo 22

Manejo e Alimentação do Cavalo de Esporte e Trabalho

A *performance* esportiva é fruto de quatro fatores: genética × treinamento × manejo × alimentação.

De forma geral, independentemente do tipo de esporte analisado, a base desses pilares parte dos mesmos princípios, sempre. A genética aqui será destacada ligada ao treinamento.

Um dos principais fatores-problema dos cavalos de esporte está associado ao manejo errôneo que se impõe a eles, em que se prioriza o treinamento em detrimento do manejo geral.

Tanto o treinamento como o manejo andam juntos e são fundamentais para o sucesso esportivo do cavalo.

Enquanto o treinamento prioriza o equilíbrio físico, o manejo prioriza o equilíbrio mental do cavalo, além de uma boa condição nutricional.

Um cavalo com excelente condicionamento físico, se estiver muito estressado, perde muito de seu desempenho. O estresse causa uma série de alterações fisiológicas no cavalo, que comprometem visivelmente o resultado (ver Cap. 24).

Genética

Feita pelo homem para adaptar o cavalo às suas necessidades e desejos. Por exemplo, o cavalo Quarto-de-milha, selecionado para a distância de 402m, imbatível nesta corrida, ou nas provas de rédeas e trabalho, em que se exige trabalho de explosão muscular; os cavalos Campolina e Mangalarga Marchador, selecionados pela sua comodidade; os cavalos Anglo-árabes selecionados pela sua resistência e leveza em transpor obstáculos; os animais de tração com estrutura e força invejáveis, etc.

Essa genética é a que procura, pela seleção de exemplares característicos, transmitir determinados genes à sua descendência.

Nos animais de esporte, mais especificamente, esses genes são os que determinam os tipos e as qualidades das fibras que predominam no animal.

O primeiro tipo de fibra, de contração lenta, tipo I, faz um trabalho essencialmente aeróbico (como o enduro), utilizando lipídeos como principal fonte de combustível, oriundos principalmente de reservas corporais e um pouco da alimentação, diretamente. O principal subproduto da queima de combustível é o gás carbônico (CO_2) com baixa produção de calor.

Para animais de trabalho anaeróbico de duração mais longa, em que se mescla com aerobismo (como o salto), predominam as fibras rápidas do tipo IIA, que utilizam glicídios como fonte energética e um pouco de reserva corporal. Além disso, o principal subproduto da queima de combustível é o CO_2 com baixa produção de calor.

Para animais de trabalho essencialmente anaeróbico (como os cavalos Quarto-de-milha e Puro-sangue Inglês), predominam as fibras rápidas do tipo IIB, que utilizam glicídios como principal fonte energética e muito pouco de reserva corporal. Além disso, o principal subproduto da queima de combustível é o ácido láctico, com alta produção de calor.

Cabe ressaltar que todos os animais possuem os três tipos de fibras, o que varia é sua predominância. Isso se torna relevante conforme o exercício e treinamento a ser determinado ao animal, pois o tipo de fibra a ser mais bem desenvolvido está diretamente ligado ao tipo e intensidade do trabalho imposto ao animal.

Mas o trabalho da genética se encerra no momento em que uma égua emprenha de um garanhão, iniciando assim a gestação do potro.

Treinamento

O treinamento de cavalos para esporte é específico para cada esporte e deve ser delegado a profissionais especializados. Alguns cuidados gerais devem ser tomados para que se possa alcançar o melhor desempenho e grande longevidade, que permite ao cavalo competir até idade mais avançada, podendo facilmente chegar aos 20 anos competindo.

A base do treinamento deve ser buscar potencializar as características genéticas do animal, além, é claro, da preocupação com o esporte a ser competido. Isto é, para cavalos de explosão, como Puro-sangue Inglês e Quarto-de-milha, o trabalho deve ser feito priorizando-se as fibras de contração rápida, que utilizam principalmente carboidratos como fonte energética, sendo um trabalho principalmente anaeróbico. Dessa forma, o treinamento desses animais deve ser intenso, porém por um curto espaço de tempo, e não por 2 a 3h diárias. Ao se trabalhar esses animais por um longo tempo diariamente, começa-se a priorizar a utilização de uma fonte energética, como lipídeos, que não estarão disponíveis na competição, assim como estimularão as fibras lentas, não utilizadas em trabalho de explosão.

Da mesma forma, isso ocorre com os animais que trabalham por mais tempo, em que o treinamento deve ser condizente com o tipo de trabalho a ser executado.

Entretanto, para uma boa saúde mental do animal e um ótimo equilíbrio psíquico, recomenda-se alternar, ao menos uma vez por semana, o tipo de trabalho executado. Se o cavalo é de explosão, em que o treinamento diário é essencialmente no picadeiro, devemos realizar um trabalho de exterior de 45 a 60min, uma vez por semana. É claro que, para animais de marcha e enduro, em que o trabalho de exterior é priorizado, é bastante interessante realizar um trabalho de picadeiro uma vez por semana.

A relação entre cavalo e cavaleiro deverá ser intensa, porém, jamais um cavaleiro inexperiente deverá trabalhar um cavalo inexperiente. O que um não tem de experiência o outro deve ter.

Cavaleiros inexperientes possuem vícios de equitação que certamente passarão a seus cavalos, que nada sabem e estão aprendendo e, desta forma, aprendendo do jeito errado.

Existe somente um jeito de se fazer as coisas e é o jeito certo. Se ensinarmos errado ao cavalo, este errado é certo para ele, afinal foi deste jeito que aprendeu. Ao tentarmos exigir um determinado movimento de forma diferente, o cavalo poderá se recusar a fazê-lo, pois não foi assim que aprendeu. Então, muitos cavaleiros castigam o cavalo por se recusar a executar determinado movimento, por estar errado sob o ponto de vista do cavaleiro, mas que está certo sob o ponto de vista do cavalo, afinal, foi assim que este aprendeu. Então, temos um difícil embate e quem paga sempre é o cavalo.

Existe um ditado equestre que diz: "erro do cavalo, sempre é erro do cavaleiro". Levando-se em conta esse dito, que entendemos ser correto, todo cavaleiro ou treinador deve sempre avaliar as condições e exigências que faz a seu cavalo e, quando este não fizer o movimento desejado ou "errar" sob o ponto de vista humano, analisar cuidadosamente os passos que executou e principalmente procurar analisar a vida pregressa deste cavalo, pois seu "erro" pode advir de exigências do cavaleiro ou treinador de forma errada, o animal pode ter sido mal ensinado ou mal domado, tendo assim executado o movimento como sabe ou como acha que deve ser por uma má informação do cavaleiro ou treinador.

O principal efeito do treinamento no cavalo deve ser um aprendizado psicológico, com condicionamento físico gradual, ensinando ao cavalo o que, quando e como fazer.

Antes do treinamento, a doma deve se bem feita e iniciada após os 36 meses de idade, quando as estruturas do cavalo já estão bem consolidadas.

Domas precoces, como é comum em muitas raças e esportes, prejudicam e comprometem a vida esportiva futura e longeva do cavalo.

Animais domados aos 20, 24 ou mesmo 30 meses terão suas estruturas osteoarticulares comprometidas, muitas vezes em definitivo.

Em uma boa doma deve-se primordialmente conquistar o cavalo, e não subjugá-lo. A conquista se faz com carinho e percepção equestre, do que é o cavalo

978-85-7241-869-0

e como este se comporta, tendo desta forma um animal que executa os trabalhos dele exigidos por que assim o deseja e não por meio da subjugação pela dor e martírio físico e mental, em que se quebra a moral do cavalo. Esse animal subjugado executará as tarefas, mas não dará a elas a mesma importância que dá aquele que é conquistado. Deve-se atentar para não se reprimir a personalidade do cavalo, mas extrair dela o melhor possível, conquistando o animal.

Os treinadores e proprietários de cavalos precisam adequar o método de treinamento com o temperamento do animal, evitando-se ao máximo o confronto direto, com a indução do medo no animal. A pior coisa que se pode fazer contra o lado emocional do animal é induzir o medo. Treinar e adestrar cavalos de forma errada pode transformá-los em animais que corcoveiam, dão coices, etc. É como transformar presa em predador, dificultando intensamente a relação entre cavalo e homem.

Cavalos conquistados trabalham com o coração antes da mente e isso pode afetar o resultado em uma competição medida muitas vezes em milésimos de segundos. Ou mesmo em competições de longa distância, em que precisamos de um pouco mais de garra ao invés de somente trabalho muscular, o coração deve trabalhar acima da mente, afinal quem em sã consciência se submeteria a uma competição de corrida de 120km em apenas 10h? E muitos cavalos o fazem sem questionamento e se saem muito bem.

Após a doma, devem-se iniciar os trabalhos de adestramento básico, que são muito importantes para que o cavalo aprenda a responder rapidamente aos comandos do cavaleiro.

Quando o animal não obedece aos comandos do cavaleiro, quando este exige uma troca de passo para trote ou galope, tendo reações como corcoveio, indica que o adestramento pode ter sido rápido demais, devendo ser reiniciado lentamente. Muitos animais tendem a ficar com medo da sensação do peso do cavaleiro e da sela quando passa de um andamento para outro.

Para qualquer esporte, o cavaleiro deve ter uma iniciação de equitação fundamental para saber quando e como enviar os comandos ao cavalo de forma que este responda rapidamente.

Essa equitação, também denominada clássica, infelizmente é negligenciada e até mesmo escarnecida pela grande maioria da população de cavaleiros e mesmo treinadores, dizendo que não leva a nada.

Seus princípios são fundamentais para uma boa compreensão do que é o cavalo e de como ele trabalha. Como podemos pedir determinado movimento ao cavalo sem movimentos bruscos de nosso corpo que certamente incomodam o animal e prejudicam seu desempenho? Como podemos trabalhar melhor nossas mãos, sem nos apoiarmos na boca e embocadura do cavalo de forma que ele fique sensível e dolorido?

Temos nos deparado com inúmeros cavaleiros e treinadores que não conhecem os princípios básicos de uma boa equitação e, obviamente, não os transmitindo a seus cavalos, estão certamente prejudicando o melhor desempenho desse nobre animal.

O treinamento deve ser iniciado com trabalho três vezes por semana, 20 a 30min diários, e ir aumentando gradativamente.

O treinamento mínimo para competição deve ser de 18 a 24 meses após a doma, dependendo das condições do animal, tempo este não observado pela imensa maioria dos treinadores de cavalos.

Até mesmo o salto, ou hipismo clássico, que sempre preservou o cavalo da precocidade e da intensidade desnecessária de trabalho antes do tempo, já está antecipando seus animais e colocando-os para saltar 1m aos quatro anos de idade. Certamente, essa prática prejudicará a longevidade esportiva do animal e trará problemas osteomusculares mais precocemente ao animal.

Esse período mínimo de treinamento é fundamental para a adaptação fisiológica que as estruturas do cavalo devem ter para suportar uma competição e o período de adaptação das estruturas é variável:

- Pulmão e coração: três meses de treinamento.
- Músculos: cinco a seis meses de treinamento.
- Tendões, ligamentos e articulações: 8 a 12 meses de treinamento.
- Ossos: até três anos de treinamento.

A grande dificuldade de aguardar o período necessário para iniciar a competição é que o parâmetro utilizado para verificarmos se o animal está em bom estado atlético é a observação de batimento cardíaco, frequência respiratória e musculatura, que se adaptam rapidamente às condições de competição, ao passo que as estruturas que sofrem alto impacto em uma competição (tendões, ligamentos e articulações) demoram de um a três anos para estarem aptas.

Dessa forma, sendo o cavalo somente domado aos 36 meses de idade e esta doma demorando ao menos 6 a 12 meses, sendo treinado por no mínimo 12 meses, um cavalo não deve entrar em competição séria antes dos cinco a seis anos de idade, para se obter seu melhor desempenho e longevidade esportiva.

Claro que competições para iniciantes apenas para se habituar o cavalo ao ritmo de transporte, local e rotina podem ser feitas, mas respeitando os limites que o treinamento deve impor e não muito frequentemente.

Manejo

Um bom manejo deve respeitar as necessidades do cavalo, principalmente no que diz respeito a soltar o animal várias horas por dia. Muitos ignoram a necessidade de se soltar o cavalo algumas horas por dia simplesmente porque trabalham o cavalo 2 ou 3h diariamente. O ato de soltar o cavalo não está relacionado somente a exercitar o físico, mas também à necessidade de liberdade e andar ou correr como e quando o cavalo quiser, tomar sol, além de lhe propiciar momentos de sociabilidade ao se deparar com outros animais. É mais um exercício mental que um exercício físico.

Deve-se manter o cavalo em instalações adequadas com piquete, redondel ou baia que sigam as recomendações descritas no Capítulo 11, propiciando essencialmente conforto e bem-estar do animal, com tamanho, ventilação e contato visual adequados.

Baias, porém, não são essenciais aos cavalos de esporte, podendo ser mantidos em piquetes adequados.

Além disso, a prática de manejo básico, descrita na introdução da Parte 2 deste livro, é frequentemente negligenciada pelos cavaleiros e treinadores, que delegam esta função a terceiros, quando o fazem.

O que parece ocorrer com frequência é que esses treinadores e cavaleiros – e quanto mais graduados forem, mais negligentes nesse tópico se tornam – perdem uma excelente oportunidade de conhecer melhor seus animais e se deixar conhecer melhor por eles, sabendo de pequenos detalhes comportamentais que somente quem escova o animal, limpa seus cascos, banha-o com frequência e coloca o arreamento pode saber. Desde cócegas em determinadas regiões do corpo, que podem atrapalhar a equitação, pois, se o cavalo tiver cócegas na barriga, pode até mesmo corcovear ao se utilizar esporas, até problemas pontuais que ocorram em um único dia e que podem prejudicar o desempenho do animal ou mesmo causar acidentes. Alguns fatores são facilmente observados nos momentos de preparação do cavalo para a prova ou o treinamento e podem influir decisivamente no resultado da competição ou mesmo na saúde do cavalo e do cavaleiro.

Alimentação

A alimentação do cavalo de esporte deve ser adaptada conforme as exigências. A dieta deve ser equilibrada, suprindo as necessidades do cavalo sem deficiências nem excessos. Em bons centros equestres, a alimentação pode representar quase 20% dos custos mensais do animal, devendo ser muito bem utilizada e avaliada para que se tenha o melhor alimento que possibilite o melhor desempenho do animal. Deve-se escolher a melhor composição e utilizá-la da melhor forma possível, buscando sempre a orientação de profissionais especializados, que saberão escolher o melhor produto que se adapte às necessidades do cavalo.

Partindo-se sempre da disponibilidade de volumoso com quantidade e qualidade adequadas, água fresca e limpa e sal mineral específico à vontade, deve-se escolher o complemento e o suplemento adequado às necessidades do cavalo, que serão diferentes conforme o esporte e o cavalo como indivíduo.

Aqui, os fatores individuais, citados anteriormente, como raça, temperamento, individualidade e clima, devem ser levados em consideração de forma mais acentuada, quando da determinação das necessidades de cada animal. Mesmo com a utilização de tabelas de necessidades específicas conforme o esforço do animal, o oferecimento de uma suplementação concentrada deve ser feito levando-se em consideração essas individualidade, que podem influir nas necessidades do cavalo em até 25%, para mais ou para menos.

Necessidades Nutricionais Específicas para o Esporte

As necessidades específicas do trabalho são de água, energia, mais sob a forma de gordura (óleos) e menos amido (grãos), e sais minerais, mais especificamente os eletrólitos: Ca, Mg, K, Na e Cl.

Claro que suas necessidades ainda incluem vitaminas, fundamentais para os processos metabólicos da energia, entre outros, e a proteína, mais especificamente os aminoácidos, porém seus valores não são tão elevados quanto os dos outros nutrientes e se deve pensar mais em sua qualidade que em sua quantidade.

Água

Para animais de trabalho, a água é fundamental no treinamento, antes da competição, durante esta, em provas de longa distância e ao final. Ou seja, sempre que o animal tiver sede, devemos disponibilizar água fresca e limpa.

O cavalo pode perder toda sua gordura corporal e até metade de sua proteína, porém, perder 15% de sua reserva hídrica pode ser fatal.

Sua necessidade é tão primordial que, em provas de enduro, é obrigatório pela Federação Equestre Internacional (FEI) a disponibilidade de água para os animais a cada 5km.

Energia

As necessidades energéticas são muito importantes, pois é a base fundamental para um bom desempenho esportivo.

Deve-se fornecer uma quantidade adequada de energia, de fonte facilmente assimilável pelo cavalo, isto é, que não gaste muita energia para ser aproveitada (energia líquida alta). A quantidade de energia a ser fornecida é variável, dependendo principalmente da quantidade do esforço a que o cavalo é submetido (h/dia). Em animais de esforço intenso, as necessidades energéticas dobram em relação às de manutenção.

Devemos priorizar o fornecimento de rações de alta energia, com extrato etéreo elevado (acima de 4%) dependendo da intensidade do esforço. Rações com alta energia têm a grande vantagem de serem oferecidas em menor quantidade, sobrando mais espaço para o fornecimento de volumoso, o que evita uma sobrecarga gás-

978-85-7241-869-0

trica e intestinal. Por outro lado, rações de baixa energia, mais baratas, têm o grande inconveniente de terem que ser fornecidas em quantidade mais elevada, muitas vezes ultrapassando o limite máximo de 50% da dieta, predispondo o animal a cólicas, laminites e excessos de amido na dieta, conforme descrito no Capítulo 14.

O volumoso deve variar de 70 a 50% do total da dieta e a ração deve ser de 30 a 50% da dieta total, sempre levando em conta somente a matéria seca do alimento. Caso a quantidade de concentrado não seja suficiente para o cavalo desempenhar a função desejada, deve-se utilizar uma ração mais energética ou um suplemento energético. Hoje, o mercado possui uma infinidade de rações que suprem as necessidades do cavalo sem ultrapassar os limites seguros de manejo e, caso seja necessário, pode-se ainda acrescentar suplementos que, em pequenas quantidades, podem complementar as necessidades do cavalo.

Uma menor quantidade de volumoso diminui o preenchimento do volume intestinal, diminuindo a quantidade de peso que o animal sustenta, o que pode ser favorável para o exercício de curta duração.

Por outro lado, em exercícios de longa duração, deve-se fornecer uma maior quantidade de volumoso, pois a forragem aumenta os consumos hídricos, eletrolíticos e de nutrientes, o que aumenta a disponibilidade durante o exercício.

Devemos tomar cuidado com o aporte vitamínico suficiente para absorção dos ácidos graxos contidos na alimentação. A utilização de uma dieta muito rica em energia aumenta também as necessidades vitamínicas do cavalo, já elevadas pelo exercício físico.

Nas transições alimentares, devemos evitar o aumento excessivo de energia com gordura na ração nas três semanas que antecedem uma competição, pois é necessário um período mínimo de 30 dias para que o animal esteja adaptado ao novo alimento. Ou seja, deve-se evitar modificar a dieta do cavalo nesse período, sob risco de comprometer seu desempenho.

Cuidado com rações muito ricas em energia, como cereais com 60 a 70% de amido, ou ainda o antigo hábito, em geral desnecessário, de "enriquecer" uma ração ou dieta com aveia ou milho, o que acarreta enormes problemas, como os citados no Capítulo 14, nos excessos energéticos.

Além disso, o excesso de ácidos graxos essenciais na alimentação impede a absorção normal de magnésio, mineral responsável pelo relaxamento da musculatura. Portanto, em dietas muito energéticas para animais que não necessitam de tanta energia, haverá indisponibilidade de magnésio, dificultando o relaxamento da musculatura deste animal. O animal "trava" a musculatura. Outros efeitos desfavoráveis dos excessos de energia são descritos na Tabela 22.1.

Devemos tomar certos cuidados no fornecimento de energia ao animal para que esta não esteja em excesso, pois pode prejudicar seu desempenho.

Tabela 22.1 – Efeitos de ácidos graxos essenciais em uma dieta adequada e com excessos

Ácidos graxos essenciais (energia)	
Efeitos favoráveis	*Efeitos desfavoráveis*
Doses moderadas	*Doses excessivas*
Boa nutrição da mucosa Boa motricidade digestiva Boa reabsorção de água Bom aporte energético Boa higiene digestiva com ↓ colibaciloses ↓ salmoneloses ↓ clostridioses	Inflamação digestiva com diarreia Alteração das propriedades osmóticas com diarreia Aumento da produção de ácido láctico Dismicrobismo (alterações microbianas) com ↑ miosites ↑ cólicas ↑ laminites

Adaptado de Wolter[1].

Minerais

Os minerais necessários em quantidade mais elevada e que devem ser suplementados na alimentação são os eletrólitos (Cl, Na, K, Ca e Mg). Essa suplementação depende da intensidade do esforço e varia de animal para animal.

Proteína

Em primeiro lugar, deve-se ressaltar que o trabalho muscular não é condicionado ao consumo de proteína, mas ao de energia.

Animais de esporte são animais adultos, já formados e não em reprodução, portanto, sua dieta deve ter um limite de proteína para que não haja queda no desempenho esportivo.

As necessidades proteicas dos cavalos de esporte são pequenas (700 a 1.000g/dia de proteína bruta para um cavalo de 500kg) quando comparadas às necessidades de éguas em reprodução, que podem chegar a 1.500g/dia de proteína bruta (PB) em lactação.

Lembre-se que os excessos de proteína podem comprometer o bom desempenho do animal (ver Cap. 14).

Muita atenção deve ser dada à escolha do alimento, devendo-se evitar confundir qualidade de proteína com excesso. Devemos ainda evitar as matérias-primas ricas em proteína, como soja e alfafa, em abundância.

Entretanto, alguns estudos recentes dos Estados Unidos revelam que um pouco de alfafa na dieta, como 10 a 20% do total de volumoso, pode auxiliar como preventivo em casos de úlcera por estresse em animais com excesso de confinamento, situação típica de cavalos de esporte.

Uma complementação concentrada ideal não deve jamais ultrapassar os 12% de proteína bruta e a dieta total não deve ultrapassar os 14% de proteína bruta.

Em todos esses casos, devemos valorizar o fornecimento de alimentos de alta qualidade, em que possamos administrar uma menor quantidade de alimento para suprir as necessidades do animal.

A grande dificuldade de se avaliar realmente os malefícios dos excessos (energético, proteico ou mineral)

Tabela 22.2 – Necessidades diárias de matéria seca para cavalos de esporte e de trabalho, em kg

Categoria animal		INRA (%)	NRC (%)
Trabalho	Leve	1,9 – 2,3	2,00
	Médio	2,1 – 2,7	2,25
	Intenso	2,0 – 3,0	2,50
	Muito intenso	2,0 – 3,0	2,50

INRA = Institute National de la Recherche Agronomique; NRC = National Research Council.
Adaptado de Wolter[1], NRC[2].

é que isso não ocorre da noite para o dia, mas demora certo tempo (6 a 18 meses), o que dificulta o correto diagnóstico de erro no manejo alimentar.

Necessidades em Matéria Seca

A necessidade em matéria seca (MS) é apresentada na Tabela 22.2, em percentual do peso vivo, segundo preconizado pelo Institute National de la Recherche Agronomique (INRA) e pelo National Research Council (NRC).

Tabela 22.3 – Classificação da intensidade do trabalho

Categoria de trabalho	Frequência cardíaca	Descrição	Tipo de evento
Leve	80bpm	1 – 3h/semana 40% passo 50% trote 10% galope	Equitação de passeio Início de treinamento Apresentação equestre ocasional
Médio	90bpm	3 – 5h/semana 10% passo 55% trote 10% a meio galope 25% salto ou similar	Escola de equitação Equitação de passeio Treinamento Apresentação equestre Polo Trabalho de fazendas
Intenso	110bpm	4 – 5h/semana 20% passo 50% trote 15% a meio galope 15% a galope, salto ou similar	Trabalho de fazendas Polo Apresentação equestre Treinamento de corrida
Muito intenso	110 – 150bpm	Variável de 1h de galope por semana a 6 a 12h de trabalho lento por semana	Corrida Enduro Concurso completo de equitação

bpm = batimentos por minuto.

Exemplos:

- Equino de 500kg de peso vivo em trabalho leve: 9,5 a 11,5kg de MS (INRA) ou 10kg de MS (NRC).
- Equino de 550kg de peso vivo em trabalho médio: 11,5 a 15kg de MS (INRA) ou 12,4kg de MS (NRC).
- Equino de 400kg de peso vivo em trabalho intenso: 8 a 12kg de MS (INRA) ou 10kg de MS (NRC).
- Equino de 450kg de peso vivo em trabalho muito intenso: 9 a 13,5kg de MS (INRA) ou 11,3kg de MS (NRC).

Necessidades Energéticas

As necessidades energéticas do cavalo de esporte baseiam-se na intensidade do esforço a que o animal é submetido, que pode ser avaliada segundo a Tabela 22.3.

Energia Digestível

A quantidade de energia digestível (ED) poderá ser calculada segundo as fórmulas expressas na Tabela 22.4, em megacalorias (Mcal) por dia.

Exemplos:

- Equino de 450kg em trabalho leve: ED = (0,0333 × 450) × 1,20 = 18,0Mcal/dia.
- Equino de 400kg em trabalho médio: ED = (0,0333 × 400) × 1,40 = 18,6Mcal/dia.
- Equino de 550kg em trabalho intenso: ED = (0,0333 × 550) × 1,60 = 29,3Mcal/dia.
- Equino de 500kg em trabalho muito intenso: ED = (0,0363 × 500) × 1,90 = 34,5Mcal/dia.

Energia Líquida

A quantidade de energia líquida é dada segundo a Tabela 22.5, em unidade forrageira cavalo (UFC) por dia.

Necessidades Proteicas

Proteína Bruta

Pode ser dada segundo as fórmulas observadas na Tabela 22.6, em gramas por dia.

Tabela 22.4 – Necessidades diárias de energia digestível para cavalo de esporte e de trabalho, em Mcal

Categoria de trabalho	Energia digestível
Leve	ED = (0,0333 × PV) × 1,20
Médio	ED = (0,0333 × PV) × 1,40
Intenso	ED = (0,0333 × PV) × 1,60
Muito intenso	ED = (0,0363 × PV) × 1,90
PV = peso vivo, em kg	

ED = energia digestível.
Adaptado de NRC[2].

978-85-7241-869-0

Tabela 22.5 – Necessidades diárias de energia líquida para cavalos de esporte e de trabalho, em UFC

Categoria de trabalho		Peso				
		200kg	*450kg*	*500kg*	*600kg*	*800kg*
UFC	Trabalho leve	3,5	6,6	6,9	7,5	7,8
UFC	Trabalho médio	4,0	7,9	7,9	8,5	8,5
UFC	Trabalho intenso	4,3	8,1	8,5	9,0	10,0

UFC = unidade forrageira cavalo.
Adaptado de Wolter[1].

Exemplos:

- Equino de 450kg em trabalho leve: PB = 450 × 1,40 = 630g de PB/dia.
- Equino de 400kg em trabalho médio: PB = 400 × 1,54 = 616g de PB/dia.
- Equino de 550kg em trabalho intenso: PB = 550 × 1,72 = 946g de PB/dia.
- Equino de 500kg em trabalho muito intenso: PB = 500 × 2,01 = 1.005g de PB/dia.

Proteína Líquida

A quantidade de proteína líquida é dada segundo a Tabela 22.7, em gramas por dia, conforme o peso do animal.

Necessidades Minerais

Dada segundo a Tabela 22.8, conforme preconizado pelo INRA, e na Tabela 22.9, pelo NRC, por quilograma de peso vivo.

Tabela 22.6 – Necessidades diárias de proteína bruta para cavalo de esporte e de trabalho, em gramas

Categoria de trabalho	Proteína bruta (PB)
Leve	PB = PV × 1,40
Médio	PB = PV × 1,54
Intenso	PB = PV × 1,72
Muito intenso	PB = PV × 2,01
PV = peso vivo, em kg	

Adaptado de NRC[2].

Tabela 22.7 – Necessidades diárias de proteína líquida para cavalos de esporte e de trabalho, em gramas

Categoria de trabalho	Peso						
	450kg	*500kg*	*550kg*	*600kg*	*700kg*	*800kg*	*900kg*
Leve	350g	370g	390g	415g	500g	540g	570g
Médio	450g	470g	490g	510g	550g	580g	620g
Intenso	515g	540g	555g	580g	645g	680g	715g

Adaptado de Wolter[1].

Tabela 22.8 – Necessidades diárias de minerais para cavalos de esporte e de trabalho por kg de peso vivo, conforme a intensidade do trabalho, segundo o INRA

Nutriente	INRA		
	Leve	*Médio*	*Intenso*
Relação Ca:P (ideal)	1,67:1	1,85:1	1,85:1
Cálcio (g)	0,060	0,070	0,070
Fósforo (g)	0,036	0,038	0,038
Magnésio (g)	0,018	0,020	0,020
Sódio (g)	0,048	0,048	0,048
Potássio (g)	0,070	0,099	0,100
Enxofre (g)	0,026	0,026	0,026
Cobalto (mg)	0,0030	0,0033	0,0030
Cobre (mg)	0,500	0,550	0,500
Iodo (mg)	0,0040	0,0044	0,0040
Ferro (mg)	2,000	2,200	2,000
Manganês (mg)	1,000	1,100	1,000
Selênio (mg)	0,0040	0,0044	0,0040
Zinco (mg)	1,500	1,650	1,500

INRA = Institute National de la Recherche Agronomique.
Adaptado de Wolter[1].

Tabela 22.9 – Necessidades diárias de minerais para cavalos de esporte e de trabalho por kg de peso vivo, conforme a intensidade do trabalho, segundo o NRC

Nutriente	NRC			
	Leve	*Médio*	*Intenso*	*Muito intenso*
Relação Ca:P (ideal)	1,67:1	1,67:1	1,38:1	1,38:1
Cálcio (g)	0,060	0,070	0,080	0,080
Fósforo (g)	0,036	0,042	0,058	0,058
Magnésio (g)	0,019	0,023	0,030	0,030
Sódio (g)	0,029	0,036	0,051	0,082
Potássio (g)	0,057	0,064	0,078	0,106
Enxofre (g)	0,030	0,034	0,038	0,038
Cobalto (mg)	0,001	0,0012	0,0012	0,0012
Cobre (mg)	0,200	0,225	0,250	0,250
Iodo (mg)	0,007	0,008	0,009	0,009
Ferro (mg)	0,800	0,900	1,000	1,000
Manganês (mg)	0,800	0,900	1,000	1,000
Selênio (mg)	0,002	0,0023	0,0025	0,0025
Zinco (mg)	0,800	0,900	1,000	1,000

NRC = National Research Council.
Adaptado de NRC[2].

Tabela 22.10 – Necessidades diárias de vitaminas para cavalos de esporte e de trabalho por kg de peso vivo, conforme a intensidade do trabalho, segundo o INRA

Nutriente	INRA		
	Leve	*Médio*	*Intenso*
Vitamina A (UI)	115	125	135
Vitamina D (UI)	16	17	18
Vitamina E (mg)	0,310	0,320	0,330
Vitamina B_1 (mg)	0,075	0,077	0,079
Vitamina B_2 (mg)	0,120	0,130	0,140
Vitamina B_6 (mg)	0,037	0,039	0,041
Vitamina B_{12} (μg)	0,370	0,390	0,410
Ácido fólico (mg)	0,037	0,039	0,041
Ácido pantotênico (mg)	0,143	0,148	0,153
Colina (mg)	1,800	1,900	2,000
Niacina (mg)	0,370	0,390	0,410

INRA = Institute National de la Recherche Agronomique.
Adaptado de Wolter[2].

Necessidades Vitamínicas

Dada segundo a Tabela 22.10, por quilograma de peso vivo, conforme preconizado pelo INRA, e na Tabela 22.11 pelo NRC.

Segundo o NRC, para algumas vitaminas, designadas como "não determinadas" (nd) na Tabela 22.11, não há necessidade de suplementação extra.

Tabela 22.11 – Necessidades diárias de vitaminas para cavalos de esporte e de trabalho por kg de peso vivo, conforme a intensidade do trabalho, segundo o NRC

Nutriente	NRC			
	Leve	*Médio*	*Intenso*	*Muito intenso*
Vitamina A (UI)	45	45	45	45
Vitamina D (UI)	6,6	6,6	6,6	6,6
Vitamina E (mg)	1,6	1,8	2,0	2,0
Vitamina B_1 (mg)	0,060	0,093	0,125	0,125
Vitamina B_2 (mg)	0,040	0,045	0,050	0,050
Vitamina B_6 (mg)	nd	nd	nd	nd
Vitamina B_{12} (μg)	nd	nd	nd	nd
Ácido fólico (mg)	nd	nd	nd	nd
Ácido pantotênico (mg)	nd	nd	nd	nd
Colina (mg)	nd	nd	nd	nd
Niacina (mg)	nd	nd	nd	nd

nd = não determinada; NRC = National Research Council.
Adaptado de NRC[2].

Manejo Alimentar na Competição

Para um melhor aproveitamento e desempenho atlético, o fundamental é levar sempre em consideração um ditado árabe: "o cavalo corre com o alimento de véspera, e não com o do dia".

Isso quer dizer que o que faz um cavalo ter o seu melhor desempenho não são as fórmulas milagrosas constantemente inventadas sem fundamentos técnicos científicos e administradas ao cavalo no dia da competição, mas sim o que é realizado técnica e corretamente nos meses que antecedem uma competição.

Não há benefício em administrar determinados alimentos somente no dia da competição se não o fizer nos dias de treinamento.

A maioria dos treinamentos é mais intensa e desgastante para o cavalo que o dia da competição propriamente dito. Por exemplo, um cavalo Quarto-de-milha, cujo trabalho de explosão não ultrapassa 25s, treina por até 1h. Cavalos de salto, cuja competição varia de 1 a 2min, treinam de 30 a 45min diariamente. Dessa forma, os recursos nutricionais a serem utilizados devem ser constantes durante o treinamento e a competição propriamente dita. Exceção pode ser feita a determinadas situações pontuais, nas quais os cavalos tenham algum tipo de necessidade específica inerente a eles, mas que deve ser analisada com rigor e técnica.

A seguir, algumas dicas de manejo alimentar em dias de competição:

- Evitar alterações bruscas na dieta nas três semanas que antecedem competição; é o tempo mínimo para o organismo animal se habituar a um novo tipo de alimento sem queda no desempenho.
- Não oferecer alimentos à base de grãos nas 2 a 3h que antecedem uma competição. Essa alimentação eleva a concentração de insulina sanguínea, diminuindo a utilização de gorduras. Esse alto valor de insulina sanguínea levará a hipoglicemia no início da competição, quando o animal deverá ter maior disponibilidade energética, diminuindo a resistência e a velocidade, com consequente queda no desempenho.
- Além disso, a alimentação leva ao aumento da irrigação do mesentério, com aumento do fluxo sanguíneo no trato gastrointestinal para elevar a eficácia da digestão. Isso também ocorre no trabalho muscular, em que há aumento de fluxo sanguíneo para os músculos com o exercício. Dessa forma, deve haver um aumento do débito e da frequência cardíaca em animais alimentados em momento próximo ao exercício, para que o organismo possa efetivamente realizar as duas atividades.
- Os grãos devem ser oferecidos 4 a 5h antes da competição. De preferência, se isso for possível, sem alterar drasticamente o manejo normal do cavalo. Não é recomendável alimentar o animal às 2 ou 3h da manhã se isso não fizer parte do hábito alimentar de sua

978-85-7241-869-0

Figura 22.1 – Cavalos quarto de milha durante a competição nacional, com volumoso disponível, o que os deixa tranquilos para a prova.

rotina diária. Essa refeição terá pouco efeito prático em relação à disponibilidade imediata de nutrientes.

- Se a competição for de longa distância (concurso completo de equitação [CCE], enduro, etc.), deve-se manter o animal com água e volumoso à vontade. A forragem aumenta o consumo hídrico, de eletrólitos e nutrientes, aumentando a disponibilidade durante o exercício de longa duração, auxiliando no desempenho do animal.
- Se a competição for de curta distância (corrida, trabalho, rédeas, salto, etc.), deve-se manter o animal somente com água à vontade. A diminuição da disponibilidade do volumoso nesse momento diminui o preenchimento intestinal, diminuindo a quantidade de peso que o animal sustenta, auxiliando no desempenho do animal.
- Se for administrar eletrólitos ao animal, lembre-se de sempre ter água disponível na próxima meia hora, sob risco de prejudicar o desempenho na falta desta. O eletrólito não possui função prática antes do início da competição, mas apenas quando o animal tem perda eletrolítica. O mais correto é administrá-lo após a competição, para auxiliar o retorno do animal ao estado de repouso.
- Entretanto, em muitas competições de curta distância o animal fica o dia todo disponível, pois é comum passar mais de uma vez para competir. Nesses casos, para efeito de relaxamento mental e tranquilização do animal, devemos deixá-lo com volumoso relativamente à vontade (Fig. 22.1).
- A alimentação em dia de competição visa muito mais ao bem-estar psicológico e à estimulação do aparelho digestivo do cavalo do que propriamente à tentativa de que aproveite os nutrientes administrados a ele. Dessa forma, é mais benéfico disponibilizar volumosos de boa qualidade, tenros e altamente palatáveis, se possível gramíneas frescas.
- Após a competição, quanto mais extenuante for esta, maior deve ser o período de repouso do animal para se retomar as atividades normais. Um esforço muito intenso tende a causar inapetência ou redução do apetite no animal após a prova, de forma que pode demorar vários dias até que suas reservas voltem ao estado normal novamente. Em casos de enduro de longa distância, alguns treinadores de primeira linha no mundo chegam a recomendar até mesmo 60 a 90 dias de repouso antes de retomar o treinamento em provas de 160km sob condições extremas.

REFERÊNCIAS BIBLIOGRÁFICAS

1. WOLTER, R. *Alimentation du Cheval*. Paris: Editions France Agricole, 1994.
2. NATIONAL RESEARCH COUNCIL (NRC). *Nutrient Requirements of Horses*. 6. ed. Washington: The National Academies Press, 2007.

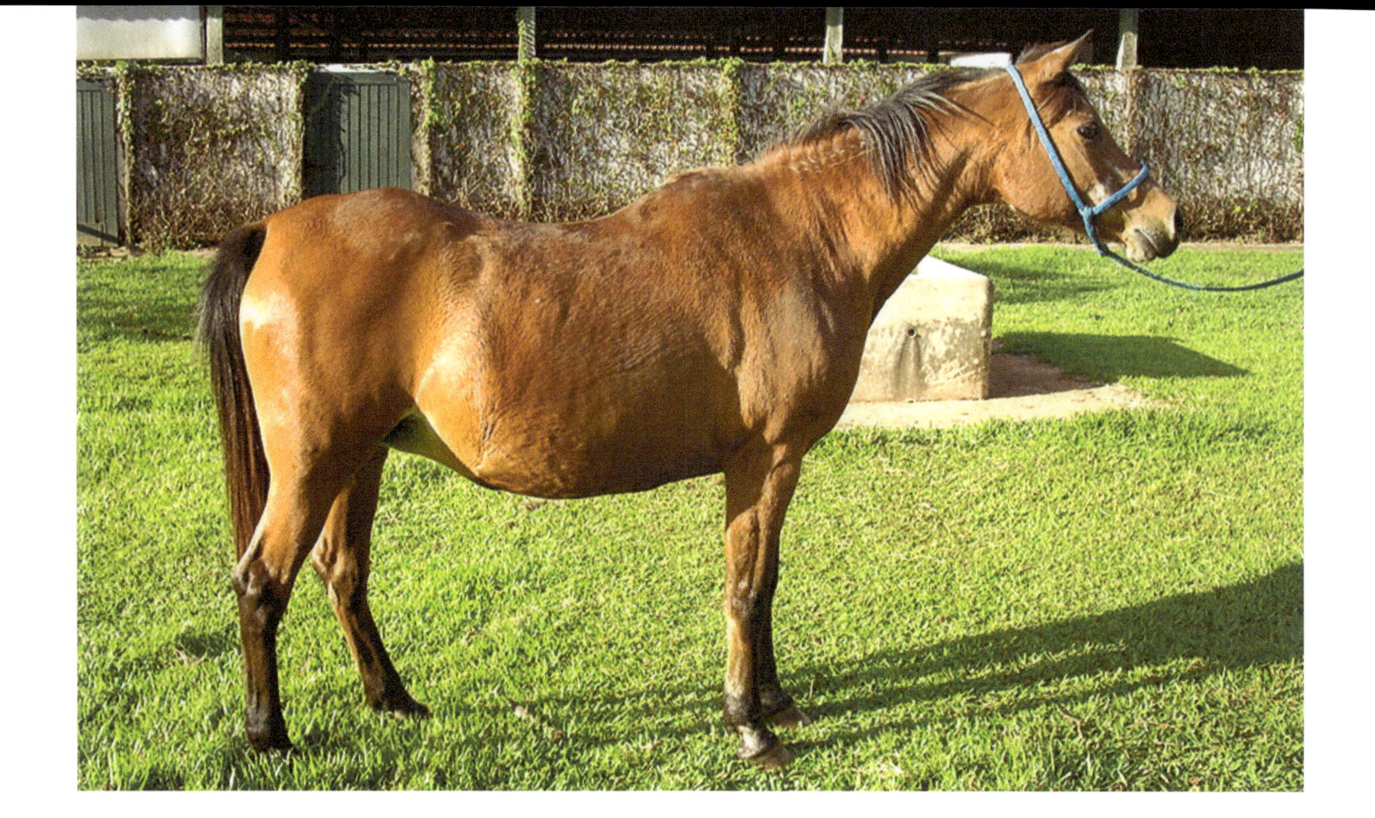

Capítulo 23

Manejo e Alimentação do Cavalo Idoso

Primeiramente, devemos definir o que é um cavalo idoso (Figs. 23.1, *A* e *B*). Fisiologicamente, o cavalo já apresenta diminuição da capacidade de seus órgãos, como descreveremos a seguir, a partir dos 15 anos de idade. Se nutrido adequadamente, esse animal pode ter vida útil no esporte até os 22 ou 23 anos e na reprodução até o fim da vida, que pode se dar acima dos 30 anos, dependendo do porte e da raça.

Entretanto, temos observado animais "velhos" fisiologicamente, muitos com uma condição corporal desgastada muito cedo devido ao excessivo uso, à antecipação de doma e ao treinamento intensivo sem respeitar a adaptabilidade de suas estruturas e ainda por uma alimentação inadequada por toda a vida.

O contrário também pode ser observado, isto é, cavalos com data de nascimento antiga e aparência de novos (Fig. 23.2).

Uma alimentação equilibrada por toda a vida do animal, aliada a manejo e treinamento corretos, permite que se usufrua do cavalo praticamente até o fim de sua vida, quer seja em termos de equitação ou de reprodução.

A Tabela 23.1 mostra a idade do cavalo em comparação com a do homem.

Entretanto, devemos tomar muito cuidado com essa comparação. Temos a tendência de antropomorfizar todas as nossas relações com os animais, isto é, extrapolar sentimentos, relações e ideias humanas para os animais.

Esse comparativo é apenas para nos dar uma ideia e não deve ser tomado como parâmetro para tratarmos o animal como trataríamos um ser humano, afinal, cavalos são cavalos e humanos, humanos. Duas espécies diferentes, com necessidades diferentes. Por exemplo, a mulher entra na menopausa por volta dos 40 a 45 anos; a égua não tem menopausa, podendo se reproduzir até o fim da vida.

Cavalos de trabalho levam um peso extra no dorso, correspondente a 15 a 20% de seu peso, o que corresponderia a um homem trabalhar com um peso extra de 15 a 20kg nas costas, situação inviável.

978-85-7241-869-0

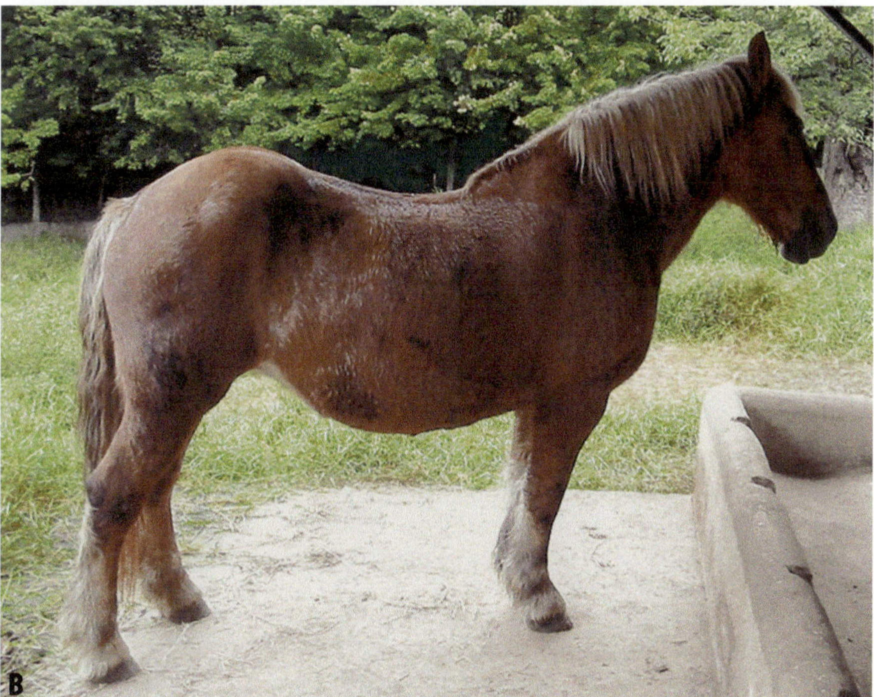

Figura 23.1 – (*A* e *B*) Cavalos idosos.

Sintomas do Envelhecimento

Visualmente, podemos observar:

- Branqueamento dos pelos ao redor dos olhos, têmporas e narinas (Fig. 23.3).
- Aumento do afundamento dos sulcos acima dos olhos.
- Maior arqueamento do dorso (Fig. 23.4).
- Aumento da proeminência da coluna vertebral (Fig. 23.4).
- Queda do lábio inferior.
- Alterações dentárias (Figs. 23.5 e 23.6).

Entretanto, além das alterações visuais, ocorrem profundas mudanças fisiológicas no organismo animal:

- Apetite diminuído: aumentam as necessidades de alimentos altamente digeríveis pelo animal, que tem seu apetite diminuído, o que aumenta ainda mais as necessidades de alimentos de melhor qualidade.
- Faculdades digestivas e metabólicas reduzidas ou perturbadas: o animal come menos alimento e ainda tem comprometida sua capacidade de digeri-los, aumentando a necessidade de alimentos de melhor qualidade.

Figura 23.2 – Égua de 22 anos de idade, bem manejada e alimentada por toda a vida, manteve a aparência de mais jovem e alterações fisiológicas pouco acentuadas.

- Catabolismo sobrepõe-se ao anabolismo: isto é, o animal passa a destruir tecidos ao invés de produzi-los.
- Reservas corporais se esgotam: a capacidade de manter estoque de nutrientes, tão comum nos jovens, está seriamente comprometida nos animais idosos.
- Desequilíbrios hormonais, como com o excesso de produção de corticoides que comprometem a recuperação.
- Imunidade está diminuída, predispondo o animal a complicações infecciosas.

O envelhecimento debilita e compromete irreversivelmente os órgãos, afetando a absorção de nutrientes alimentares e modificando as necessidades nutricionais do animal, que passa a necessitar de nutrientes de melhor capacidade de absorção.

O cavalo idoso deve receber uma alimentação diferenciada, com uma dieta altamente palatável, concentrada e de fácil digestão, de forma que receba, em pequenas porções de alimento, grande quantidade de nutrientes, equilibradamente com todos os grupos de nutrientes.

Tabela 23.1 – **Idade comparativa do cavalo e do homem**

Cavalo	Homem
6 meses	6 anos
12 meses	10 anos
2 anos	16 anos
Acima de 2 anos	16 + (y × 3) anos*

* Sendo y = idade do cavalo menos 2. Por exemplo, cavalo de 10 anos: 16 + (8 × 3) = 40 anos; cavalo de 15 anos: 16 + (13 × 3) = 55 anos; cavalo de 20 anos: 16 + (18 + 3) = 70 anos.

Alterações Fisiopatológicas Ligadas ao Envelhecimento

Em animais jovens, há uma reserva muito grande de nutrientes, de até três vezes a necessidade diária do animal, o que o torna facilmente adaptável às mais adversas condições e apto a tolerar situações de estresse e desequilíbrios nutricionais.

Figura 23.3 – Branqueamento da face.

978-85-7241-869-0

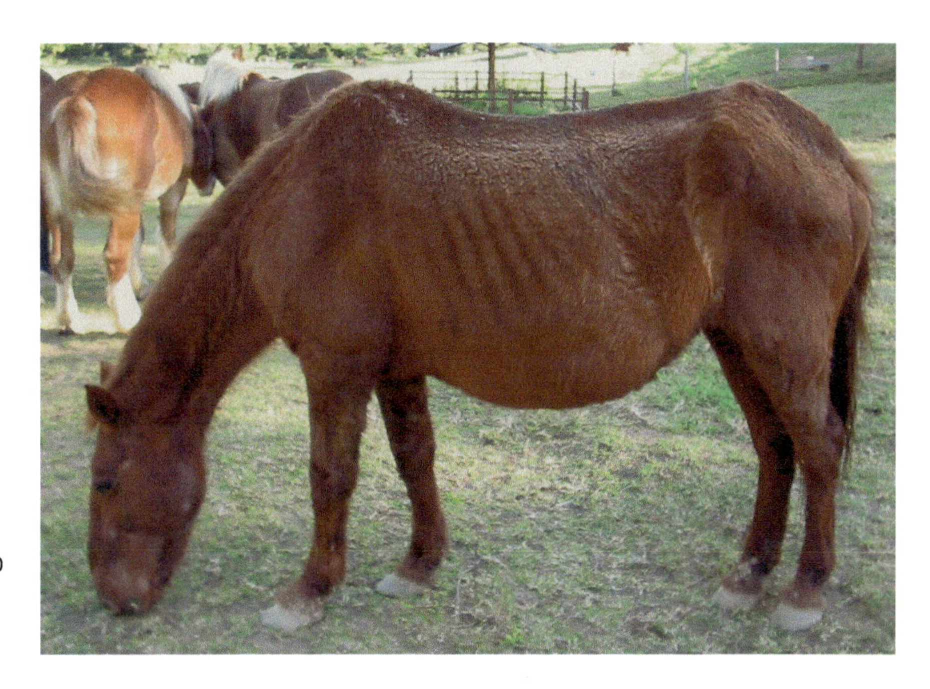

Figura 23.4 – Arqueamento do dorso e proeminência da coluna.

Seus órgãos utilizam apenas 25% de seu potencial, mantendo uma reserva além de suas necessidades.

Entretanto, cabe destacar que manter o animal em permanente situação de estresse ou em estresse recorrente e desequilíbrios nutricionais por períodos prolongados certamente comprometerá a longevidade deste animal jovem, que envelhecerá mais rapidamente, esgotando as citadas reservas, comprometendo o funcionamento do seu organismo e obrigando a alterações mais drásticas na dieta para uma melhor qualidade de vida.

À medida que o organismo animal envelhece, esgotam-se as reservas e diminui a capacidade dos órgãos, sendo fundamental uma alteração nutricional que melhor se ajuste às necessidades nutricionais do idoso.

Ocorrem alterações de comportamento e atitudes, perda de memória, apatia, indiferença em relação ao meio ambiente e ainda a depressão mental devido à deterioração do sistema nervoso.

O animal fica mais sujeito à desidratação, pois há diminuição da sede, que diminui ainda o apetite e altera as preferências alimentares.

Os sentidos do olfato e paladar diminuem em capacidade de identificação dos alimentos, o que pode levar a quadros de inapetência e possivelmente intoxicações alimentares.

Alterações Hormonais

As principais alterações hormonais observadas são as reduções de hormônios sexuais, insulínicos e somatotropínicos.

A queda dos hormônios sexuais leva a uma diminuição da libido e da função de reprodução.

A diminuição da insulina propicia uma intolerância metabólica aos glicídios e favorece o aparecimento do pré-diabetes ou do diabetes crônico.

A falta dos hormônios somatotropínicos compromete o anabolismo, especialmente a proteossíntese, alterando produção enzimática, osteogênese, desenvolvimento muscular e imunidade.

Como consequência da diminuição da produção enzimática, há maior necessidade de alimentos concentrados de alta digestibilidade e uma dieta em perfeito equilíbrio.

O comprometimento da osteogênese (renovação da trama proteica dos ossos) induz à desmineralização óssea, levando à osteoporose senil, observada por deformações ósseas e osteoartrite, com dores articulares e claudicações, aumentando a possibilidade de fraturas.

A deficiência de hormônios anabolizantes leva a uma dissolução muscular, observada nos músculos da face, como o masseter, e nos grupos musculares do corpo, como cernelha, espinha dorsal, garupa, ponta dos ísquios e base da cauda.

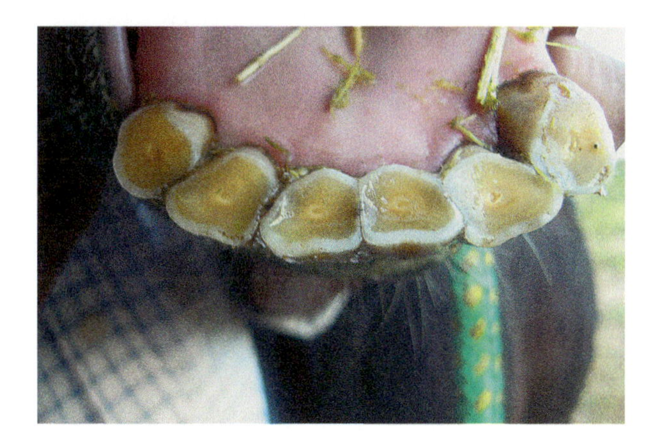

Figura 23.5 – Alteração dentária. Sem distinção de conformação da mesa dentária. Animal de 27 anos de idade.

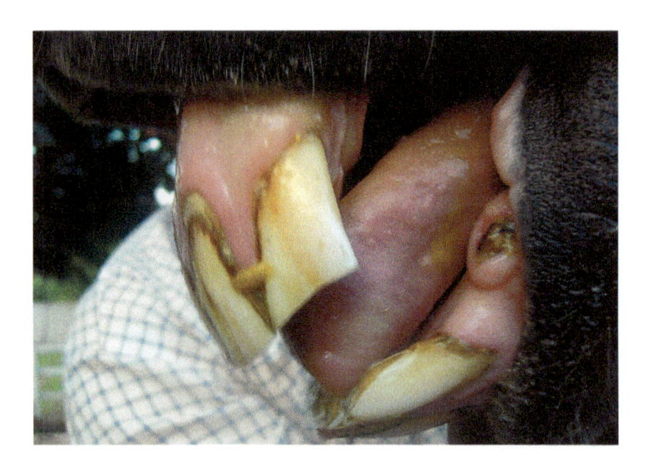

Figura 23.6 – Arcada dentária mais proeminente, característica de animal idoso. Observe o desgaste do canino. Animal de 27 anos de idade.

A queda da proteossíntese diminui a elaboração de imunoglobulinas, comprometendo a imunidade do animal, predispondo o animal a doenças infecciosas, como gripe, bronquite e pneumonia, e a infecções de todas as feridas, comprometendo o processo de cicatrização.

Alterações Fisiológicas

Aparelho Digestivo

O desgaste excessivo dos dentes compromete a mastigação e a trituração adequadas dos alimentos, comprometendo a absorção dos nutrientes. Pode ainda propiciar o aparecimento de quadros de cólicas se a alimentação for grosseira.

A queda das secreções salivares compromete o umedecimento dos alimentos, afetando consideravelmente o trânsito intestinal.

A redução da produção de ácido clorídrico limita a redução do pH gástrico, comprometendo a digestibilidade do cálcio e a pré-digestão de proteínas.

A diminuição de secreções enzimáticas aumenta os riscos de dismicrobismo, pois a digestão de proteínas, glicídios e lipídeos, em nível intestinal, está comprometida.

A diminuição do tônus da musculatura lisa do intestino delgado favorece obstruções quando o animal se alimenta de forrageiras grosseiras, que deverão estar mal trituradas pelo desgaste dentário, predispondo ao aparecimento de síndrome cólica e dismicrobismo.

Fígado

O desgaste natural do fígado, órgão responsável pela desintoxicação do organismo, torna o animal mais sujeito às intoxicações exógenas e endógenas. Em dietas ricas em proteína, por exemplo, aumentam os riscos de endotoxemias pelo excesso de amina.

Também estará comprometida a glicemia e a ressintetização de aminoácidos, fundamentais ao anabolismo proteico. Dessa forma, muitos aminoácidos que antes não eram essenciais passam a ser essenciais, obrigando a uma suplementação extra na dieta de aminoácidos e não de proteína.

O metabolismo de ácidos graxos essenciais de origem alimentar fica comprometido, resultando em menor produção de prostanoides (prostaglandinas, prostaciclinas e tromboxanos) e um desequilíbrio entre eles que compromete a coagulação sanguínea.

As reservas de oligoelementos e vitaminas lipossolúveis também ficam comprometidas, tornando o organismo mais dependente de fornecimento pela dieta.

Rins

O animal passa a ter uma insuficiência renal crônica, que leva a problemas de mineralização óssea, pois ocorre perda de vitamina D e retenção de fósforo.

Ocorre ainda diminuição da excreção de dejetos proteicos (aminas e amônia) agravando os quadros de alterações fisiológicas, podendo ainda agravar o quadro cerebral, com torpor, diminuição do dinamismo, depressão, etc. Deve-se ter maior cuidado ainda com as dietas ricas em proteína.

Sistema Cardiorrespiratório

Ocorre hipoventilação respiratória como sequela de gripe, bronquite, enfisema crônico, reforçado pela atonia dos músculos respiratórios.

Isso reduz a eficácia da captação do oxigênio e perturba também o catabolismo das prostaglandinas, que pode favorecer a dissolução muscular.

As cardiopatias causam fadiga do miocárdio e alteração das válvulas, que perdem sua elasticidade, e são agravadas por insuficiências respiratórias, renais e hepáticas.

Adaptação da Dieta do Cavalo Idoso

Equilíbrio sempre é a temática principal quando se fala em alimentação do cavalo.

No cavalo idoso isso se torna primordial, porém deve ser feito de forma diferente do que se fez nos anos anteriores de vida do animal, quando sua capacidade de aproveitamento e absorção de nutrientes era muito maior.

O objetivo não é combater o envelhecimento, pois este é inevitável.

O que se deve buscar é a adaptação da dieta do cavalo às alterações fisiopatológicas do envelhecimento, para que sejam atenuadas e se possa retardar o envelhecimento.

Quanto mais cedo se fizer essa adaptação, mais eficaz será seu efeito.

978-85-7241-869-0

Lembre-se que a alimentação é apenas um dos fatores. O respeito ao manejo e treinamentos adequados por toda a vida do animal são fundamentais para o sucesso dessa empreitada.

Essa adaptação da dieta deve levar em conta os diferentes aspectos do equilíbrio alimentar: energia, proteínas, minerais e vitaminas. Pode ser mais bem potencializada pelos diversos fatores pró-digestivos, como uso de rações de melhor qualidade de absorção, fazer diversas refeições ao longo do dia, preocupação com a qualidade dos dentes do animal, uso de probióticos e prebióticos, etc.

Necessidades Quantitativas

As necessidades quantitativas de cada nutriente, matéria seca, energia, proteína, minerais e vitaminas dependem da atividade do animal e são correspondentes à categoria em que está o animal, além da idade. Esta exige nutrientes de qualidade superior. Se o animal continuar competindo, devem ser calculadas suas necessidades para um animal de esporte. Se for égua em reprodução, calcula-se para a fase correspondente. Se for animal em merecido descanso, calculam-se as necessidades de manutenção, sempre buscando a melhor qualidade nutricional possível.

Necessidades Qualitativas

Fibras

A quantidade de fibra bruta gira em torno de 20 a 24% da matéria seca. Isso propicia uma alta concentração de nutrientes na dieta. Valores superiores a isso podem comprometer a digestibilidade.

Devem-se buscar fibras tenras, emolientes (para manter as fezes com boa consistência), preferencialmente volumosos frescos e no ponto ideal de corte, ou um pouco menos. Se for utilizar feno, que seja de ótima qualidade. Devem-se evitar pastagens, capineiras e fenos grosseiros além do ponto de corte.

O uso de probióticos e prebióticos favorece a absorção e a disponibilidade de nutrientes das fibras alimentares.

Energia

A quantidade de energia do idoso deve ser ligeiramente mais elevada que no animal jovem, preferencialmente de fontes lipídicas, como os óleos, de grande palatabilidade e ricos em ácidos graxos essenciais.

Há maior necessidade de ácidos graxos ômega-3, com ação anti-inflamatória, hipoalergizante e imunoestimulante, que pode ser conseguida com o uso de linhaça (farinha ou óleo) ou de subprodutos do arroz (farelo de arroz gordo ou óleo), ambos com inúmeros benefícios ao organismo animal.

Proteína

As necessidades proteicas da dieta total giram em torno de 11 a 13% de proteína bruta. Entretanto, é mais interessante se preocupar com a qualidade dos aminoácido como lisina, metionina, arginina, leucina, isoleucina e valina e de outros mais, que antes não eram essenciais e que, a partir desse momento e da dificuldade do organismo de disponibilizá-los, podem tornar--se essenciais. Lembrando que a utilização de altos valores proteicos, se já era prejudicial ao animal jovem, aqui se torna um perigo real e maior, devido às deficiências orgânicas que o idoso exibe. Portanto, uma suplementação extra de complexo de aminoácidos pode ser interessante.

Minerais

A relação cálcio:fósforo deve ser entre 1,5 e 2:1.

Devem-se tomar cuidados especiais com o fornecimento de sódio e potássio, limitando-se o uso do primeiro a fim de favorecer a função renal, reduzir a hipervolemia e a hipertensão arterial e manter a atividade cardíaca.

O magnésio tem um papel antiestressante e normocalcêmico, além de favorecer a proteossíntese, juntamente com o zinco e a vitamina A.

A suplementação com microminerais se torna fundamental em razão da menor estocagem hepática, de uma perda renal crescente e de suas funções preventivas em distúrbios como anemia (ferro e cobre), osteodistrofia e artroses (cobre e zinco) e quedas de imunidade (zinco e selênio).

Vitaminas

As necessidades são mais elevadas para todas as vitaminas, pois a vitamina A está menos estocada pelo fígado, a vitamina D é pouco convertida em seus metabólitos ativos e a vitamina E, que exerce forte proteção contra peróxidos, uma das causas do envelhecimento e da queda de imunidade do animal, está menos biodisponível.

A vitamina K e as vitaminas do complexo B são menos sintetizadas pela microflora digestiva. É interessante oferecer uma suplementação em vitamina B_6 (piridoxina), ácido fólico e vitamina B_{12} (cianocobalamina), em razão de suas ações antianêmicas e neuroestimulantes. A levedura de cerveja seca é uma fonte rica e palatável de vitaminas B.

A vitamina C, que em outras fases da vida do animal era dispensável por ser integralmente metabolizada, pode ser necessária pela ação na osteoporose senil e as consequências metabólicas do estresse.

Capítulo 24

Dismicrobismo, Cólica, Osteodistrofia Fibrosa, Doenças Ortopédicas Desenvolvimentares e Estresse

Muitos tipos de patologias estão diretamente ligados a alterações na dieta do cavalo. Selecionei quatro delas aqui por considerá-las fundamentais para o bom desempenho de qualquer categoria e serem problemas frequentes na rotina diária do manejo equestre e, além disso, por serem de relativa facilidade de prevenção.

O estresse foi incluído devido à sua importância, não como patologia de origem alimentar, mas sim por afetar drasticamente o resultado, comprometendo uma boa nutrição.

Uma ressalva se torna fundamental neste tópico. Vamos abordar apenas as possíveis causas e consequências de algumas patologias. Seu tratamento e prevenção devem ser peças fundamentais para o bom desempenho do animal e a consulta frequente de um médico veterinário competente ser torna indispensável.

Dismicrobismo Ceco-cólico

O dismicrobismo é uma alteração da flora digestiva natural do cavalo, permitindo que a flora patogênica se manifeste com consequências nefastas.

Para se falar sobre o dismicrobismo, devemos nos lembrar da importância que a flora intestinal natural tem na vida do cavalo.

Reportando-nos aos capítulos sobre aparelho digestivo do cavalo e suplementos, quando discutimos os probióticos, lembramos que os cavalos são totalmente dependentes destes microrganismos que vivem em seu aparelho digestivo, pois são eles os responsáveis pela quebra das fibras de celulose da dieta natural do cavalo, além de produzirem e disponibilizarem as vitaminas do complexo B, essenciais ao bom funcionamento do organismo.

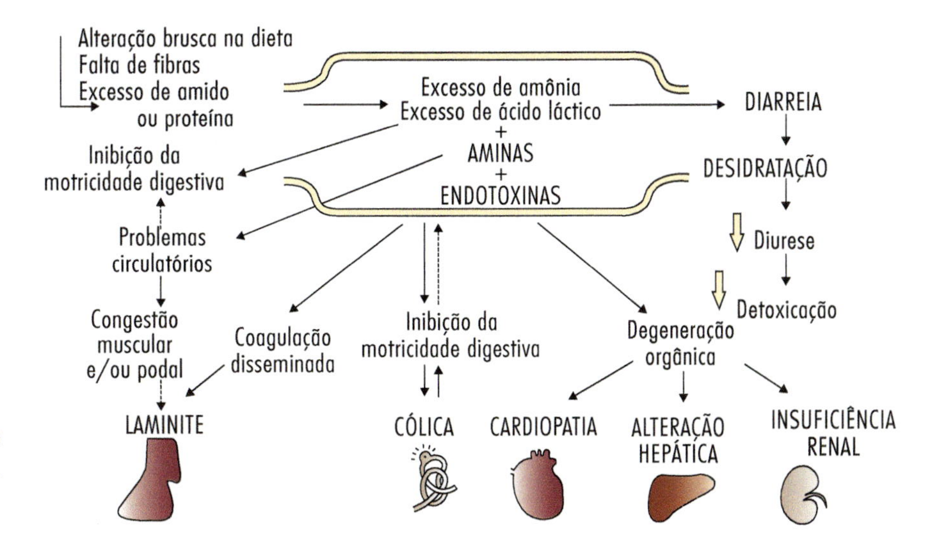

Figura 24.1 – Dismicrobismo ceco-cólico. Adaptado de Wolter[1].

O dismicrobismo pode ocorrer por alterações bruscas na dieta ou no manejo do animal (devido ao estresse), falta de fibras na dieta (lembre-se que as fibras são o alimento da flora intestinal saprófita do animal), excesso de amido ou energia dietética ou excesso de proteína dietética.

Os fatores citados anteriormente levam à produção excessiva de amônia e aminas e excesso de produção de ácido láctico, levando a um quadro de endotoxemia, pois as bactérias saprófitas, benéficas ao organismo, não conseguem sobreviver nessas condições, permitindo uma proliferação das bactérias patogênicas, como *Salmonella* sp., *Escherichia coli*, *Clostridium* sp. Isso leva a uma série de quadros fisiopatológicos maléficos ao animal.

Ocorrem problemas circulatórios que causam inibição da movimentação intestinal e congestão muscular ou podal, levando a quadros de laminite (pododermatite asséptica difusa – aguamento). Também ocorre coagulação disseminada que predispõe a laminites.

A inibição da motricidade digestiva – os movimentos peristálticos – do intestino predispõe à síndrome cólica, que inibe ainda mais a movimentação intestinal, agravando ainda mais a cólica.

As endotoxinas produzidas levam a degenerações orgânicas, predispondo o animal a cardiopatias, alterações hepáticas e insuficiência renal, o que agrava ainda mais a endotoxemia.

Os excessos de ácidos intestinais predispõem a quadros de diarreia, levando à desidratação do animal, diminuindo a diurese, que diminui a desintoxicação do organismo, comprometendo ainda mais os rins e o fígado.

Dessa forma, tendo em vista a gravidade e as consequências nefastas que o desequilíbrio da flora intestinal traz ao animal, isso deve ser evitado ao extremo.

A busca por condições adequadas de instalações, manejo e alimentação para o cavalo, evitando situações que possam levar ao estresse, previne de forma fácil e tranquila esses tipos de alterações.

A Figura 24.1 resume os problemas do dismicrobismo ceco-cólico.

Cólicas

É a forma mais comum de se manifestar um erro na dieta do cavalo.

Por suas características anatômicas, o cavalo é um animal muito sensível a esses distúrbios e, quando por eles acometido, deita e rola (Fig. 24.2), muitas vezes com violência, podendo se machucar.

Como são inúmeros os fatores que levam a essa patologia e inúmeras suas manifestações, é chamada de síndrome cólica.

Em linhas gerais, as principais causas da síndrome cólica estão descritas a seguir, iniciando-se pelas cólicas gástricas.

O que se pode observar, é que todas as causas aqui relacionadas são por erros de manejo, seja na qualidade ou na quantidade do que se faz ou se oferta ao animal. Desta forma, podemos observar que a imensa maioria, no mínimo 95%, das cólicas que acometem os equinos, são causadas pelo homem, portanto, passíveis de serem evitadas, apenas ajustando-se o manejo diário às reais necessidades dos animais.

Cólicas Gástricas

Dois são os principais grupos de causas da síndrome de cólica gástrica:

I. Erros no fornecimento de água:

- Fornecimento muito rápido.
- Água muito fria.
- Muito irregular.
- Muito rara.

978-85-7241-869-0

Figura 24.2 – Cavalo em postura típica de cólica, deitando e rolando para tentar aliviar a dor. Muitos cavalos têm essa mesma atitude com o intuito de simplesmente coçar o dorso, bem como éguas em final de gestação, a fim de acomodar o potro para o momento do parto. Foto: Paula da Silva.

O cavalo é extremamente sensível às alterações no padrão alimentar, inclusive no que diz respeito à água, pois uma água muito fria pode causar vasoconstrição dos vasos do estômago, levando a um quadro de cólica. Isso também pode ocorrer se o animal tomar a água muito rapidamente, principalmente após esforço físico, ou se houver inconstância no fornecimento de água ou mesmo restrição ao acesso à água.

II. Excesso de concentrado:

- Ingestão muito rápida.
- Ingestão muito abundante.
- Produtos facilmente fermentáveis (açúcares e amidos).

Essas etiologias normalmente levam a quadros de dilatação, indigestão ou congestão gástrica.

Cavalos que têm o hábito de comer a ração muito rapidamente trituram pouco o alimento e, principalmente, produzem quantidade menor de saliva que seria utilizada no umedecimento do bolo alimentar, facilitando o processo digestivo e o trânsito intestinal.

A ingestão de grandes quantidades de alimento concentrado por refeição, acima de 0,5kg/100kg de peso vivo, causa uma sobrecarga intestinal, devido ao pequeno tamanho do estômago, conforme descrito no Capítulo 12, levando a um processo de dilatação gástrica e consequente cólica.

Alimentos altamente fermentescíveis provocam produção excessiva de gases, levando a quadros de cólicas gasosas com dilatação gástrica.

Deve-se ressaltar aqui que a ração não é causa de cólicas em equinos como muitos pensam e atribuem. Ração de boa qualidade e boa procedência, por si só, não é causadora de cólica em equinos. O mau uso da ração, isto é, o mau manejo desta ração, disponibilizada erroneamente ao animal é que pode causar cólica. É muito importante levar isso em consideração, pois ao se atribuir a culpa das cólicas às rações, e se o culpado é o manejo errôneo e não o mudarmos, estaremos constantemente sujeitos a problemas de cólicas e, novamente, quem paga pelos nossos erros são os equinos, muitas vezes com a própria vida.

Cólicas Intestinais

Podem ser de três tipos: estase intestinal, dismicrobismo e obstrução intestinal.

A estase intestinal é a parada do movimento do intestino. Diversas podem ser suas causas:

- Ingestão de palha em grande quantidade.
- Leguminosas meteorizantes – que proporcionam formação de gases (alfafa, principalmente fresca).
- Estresse ou dor.

Diversos tipos de alimentos de baixa digestibilidade, por excesso de lignina, têm seu processo digestivo mais lento. Se a quantidade for muito elevada, podem obstruir o lúmen intestinal, causando estase e levando a quadros de cólicas.

Outros alimentos, como alfafa fresca, por suas características, quando em fornecimento *ad libitum* ao animal, podem induzir à formação de gases intestinais, levando a quadros de cólicas.

E, por fim, situações de estresse ou dor intensa podem provocar a estase intestinal, levando a quadros de cólicas.

O dismicrobismo compreende as alterações da flora intestinal, que levam a graves quadros de cólicas, como:

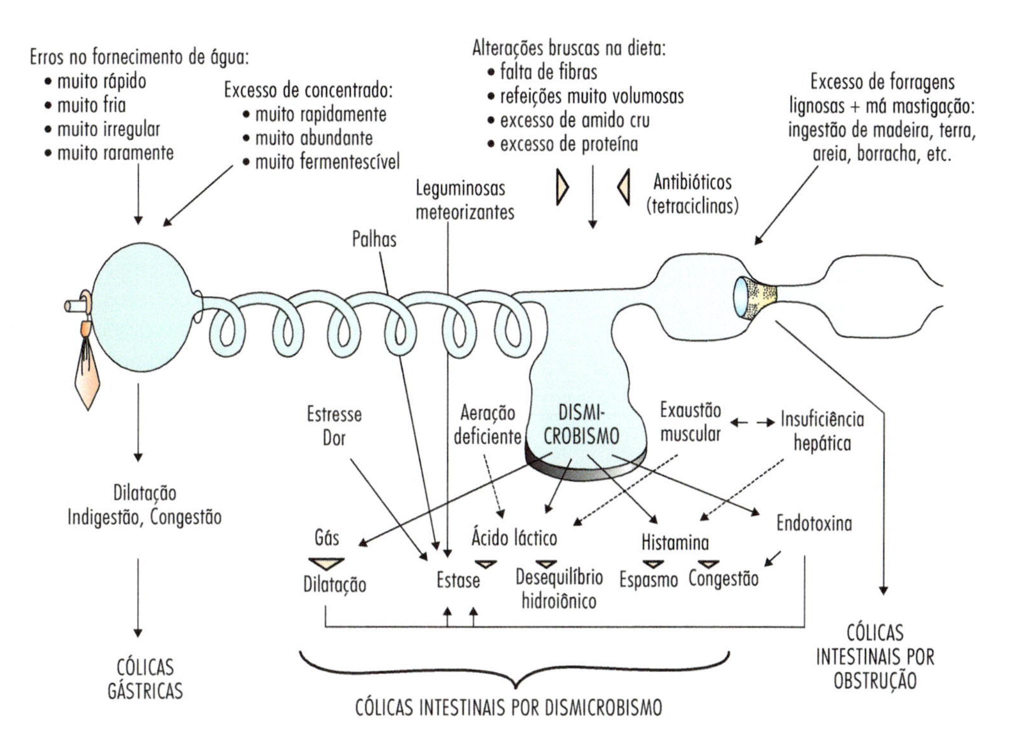

Figura 24.3 – Resumo das principais causas de cólicas de origem alimentar e de manejo. Adaptado de Wolter[1].

- Produção de gases (causando dilatação).
- Alta produção de ácido láctico (causando desequilíbrios hidroiônicos).
- Produção de histaminas (causando espasmos e congestão).
- Produção de endotoxinas (causando congestão e dilatação).

As causas de cólicas por dismicrobismo podem ser diversas, como:

- Leguminosas meteorizantes que proporcionam formação de gases, levando a cólicas gasosas.
- Alterações bruscas na alimentação, que podem causar:
  - Em dietas ricas em grãos, causam deficiência em fibras, diminuindo a fonte de alimento dos microrganismos.
  - Refeições muito volumosas, que dificultam a digestão de todo o alimento. Quanto mais fracionadas forem as refeições do cavalo, melhor será o aproveitamento.
  - Excesso de amido, como com grãos, que será digerido pelos microrganismos, ao invés de sofrer digestão enzimática, causando desequilíbrio na produção de ácidos graxos, tornando o ambiente não propício à microflora intestinal.
  - Excesso proteico: pelo excesso de amina, que causa morte de parte da microflora digestiva por enterotoxemia.
- Uso excessivo de antibióticos, como tetraciclinas, que, em doses elevadas e prolongadas, podem matar a microflora intestinal.

A obstrução intestinal é causada principalmente por:

- Excesso de forragem lignosa (fibra grosseira, não digerível).
- Má mastigação.
- Ingestão de areia, terra, madeira, borracha.

A Figura 24.3 resume de forma simples as principais causas de cólica, todas ligadas a um problema de manejo, ou seja, corrigindo-se o manejo, previne-se a imensa maioria dos quadros de cólicas.

Osteodistrofia Fibrosa

O hiperparatireoidismo nutricional secundário ou osteodistrofia fibrosa, doença também conhecida como "cara inchada", está relacionado ao aumento da liberação de um hormônio, o hormônio da paratireoide, que atua retirando cálcio dos ossos para a corrente sanguínea.

Esse hormônio é liberado quando se observa uma alteração na relação cálcio:fósforo (Ca:P) na corrente sanguínea. Essa relação deve ser próxima de 2:1.

Quando houver desequilíbrio sanguíneo nessa relação, com aumento da quantidade de fósforo no sangue, o organismo vai tentar reequilibrá-lo retirando cálcio do maior reservatório do corpo do animal, que são os ossos.

Ocorre que os ossos também necessitam de cálcio, pois é este que dá consistência a eles. Os primeiros ossos a sofrerem com a retirada do cálcio são os da face.

Figura 24.4 – Potro de três anos, com aumento de volume dos ossos da face devido à osteodistrofia.

Quando ocorre a retirada do cálcio dos ossos da face, o tecido ósseo precisa ser substituído e há uma proliferação de tecido conjuntivo (aerado) no local onde seria o osso: esse tecido possui um volume maior, dando a aparência de que o cavalo está com a cara inchada (Fig. 24.4). Em estágios mais avançados, atinge também os outros ossos do arcabouço equino (Fig. 24.5).

Basicamente, são quatro os fatores que podem causar essa enfermidade:

- Deficiência de cálcio na alimentação: com a baixa oferta de cálcio, ocorre uma menor absorção para a corrente sanguínea, diminuindo os níveis de cálcio e a relação Ca:P.
- Excesso de fósforo na alimentação: mesmo que os níveis de cálcio estejam corretos na alimentação, o excesso de fósforo causará o desequilíbrio na relação Ca:P. Esse excesso de fósforo normalmente está ligado ao consumo excessivo de grãos de milho ou farelo de trigo ou de certas gramíneas, como *napier*.
- Ingestão de oxalato: o oxalato é uma substância presente em algumas forrageiras, que, ao ser absorvida pelo organismo, se une ao cálcio formando um quelato, tornando-o indisponível e impedindo que este possa cumprir suas funções vitais. Alguns tipos de pastagens são ricas em oxalato e, sempre que possível, devem ser evitadas para não prejudicar o animal, como a setária, o quicuio e alguns tipos de braquiárias.
- Deficiência de vitamina D: esta vitamina é necessária para que o cálcio seja absorvido pelo organismo; em sua ausência, ocorre desequilíbrio na relação Ca:P. Essa causa é rara, pois ocorre apenas em cavalos que não tomam sol.

978-85-7241-869-0

O principal sintoma observado é o aumento de volume dos ossos da face do animal, em geral bilateral, e em alguns casos uma ligeira claudicação sem causa aparente.

O principal tratamento é a correção da causa primária, como aumentar a administração de cálcio (nos casos de deficiência deste), diminuir o fósforo (quando em excesso) e evitar pastagens ricas em oxalato.

Nos estágios iniciais, pode ser suficiente corrigir a causa primária.

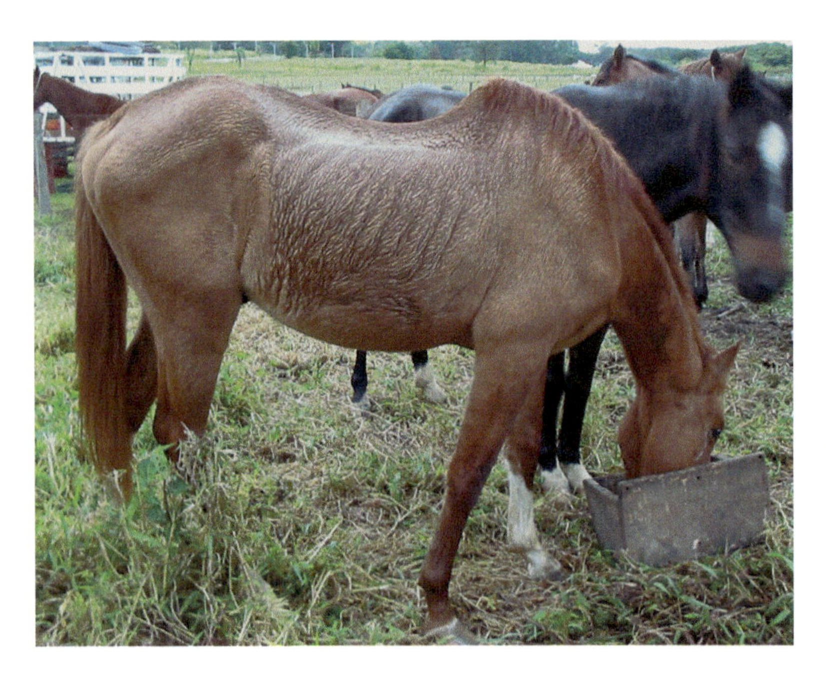

Figura 24.5 – Potro de três anos de idade, em estágio avançado de deficiência de cálcio, apresentando deformidades, arqueamento acentuado da coluna, emagrecimento e claudicação.

Em estágios mais avançados, deve-se proceder à administração maciça de cálcio, além de medicamentos que auxiliem na absorção deste cálcio, nem sempre alcançando êxito.

É fundamental começar o tratamento nos estágios iniciais, pois, em casos graves, a "cara inchada" pode levar o animal à morte por obstrução dos seios nasais, impedindo a respiração.

O melhor tratamento é a prevenção. Esta deve ser feita alimentando-se adequadamente o animal, com rações balanceadas de boa procedência, capim ou feno de boa qualidade, sal mineral à vontade em cocho separado. Ressaltando aqui que o sal mineral deve fazer parte da dieta normal do cavalo, diariamente, e não apenas quando se observar uma deficiência.

O animal deve tomar sol por algumas horas por dia para sintetizar a vitamina D necessária para a absorção do cálcio.

Doenças Ortopédicas Desenvolvimentares

As doenças ortopédicas desenvolvimentares (DOD) incluem todos os distúrbios do crescimento em geral, que resultam em qualquer alteração na formação óssea normal.

Entre as DOD mais comuns, temos osteocondrose, osteocondrite dissecante, deformidades de flexura adquirida, deformidades angulares de pernas, deformidades de flexura congênita, aumento de volume dos jarretes, artropatia congênita, entre outras.

Têm como causas principais fatores genéticos, nutricionais ou traumáticos.

Os fatores nutricionais são os mais encontrados, em razão da pouca preocupação ou da desinformação de muitos criadores e proprietários de cavalos, que, no afã de tratarem bem seus animais, propiciam uma alimentação extremamente desequilibrada, a maioria das vezes pecando pelos excessos nutricionais.

Por exemplo, o consumo excessivo de energia dietética por éguas prenhes ou por potros novos e de sobreano favorece o crescimento muito rápido dos ossos dos potros (lembre-se que o ideal é um crescimento ótimo e não um crescimento rápido), levando a uma pressão excessiva nas placas de crescimento, que pode levar a deformidades angulares das pernas por um crescimento desigual dos membros ou ainda a quadros de osteocondrose, com deformidades de angulação, osteocondrites, aumento de volume dos boletos, artropatias, etc.

A obesidade da égua ainda pode levar a um mau posicionamento fetal ou a uma movimentação uterina inadequada, que predispõe a deformidades congênitas de flexura (Fig. 24.6, *A* e *B*).

Esse consumo excessivo de energia dietética pode ser oriundo de rações muito energéticas, rações em excesso, rações muito ricas em proteína, consumo excessivo de alfafa ou outros alimentos ricos em proteína, etc.

Por fatores genéticos, temos ainda uma má absorção de elementos minerais, como cálcio, fósforo e zinco, ou ainda podem ocorrer má formação óssea ou ossatura fina, que favorecem o aparecimento de osteocondroses e suas consequências citadas anteriormente.

Por fatores traumáticos, temos excesso de exercícios em piso excessivamente duro, claudicação da perna oposta, traumatismo direto nas cartilagens, etc.

Importante observar que a alimentação equilibrada, ofertando ao animal o que ele realmente necessita, sem deficiências nem excessos, baseando essas ofertas em tabelas nutricionais oriundas de anos de pesquisas, facilmente previne as DOD de origem nutricional, que são a imensa maioria.

Caso o potro venha a apresentar alguma manifestação clínica das DOD, deve-se reduzir drasticamente a energia dietética disponível, buscar a redução do trauma articular conforme cada caso e restringir o exercício físico até o desaparecimento dos sintomas.

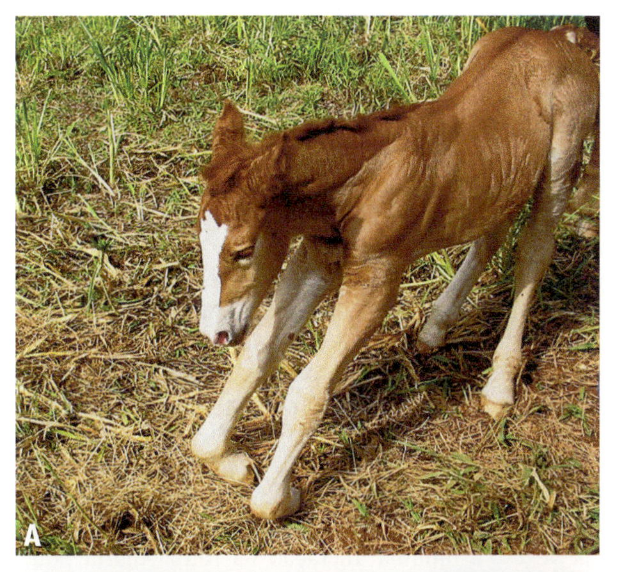

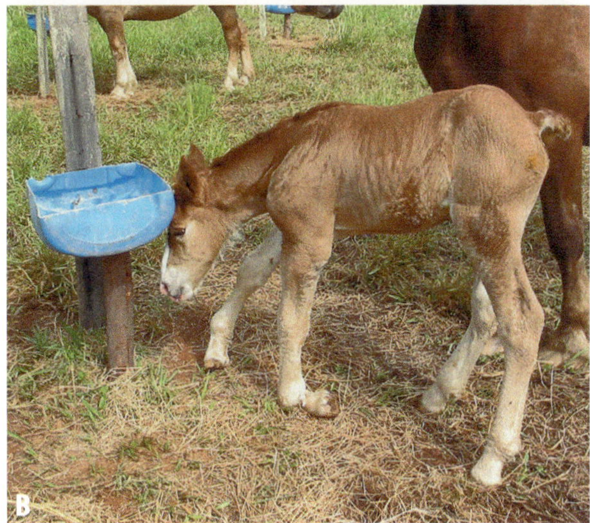

Figura 24.6 – (*A* e *B*) Potro com contratura de tendão.

Estresse

Apesar de o estresse não ser uma patologia de origem alimentar, exerce profunda influência no resultado da alimentação, mesmo que adequada, interferindo profundamente no desempenho do animal.

O cavalo é um animal de hábitos, gosta de pontualidade em seu manejo e treinamento diário e sua evolução nos milhões de anos foi sempre como presa, em liberdade, e como animal herbívoro. O respeito a essas condições mantém o animal calmo e tranquilo, exercendo um efeito benéfico em sua saúde e desempenho atlético.

Dessa forma, se alterarmos sua rotina diária, alimentando-o em horários alternados, realizando um manejo inadequado com treinamentos além de sua capacidade física e mental, sendo manuseado por equipe não competente ou capacitada para entendê-lo e compreendê-lo, sempre encurralando-o ao ser tratado, mantendo-o confinado em excesso e sem o alimento volumoso necessário, certamente teremos problemas de estresse no animal.

O estresse pode ser físico ou mental. Excessos sempre são prejudiciais e devemos então ter cuidados para que esses problemas citados, isolados ou conjuntamente, não façam parte da rotina de nosso animal.

Muitos hão de dizer que ter um cavalo é então complicado. De certa forma sim e não. Não é complicado, pois basta conhecer o animal, como funciona, pensa, age e enfrenta a rotina diária para termos o melhor companheiro do mundo. É complicado, pois muitos acham que para se ter um cavalo basta colocá-lo em uma cocheira com ração que tudo se resolve. Isso jamais pode ocorrer. São os primeiros passos para a instalação do estresse no cavalo e suas consequências.

É interessante observar ainda que muitas pessoas ditas do cavalo, "profissionais" que vivem disso, não têm a mínima preocupação com o bem-estar dos animais ou o que quer que esteja afligindo o animal. Muitas vezes, a mínima alteração da rotina diária pode resolver situações de estresse, para o bem e para o mal.

O estresse no cavalo, como citado, pode ocorrer por diversos fatores que afetem a rotina e a tranquilidade diária do animal. Pode ser por transporte, superpopulação, erros alimentares, desmame, alterações de regime alimentar (mudanças de ração, por exemplo), trabalho muito intenso, competições, etc.

Quando o animal é submetido a essas condições, ocorre uma série de alterações fisiopatológicas que interferem na absorção de nutrientes da dieta, além de causarem problemas de saúde ao animal.

Essas alterações são muito semelhantes às descritas, no Capítulo 23, do cavalo idoso. Apenas cabe ressaltar que no caso do idoso, as alterações são irreversíveis, cabendo a nós apenas amenizá-las e retardá-las ao máximo, e no caso do estresse podem ser plenamente atenuadas, senão eliminadas.

O processo fisiopatológico inicia-se causando uma diminuição da irrigação sanguínea intestinal, levando a um quadro de anorexia. Ocorre uma diminuição das enzimas digestivas e da vitalidade do trânsito intestinal, diminuindo consideravelmente a absorção de nutrientes.

Com isso, ocorre o chamado dismicrobismo, citado anteriormente neste capítulo, levando a uma ação predatória dos microrganismos patogênicos existentes no aparelho digestivo do cavalo, permitindo uma ação mais intensa de *Salmonela* sp., *E. coli* e *Clostridium* sp., diminuindo assim a disponibilidade de glicose e aminoácidos, além de predispor a quadros de diarreias e enterotoxemias.

Quando o estresse persiste, ocorrem distúrbios gastrointestinais, com hipomobilidade gástrica, que levam a quadros de cólicas e úlceras gástricas. Em estudos feitos nos Estados Unidos, levantou-se que 70% dos cavalos estabulados têm quadros de úlcera gástrica pelo excesso de confinamento. Esse mesmo estudo ampliado observou que 100% dos cavalos que vivem em regime de pastagem, quando estabulados abruptamente, desenvolvem quadros de úlcera nos primeiros 30 dias após a estabulagem. A manutenção ou cura dessa úlcera dependerá do manejo imposto ao animal.

Ocorre ainda uma involução das vilosidades intestinais, diminuindo a área de absorção do estômago e do intestino, causando má digestão e má absorção dos nutrientes.

Quando o estresse é muito intenso e persistente, leva a uma regressão pancreática, diminuindo produção e liberação de insulina, reduzindo assim a disponibilidade energética intracelular. Em seguida, ocorre uma involução hepática com esteatose, comprometendo a integridade do organismo.

Ocorrem então perturbações hormonais, com liberação de corticoides e catecolaminas, o que diminui a imunidade do animal e aumenta o catabolismo, isto é, o organismo inicia um processo interno de degradação prejudicial ao seu bom funcionamento. Esse catabolismo é representado pelo aumento de consumo de proteína muscular, o que eleva ainda mais os detritos proteicos, complicando a homeostasia.

Observa-se ainda um aumento da produção de ácido láctico.

Essa é uma situação complexa, que afeta quase todos os órgãos e sistemas do organismo animal, comprometendo profundamente o seu desempenho.

Como se pode observar, o estresse, além de comprometer a integridade mental do animal, compromete a integridade física, pois impede a absorção de nutrientes da dieta.

Dessa forma, o estresse precisa e deve ser combatido para um melhor estado de saúde e desempenho do animal, quer seja no crescimento, na reprodução ou no trabalho esportivo.

E para combatê-lo basta entender, compreender e aprender o que é e como vive o cavalo e respeitar da melhor forma possível suas necessidades e modo de vida.

REFERÊNCIA BIBLIOGRÁFICA

1. WOLTER, R. *Alimentation du Cheval*. Paris: Editions France Agricole, 1994.

Apêndice 1

Como Avaliar um Produto Nutricional

Há cinco anos existiam apenas quatro ou cinco empresas de suplementos no mercado. Hoje passam de 50. Muitas são oportunistas. Outras produzem produtos de real qualidade.

É difícil a decisão do consumidor pelo que optar. Qual produto, qual empresa. São tantos os produtos semelhantes, fabricados por esta ou aquela empresa. Como saber qual a melhor?

A avaliação de um produto comercial deve ser feita levando-se em consideração três fatores:

1. A aparência do produto, que inclui a embalagem, a marca por trás do produto, o preço e o produto propriamente dito.
2. As informações do fabricante constantes do rótulo e denominadas nível de garantia.
3. A experimentação científica, pessoal ou de terceiros.

Avaliação Baseada na Aparência

Essa avaliação é, obviamente, subjetiva, porém nos dá um indicativo da qualidade do produto, ou ao menos da preocupação da empresa que o fabrica com um possível posicionamento de mercado de maior ou menor qualidade.

Embalagem

A embalagem é o primeiro contato que temos com um produto. Um cuidado especial tem norteado as empresas quanto a isso para posicionar o produto como acima da média com uma embalagem de melhor qualidade, que facilite a utilização e com uma aparência agradável ao consumidor.

Embalagens de baixa qualidade, cujos rótulos são difíceis de serem lidos, dificilmente conterão em seu interior um produto de alta qualidade. Essa é e deve sempre ser uma preocupação do consumidor.

Uma embalagem deve ser de fácil manuseio, resistente e com rótulo que contenha informações relevantes para o consumidor, que possam servir de auxílio para sua utilização.

A embalagem dever estar intacta, pois qualquer dano na embalagem pode causar alteração no produto, dependendo da composição da embalagem.

Marca

O fabricante ou a empresa que detém os direitos sobre o produto também pode ser um fator relevante.

A existência de diversas empresas no mercado desnorteia o consumidor, fazendo com que este não saiba o que utilizar.

Novas empresas surgem no mercado a todo momento, lançando produtos destinados a este mercado.

Antes de adquirir um produto desta ou daquela empresa, devemos procurar conhecê-la melhor, não baseando nossa escolha pela empresa apenas porque é antiga no mercado. Isso não é necessariamente atestado de qualidade. Isso é apenas mais um indicativo de que, se ela se mantém no mercado, algo de diferente ela deve ter. Algumas empresas boas, porém, estão surgindo e colocando produtos de qualidade no mercado e ainda são de nomes desconhecidos.

Preço

Esse é um forte indicativo de qualidade.

Qualidade e preço são dois fatores que andam muito próximos, porém de uma maneira que normalmente não agrada ao consumidor: boa qualidade, preço alto.

Não é possível produzir um produto de alta qualidade com preço muito abaixo da concorrência. Isso deve servir de alerta, pois provavelmente o produto em questão não deverá cumprir o que se deseja.

Entretanto, o inverso não é verdadeiro. Somente porque um produto é caro isso não é indicativo de que seja excelente.

Devemos achar um meio-termo entre preço e qualidade. Isso sim é possível.

Produto

E por fim temos a observação do produto propriamente dito.

Deve ser visualmente isento de contaminação, como fungos, por exemplo, no caso de rações, em que são facilmente observados pela simples inspeção visual.

O produto deve ter aparência uniforme (exceto claro, no caso de líquidos que possam segregar), indicando uma boa mistura do produto no momento da fabricação.

A primeira impressão do consumidor é sobre o que está vendo. Investe-se muito na aparência do produto de forma a atrair o consumidor para um produto "bonito", colorido, diferenciado.

No caso específico de rações industrializadas, investe-se muito na produção de produtos laminados, multicomponentes, coloridos, etc., a fim de atrair o proprietário de cavalo. O problema é que isso não é relevante para o principal interessado no produto: o cavalo.

Para o cavalo, o que interessa é o odor e o paladar do produto. Isto é, o cheiro lhe é agradável? E o gosto?

Dessa forma, investe-se muito em palatabilizantes e flavorizantes que sejam agradáveis ao cavalo. Como o cavalo tem preferência por doces, usualmente utilizam-se substâncias que realcem essa característica no produto, quer seja melaço, no caso principalmente de rações, quer sejam flavorizantes de banana, maçã verde, baunilha, etc., de forma que se torne atrativo para o cavalo.

978-85-7241-869-0

Avaliação Baseada no Rótulo

É feita de forma diferente para rações e suplementos.

Essa é uma avaliação bastante objetiva, científica e matemática. É nela que vamos poder avaliar o que aquele produto se propõe a oferecer ao nosso cavalo e em que quantidade.

Suplementos

Todo rótulo deve conter informações obrigatórias pela legislação brasileira, como descrito no Quadro 1:

Devemos então avaliar o produto por etapas:

1. Indicação do produto: para que serve esse produto segundo a empresa fabricante. Dá-nos, obviamente, a condição de saber para que serve o produto.
2. Modo de usar: qual a quantidade diária. Essa informação é importante, pois é por meio dela que saberemos o quanto de nutrientes nosso cavalo estará recebendo diariamente, após realizarmos as contas necessárias (descritas a seguir).
3. Nível de garantia: avaliado em duas etapas:
   - Uma primeira avaliação do rótulo é quanto ao que contém: quais são seus nutrientes, quer sejam vitaminas, minerais, aminoácidos, etc. Essa avaliação de conteúdo qualitativo serve como indicativo de para que serve o produto. Claro que é mais bem avaliada por um profissional capacitado, mas hoje, com as informações de fácil acesso ao público em geral, não é tão complicado um leigo poder avaliar essas informações de forma correta, desde que tenha sede de informações.

- Essas informações também podem servir de parâmetro comparativo entre dois ou mais produtos para saber a proposta de cada um. Apenas devemos ter cuidado, pois um produto com mais nutrientes não significa melhor produto ou que terá efeito superior. Muitas empresas utilizam nutrientes de baixo custo para incrementar um produto sem preocupação com seu real efeito, que pode ser inócuo.
- A etapa seguinte é a matemática. Procurar avaliar o produto conforme a quantidade de nutrientes que contém por quilograma e, tão importante quanto a quantidade por quilograma, é a quantidade a ser ofertada ao animal, recomendada pelo fabricante no modo de usar.
- Essa conta é simples. Todo nutriente deve ter seu nível de garantia descrito claramente no rótulo em relação a 1kg de produto. Portanto, dessa forma, um rótulo descrito como o exemplo do Quadro 1, de um suplemento, significa que em cada dose ofertada ao cavalo teremos os valores descritos na Tabela 1.

Como podemos observar no produto da Tabela 1, muitos nutrientes não atendem às necessidades do cavalo e outros estão muito acima delas.

Claro que é fundamental levar em consideração que a dieta do cavalo é composta de muitos outros ingredientes que oferecem esses e outros nutrientes ao cavalo, portanto o correto é avaliarmos o quanto o cavalo recebe como um todo. Dessa forma, o produto em questão contribui com diversos nutrientes para equilibramos uma dieta.

Mas o problema não está necessariamente nos nutrientes que estão subofertados e que podem ser oferecidos por outros alimentos, mas sim nos nutrientes que estão em excesso, que possivelmente também estarão em outros alimentos, elevando ainda mais a oferta.

Muitas empresas colocam nutrientes de custo baixo em quantidade elevada de forma a impressionar o consumidor, pois, aos olhos deste, quanto mais um produto tiver de um ingrediente, melhor será este produto. E isso não é uma verdade.

Uma boa dieta, equilibrada, deve ter as necessidades do cavalo supridas sem deficiência nem excessos.

Ração

Assim como nos suplementos, os itens constantes do rótulo de ração são semelhantes, acrescidos de eventuais substitutivos (se houver) e do enriquecimento por quilograma de produto.

Dessa forma, um rótulo de ração deverá conter as informações constantes no Quadro 2.

Também deve ser avaliado por etapas:

1. Indicação do produto: para que serve esse produto, segundo a empresa fabricante. Dá-nos, obviamente, a condição de saber para que serve o produto.

Quadro 1 – Informações obrigatórias de constar em rótulo de suplemento (em um exemplo do produto)

- Complemento mineral-vitamínico
- Indicação: alimento complementar recomendado para equilibrar a alimentação diária dos cavalos de esporte, potros em crescimento e éguas em gestação e lactação.
- Modo de usar: administrar 50g por dia (1 medida) na alimentação diária
- Apresentação: potes de 1,5kg
- Níveis de garantia
  - Cálcio: 140g
  - Fósforo: 90g
  - Magnésio: 40g
  - Ferro: 6.000mg
  - Zinco: 3.750mg
  - Cobre: 240mg
  - Vitamina A: 1.080.000UI
  - Vitamina D_3: 180.000UI
  - Vitamina E: 2.900mg
  - Vitamina B_1: 1.000mg
  - Vitamina C: 1.500mg
- Composição básica do produto: calcário calcítico, fosfato bicálcico, iodato de cálcio, óxido de magnésio, óxido de zinco, selenito de sódio, sulfato de cobalto, sulfato de cobre, sulfato de ferro, vitamina A, vitamina B_1, vitamina C, vitamina D_3, vitamina E, cloreto de sódio (sal comum), enxofre ventilado (flor de enxofre), veículo q.s.p.
- Prazo de validade: _____ ano/meses após a data de fabricação, observadas as condições de conservação
- Data de fabricação: _____
- Modo de conservação: armazenar em ambiente seco e arejado sobre estrados, afastado de paredes e devidamente embalado
- Fabricante: _____
- Rótulo registrado no Ministério da Agricultura sob nº _____

q.s.p. = quantidade suficiente para.

2. Níveis de garantia: em uma ração, são padronizados pelo Ministério da Agricultura e devem conter as informações básicas descritas na Tabela 2.
3. Enriquecimento por quilograma de produto: devido ao imenso custo e à dificuldade de avaliar os níveis de macro e microminerais e vitaminas das matérias-primas, convenciona-se atribuir valor nulo a estes nutrientes para efeito de cálculo de dieta. Então, uma ração deve ter adição de um *premix* vitamínico mineral, de modo que garanta um mínimo de aporte de nutrientes ao cavalo. De forma um pouco diferente dos suplementos, cujas doses são inferiores a 1kg, como na ração sempre oferecemos 1kg por dia ou mais, devemos então multiplicar o enriquecimento, que também é dado por quilograma de produto, pela quantidade diária a ser ofertada, conforme observado na Tabela 3.
   Esse é um fator relevante a ser levado em consideração, pois muitos nutrientes têm suas necessidades supridas apenas pela ração, não sendo, muitas vezes, necessária a utilização de nenhum tipo de suplemento.
4. Composição básica do produto: também é um indicativo da qualidade deste produto. Obviamente, quanto mais nobres forem os produtos utilizados para sua elaboração, melhor será o produto final.

Tabela 1 – Avaliação matemática de um produto nutricional – suplemento para cavalos

Nutriente	Garantia/kg	Garantia por dose (50g)	Trabalho médio Cavalo de 500kg		Éguas em final de gestação – 500kg	
			Necessidade diária (INRA)	*% coberta pelo produto*	*Necessidade diária (INRA)*	*% coberta pelo produto*
Cálcio	140g	7g	35g	20	45g	15%
Fósforo	90g	4,5g	19g	24	32g	14%
Magnésio	40g	2g	10g	20	9g	22%
Ferro	6.000mg	300mg	1.100mg	27	900mg	33%
Zinco	3.750mg	187,5mg	825mg	23	675mg	28%
Cobre	240mg	12mg	275mg	4	225mg	5%
Vitamina A	1.080.000UI	54.000UI	62.500UI	86	40.000UI	135%
Vitamina D_3	180.000UI	9.000UI	8.500UI	105	6.000UI	150%
Vitamina E	2.900mg	145mg	160mg	90	100mg	145%
Vitamina B_1	1.000mg	50mg	38,5mg	130	24mg	208%
Vitamina C	1.500mg	75mg	nd	–	nd	–

INRA = Institute National de la Recherche Agronomique; nd = não determinadas as necessidades do cavalo para esse ingrediente.

978-85-7241-869-0

Exemplo de ração de alta qualidade com relação à sua composição básica: aveia, farelo de soja, farelo de trigo, feno de gramínea, milho integral moído, cevada, glúten de milho, melaço, farelo de linhaça, óleo de soja degomado, fosfato bicálcico, cloreto de sódio, carbonato de cálcio, *premix* vitamínico e mineral. Eventuais substitutivos: triguilho, farelo de arroz integral, farelo de algaroba.

Exemplo de ração de qualidade inferior com relação à sua composição básica: farelo de trigo, farelo de algodão, feno de gramíneas, farelo de arroz desengordurado, melaço, casca de aveia moída, cloreto de sódio (sal comum), carbonato de cálcio, fosfato bicálcico, *premix* vitamínico mineral. Eventuais substitutivos: feno de alfafa, farelo de gérmen de milho, farelo de sorgo, cevada, triguilho, farelo de linhaça, farelo de arroz, farelo de glúten de milho, farelo de algaroba, farelo de milho.

Observe e compare a composição básica de ambos os produtos e verá a presença de mais produtos nobres no primeiro do que no segundo. Mesmo assim, os níveis de garantia podem ser equivalentes, o que nos mostra a importância deste item na avaliação do produto.

A presença de eventuais substitutivos não é indicativa de que a empresa os utilizará sempre, mas sim uma garantia de que o produto final sempre terá os mesmos níveis de garantia mesmo com oscilações de preços no mercado e que a empresa poderá utilizar eventualmente esses outros ingredientes.

5. Modo de usar do produto: é um forte indicativo de como a empresa garante todos os itens anteriores, pois, se o produto é de alta qualidade, com níveis adequados de garantia e enriquecimento e ingredientes de alta qualidade, a quantidade recomendada deverá ser relativamente pequena. Essa quantidade, em produtos de alto desempenho, jamais deverá ultrapassar 1% do peso do cavalo, ou seja, não pode ser superior a 1kg de ração para cada 100kg de peso vivo do cavalo.

Avaliação Baseada na Experimentação

Essa é, obviamente, em última instância, a melhor forma de se avaliar um produto. Teremos a certeza de que realmente funciona se o testarmos.

Mas como fazer um teste que possa ser definitivo na avaliação de um produto?

Claramente, a avaliação científica, feita por uma Universidade isenta, é o melhor caminho. Nesses centros de pesquisa trabalha-se com animais relativamente padronizados, com alimentação, manejo e atividade padronizados de forma que se possa avaliar se o diferencial é o produto testado. Empresas sérias com produtos sérios buscam essa alternativa para atestar a qualidade de seus produtos.

Outra forma é a experimentação por terceiros, pessoas formadoras de opinião, com animais de qualidade e que se destacam em sua atividade. Em teoria, esses profissionais não arriscam oferecer um produto que não traga resultados benéficos a seu animal. O problema, muitas vezes, é que essa experimentação não segue critério técnico, nem avaliação científica, e o produto pode apenas ser uma somatória a muitas outras atitudes que esse profissional está tendo com seu animal e obtendo sucesso.

A experimentação pessoal, quando bem feita e isenta, será um forte indicativo da real qualidade de um produto.

Quadro 2 – Informações obrigatórias de constar em rótulo de ração

- Indicação: para equinos atletas, submetidos a esforços intensos ou de grande duração
- Níveis de garantia
- Umidade (máx.)
  – 13%
- Proteína bruta (mín.)
  – 12%
- Extrato etéreo (mín.)
  – 5%
- Matéria fibrosa (máx.)
  – 12%
- Matéria mineral (máx.)
  – 11%
- Cálcio (Ca) (máx.)
  – 1,60%
- Fósforo (P) (mín.)
  – 0,60%
- Energia digestível
  – 3.300kcal (item não obrigatório)
- Nutrientes digestíveis totais
  – 75% (item não obrigatório)
- Enriquecimento por kg de produto: vitamina A: 12.000UI; vitamina D_3: 3.000UI; vitamina E: 10UI; vitamina B_1: 5mg; vitamina B_2: 5mg; vitamina B_{12}: 20μg; ácido pantotênico: 20mg; niacina: 20mg; colina: 190mg; magnésio (Mg): 40mg; ferro (Fe): 60mg; zinco (Zn): 80mg; cobre (Cu): 60mg; manganês (Mn): 40mg; cobalto (Co): 4mg; iodo (I): 0,5mg; selênio (Se): 0,125mg
- Composição básica do produto: aveia, farelo de soja, farelo de trigo, feno de gramínea, milho integral moído, cevada, glúten de milho, melaço, farelo de linhaça, óleo de soja degomado, fosfato bicálcico, cloreto de sódio (sal comum), carbonato de cálcio, *premix* vitamínico e mineral
- Eventuais substitutivos: triguilho, farelo de arroz integral, farelo de algaroba
- Modo de usar: consumo para cada 100kg de peso vivo:
  – Categoria (kg)
    - Animal em atividade leve (até 1h de trabalho diário): 0,5
    - Animal em atividade média (de 1h a 1h e ½ de trabalho diário): 0,8
    - Animal em atividade intensa (mais de 1h e ½ de trabalho diário): 1
- Conservação: armazenar o produto em ambiente seco, arejado e limpo, sobre estrados, afastado das paredes e devidamente embalado
- Prazo de validade: 90 dias da data de fabricação
- Data de fabricação: ______________________
- Fabricante: ______________________
- Rótulo registrado no Ministério da Agricultura sob nº ________

Para se realizar essa experimentação, a primeira atitude é verificar o estado sanitário do animal. Proceder a uma vermifugação periódica, manejo vacinal correto e avaliação do estado da arcada dentária são passos fundamentais antes de oferecer qualquer coisa ao animal.

Em seguida, devemos avaliar o estado físico do animal, se está compatível com seu porte, e avaliar sua atividade (quer seja física, reprodutiva ou crescimento) e a qualidade e a quantidade de sua dieta básica.

Tabela 2 – Níveis de garantia de um rótulo de ração

Nutriente		Comentários
Proteína bruta	12%	Significa que, para cada quilograma de ração, forneceremos 120g de proteína ao animal. Atente aqui para o fato de que uma ração com 15% de proteína não tem apenas 3% de proteína a mais que a de 12%, mas sim 25% a mais, pois a base de comparação é 120g (12%) contra 150g (15%)
Extrato etéreo	4%	O extrato etéreo é a forma de avaliação do teor de gorduras de uma ração. É um indicativo da qualidade energética do produto avaliado. Quanto mais elevado for seu extrato etéreo, *provavelmente* melhor será a qualidade energética da ração
Fibra bruta	12%	Avalia a quantidade de fibra do produto somada às quantidades de lignina e celulose constantes no produto. Um mínimo de lignina, a parte indigestível da fibra, é fundamental para o bom funcionamento do aparelho digestivo, mas fibra muito elevada indica produto de baixa digestibilidade e fibra muito baixa pode predispor a cólicas. Um teor interessante deve ficar entre 9 e 13% de fibra bruta
Matéria mineral	11%	É a quantidade de minerais presentes na ração. Quanto mais mineral tiver, indica utilização de matérias-primas de qualidade inferior
Cálcio	1,6%	É a quantidade de cálcio do produto, equivalente no caso a 16g de cálcio por quilograma de ração
Fósforo	0,6%	É a quantidade de fósforo do produto, equivalente no caso a 6g de fósforo por quilograma de ração
Energia digestível	3.300kcal	É a quantidade de energia pelo padrão americano (National Research Council). Pode ser medida em quilocalorias (kcal) ou megacalorias (Mcal) (1.000kcal). Obviamente, quanto mais elevado seu valor, mais energia o produto deverá ter. Entretanto, este não é um item obrigatório, nem fiscalizado pelo Ministério, sendo fornecido e garantido apenas pela empresa fabricante do produto
Nutrientes digestíveis totais (NDT)	75%	É outra forma de avaliar a energia. Cem por cento de NDT equivale a 4.400kcal, portanto, 75% equivalem a 3.300kcal

Tabela 3 – **Quantidade de vitaminas e minerais de uma ração com base no enriquecimento por quilograma**

Nutriente	Garantia/kg	Oferta para uma dieta com 4kg/dia	Trabalho médio – cavalo de 500kg	
			Necessidade diária	*% coberta pelo produto*
Vitamina A	12.000UI	48.000UI	62.500UI	77
Vitamina D_3	3.000UI	12.000UI	8.500UI	141
Vitamina E	10mg	40mg	160mg	25
Vitamina B_1	5mg	20mg	38,5mg	52
Vitamina B_2	5mg	20mg	65mg	30
Vitamina B_{12}	20µg	80µg	195mg	41
Ácido pantotênico	20mg	80mg	74mg	108
Niacina	20mg	80mg	195mg	41
Colina	190mg	760mg	950mg	80
Magnésio	40mg	160mg	10g	1,6
Ferro	60mg	240mg	1.100mg	22
Zinco	80mg	320mg	825mg	38
Cobre	60mg	240mg	275mg	87
Manganês	40mg	160mg	550mg	29
Cobalto	4mg	16mg	1,7mg	941
Iodo	0,5mg	2mg	2,2mg	91
Selênio	0,125mg	0,5mg	2,2mg	23

O fornecimento de quantidade e qualidade adequadas de volumoso é a primeira providência. Verificar a disponibilidade de água fresca e limpa à vontade e de sal mineral específico para equinos. Se o teste for com uma ração, escolher a mais apropriada para suprir as necessidades do cavalo e em quantidade adequada, tomando o cuidado de respeitar o tempo de adaptação do cavalo ao novo alimento de pelo menos três semanas.

Se o produto a ser testado for suplemento, após equilibrar a dieta com volumoso e ração, escolhe-se um determinado produto e oferece-se ao animal por um período não inferior a 30 dias e no máximo por 60 dias. Esse período deverá ser suficiente para testar a eficiência, ou não, do produto. Exceção pode ser feita para produtos que proponham melhora no crescimento de potros, que possivelmente demandam um tempo maior.

Caso não surta o efeito desejado, poderemos ter duas conclusões: a primeira é que o produto não surte o efeito proposto; a segunda é que o meu animal não necessitava daquele produto. Essa segunda alternativa sempre deve ser levada em consideração, pois as necessidades do cavalo são individualizadas, não sendo, obrigatoriamente, iguais para todos os animais. O simples fato de um produto funcionar para um animal não significa que funcione para outro (observação importante também para o caso de experimentação por terceiros).

Conclusão

Muitas são as formas de se avaliar um produto. Nenhuma delas deve ser utilizada e avaliada isoladamente.

Um produto deve ser avaliado através da somatória de todos os fatores descritos.

Entretanto, devemos sempre levar em consideração ao se avaliar um produto:

- Qual a real necessidade de meu cavalo?
- O cavalo precisa disso?
- O cavalo está com sua dieta básica equilibrada?

Se respondermos eficazmente a essas perguntas, poderemos oferecer ao nosso cavalo o que há de melhor, buscando sempre uma melhor qualidade de vida com desempenho eficaz.

Apêndice 2

Um Haras É uma Empresa

Um dos grandes problemas que observo em diversos haras é o grande déficit financeiro que norteia a maioria das criações de cavalos, quer sejam grandes ou pequenas. Isso também se aplica aos centros hípicos de grande, médio e pequeno porte.

Em 2005, a Confederação Nacional da Agricultura (CNA), por meio de sua Comissão Nacional do Cavalo, realizou um levantamento do Complexo do Agronegócio Cavalo no Brasil, em que chegou-se a um valor final de sete bilhões de reais de movimentação financeira e 640.000 empregos diretos e cerca de 3,2 milhões de empregos indiretos.

Como pode então um setor que movimenta tantas cifras ter problemas tão graves a ponto de ser comum o ditado: "a melhor forma de se ficar rico é criando cavalos. Deve-se trabalhar a vida toda, ganhar muito dinheiro, ficar milionário. Então, vai-se criar cavalos, perde-se muito dinheiro e fica-se rico". Ou ainda: "a melhor forma de se fazer uma pequena fortuna com cavalos é começando com uma grande fortuna".

Infelizmente, essa máxima é válida para a imensa maioria das propriedades brasileiras, em que o desperdício, a má gestão administrativa, a falta de foco no negócio e a péssima visão empresarial de muitos no setor levam ao constante prejuízo de um haras ou centro hípico.

O mais curioso nesse setor é que o que sempre observamos são empresários de sucesso em seus empreendimentos urbanos não conseguirem o mesmo sucesso no ramo equestre. Isso leva a paradigmas do tipo: criar cavalos é prejuízo certo. E exatamente a quebra de paradigmas, a profissionalização do setor, a seriedade de um empreendimento são os principais dogmas que devem ser seguidos para um sucesso nessa empreitada.

É certo que muitos empreendimentos equestres não são e jamais serão fonte de lucro que garanta uma vida tranquila na velhice. Mas daí a ser um rombo nas contas mensais é outra história.

Se grande parte dos criadores de cavalos e proprietários de centros hípicos é de empresários de sucesso, por que isso não se reflete no empreendimento equestre?

A resposta deve ser dada em duas partes:

A primeira afirma que é porque não aplicam os modelos de gestão de sua empresa no empreendimento rural.

A segunda afirma que aplicam responsabilidades da gestão de sua empresa ao empreendimento rural, mas isso somente pode ser feito se a primeira parte for cumprida.

Vamos explicar parte por parte.

Se os empresários urbanos aplicassem o modelo de gestão empresarial de sucesso em sua empresa rural, seria meio caminho rumo ao sucesso. Mas curiosamente, talvez por simplesmente enxergarem o modelo rural como apenas um local de lazer, não o fazem, estando desta forma fadados ao fracasso. Como qualquer negócio urbano, uma propriedade rural, qualquer que seja seu tamanho, deverá ter um controle de gestão empresarial para que, no mínimo, possa cobrir seus custos e empatar todo final de mês, de modo que o lazer ao menos não tenha custo algum.

Na segunda parte, os empresários exigem de seus funcionários responsabilidades, assim como no modelo de gestão de sua empresa, porém essas responsabilidades não são compatíveis com o nível educacional daquele funcionário. Quantos empresários buscam algum tipo de nível educacional compatível com determinada função no funcionário rural? Ora, para simplesmente pegar numa enxada não precisa de nível secundário. Isso é correto, mas para cuidar de um cavalo, muitas vezes de valor financeiro muito elevado, não será interessante ter alguém de nível compatível? Claro que não estamos falando de contratar universitários para limpar baia de cavalo, mas sim de ter responsáveis com nível adequado e de promover situações que visem aprimorar sempre a mão de obra pouco qualificada que cuida e zela por nossos animais.

Inúmeras vezes vemos gerentes de haras que mal sabem escrever, quiçá ler algo e interpretar de forma adequada as instruções para que o animal possa ter o melhor tipo de vida. Muitas vezes, o funcionário não tem noções de higiene pessoal, então por que limpar a baia e o cocho do cavalo diariamente? Essa mão de obra é que deve ser refutada, ou melhor, qualificada, para que possa exercer adequadamente suas funções e cobrada por elas, de forma que o resultado seja um empreendimento de sucesso, com baixo custo.

Implantação da Gestão de Empresa no Empreendimento Rural Equestre

Um dos passos mais importantes no caso de um empreendimento, qualquer que seja, é conhecer bem o que se pretende fazer.

Ao se escolher uma atividade urbana, em geral opta-se por aquela de que se goste mais ou que seja mais rentável.

A opção pela criação de cavalos ou abrir um centro hípico, em geral, está muito associada à paixão na imensa maioria dos casos. E sempre se diz que "a paixão cega o homem".

E aqui é que mora o perigo.

Ao se gerir um negócio, é de bom alvitre amar o que se faz. Tudo que é feito com amor é mais bem feito. Esse amor, porém, deve se limitar à convivência e ao respeito para com os cavalos e não ao gerenciamento administrativo, que deve ser o mais profissional possível.

O cavalo é um animal apaixonante, que respeita muito a convivência com o homem, desde que suas necessidades reais sejam respeitadas. Não exige nada mais além de carinho, alimento e respeito às suas condições naturais.

Então, esse é o primeiro passo a ser dado. Quando da abertura de um haras ou centro hípico, deve-se realizar um projeto para o cavalo e não para o homem, ou somente para este.

O homem é um bicho muito exigente, gosta de luxos muitas vezes desnecessários, gasta no que não deveria ao invés de investir no fundamental.

Dessa forma, como não podemos exigir que a paixão seja associada à razão e ao conhecimento e não podemos nem devemos alijar os apaixonados desse contato com o cavalo, então devemos alertá-los a buscarem apoio naqueles que sejam movidos pela razão e tenham conhecimentos suficientes e confiáveis para uma orientação.

Por que o empresário de sucesso no meio urbano, quando necessita de apoio diário ao uso correto de computador, busca conselhos de um especialista em informática e ao mesmo tempo não o faz quando está lidando com um empreendimento rural?

A resposta sempre dada é que o custo é elevado. Pois bem, um bom profissional do setor não é um custo, mas um investimento. Fará com que os gastos sejam realmente voltados para a necessidade do cavalo e esse deve ser o foco do empreendimento. Como já citado, o cavalo não tem uma necessidade de luxo, mas sim o homem, portanto, os investimentos para o cavalo podem ser simples e funcionais, otimizando os gastos de forma que não se tornem um encargo.

Mas atenção: não se pode esperar que um único profissional do ramo equestre tenha todas as informações de que se necessita. Devem-se buscar especialistas em cada área.

Se quiser projetar um centro equestre, deve-se buscar um arquiteto ou engenheiro aliado a um profissional competente do setor equestre. Esse profissional deverá estar preocupado com o bem-estar do animal e não apenas com a beleza das instalações.

Nas etapas seguintes, isso também deve ser feito.

Se quiser formar pastagens ou capineiras, um engenheiro agrônomo deve ser consultado.

Mas muita atenção na escolha desses profissionais. Infelizmente, o mercado equestre está cheio de enganadores, aproveitadores, que vivem à custa de inocentes endinheirados que caem em suas malhas. Cabe aqui o alerta a quem for montar sua empresa rural: que o faça como uma empresa urbana, busque informações sobre o profissional que está sendo contratado, desde a montagem do haras até a aquisição dos animais.

978-85-7241-869-0

Para se ter uma ideia da importância de um profissional competente desde a implantação do haras, já vi propriedades nas quais o empresário que as adquiriu achou-as muito desuniformes, pois a região era montanhosa. Então, contratou uma empresa de terraplanagem e nivelou o terreno o máximo possível. Ficou uma beleza em termos topográficos, mas a qualidade da terra para plantio foi para o espaço. E ainda, após isso, o proprietário aproveitou a máquina e arou toda a terra e sem uma análise prévia e nenhuma adubação correta plantou *coast-cross*, que demorou dois anos para brotar e, após mais um ano, não havia mais pasto para os animais. E quanto foi gasto nessa empreitada? E quanto não poderia ser economizado fazendo-se do jeito certo?

Um dos problemas que também ocorrem nessa área é a falta de foco no que se deseja fazer e de como se quer fazer. O ideal será sempre definir, assim como em um plano de negócios de qualquer empresa urbana, qual a missão, os objetivos e as metas da empresa rural, além, é claro, dos produtos que terei para vender (se são somente oriundos da criação, ou alojamento, escola de equitação, etc.).

Dessa forma, o primeiro passo, até mesmo antes de se iniciar o projeto de instalação de uma propriedade equestre, é definir qual o meu tipo de negócio equestre: terei um haras ou um centro hípico.

Se um haras, qual a raça de cavalos? Tenho acesso aos criadores dessa raça? Tenho acesso a informações fáceis sobre essa raça? Estou em local de fácil acesso a exposições e eventos ligados à raça? Tenho mão de obra disponível para minha criação, quer seja técnica ou braçal?

Se for um centro hípico, qual a atividade esportiva principal? É compatível com a demanda local/regional? Tenho mão de obra disponível para o manejo adequado, quer seja técnica ou braçal?

Muitos centros hípicos fecham as portas por estarem localizados em região cuja demanda pela atividade equestre do proprietário não é compatível com as necessidades da região. E esse é um conceito básico de qualquer empresa: demanda pelo seu produto.

Tenho que ter um foco principal em meu negócio, pois é quase impossível realizar três ou quatro atividades paralelas dentro de uma mesma empresa e ser vitorioso em todas elas. Dessa forma, as atividades em que tendo ao fracasso são passíveis de engolir o sucesso das outras.

A missão visa:

- Mostrar a expressão da razão da existência da empresa.
- Mostrar o papel desempenhado pela empresa no seu negócio.
- Atuar como uma mão invisível que guia os funcionários.
- Deve ter "a cara da empresa", uma espécie de carteira de identidade.

Dessa forma, a primeira pergunta a ser feita é: o que quero e o que espero de meu empreendimento rural. Por exemplo, em nosso haras de criação de Bretão a missão elaborada foi:

> Criar, treinar e apresentar animais de elite da raça Bretão, visando a uma inter-relação homem-cavalo através do comprometimento com o bem-estar do animal. Buscamos ainda melhorar o manejo e a criação de cavalos através de serviços e orientações especializados.

Os objetivos e as metas são o ponto final a que desejo chegar. No mesmo projeto do haras, os objetivos e metas definidos foram:

- Chegar a um plantel de cinco éguas puras de origem, produzindo cinco potros ao ano, o que permitirá a comercialização de cinco produtos anuais.
- Treinar e apresentar cavalos diferenciados em eventos equestres.
- Prestar assessoria nas áreas de nutrição, seleção e criação de cavalos de qualquer raça.

E, por fim, os produtos que teremos a oferecer ao mercado. Se for um haras de criação, provavelmente teremos potros novos, cavalos, coberturas de garanhões, sêmen, etc. Se for um centro hípico, poderemos ter aulas de equitação, alojamento, treinamento, etc.

Continuando ainda no exemplo do haras citado, podemos ver que a diversificação sem perda do foco pode ser excelente fonte de recursos para o empreendimento:

- Produção e comercialização de potros da raça Bretão.
- Apresentação de animais em eventos equestres.
- Venda de coberturas de garanhões e recepção de éguas de terceiros.
- Venda de sêmen para terceiros.
- Treinamento de animais para atrelagem e passeio.

Ainda fazendo parte dessa linha de raciocínio, devemos ter em mente a estratégia a ser utilizada para divulgação, venda e comercialização dos produtos produzidos. Afinal, o consumidor somente compra aquilo que sabe que está à venda. Devemos atingir o maior público possível, com o menor custo, otimizando ao máximo os recursos disponíveis.

E, por fim, fazer planilhas de custos e investimentos, de entradas de recursos e custos fixos e variáveis, como em qualquer empreendimento, para se ter uma real visão do meu negócio.

E fica a pergunta: quantos utilizam essa estratégia? Depois reclamam que só dá prejuízo. Como podem esperar lucro de algo que não foi bem planejado? Planejamento é fundamental em qualquer empreendimento, isso é o ponto de partida em qualquer curso básico de administração.

Ao se finalizar a implantação do centro equestre, a contratação de equipe competente é fundamental.

Uma equipe competente, e isso qualquer empresário urbano sabe, faz com que a empresa funcione adequadamente, com a produção sendo equacionada conforme a demanda, sem problemas que ocasionem qualquer interrupção ou gasto extra.

Claro que a criação de cavalos não é matemática, mas pode ser equacionada de forma que tenha os menores problemas possíveis. E menores problemas significam menores gastos.

Uma gestão empresarial equestre exige que se tenha um quadro mínimo de funcionários e que estes sejam capacitados para a função desejada. E esse é mais um problema.

Na implantação de um haras, devemos considerar o porte deste haras.

Um haras de porte razoável, de 40 éguas, implica um plantel em torno de 120 animais, considerando-se o índice de prenhez em torno de 80% e que a maioria dos animais seja mantida até os três anos de idade, com um índice de venda de cinco potros novos ao ano e mais 15 animais por volta de dois a três anos de idade anualmente.

Isso demanda uma mão de obra braçal mínima de seis funcionários, mais um gerente com nível educacional compatível e assessoria veterinária, zootécnica e agronômica periódica.

Se o empreendimento for um centro hípico, com 40 baias, devemos ter de três a quatro funcionários para a rotina diária de limpeza, alimentação e manejo dos animais, mais um gerente com nível educacional compatível e uma assessoria veterinária e zootécnica periódica e, eventualmente, se o centro hípico tiver piquetes e/ou produzir sua alimentação volumosa, uma assessoria agronômica.

Primeira mão de obra: o gerente do haras. Deve ser visto como o vice-presidente ou o gerente geral de sua empresa. Portanto, deve ter como características:

- Conhecimentos mínimos de tudo aquilo que cerca o empreendimento.
- Ser de confiança incontestável.
- Estar disposto a trabalhar de forma empreendedora como se o negócio fosse dele.
- Saber comandar uma equipe.
- Estar sempre aberto a discussões sobre o que é melhor para os animais, aberto a inovações e a adquirir novos conhecimentos.

Analisando cada uma e explicando-as:

1. Conhecimentos mínimos de tudo aquilo que cerca o empreendimento: estaremos lidando com cavalos, ser vivo que não exige qualquer cuidado especial em seu dia a dia, mas apenas respeito à sua natureza herbívora, societária e tranquila. Dessa forma, o gerente deve saber a melhor maneira de lidar com esse animal, procurando conhecê-lo a fundo, individualmente e como um todo. Nesses últimos anos, estudou-se a fundo o comportamento do cavalo para entendê-lo melhor. Portanto, técnicas de manejo e instalações devem ser revistas para serem adaptadas a essas novas metodologias de manejo mais adequadas ao bem-estar equestre. Além disso, o gerente deve ter noções de administração, contabilidade e comunicação. Não pode ter medo nem preguiça de escrever e anotar diariamente as ocorrências, quaisquer que sejam, e contabilizar todos os gastos para que se saiba para onde está indo o dinheiro e em que e como se pode diminuir esses gastos.
2. Ser de confiança incontestável: por motivos óbvios, assim como em qualquer empresa urbana, a confiança é o que faz o sucesso do empreendimento. Infelizmente, no meio equestre muitos profissionais do setor, se é que podem ser chamados assim, não fazem jus a essa confiança, procurando sempre tirar o melhor proveito para si; entretanto, muitas vezes o culpado é o próprio dono, que não se preocupa em fiscalizar e contabilizar tudo o que é feito em sua empresa rural, simplesmente porque é seu lugar de recreio. Mas então não pode ser uma empresa rural equestre.
3. Estar disposto a trabalhar de forma empreendedora como se o negócio fosse dele: no meio urbano chamamos de "vestir a camisa da empresa"; por que não fazer o mesmo no meio rural? Existem muitos funcionários que tratam os animais como se fossem seus, vibram quando eles ganham, sofrem quando perdem ou quando estão doentes e assim por diante. Esse deve ser o perfil desejado para um bom gerente, pois estará em busca sempre do melhor. Mas atenção para que tenha consciência de que a otimização dos custos faz parte do melhor para o empreendimento.
4. Saber comandar uma equipe: por motivos óbvios, afinal deverá liderar diversos funcionários. E aqui cabe uma importante atenção. Um bom gerente não é aquele que faz de tudo, mas aquele que sabe fazer de tudo e coordenar os trabalhos para que os outros o façam bem feito. Como em qualquer negócio, se o gerente fizer todo o trabalho, para que servirão os outros funcionários? Além disso, certamente se fizer todo o trabalho, nenhum trabalho será bem feito.
5. Estar sempre aberto a discussões sobre o que é melhor para os animais, aberto a inovações e a adquirir novos conhecimentos: este, em geral, é um dos grandes problemas da mão de obra equestre em qualquer nível. A grande maioria dos funcionários que trabalha com cavalos aprendeu o ofício de criança e muitos não são abertos a inovações. No século XXI, novas pesquisas são feitas a cada dia, trazendo novos e modernos conceitos que visam melhoria no manejo e melhores resultados no desempenho do animal. A quebra de paradigmas deve estar na mente de todos. O simples fato de um determinado conceito ter vindo de pai para filho não o torna verdadeiro. E o meio equestre está cheio desses conceitos arcaicos que não trazem benefício algum.

978-85-7241-869-0

Se o gerente não tiver essas características, como poderá levar em frente o empreendimento? A pergunta seguinte é: seu gerente possui essas características?

E seus outros funcionários? A mão de obra braçal? Ao menos devem ser de confiança incontestável e abertos a inovações, afinal são eles que colocarão em prática qualquer atitude inovadora a ser tomada na rotina diária.

Um dos grandes problemas em se ter essa mão de obra qualificada são os salários pagos. Em geral, espera-se muito de alguém que, muitas vezes, não tem qualificação adequada e nem recebe salário compensador.

Mas aí, dirão todos, se pagarmos regiamente teremos problemas de custo elevado e o negócio jamais será rentável.

Isso é meia verdade. Tanto a contratação de mão de obra qualificada como de assessoria independente nas áreas veterinária, zootécnica e agronômica devem ser encaradas como investimentos.

Esses investimentos devem ter como objetivo a economia inteligente da alimentação, do manejo, dos medicamentos, do uso dos materiais da rotina diária, da otimização da área e dos materiais existentes.

Mão de obra pouco qualificada causa problemas de saúde nos animais, elevando os gastos com medicamentos e a queda no desempenho e, consequentemente, queda nos preços dos animais. Se os animais têm seu preço reduzido, a principal fonte de renda do negócio está fora do mercado.

Como exemplo, cita-se a mais temida das afecções que acometem os equinos: a síndrome cólica.

Pode-se afirmar que pelo menos 95% das cólicas são ocasionadas por erros de manejo. Cólicas leves têm gastos com atendimento veterinário, deslocamento e medicamentos, levando a um custo mínimo de R$ 500,00. Cólicas de vários dias podem ter essa conta dobrada ou mesmo triplicada. Se for caso cirúrgico então, melhor nem contabilizar, sem contar que grande parte das cólicas leva ao óbito, elevando ainda mais o prejuízo. E então, se apenas com um acerto no manejo podemos praticamente eliminar esse grande mal, vale a pena investir em quem saiba como fazê-lo. Portanto, uma mão de obra qualificada interna e externa trará uma economia muito grande ao centro equestre.

Apêndice 3

Manejo Sanitário dos Equinos

O manejo sanitário de um rebanho visa prevenir doenças e males que possam interferir negativamente na saúde de nossos animais.

Deve ser uma prática corriqueira e de rotina em nossas criações, pois desta forma estaremos otimizando ao máximo tudo aquilo que fornecemos ao animal.

Um bom estado de saúde permite ao animal potencializar os ganhos nutricionais: ao potro em crescimento permite um ótimo desenvolvimento; à égua em reprodução, ciclar e gerar um produto saudável; e ao animal de esporte e trabalho, desenvolver plenamente suas atividades.

De nada adianta uma preocupação intensa com genética, alimentação e treinamento se, aliado a tudo isso, o animal não estiver saudável. Um bom manejo sanitário leva o animal a esse estado de saúde preventivo, inclusive economizando com o tratamento das mais diversas patologias, que são muitos mais caros que a própria prevenção.

O manejo sanitário pode ser dividido em quatro partes:

- Controle de endoparasitas.
- Controle de ectoparasitas.
- Controle de anemia infecciosa equina.
- Controle de doenças vacinais.

Controle de Endoparasitas

É o controle de verminoses que habitualmente afeta os equinos.

Os equinos, por seus hábitos alimentares, estão frequentemente sujeitos à alta infestação de vermes em seu trato intestinal.

Esses vermes devem ser combatidos, pois se alimentam dos animais, debilitando seu organismo e comprometendo sua saúde e seu desempenho.

Existem diversos tipos de vermífugos, com diferentes apresentações e composições, diferentes preços e resultados.

Os vermífugos para equinos, de forma geral, apresentam-se para prescrição oral, podendo ser granulados, líquidos ou em pasta.

Os mais comumente encontrados e mais eficazes são em pasta, porém, com diferenças significativas em sua composição e resultado.

Os princípios ativos dos vermífugos podem ser:

- Benzimidazóis: grupo antigo e que encontra resistência em grande parte dos vermes, tendo sua eficácia comprometida pelo uso indiscriminado.

- Organofosforados e organoclorados: também existem há bastante tempo, porém, são eficazes para a maioria dos vermes, mas devem ser administrados com cuidado por sua toxicidade, principalmente em éguas prenhes.
- Praziquantel e pamoato de pirantel: princípio ativo bastante eficaz para alguns grupos de vermes, mas não é muito abrangente, sendo muito utilizado em associações com outros princípios.
- Ivermectinas: princípio ativo descoberto na década de 1980, muito eficaz no combate à maioria dos vermes. Seu uso indiscriminado e em subdoses, porém, tem levado a alguns casos de resistência. Quando oriundo de uma empresa idônea e aplicado seguindo critérios recomendados, é confiável e eficaz. Tem sido muito utilizado em associação com praziquantel ou pamoato de pirantel, o que amplia seu espectro de ação e sua eficácia.
- Moxidectina: princípio ativo bastante eficaz contra endoparasitas e contra ectoparasitas como o carrapato. Possui o inconveniente de um custo bastante elevado.

Devemos nos preocupar com o tipo de vermífugo que vamos utilizar. Se o produto é muito barato, atenção a sua qualidade e eficácia. Produtos muito baratos em geral exigem maior número de aplicações, tendo um custo anual semelhante a uma ivermectina de boa qualidade, por exemplo.

Um esquema de vermifugação bastante eficaz deve incluir um controle parasitário com análise de fezes periodicamente. Mas nem sempre isso é possível, então realizamos uma rotina de aplicação de vermífugos de tempos em tempos, conforme o Quadro 1.

Quadro 1 – Esquema de vermifugação

Potros:

- Inicia-se aos 30 dias de idade, repetindo-se a cada 60 dias até os 12 meses de idade. Alternar o princípio ativo a cada três aplicações. Por exemplo, podemos utilizar ivermectina aos 30, 90 e 150 dias. Aos 210 dias, alternamos com moxidectina ou outra associação eficaz, retornando à ivermectina aos 270, 300 e 360 dias e assim sucessivamente

Adultos:

- Se o animal tiver manejo extensivo e com rotação de pastagem, podemos vermifugá-lo a cada 120 dias. Caso contrário, o ideal é repetir a aplicação a cada 90 dias, alternando-se o princípio ativo a cada três aplicações

Controle de Ectoparasitas

Ectoparasitas são parasitas que vivem na pele ou sob a pele e se alimentam do animal, causando prejuízos por comprometerem o desempenho e a saúde dos animais.

Os mais comuns são:

- Carrapatos: ectoparasitas hematófagos, isto é, que se alimentam de sangue, o que diminui a produtividade e o desempenho, podendo ainda transmitir doenças como nutaliose/babesiose, que afetam gravemente o animal, causando anemias. O carrapato deve ser combatido com o manejo adequado com carrapaticidas. O importante de se saber quanto ao ciclo do carrapato é que este apenas se alimenta no cavalo, passando a maior parte da vida no meio ambiente. Portanto, ao se pulverizar o animal, estamos atingindo apenas pequena parte dos carrapatos existentes. Dessa forma, o controle eficaz dos carrapatos demora certo tempo, até anos, para podermos quebrar seu ciclo. Alguns carrapaticidas do mercado não matam o carrapato, mas comprometem sua reprodução, quebrando desta forma seu ciclo. Outros atuam diretamente no carrapato, matando-o, mas, para atingir os outros carrapatos do meio ambiente, o carrapaticida precisa ter um efeito residual eficaz. Para cavalos temos poucos produtos realmente eficazes e seguros. Um princípio ativo que se tem mostrado eficaz sem comprometer a saúde do animal é a cipermetrina. Muito cuidado com produtos à base de amitraz, pois este princípio pode causar problemas neurológicos e distúrbios como cólicas em alguns animais. De qualquer forma, além da pulverização do animal, devemos atentar para cuidados com as pastagens para diminuir o número desses parasitas.
- Bernes: estágio larval da mosca *Dermatobia hominis*. A mosca adulta mede 12 a 15mm e vive apenas quatro dias. Nesse período, fixa seus ovos em diversos insetos hospedeiros que os transmitem aos mamíferos (especialmente cães e bovinos e, mais raramente, equinos) e que pode ser na pele íntegra do animal, quando haverá eclosão dos ovos e desenvolvimento da larva por 40 a 50 dias, chegando a medir 5 a 6cm. Depois desse período, caem no chão e completam seu desenvolvimento transformando-se em pupa e depois no animal adulto após 35 a 40 dias. Deve ser controlado, pois causa grande desconforto ao animal. Apesar de não ser comum em equinos, temos observado muitos casos desse parasita, talvez devido à maior incidência de lixo e da proximidade dos cavalos aos grandes centros.
- Miíase: também chamada de bicheira. É a larva da mosca-varejeira, que se desenvolve em uma solução de continuidade (ferimento aberto) e em grande quantidade (a fêmea chega a colocar 1.000 ovos de uma vez). A característica principal da miíase é o odor extremamente desagradável que se segue com o desenvolvimento das larvas. É facilmente prevenida com limpeza e assepsia correta dos ferimentos. Em caso de instalação de miíase em um ferimento, este deve ser limpo, todas as larvas retiradas e feito curativo local diariamente.
- Habronemose: é causada por invasão errática de larvas do *Habronema* sp. (um verme intestinal) em ferimentos exsudativos (com secreção). No ciclo do

Habronema, a mosca pousa nas fezes de um animal infestado e passa a ser um hospedeiro intermediário. Ao pousar no animal, em ferimentos exsudativos, transmite ao animal o habronema, que se desenvolve, passando a formar uma ferida bastante difícil de ser curada e tratada, podendo levar anos para a cicatrização efetiva. Manifesta-se por lesões de pele ou escoriações em geral no canto interno do olho, na linha média do abdômen e nos membros, abaixo da canela. Ocorre uma proliferação muito intensa de um tecido granuloso que não cicatriza. O tratamento consiste na remoção desse tecido, além de aplicação de ivermectinas associadas a organoclorados e produtos cicatrizantes.

Controle de Anemia Infecciosa Equina

A anemia infecciosa equina é uma doença infectocontagiosa causada por um vírus, caracterizada por períodos febris e anemias que se manifestam de forma intermitente, sem cura.

Sua transmissão ocorre por picada de insetos hematófagos e por fômites (material de uso contaminado).

Os sintomas podem ser agudos (febre intermitente de 39° a 41°C, depressão nervosa, fraqueza, anemia e morte entre 10 e 30 dias) ou crônicos (febre de um a sete dias, normalidade, febre novamente).

É altamente transmissível e, como não tem cura, a única solução é o sacrifício do animal, pois compromete o desempenho de todo o rebanho.

É uma doença endêmica em alguns Estados do Brasil e controlada em quase todos os outros. É de notificação obrigatória ao Ministério da Agricultura.

O controle se dá por exame laboratorial com validade por 60 dias e é de porte obrigatório para trânsito de animais em qualquer parte do Brasil.

Infelizmente, boa parte dos proprietários de cavalos não tem conhecimento de sua gravidade e não leva a sério seu controle, facilitando ainda mais sua disseminação.

Controle de Doenças Vacinais

A vacina é a indução de imunidade (produção de anticorpos) em um animal saudável, por meio da inoculação de vírus inativo, parte do vírus ou bactéria ou o vírus atenuado.

Muitas são as doenças que acometem os equinos e que podem ser prevenidas com a vacinação. Algumas são obrigatórias, outras são zoonoses (afetam também o homem) e outras são problemas de saúde exclusivos dos equinos, mas que podem e devem ser prática comum.

De forma geral, na maioria das doenças que podem ser prevenidas por vacinação, deve-se proceder a um esquema anual de vacinas, iniciando-se em potros aos quatro meses de idade, com reforço após 30 dias e depois anualmente com dose única. No caso de animais adultos em primovacinação (vacinação feita pela primeira vez), também se procede a um reforço após 30 dias e depois anualmente, com dose única. Exceções podem ocorrer dependendo da vacina, então devemos observar atentamente as instruções do fabricante ou deixar a critério do médico veterinário.

Para uma boa resposta vacinal, quer seja em potros ou em adultos, os animais devem estar em bom estado nutricional e desparasitados, tanto de ecto como endoparasitas. Devemos ter um cuidado especial com a assepsia para um esquema efetivo de vacinação. A utilização de agulhas e seringas descartáveis e local de aplicação limpo são condições fundamentais para a boa resposta imune.

A imunidade ocorre, em geral, após dez dias da última dose preconizada.

As principais patologias que afetam o cavalo e que podem ser controladas com a vacinação são descritas a seguir. O esquema de vacinação está descrito na Tabela 1.

978-85-7241-869-0

Tabela 1 – Esquema de vacinação

Doenças	Primovacinação		Reforço	Reforço	Observação
Tétano *Influenza* Encefalomielite	Potros a partir dos quatro meses Adultos em qualquer idade		Após 30 dias	Anual	Observar as recomendações do fabricante e do médico veterinário Manter sempre as vacinas sob refrigeração (nunca congelar)
Herpes-vírus	Potros	A partir dos quatro meses	Após 30 dias	Anual	
	Éguas prenhes	5º mês	7º mês	Toda a prenhez	
Raiva	Potros a partir dos quatro meses Adultos em qualquer idade		Anual		
Garrotilho	Potros a partir dos quatro meses Adultos em qualquer idade		A cada seis meses		

Tétano

O tétano é uma doença causada pela toxina do *Clostridium tetani*, caracterizada pelo aparecimento de espasmos musculares e hiperexcitabilidade reflexa.

Clostridium tetani pode estar presente em qualquer lugar. Esse é um dos principais problemas dessa afecção. *C. tetani* sobrevive na forma esporulada no meio ambiente por muito tempo, sem necessidade de um animal para se desenvolver. É um agente que vive e se prolifera em meio anaeróbico, isto é, sem a presença de ar, e em condições especiais nos ferimentos.

Qualquer tipo de ferimento oferece ao esporo do *Clostridium tetani* um ambiente propício à sua proliferação, desde um cravo mal colocado até um ferimento superficial em cerca de arame farpado. Essas condições fazem parte da rotina diária de qualquer animal, portanto devemos ter cuidado especial para prevenir o tétano.

Além disso, o tétano é uma doença de difícil cura, sendo seu custo, muitas vezes, impeditivo, além da baixa taxa de recuperação. E essa patologia é facilmente prevenida com a vacinação anual.

Em casos de ferimentos profundos, em animais vacinados, devemos ainda aplicar uma dose única de soro antitetânico, que estimula o sistema imunológico do animal e melhora a resposta do organismo. No local, devemos sempre, no primeiro curativo, limpar bem com água corrente e passar água oxigenada que torna o ambiente com alta concentração de oxigênio, impedindo a proliferação do *Clostridium tetani*.

Influenza

A *influenza* ou gripe equina é uma doença viral, altamente infecciosa, que ataca o sistema respiratório.

É transmitida por contato direto ou por fômites (material de uso contaminado), caracterizada por tosse seca e úmida (com secreção), mucosa nasal vermelha e com corrimento, lacrimejamento e fotofobia. Pode ter como sequela a broncopneumonia.

Por sua alta taxa de transmissão e por debilitar intensamente o animal, comprometendo seu desempenho, o doente deve ser isolado e mantido em repouso até o restabelecimento. O tratamento pode ser feito à base de expectorantes, boa alimentação, repouso absoluto e, em casos de suspeita de infecção secundária, podem ser administrados antibióticos.

Encefalomielite

É uma doença viral infectocontagiosa caracterizada por sinais neurológicos de perturbação da consciência, disfunção motora e paralisia, transmitida por picadas de insetos ou artrópodes.

As variedades existentes no Brasil até o presente momento não são transmissíveis ao homem, mas em outros países as variedades encontradas podem afetar o ser humano.

Por ser altamente contagiosa, de tratamento difícil, deve ser prevenida pela vacinação.

Herpes-vírus

O herpes-vírus pode causar o aborto equino em fêmeas prenhes entre o sétimo e o décimo mês de gestação e rinopneumonite em animais jovens, além de, em alguns casos, incoordenação motora.

Não tem tratamento específico, trazendo prejuízos de ordem reprodutiva para as fêmeas e debilitando os animais jovens, comprometendo seu desempenho, além destes animais se tornarem transmissores do vírus.

Garrotilho

É uma enfermidade infectocontagiosa causada pela bactéria *Streptococcus equi*, caracterizada por inflamação no trato respiratório superior e abscedação dos linfonodos adjacentes. Esta é a maior diferença clínica observada entre o garrotilho e a *influenza*, o enfartamento dos linfonodos submandibulares, que ocorre somente no garrotilho.

A transmissão ocorre por contato direto ou por fômites contaminados.

Seu tratamento é simples, com antibioticoterapia. Em casos de rebanhos equinos, porém, o custo pode ser elevado e a vacinação diminui este custo consideravelmente. Entretanto, a vacinação com vacinas comerciais disponíveis nem sempre é muito efetiva, sendo recomendado um reforço a cada seis meses; uma solução em um bom manejo é fazer uma autovacina. Coleta-se secreção de um animal infectado na propriedade e envia-se a um laboratório para confecção da autovacina, vacinando-se o rebanho todo com este produto. Deve-se ter o cuidado de isolar o animal contaminado.

Apesar de ser uma patologia relativamente simples, o não tratamento, que inclui repouso absoluto do animal, pode levar a consequências secundárias graves e complicações indesejáveis.

Raiva

A raiva é uma das principais doenças que devem ser prevenidas pela vacinação. Além de não ter cura, é transmissível ao homem, podendo levar tanto um como outro à morte.

A transmissão pode ocorrer por mordida de morcegos, raposas e cães e por contato com outros animais contaminados.

Como não tem cura, a única solução é o sacrifício do animal.

Em alguns estados brasileiros, a vacinação é obrigatória, sendo a Guia de Trânsito Animal emitida somente com apresentação de atestado de vacinação.

Apêndice 4

Confecção de Dieta: Exemplo Prático

A alimentação equilibrada do cavalo inicia com a determinação de suas características individuais, como peso, raça e categoria, passando pela observação de quais nutrientes e que quantidade são necessários para atender às suas necessidades, finalizando com a determinação de quais os alimentos e em que quantidade são necessários para compor a dieta do cavalo. Lembrando aqui que dieta é tudo aquilo que o cavalo ingere em um período de 24 horas.

Feitas essas considerações, que podem ser obtidas nos respectivos capítulos, a elaboração da dieta inicia então pela determinação das quantidades de alimentos que devemos ofertar ao animal para suprir sua demanda.

Exemplo: Equino de 5 anos, em atividade média, com 450kg de peso vivo.

Observa-se, nas tabelas do Capítulo 22, que suas necessidades diárias são como segue (Tabela 1):

Estabelecidas essas condições, devemos então verificar quais os alimentos que temos disponíveis para ofertar ao cavalo e assim balancear a sua dieta.

Determinados quais alimentos podemos oferecer, observa-se nas tabelas do Capítulo 15 quais alimentos constam ali, e, no caso de rações concentradas e suplementos, leia-se nos rótulos o que esses produtos oferecem por dose diária (como visto no Apêndice 1), coloca-se tudo na Tabela 2 e calcula-se a cobertura de suas necessidades e se a dieta está equilibrada. Para o exemplo, optou-se por utilizar 7kg de feno de tífton tipo A, 4kg ração concentrada com 11% de proteína bruta e 7% de extrato etéreo, com 3,3Mcal de energia digestível (outros dados e enriquecimento por kg de produto foram observados no rótulo), mais 120g de sal mineral (cujos níveis estão no rótulo do produto). Todos os produtos são disponibilizados no mercado comercial.

Atente que, para se efetuar um bom balanceamento, deve-se utilizar o método da tentativa e erro, trabalhando-se com números x e y para cada ingrediente e fazendo-se os cálculos. Se não der certo, alteram-se as quantidades, ou ainda o tipo de produto, e assim por diante até chegar ao equilíbrio.

Tabela 1 – Necessidades diárias do equino de 5 anos

Nutriente	Necessidades
Matéria seca	9,45 a 12,15kg
Energia digestível	21Mcal
Proteína bruta	693g
Cálcio	31,5
Fósforo	17,1g
Relação Ca:P	1,85:1
Cobalto	1,49mg
Cobre	246,5mg
Iodo	1,98mg
Ferro	990mg
Manganês	495mg
Selênio	1,98mg
Zinco	742,5mg
Vitamina A	56.250UI
Vitamina D	7.650UI
Vitamina E	144mg
Vitamina B_1	34,7mg
Vitamina B_2	58,5mg
Vitamina B_6	17,6mg
Vitamina B_{12}	175,5μg
Ácido fólico	17,6mg
Ácido pantotênico	66,6mg
Colina	855mg
Niacina	175,5mg

Ca:P = cálcio:fósforo.

Claro que as boas práticas de manejo diário devem ser levadas em consideração, como mínimo de 50% de volumoso, dividir as refeições em várias vezes ao dia, etc. como já descrito no decorrer deste livro.

Análise do balanceamento: Observe que a proteína está acima do limite máximo (30% além das necessidades), os microminerais, com exceção de ferro e manganês estão OK. Algumas vitaminas estão OK, enquanto outras são apresentadas a seguir.

Lembre-se sempre de levar em consideração as reais necessidades do animal, suas individualidades, ao se elaborar a dieta do animal.

A confecção de uma dieta é puramente matemática. Dá-nos uma diretriz a ser seguida, não devendo ser nada mais que um balizamento, que deve ser interpretado e analisado conforme as diversas circunstâncias, como clima, geografia, raça, fatores individuais, etc.

Entretanto, toda essa avaliação começa pela matemática, fundamental para o estabelecimento de uma boa baliza que possa nortear o bom manejo e prática nutricional. Esse passo pode ser demorado e complicado se feito à mão. Para facilitar muito àqueles que desejam trabalhar técnica e cientificamente com uma dieta equilibrada para equinos, desenvolvemos um *software*, em parceria com uma empresa de Viçosa, MG (TDSoftware) o Crac Horse 1.0 (Fig. 1), que auxilia os cálculos e confecção de dieta conforme o peso do animal e sua ativida-

Tabela 2 – Confecção de dieta equilibrada para equinos – Método manual

		Oferta				
Nutriente	Necessidades	Volumoso	Concentrado	Sal mineral	Total oferta	Observação sobre diferenças
Matéria seca	9,45 a 12,15kg	6,0kg	3,5kg	100 g	9,6kg	OK
Energia digestível	21 Mcal	10,7mcal	11,6mcal	–	22,3Mcal	OK
Proteína bruta	693g	660g	385g	–	1.045g	Limite: 921g
Cálcio	31,5g	30g	52,5g	15,0g	97,5g	OK
Fósforo	17,1g	18g	26,3g	6,5g	50,8g	OK
Relação Ca:P	1,85:1				1,9:1	OK
Cobalto	1,48mg	–	14mg	6,5mg	20,5mg	OK
Cobre	246,5mg	–	210mg	123mg	333mg	OK
Iodo	1,98mg	–	1,75mg	12,5mg	14,25mg	Limite: 19,80mg
Ferro	990mg	–	210mg	50mg	260mg	Abaixo
Manganês	495mg	–	140mg	170mg	310mg	Abaixo
Selênio	1,98mg	–	0,48mg	1,35mg	1,83mg	OK
Zinco	742,5mg	–	280mg	400mg	680mg	OK
Vitamina A	56.250UI	–	42.000UI	12.500UI	54.500UI	OK
Vitamina D	7.650UI	–	10.500UI	3.000UI	13.500UI	OK
Vitamina E	144mg	–	35mg	12,5mg	47,5mg	Abaixo
Vitamina B_1	34,7mg	–	17,5mg	–	17,5mg	Abaixo
Vitamina B_2	58,5mg	–	17,5mg	–	17,5mg	Abaixo
Vitamina B_6	17,6mg	–	–	–	–	Abaixo
Vitamina B_{12}	175,5μg	–	70μg	–	70μg	Abaixo
Ácido fólico	17,6mg	–	–	–	–	Abaixo
Ácido pantotênico	66,6mg	–	70mg	–	70mg	OK
Colina	855mg	–	665mg	–	665mg	Abaixo
Niacina	175,5mg	–	70mg	–	70mg	Abaixo

Figura 1 – Crac Horse 1.0.

de, composto de uma extensa biblioteca, que nos permite acrescentar nutrientes, ingredientes e quaisquer alimentos que desejemos equilibrar em uma dieta para cavalos.

O programa de dieta Crac Horse foi elaborado baseado nas necessidades do cavalo segundo o INRA (Institut National de la Recherche Agronomique) da França (UFC – Energia Líquida, MPDC – Proteína Líquida, Necessidades Vitamínicas e Minerais) e do NRC (National Research Council) dos Estados Unidos (energia digestível e proteína bruta).

O programa mantém arquivados, e permite a alteração de todos os dados necessários para o processamento da ração e da dieta. Na versão atual, o sistema permite a inclusão ilimitada de alimentos, nutrientes, dietas e rações. O programa permite a inclusão, exclusão e alteração de um determinado alimento ou nutriente, alterações de preços e de composição química dos alimentos.

O Super Crac Equinos também possui diversos relatórios para a conferência de dados pelo usuário e trabalha com inúmeras bases de dados distintas, localizadas nos diretórios indicados pelo usuário.

O Super Crac Equinos permite ao usuário trocar a imagem dos cavalos que é carregada na tela principal do *software* por outra imagem qualquer de sua preferência (personalização da tela).

O *software* permite verificar se as dietas que estão sendo oferecidas aos animais estão em conformidade com as necessidades nutricionais diárias desses animais. O módulo de dietas é muito utilizado para que o usuário possa fazer um acompanhamento melhor de toda a parte nutricional de seus animais juntamente com um profissional de nutrição de equinos. A dieta não foi elaborada para otimizar custos. O usuário poderá também verificar a alimentação do animal pelo fornecimento de rações comerciais já previamente formuladas, juntamente com o volumoso que possui na propriedade rural.

O *software* permite selecionar quais os nutrientes que se deseja verificar e balancear na dieta, desde uma dieta simples apenas com Matéria Seca, Energia, Proteína, Fibra Cálcio e Fósforo, até mais elaboradas com todos os macro e microminerais e vitaminas, cujas necessidades estão determinadas para os equinos, segundo o INRA.

O programa irá calcular também as quantidades mínima e máxima de volumoso e concentrado que o animal deverá ingerir ao dia.

A opção "Alimentos" permite visualizar todos os alimentos volumosos, concentrados e suplementos cadastrados no programa para que se possa selecionar aqueles que se deseja na elaboração de uma dieta.

Outra opção é "Custos". Essa opção só deve ser acionada após a escolha dos alimentos para a dieta. O botão "Custos" mostrará os alimentos escolhidos pelo usuário, para que ele informe os seus respectivos preços na matéria natural.

Como Funciona o Programa

Cadastro de **PROPRIETÁRIOS**. É necessário cadastrar ao menos um proprietário, uma propriedade e um animal para que o programa rode. Pode-se cadastrar quantos proprietários, propriedades e animais se desejar.

Cadastro de **NUTRIENTES.** Esta opção dá acesso à tabela dos nutrientes cadastrados no programa. O usuário poderá incluir um novo nutriente, excluir alguns nutrientes, realizar alterações dos dados de um determinado nutriente e duplicar um nutriente.

Cadastro de **ALIMENTOS**. Esta opção dá acesso à tabela dos alimentos cadastrados no programa. O usuário poderá incluir um novo alimento, excluir qualquer alimento que conste na tabela, realizar alterações dos dados de um determinado alimento e duplicar um alimento. É muito importante informar corretamente a composição química do novo alimento cadastrado para que o programa possa utilizá-lo de maneira adequada nos cálculos das dietas e rações.

Formulação de Dietas

Para elaborar uma nova dieta no Super Crac Equinos, o usuário deverá acionar o botão "Incluir" existente dentro do cadastro.

Após acionar o botão "Incluir", o usuário deverá informar inicialmente os seguintes dados:

1. Nome da dieta
2. Proprietário: Selecionar um proprietário cadastrado.
3. Animal. Escolher para qual animal a dieta será realizada.

978-85-7241-869-0

4. Peso do animal: incluir o peso do animal.
5. Categoria: Selecionar a categoria do animal para que sua exigência nutricional seja calculada.

Selecionadas as opções anteriores, o cálculo da exigência nutricional será realizado automaticamente com base no peso e categoria informados. O programa calculará também a quantidade de água que deverá ser ingerida pelo animal por dia.

A seguir seleciona-se "Nutrientes" que se deseja balancear e depois "Alimentos"; deve-se clicar no botão "OK", para confirmar a operação, e clicar na quantidade que se deseja administrar ao animal.

O Super Crac Equinos segue o seguinte padrão:

- A cor vermelha indica que o nutriente ou o alimento (Volumoso ou Concentrado) está abaixo do requerimento nutricional mínimo determinado para o animal.
- A cor preta indica que o nutriente ou o alimento (Volumoso ou Concentrado) está atendendo o requerimento nutricional determinado para o animal.
- A cor azul indica que o nutriente ou o alimento (Volumoso ou Concentrado) está acima do requerimento nutricional máximo determinado para o animal.

Com base nessas informações, o objetivo do usuário será selecionar os alimentos que deseja utilizar na dieta e colocar as quantidades de cada alimento, de modo que todos os nutrientes fiquem na cor preta. Inicialmente, como ainda não foram selecionados os alimentos que comporão a dieta, todos os nutrientes ficarão na cor vermelha.

Em algumas situações, o usuário não conseguirá colocar todos os nutrientes na cor preta, ou seja, alguns nutrientes poderão ficar na cor vermelha (abaixo do requerimento mínimo) e/ou na cor azul (acima do requerimento máximo). Caberá ao usuário analisar se os limites mínimos ou máximos não alcançados na dieta poderão ser prejudiciais ou não ao animal.

Lembre-se que trabalhamos com o "método de tentativa e erro", isto é, selecionamos tipos e quantidades de alimentos e o programa faz os cálculos. Então avaliamos se está OK para o animal ou se é necessária alguma modificação, tanto em quantidade como no tipo de alimento.

Ao se selecionar o alimento e a quantidade o programa começa o balanceamento, somando todos os nutrientes de todos os alimentos selecionados e calculando a diferença das necessidades, de forma que podemos acompanhar o quanto falta de qualquer nutriente para equilibrarmos a dieta do animal.

As dietas podem ser alteradas, modificadas, excluídas a qualquer momento, de forma a atender sempre as necessidades nutricionais dos animais.

Relatórios

Ao conseguirmos esse equilíbrio, podemos gerar dois tipos de relatórios, um completo, com todas as informações de alimentos, nutrientes, custos, etc. e outro mais simples, apenas com a identificação do animal e o total de alimentos sugeridos, que pode ser impresso e facilmente fixado na porta da baia de um animal de centro hípico, de forma que o tratador saiba o que e quanto aquele animal deve comer.

Associações de Raças

Associação Brasileira de Criadores do Cavalos Appaloosa - ABC-CAppaloosa
Av. Francisco Matarazzo, 455 – Água Branca – CEP: 05001-900 – São Paulo/SP.
www.appaloosa.com.br

Associação Brasileira dos Criadores do Cavalo Árabe - ABCCA
Av. Francisco Matarazzo, 455 – Água Branca – CEP: 05001-900 – São Paulo/SP.
www.abcca.com.br

Associação Brasileira de Criadores do Cavalo Bretão - ABCCB
R. Osvaldo Cruz, 267 – CEP: 13900-010 – Amparo/SP.
www.cavalo-bretao.com.br

Associação Brasileira dos Criadores de Cavalo Campeiro
R. Marechal Floriano, 217 – CEP: 89520-000 – Curitibanos/SC.

Associação Brasileira dos Criadores do Cavalo Campolina - ABCCC
Av. Amazonas, 6020 – Pq. da Gameleira – CEP: 30510-000 – Belo Horizonte/MG.
www.campolina.org.br

Associação Brasileira de Criadores e Proprietários do Cavalo de Corrida (Puro-sangue Inglês) - ABCPCC
Av. Linneo de Paula Machado, 875 – CEP: 05601-001 – Jd. Everest – São Paulo/SP.
www.studbook.com.br

Associação Brasileira de Criadores de Cavalos Crioulos - ABCCC
Av. Fernando Osório, 1754, "A", Três Vendas – CEP: 96055-000 – Pelotas/RS.
www.abccc.com.br

Associação Brasileira de Criadores do Cavalo de Hipismo (BH) - ABCCH
Av. Francisco Matarazzo, 455 – Água Branca – CEP: 05001-900 – São Paulo/SP.
www.brasileirodehipismo.com.br

Associação Brasileira de Criadores do Cavalo Puro Sangue Lusitano - ABPSL
R. General Jardim, 618, cj. 62 – CEP: 01223-010 – São Paulo/SP.
www.associacaolusitano.org.br

Associação Brasileira de Criadores de Cavalos da Raça Mangalarga - ABCCRM
Av. Francisco Matarazzo, 455 – Pav. 4 – CEP: 05001-900 – São Paulo/SP.
www.cavalomangalarga.com.br

Associação Brasileira dos Criadores do Cavalo Mangalarga Marchador - ABCCMM
Av. Amazonas, 6020 – Gameleira – CEP: 30510-000 – Belo Horizonte/MG.
www.abccmm.org.br

Associação Brasileira dos Criadores do Cavalo Marajoara
Av. Almirante Barroso, 5386 – CEP: 66645-250 – Belém/PA.

Associação Brasileira do Cavalo Paint - ABC Paint
Av. Comendador José da Silva Martha, 36-01 – CEP: 17053-340 – Bauru/SP.
www.abcpaint.com.br

Associação Brasileira dos Criadores do Cavalo Pampa - ABC pampa
Av. Amazonas, 6020 – Gameleira – CEP: 30510-000 – Belo Horizonte/MG.
www.abcpampa.org.br

Associação Brasileira dos Criadores de Cavalos Pantaneiros - ABCCP
R. Joaquim Murtinho, 1070 – Centro – CEP: 78175-000 – Poconé/MT.
www.abccp.com.br

Associação Brasileira dos Criadores de Cavalo Pônei - ABCCPÔNEI
Av. Amazonas, 6020 – Gameleira – CEP: 30510-000 – Belo Horizonte/MG.
www.ponei.org.br

Associação Brasileira dos Criadores do Cavalo de Pura Raça Espanhola (Andaluz) - ABPRE
R. Santa Quitéria, 432 – CEP: 30710-460 – Belo Horizonte/MG.
www.abpre.com.br

Associação Brasileira dos Criadores de Puruca - ARPP
Av. Almirante Barroso, 5386 – Castanheira – CEP: 66645-250 – Belém/PA.

Associação Brasileira de Criadores de Cavalo Quarto de Milha - ABQM
Av. Francisco Matarazzo, 455 – CEP: 05001-900 – São Paulo/SP.
www.abqm.com.br

Associação Nacional de Criadores "Herd-Book Collares" (Morgan e Percheron) - ANC
Rua Anchieta, 2043 – Caixa Postal 490 – CEP: 96015-420 – Pelotas/RS.
www.herdbook.org.br

Bibliografia Complementar

Anais do V Encontro Anual de Etologia. In: V ENCONTRO ANUAL DE ETOLOGIA. Jaboticabal: FUNEP, 1987.

ANDRADE, L. S. *Fisiologia e Manejo da Reprodução Eqüina*. 2. ed. Edição Independente – Recife: 1986.

ANDRIGUETTO, J. M. et al. *Nutrição Animal*. 4. ed. São Paulo: Nobel, 1986. v. 1-2.

BRUNS, U.; WEILAND, E. *L'Universe du Cheval*. Fribourg: Office du Livre SA, 1977.

BUIDE, R. *Manejo de Haras: problemas y soluciones*. 2. ed. Buenos Aires: Hemisferio Sur, 1986.

BUTOLO, J. E. *Qualidade de Ingredientes na Alimentação Animal*. Campinas: Colégio Brasileiro de Nutrição Animal (CBNA), 2002.

CAMARGO, M. X.; CHIEFFI, A. *Ezoognosia*. 2. ed. São Paulo: Instituto de Zootecnia, 1971.

CARVALHO, R. T. L.; HADDAD, C. M. *A Criação e a Nutrição de Cavalos*. 2. ed. Rio de Janeiro: Globo, 1988.

COSTA, R. M. et al. Variabilidade genética de eqüinos da Amazônia brasileira. *Revista BioTecnologia, Ciência & Desenvolvimento*, n. 35, Jul.-Dez., 2005.

DITTRICH, J. R. *Eqüinos – Livro Multimídia*. Curitiba: Centro Mídia Produções, 2001.

EDWARDS, E. H. *Encyclopedie du Cheval*. Mandarin: Compagnie Internationale Du Livre, 1994.

ELIAS, A. C. *O Centenário do Herd Book Collares*. Porto Alegre: Futura.rs Comunicação e Marketing, 2006.

FERREIRA, A. A. *Gestão Empresarial: de Taylor aos nossos dias*. 2. ed. São Paulo: Thomson, 2002.

FRAPE, D. *Nutrição e Alimentação dos Eqüinos*. 3. ed. São Paulo: Roca, 2007.

GALE, B. T. *Gerenciando o Valor do Cliente: criando qualidade e serviços que os clientes podem ver*. 1. ed. São Paulo: Pioneira, 1996.

GRANDIN, T.; JOHNSON, C. *Na Língua dos Bichos*. Rio de Janeiro: Rocco, 2006.

HONTANG, M. *A Psicologia do Cavalo*. 2. ed. São Paulo: Globo, 1989. v. 1-2.

HOOLEY, G. J.; SAUNDERS, J. *Posicionamento Competitivo*. 1. ed. São Paulo: Makron Books, 1996.

JAHIEL, J. *O Comportamento do Cavalo – A Solução dos Problemas*. Mem Martins: Editora Cães, Gatos, Periquitos e Companhia, 2006.

KOTLER, P. *Administração de Marketing*. 4. ed. São Paulo: Atlas, 1994.

KOTLER, P. *Marketing para o Século XXI: como criar, conquistar e dominar mercados*. 6. ed. São Paulo: Futura, 1999.

KOTLER, P.; ARMSTRONG, G. *Princípios de Marketing*. Rio de Janeiro: Prentice-Hall do Brasil, 1993.

LAROUSSE DO BRASIL. *Larousse dos Cavalos*. São Paulo: Larousse do Brasil, 2006.

LEWIS, L. D. *Alimentação e Cuidados do Cavalo*. São Paulo: Roca, 1985.

LOSE, M. P. *Las Yeguas Madres*. Buenos Aires: Hemisfério Sur, 1987.

MEYER, H. *Alimentação de Cavalos*. São Paulo: Varela, 1995.

MIRSHAWKA, V. *Criando Valor para o Cliente*. 1. ed. São Paulo: Makron Books, 1993.

NAVIAUX, J. L. *Cavalos na Saúde e na Doença*. São Paulo: Roca, 1988.

PUPO, N. I. H. *Manual de Pastagens e Forrageiras – Formação, Conservação e Utilização*. Campinas: Instituto Campineiro de Ensino Agrícola, 1985.

REZENDE, A. S. C.; COSTA, M. D. *Pelagem dos Eqüinos – Nomenclatura e Genética*. Belo Horizonte: FEP-MVZ, 2001.

RIBEIRO, D. B. *O Cavalo: raças, qualidades e defeitos*. 2. ed. São Paulo: Globo, 1989.

RICKETTS, S. W.; ROSSDALE, P. D. *Medicina Practica en el Haras*. Buenos Aires: Hemisferio Sur, 1979.

ROBERTS, M. *O Homem que Ouve Cavalos*. Rio de Janeiro: Bertrand Brasil, 2001.

ROSSIER, E. et al. *Maladies des Chevaux*. Institut du Cheval et Association Vétérinaire Équine Française. Paris: Editions France Agricole, 1994.

SAAD, S. M. I. Probióticos e Prebióticos: o estado da arte. *Revista Brasileira de Ciências Farmacêuticas*, v. 42, n. 1, Jan.-Mar., 2006.

SANTOS, R. F. *O Cavalo de Sela Brasileiro e Outros Eqüídeos*. Botucatu: J. M. Varela Editores, 1981.

SIMÕES, R. *Iniciação ao Marketing*. 4. ed. São Paulo: Atlas, 1980.

SIMÕES, R. *Marketing Básico*. 1. ed. São Paulo: Saraiva, 1981.

SISSON, S.; GROSSMAN, J. D.; GETTY, R. *Sisson and Grossman's the Anatomy of the Domestic Animals*. 3. ed. Philadelphia: W. B. Saunders, 1947.

SMYTHE, R. H. *A Psique do Cavalo*. São Paulo: Varela, 1990.

TIRAPEGUI, J. *Nutrição, Metabolismo e Suplementação na Atividade Física*. São Paulo: Atheneu, 2005.

TORRES; JARDIM. *Criação do Cavalo e de Outros Eqüinos*. 3. ed. São Paulo: Nobel, 1985.

TORRES; JARDIM. *Manual de Zootecnia*. Piracicaba: Agronômica Ceres, 1982.

VIEIRA, A. C. P.; CORNÉLIO, A. R. et al. Alimentos funcionais: aspectos relevantes para o consumidor. *Jus Navigandi (Teresina)*, ano 10, n. 1123, Jul., 2006. Disponível em: http://jus2.uol.com.br/doutrina/texto.asp?id = 8702. Acesso em: 14/02/2008.

WERNKE, R. *Gestão de Custos – Uma Abordagem Prática*. São Paulo: Atlas, 2004.

WESTWOOD, J. *O Plano de Marketing*. 2. ed. São Paulo: Makron Books, 1996.

SITES INDICADOS

CINTRA, C. Disponível em www.caahphotos.deviantart.com.

CLARK, A. Disponível em www.anaclarkphotos.blogspot.com.

MESSI, N. Disponível em www.neymessi.fot.br.

SILVA, P. Disponível em: www.pauladasilva.com.

Índice Remissivo

A

Aerofagia, 38*f*
Alazão, 73*f*, 77*f*
Albinoide, 72*f*
Alimentos
  calcário, 233, 234*f*
  capim, 223, 244*f*
    palha, 223*f*
    pastagem, 223*f*
  cloreto de sódio, 233
  concentrados, 222
    farelo
      algodão, 222, 224*f*
      amendoim, 224*f*
      arroz, 223, 225*f*
      aveia, 224, 226*f*
      cevada, 225, 226*f*
      girassol, 225
      leite em pó, 226*f*
      linhaça, 226
      mandioca, 227
      milho, 222*f*, 227*f* – 229*f*
      soja, 222*f*, 229, 230*f*
      sorgo, 230
      trigo, 230, 231*f*
  feno, 221*f*, 222*f*
  fosfato bicálcico, 234
  lecitina de soja, 231
  levedura, 232*t*
    de cana, 231*f*
    de cerveja, 232
  melaço, cana, 232*f*
  microingredientes, 234
  nutrientes, 217
  óleos vegetais, 233
  ração, aditivos, 236
  sais minerais, 235
  volumosos, 218
    forragens
      aquosas, 221
      secas, 218
Amarilho, 74*f*, 75*f*
Andaluz, 125*f*
Anemia infecciosa equina, 350
Anglo-árabe, 125, 126*f*
Appaloosa, 112*f*, 127*f*, 128*f*
Aprumos, 53, 54
Árabe, 129

B

Baias, 110*f*, 174, 176, 177*f*–179*f*
Baio, 79*f*, 80*f*
Bardoto, 11*f*
Brasileiro de hipismo, 131*f*
Bretão, 132*f*
Burro, 11*f*

C

Campeiro, 133*f*
Campolina, 134*f*
Capim, 164, 242
Castanho, 75, 77*f*, 78*f*
Cavalo, 2
  aparelho digestivo, 203, 204*f*
  aprumos, 53, 54*f*
  árabe, 129, 130
  calçado, 101–103*f*
  cascos, 25, 48
  cólicas
    gástricas, 331
    intestinais, 332*f*
    síndrome, 31, 347
  comportamento, 13
    cabeça, agitação, 29–31*f*, 33*f*, 34*f*
    cauda, postura, 26, 28*f*
    coice, 14
    conhecimento mútuo, 29
    empinamento, 40, 42*f*
    escoiceamento, 42*f*
    espojar, 31*f*, 32*f*
    golpeamento, 40
    hábitos higiênicos, 29, 30*f*
    manotada, 40, 41*f*
    mordedura, 40*f*
    orelhas, 16*f*
    partos, 30*f*
    pescoço, 29
    reconhecimento, 20*f*, 21
      de objetos, 22*f*
      interespécies, 22*f*
    refugo, 43*f*
    sono, 31*f*, 33
    vícios, 34, 36–38*f*
      aerofagia, 38*f*
      agressão, 40
      coprofagia, 39*f*

As letras *f*, *t* e *q* que se seguem aos números de páginas significam, respectivamente, *figura*, *tabela* e *quadro*.

- Cavalo
  - comportamento
    - vícios (*Cont.*)
      - disparada ou luta, 39
      - escavamento, 37*f*
      - fuga, 36
      - ingestão de cauda ou crina, 38
      - mastigação de madeira, 37–39*f*
  - comunicação, 14
  - contato físico, 157
  - de esporte, 4, 315, 318
    - competição, 317, 322
    - genética, 315
    - necessidades
      - energéticas, 320*t*
      - matéria seca, 320*t*
      - minerais, 321*t*
      - nutricionais, 318
      - proteínas, 321*t*
      - vitamínicas, 322*t*
    - treinamento, 316
  - de trabalho, 315
  - dentição, 58*f*, 59*t*
  - dieta
    - alimentação, 163, 249*f*, 315, 318
    - básica, 241
    - complementação
      - mineral, 243
      - nutricional, 245
      - ração, 246*f*, 247*f*
    - deficiência de cálcio, 333, 334*f*
    - energia, 210, 329
      - digestível, 210, 267, 273, 290, 292, 309, 320
      - excessos, 319
      - líquida, 211, 212*f*, 267, 274, 290, 292, 310, 320
    - equilibrada, 159, 160
    - fibras, 240*t*
      - insolúveis, 238
      - solúveis, 238
    - matéria seca, 241
    - nutrientes, 207–209, 217, 219*t*, 221*f*–235*f*
      - água, 207, 243
      - energéticos, 208
      - minerais, 209
      - proteína, 208, 215*f*, 216
      - ração, 161
    - suplementos, 251
      - ácido
        - aspártico, 260
        - graxos, 263
      - aminoácidos, 260–263
      - arroz, 264
      - avaliação matemática, 340*t*
      - eletrólitos, 256
      - empresas no mercado, 337
      - energéticos, 265
      - gama-orizanol, 264
      - linhaça, 264
      - minerais, 252–256
      - nutricionais, 248, 251
      - prebióticos, 252
      - probióticos, 252
      - produtos, 338, 340*t*
      - proteicos, 265
      - roda de Dyer, 253*f*
      - vitaminas, 257–260
      - volumoso, 161, 218, 241–243, 245*f*

- Cavalo (*Cont.*)
  - dismicrobismo, 330, 331*f*
    - ceco-cólico, 330
  - doenças ortopédicas, 330, 335*f*
  - domesticação, 10
  - dos índios, 126
  - estresse, 336
  - evolução, 6, 7*f*
  - fezes, 239*f*
  - idade
    - comparativa do homem, 326*t*
    - determinação, 59
  - idoso, 324, 325*f*, 328
    - alterações, 326*f*, 327*f*
    - dieta, 328, 329
    - sintomas, 325
  - indústria, 4
  - manejo, 157*f*, 161202, 318, 324
    - instalações, 110f, 165
      - acessórios, quarto, 202
        - selas e cabeçadas, 199*f*
      - anexas, 193
      - baias, 176, 177*f*, 181*f*–183*f*
      - banho, 201*f*
      - bebedouro, 192
      - cama, 186, 187*f*, 190
      - cercas, 167*f*
      - cocho, 191*f*, 196*f*, 197*f*
      - depósitos, 193, 195, 198*f*
      - embarcadouro, 201*f*
      - fenil, 196*f*
      - galpão, 179*f*–181*f*
      - local para feno, 91
      - manjedoura, 192*f*–194*f*
      - manuseio, 200*f*
      - porta-mantas, 199*f*
      - piquete, 166–168*f*, 171*f*, 173*f*
      - piso, 177, 278*f*, 179*f*, 185*f*
      - rede para feno, 194*f*
      - redondel, 166*f*
      - tronco de contenção, 200*f*
  - melhoramento genético, 117
    - acasalamento, 117
    - consanguinidade, 120
      - *closebreeding*, 121
      - *inbreeding*, 121
      - *linebreeding*, 121
    - cruzamento, 117, 119*f*
    - eliminação, 121
    - heterose, 117, 118
    - medidas, 113
      - padrão racial, 113*f*
      - parâmetros biométricos, 114
    - *outcrossing*, 117
    - seleção, 111, 116*f*, 121f, 122*f*
  - mercado, 4
    - Brasil, 3
  - necessidades, 161, 231, 238*f*
  - origem, 6-9
  - osteodistrofia fibrosa, 330, 333
  - peso, 50
  - piquetes, 157*f*
  - raças criadas no Brasil, 124, 125, 127, 133, 135–137, 139, 141, 143, 145, 149, 150
  - sensibilidade, 26

978-85-7241-869-0

Cavalo (*Cont.*)
sentidos, 13, 14, 17*f*, 24
audição, 14
olfato,17*f*
paladar, 24, 25*f*
tato, 24, 27*f*
percepção cutânea, 26
vibrissas, 24, 25*f*
visão, 23, 24*f*
binocular, 23*f*
monocular, 23*f*
sons emitidos, 15
Cercas, 165, 168*f*–170*f*, 172*f*–174*f*
Closebreeding, 121
Coprofagia, 39*f*
Crioulo, 135*f*

D

Dentes
ângulo, 62, 63*f*
caninos, função, 59
"capas", 60*f*
cauda de andorinha, 62
ciclo mastigatório, 62*f*
como identificar, 59
composição, 58*t*
"copo", 61*f*
coroa
clínica, 58*f*
reserva, 58*f*
desgaste, 38*f*
do lobo, 58, 59
erupção, 60*t*
formato, alterações, 60
hábitos alimentares, influência, 67, 68*f*
idade, determinação, 62, 63*f*
indicadores, 60–67*f*
marcas, 62*f*
incisivos
desgaste, 38*f*
função, 58
longos, 69*f*
molares, funções, 59
pré-molares, funções, 59
problemas, 69
sulco de Galvayne, 61
Desverminação, 39
Dieta,
confecção, 352, 353*t*
formulação, 354
Super Crac, 354*f*
Dismicrobismo, 215, 252, 328, 330, 332
ceco-cólico, 330
Doenças
ortopédicas desenvolvimentares, 214, 254, 307, 330, 335
vacinais, 350

E

Ectoparasitas, 349
Endoparasitas, 348
Éguas
ciclo estral, 276
cio, 279, 281*f*
coberturas, 280
divisão em lotes, 277
doadoras de embrião, 294, 296*f*
em gestação, 282, 289*f*
alimentação, 290
hipomane, 288*f*
placenta, 286*f*, 287*f*
em lactação, 289*f*
alimentação, 290, 291*q*, 293*t*–295*t*
final, 292
em reprodução, 276, 277*f*
manejo, 276
monta
a campo, 281*f*
à mão, 280
cachimbo, 283*f*
com peias, 282*f*
intensa, 273
leve, 273
média, 273
normal, 271
parto, 283, 285, 286*f*, 288
prenhez, 284*f*
receptora de embriões, 294, 296*f*
rufiação, 279f, 280*f*
Empinamento, 40, 42*f*
Encefalomielite, 351
Endotoxemia, 331
Energia e proteína, 210–213*f*, 215
Equideocultura, 3
Equídeos, classificação zoológica, 11, 12
Equinos
anatomia, 57
heterodontes, 57
hipsodontes, 57
instalações, 164
acessórios, 200
anexas, 193
baias, 174, 176, 177, 178*f*–185*f*
piso, 185*f*,186*f*
bebedouro, 192
cama, 186, 187*f*–190*f*
cercas, 165, 168*f*–170*f*, 172*f*–174*f*
cocho, 191*f*, 192*f*
contenção, 200*f*
depósitos, 193, 195195
embarcadouro, 201*f*
farmácia, 200*f*, 202
manjedoura, 192*f*, 194*f*
minifarmácia, 200*f*
pastagens, 164
piquetes, 164, 165*f*–167*f*
de garanhão, 175*f*
maternidade, 284, 302
solário, 167*f*
manejo sanitário, 348
anemia infecciosa equina, 350
ectoparasitas, 349
endoparasitas, 348
garrotilho, 351
vacinação, 350*t*
vermifugação, 349*q*
Equitação, 152
concurso completo, 113, 126
de trabalho, 152

Escoiceamento, 42*f*
Espojar, 31*f*, 32*f*
Esterqueiras, 190*f*
Ezoognósia, 45
  altura, 50*f*
  cabeça, 45
  cascos, 48*f*, 50*f*
  índice
    dactilotorácico, 51
    torácico, 51
  membros, 48*f*
  pescoço, 45, 47*f*, 48*f*
  peso, 50
  perfil, 46*f*
  proporções, 52*q*
  relações corporais, 50
  tronco, 47

F

Farmácia, 202*f*
  medicamentos indispensáveis, 202
Feno, 221*f*, 222*f*, 242*f*
Fjord, 147*f*

G

Garanhão, 11*f*, 119*f*
  alimentação, 272
    energia digestível, 273, 274*t*
    matéria seca, 273*t*
    minerais, 275*t*
    necessidades energéticas, 273
      matéria seca, 273
      proteicas, 274*q*
      vitamínicas, 275*t*
  instalação, 270, 271*f*
  manejo, 269
  reprodutor, 270, 271*f*
  trabalho, 272
Garrotilho, 351

H

Haflinger, 147
Haras, 4, 164, 343
  empresa, 343, 344
Herpes-vírus, 351
Hipoglicemia, 322
Hipomane, 288

I

Imprinting, 298
Inbreeding, 121
Influenza, 351
Jumento, 11*f*

L

Laminite, 49, 252, 331
Lavradeiro, 135, 136*f*
Leopardo, 88, 92*f*
Libuno, 86*f*
Linebreeding, 121
Lobuno, 84, 86*f*
Lusitano, 136, 137*f*

M

Mangalarga, 137–139*f*
  marchador, 139*f*
Mantado, 89, 93*f*
Marajoara, 139*f*
Marcha, provas, 153
Mercado
  de cavalos no Brasil, 3
  equestre, 3
Mesohippus, 7
Modalidades equestres, 151–153, 317
  adestramento, 151, 317
  apartação, 151
  atrelagem, 151
  baliza (seis), 152
  bulldogging, 152
  cavalgada, 152
  concurso completo de equitação, 152
  corrida, 152
  dressage, 151
  enduro, 152
  equitação de trabalho, 152
  freio de ouro, 153
  hipismo rural, 153
  laço, 153
  maneabilidade, 153
  provas de marcha, 153
  raid, 154
  rédeas, 154
  salto, 154
  tambor, 154
  team penning, 154
  trail, 154
  volteio, 154
Morgan, 140*f*
Mula, 11*f*

N

Negro, 80*f*
Neurectomia, 26
Nevado, 129*f*
Nutracêuticos, 236
Nutrição, conceitos básicos, 251
Nutrientes, 207–209, 217, 219*t*, 221*f*–235*f*

O

Obesidade, 273
Obstrução intestinal, 333
Óleos vegetais, 233
Onohippidium, 7
Osteodistrofia fibrosa, 330, 333
Oveiro, 88, 142*f*

P

Pampa, 82*f*, 84, 87*f*, 88, 90*f*, 143*f*
Paint Horse, 112*f*, 141*f*
Pantaneiro, 143*f*, 144*f*
Parahippus, 7
Partos, 30*f*, 283, 285, 286*f*, 288
Pastagens, 164, 242*f*

978-85-7241-869-0

Pelagem, 71–87f, 89f–93f
  nomenclatura, 72
    albinoide, 72f
    amarilho, 74f, 75f
    alazão, 73f–77f, 90f
    baio, 79f, 80f
    castanho, 75, 77f, 78f
    leopardo, 88, 92f
    libuno, 86f
    lobuno, 84, 86f
    mantado, 89, 93f
    negro, 75, 80f, 85f
    pampa, 82f, 87f, 88f, 90f, 113f
    rosilho, 80f, 85f, 89f
    sopa de leite, 74f
    tordilho, 75, 82f, 83f, 88f, 92f
    zaino, 78f, 91f
    zebruras, 72f
Percheron, 144, 145f
Piquira, 146f
Pônei, 115f, 145, 146f
  brasileiro, 146f
  Fjord, 147f
  Shetland, 147
  Welsh Pony, 148
Potros
  alimentação, 298, 305f, 306
  altura, 306f
  contenção, 302f
  cuidados iniciais pós-parto, 300f
    coto umbilical, desinfecção, 301f
  desmame, 303
  doma, 305, 316
  em crescimento, 298
  instalações, 303
    creep-feeding, 304f
  lactentes, 299f
  lotes, 306
  manejo, 298, 303
  nascimento, 298
  necessidades, 308
    energéticas, 309, 311t
    matéria seca, 308, 310t
    minerais, 312t
    proteicas, 311t
    vitamínicas, 312t
  órfãos, 313f, 314f
  trabalho, 304
Pura raça espanhola, 125f
Puro-sangue, 125, 149
  Árabe, 118f, 130f
  Inglês, 149f
Puruca, 150f

Q

Quarto-de-milha, 141, 150, 151f

R

Ração
  enriquecimento, 342t
  rótulo, 339q, 341t
  tipos, 246
Raças criadas no Brasil, 124
  Andaluz, 124, 125f
Raças criadas no Brasil (*Cont.*)
  Anglo-árabe, 125, 126f
  Appaloosa, 77f, 111, 112f, 126, 127f
  Árabe, 129f
  Brasileiro de Hipismo, 131f
  Bretão, 132f
  Campeiro, 133f
  Campolina, 134f
  Crioulo, 135f
  Lavradeiro, 135, 136f
  Lusitano, 136, 137f
  Mangalarga, 137, 138
    marchador, 138, 139f
    mineiro, 138
    paulista, 138
  Marajoara, 139f
  Morgan, 139, 140f
  Paint Horse, 111, 112f, 141f
  Oveiro, 88, 141, 142f
    tobiano, 88, 142f
    toveiro, 88, 142
  Pampa, 111, 113f, 143f
  Pantaneiro, 143, 144f
  Percheron, 115f, 144, 145f
  Piquira, 146f
  Pônei, 145
    brasileiro, 146f
    Fjord, 147f
    Haflinger, 147
    Shetland, 147
    Welsh Pony, 148, 149f
  Pura raça espanhola, 124, 125f
  Puro-sangue inglês, 149f
  Puruca, 150f
  Quarto-de-milha, 150
Raiva, 351
Resenha, 94, 103, 106q
  sinais, 95,106q
    despigmentação, 100f
    espigas, 95, 97f, 98f
    estrela, 99f
    filete, 99f
    frente aberta, 100f
    manchas brancas, 96
      arregaçado, 103,104f
    marcas do criador, 106f
    membros
      calçado, 100, 101f, 103f
        casco, 104f
        outros, 105
      remoinhos, 98f
      tapado, 100
Rosilho, 80f, 85f, 89f

S

Salmonella, 331
Shetland, 147, 148f
Silagem, 221, 243, 245f
Sopa de leite, 74f
Super Crac, 354f

T

Tétano, 351
Tobiano, 88, 142f
Tordilho, 75, 82f, 83f, 88f, 92f

Toveiro, 88
Tricobezoar, 38

U

Úlcera gástrica, 336

V

Vermífugos, 348

W

Welsh Pony, 148, 149*f*

Z

Zaino, *78f*, 91*f*
Zebra, 11*f*
Zebroide, 11*f*
Zebruras, *72f*

978-85-7241-869-0

2025/7